7·00

Les sœurs Deblois

– Tome 3 –

Anne

LOUISE TREMBLAY-D'ESSIAMBRE

Les sœurs Deblois

– Tome 3 –

Anne

Guy Saint-Jean
ÉDITEUR

Catalogage avant publication de Bibliothèque et Archives Canada
    Tremblay-D'Essiambre, Louise, 1953-
    Les sœurs Deblois
    L'ouvrage complet comprendra 4 v.
    Sommaire: t. 1. Charlotte – t. 2. Émilie – t. 3. Anne.
    ISBN 2-89455-157-6 (v. 1)
    ISBN 2-89455-173-8 (v. 2)
    ISBN 2-89455-193-2 (v. 3)
    I. Titre. II. Titre: Charlotte. III. Titre: Émilie. IV. Titre: Anne.
    PS8589.R476S63 2003   C843'.54   C2003-941607-0
    PS9589.R476S63 2003

Nous reconnaissons l'aide financière du gouvernement du Canada par l'entremise du Programme d'Aide au Développement de l'Industrie de l'Édition (PADIÉ) ainsi que celle de la SODEC pour nos activités d'édition. Nous remercions le Conseil des Arts du Canada de l'aide accordée à notre programme de publication.

Gouvernement du Québec – Programme de crédit d'impôt pour l'édition de livres – Gestion SODEC

© Guy Saint-Jean Éditeur Inc. 2005
Conception graphique: Christiane Séguin
Révision: Nathalie Viens
Page couverture: Toile peinte par Louise Tremblay-D'Essiambre: «Le rêve d'Anne».

Dépôt légal 2e trimestre 2005
Bibliothèques nationales du Québec et du Canada
ISBN 2-89455-193-2

DISTRIBUTION ET DIFFUSION
Amérique: Prologue
France: CDE/Sodis
Belgique: Diffusion Vander S.A.
Suisse: Transat S.A.

GUY SAINT-JEAN ÉDITEUR INC.,
3154, boul. Industriel, Laval (Québec) Canada. H7L 4P7. (450) 663-1777.
Courriel: saint-jean.editeur@qc.aira.com   Web: www.saint-jeanediteur.com

GUY SAINT-JEAN ÉDITEUR FRANCE,
48 rue des Ponts, 78290 Croissy-sur-Seine, France. (1) 39.76.99.43.
Courriel: gsj.editeur@free.fr

Imprimé et relié au Canada

À Alexie, ma fille, mon amour…

À la mémoire de monsieur Guy Saint-Jean,
avec toute ma reconnaissance. Merci Guy!

Note de l'auteur

Juillet 2004. Ce matin, tout est gris, sombre et mouillé. Il a plu une partie de la nuit. Je le sais parce que je n'ai pas très bien dormi. J'avais peur de passer tout droit : à l'aube, j'avais fixé un rendez-vous à Anne.

Malgré mes craintes, je suis à l'heure et Anne aussi. Je la vois courir sur la plage en compagnie de Jason et d'Alicia. Je sais qu'elle m'a vue, car elle me regarde parfois à la dérobée. Mais elle n'ose toujours pas faire les quelques pas qui nous séparent.

Aurait-elle peur de moi ?

Anne est une enfant farouche, un peu sauvage. Je sens que je vais devoir être très patiente avec elle. Heureusement, j'ai tout mon temps. Je vais donc rester là, à la regarder, sans brusquer ni le temps ni les choses, pour qu'elle comprenne qu'elle n'a rien à craindre. Pour qu'elle comprenne que je l'aime, comme j'aime Charlotte et Émilie.

Les trois sœurs Deblois.

Voilà déjà deux ans que je partage leur vie. Je les ai connues enfants, je les ai regardées grandir. J'ai vu Charlotte et Émilie devenir femmes et aujourd'hui, je tends la main à Anne pour l'accompagner sur le chemin qu'elle choisira d'emprunter.

Acceptera-t-elle ma présence à ses côtés comme Charlotte et Émilie l'ont acceptée ?

Charlotte, la femme de terre argileuse que la vie façonne d'une main ferme, parfois brusque, sans fioriture. Charlotte, la femme solide sur qui chacun a envie de s'appuyer… Mais Charlotte n'a toujours que vingt-quatre ans, même si sa destinée l'a obligée à prendre les bouchées doubles. Est-elle vraiment la femme forte que l'on croit connaître? Quelle œuvre sortira de la motte de glaise une fois que la vie l'aura épurée à coups de couteaux, l'aura modelée d'un pouce ferme?

Émilie, quant à elle, est la femme d'eau, fluide et douce. Comme la rivière, elle suit son cours, s'adaptant aux courbes et aux creux. Émilie, la femme calme et paisible comme la mer à l'étal. Mais l'eau n'est-elle pas capable, aussi, de détermination, d'acharnement, d'entêtement pour creuser la roche qui se dresserait en travers de sa route? Alors qui donc est Émilie? Le lac paisible qui nous renvoie les éclats du soleil ou la mer houleuse et sombre qui gonfle avant la tempête? Je ne le sais pas encore.

Et il y a Anne. Encore une enfant, à peine une ébauche de femme, mais déjà elle sent le soufre et le feu. Elle bouillonne comme le volcan, crache parfois des volutes de fumée, n'arrive pas à contrôler la montée de lave qui menace. Anne entend toutes ces choses qui craquent et se fissurent en elle et elle a peur. Elle a peur des autres et d'elle-même, de la vie surtout. Elle voudrait être capable de camper solidement ses deux pieds sur la terre ferme et rêve de se rafraîchir à l'eau vive, mais elle n'ose pas. Depuis toujours on la traite d'insignifiante et dans la vie, les insignifiances, on les écarte du revers de la main...

Trois sœurs si différentes les unes des autres, mais habitées d'une même rage de vivre exacerbée par une mère qui passe sa vie à mourir lentement.

La terre, l'eau et le feu...

Je ferme les yeux et je me tourne vers l'avenir des sœurs Deblois. Toutes les trois, elles sont devenues des femmes mûres. Je les vois, côte à côte, debout sur un escarpement rocheux, face au vent.

Charlotte se tient bien droite et garde les yeux grands ouverts malgré le vent qui rabat ses cheveux. Reste-t-elle ainsi, immobile, parce qu'elle voit se dessiner au loin l'histoire de son prochain roman ou regarde-t-elle à l'intérieur d'elle-même où se joue sa propre histoire?

Je ne saurais le dire.

Émilie, par contre, courbe les épaules et détourne la tête, agacée par ce vent qui fouette son visage. Est-elle en train d'imaginer sa prochaine toile? Un jardin paisible qui ferait oublier la bourrasque ou courbe-t-elle l'échine parce que la vie continue de la priver de ses rêves les plus légitimes?

Quant à Anne, légèrement en retrait, les jambes écartées pour tenir tête au vent, elle retient ses cheveux à deux mains. Est-ce pour mieux entendre la musique que suggère le vent qui siffle à ses oreilles?

Elles sont trois, à la fois si différentes et si pareilles.

La terre solide qui inspire confiance; l'eau si bonne, si fraîche, tentante comme une oasis; et le feu qui peut tout détruire sur son passage.

J'ouvre les yeux précipitamment. Un curieux malaise s'infiltre en moi quand je pense à l'eau. Je vois une crue subite, une inondation, un raz-de-marée. L'eau a deux visages. Elle est essentielle à la vie, mais je sais aussi qu'il n'y a que l'eau pour détremper la terre et en faire de la boue, comme il n'y a que l'eau pour éteindre le feu…

PREMIÈRE PARTIE

Été 1948 - Printemps 1949

« *Le secret du changement, c'est de concentrer
toute votre énergie non pas à lutter contre le passé,
mais à construire l'avenir.* »

SOCRATE

CHAPITRE 1

Assise, les pieds enfoncés dans le sable chaud, les genoux relevés et entourés de ses deux bras, Charlotte fixait l'horizon vers l'est. Quel pays découvrirait-elle si elle arrivait de l'autre côté de la mer? Serait-ce bien le Portugal comme elle se plaisait à l'imaginer? Un pays dont elle ne connaissait que le nom. Un pays où elle avait envie d'aller depuis qu'Antoinette lui avait parlé de Gabriel.

Autour d'elle, c'était l'été. Il y avait des rires, des voix joyeuses, des cris de plaisir. Relevant la tête, Charlotte ferma les paupières à demi en promenant son regard tout autour d'elle. Bientôt, un grand sourire illumina son visage. À quelques pas, un peu plus à droite, pataugeant dans les dernières vagues, les paresseuses, celles qui lèchent le sable, brillantes de soleil, Anne, Alicia et Jason s'amusaient à attraper de tout petits poissons, chacun un filet à la main.

Trois enfants heureux profitant d'une merveilleuse journée d'été au bord de la mer. Image banale, mais combien rassurante aux yeux de Charlotte.

Un morceau d'éternité arraché à la vie.

Depuis trois jours qu'elles étaient ici, Anne était redevenue la petite fille de onze ans qu'elle aurait dû être tout le temps. Joyeuse, insouciante, taquine. Depuis trois jours qu'elles étaient ici, Charlotte avait oublié les rigueurs d'un travail qui ne lui plaisait pas vraiment.

Charlotte s'attarda un moment à regarder les trois enfants

jouer, puis elle reposa la tête sur ses genoux en fermant les yeux. Aussitôt elle fut emportée par son imagination débridée qui s'amusa à inventer un beau rêve éveillé. Elle était au Portugal, sur une plage qui ressemblait à celle-ci, où il y avait les mêmes rires, la même insouciance. Assise sur le sable, comme ici, elle attendait. Elle se sentait très calme même si son cœur battait à tout rompre. Gabriel ne devrait plus tarder…

– Charlotte !

Son nom, crié par une voix joyeuse, se faufila adroitement dans la rêverie de la jeune femme dans la continuité de ses espoirs les plus fous. Le temps d'un dernier battement de cœur en accord avec le rêve puis, douloureusement, dans l'instant suivant, ce dernier éclata comme une bulle de savon qui se pose sur l'herbe.

Charlotte soupira en ouvrant les yeux pour regarder autour d'elle.

Elle détestait être dérangée quand son esprit s'amusait à vagabonder comme il l'avait fait quelques secondes auparavant. Elle eut un geste d'impatience avant de dessiner tout de même un large sourire. Plus loin, sur sa droite, Antoinette avançait d'un bon pas, portant un gros panier d'osier qu'elle balançait de la main gauche alors que de l'autre elle saluait Charlotte. La jeune femme leva le bras à son tour pour répondre à la salutation. Au même moment, les enfants se précipitèrent vers Antoinette en courant.

Antoinette…

À peine trois jours de vie partagée, de fous rires à deux, de clins d'œil complices et la jeune femme avait compris qu'elle avait plus d'affinités et de points communs avec Antoinette qu'elle n'en avait jamais eus avec sa propre mère. Et qu'elle n'en aurait jamais. Le temps de penser que c'était Antoinette qui aurait dû être leur mère à tous et le joyeux groupe arrivait à sa hauteur.

– Voilà le repas !

Les trois enfants sautillaient comme de jeunes chiens fous, affamés. Antoinette esquissa un petit sourire moqueur accompagné d'un clin d'œil à l'intention de Charlotte avant de déposer le panier sur le sable pour se retourner vers la mer qu'elle scruta attentivement, les yeux mi-clos, les mains sur les hanches.

– On dirait bien que la marée descend, constata-t-elle d'une voix pétillante de plaisir anticipé. L'eau doit donc être chaude… Ça me tente ! Je crois que je vais me baigner avant de manger.

Jason fronça aussitôt les sourcils.

– Ah non ! Tu ne vas pas te baigner maintenant ? Ça prend toujours des heures quand tu vas nager. C'est que j'ai faim, moi !

– Voyez-vous ça ! Monsieur a faim ! Et moi, vois-tu, j'ai chaud… Alors, qu'est-ce qu'on fait ?

Antoinette essaya de se doter d'un regard sévère qui ne dupa personne, surtout pas Jason. Le petit garçon se remit à gambader.

– Tu te moques de moi, maman ! Tu ne vas pas te baigner du tout.

Il y avait souvent de ces taquineries entre Antoinette et Jason. Charlotte se demanda s'il en avait toujours été ainsi ou si cette façon d'être était apparue au décès d'Humphrey, quand Antoinette s'était retrouvée seule avec son fils. Le regard de Charlotte glissa imperceptiblement vers Alicia. Qu'en était-il de leur relation à elles, maintenant qu'elles aussi étaient seules toutes les deux ? Les gens qui les rencontraient sentaient-ils entre Charlotte et Alicia une belle complicité comme celle d'Antoinette et Jason ? La petite fille était accroupie sur le sable et, sourcils froncés, elle examinait très sérieusement le contenu du panier d'osier. Charlotte sentit son cœur fondre. Bien sûr qu'il y avait entre Alicia et elle un espace privilégié, unique, fait de confidences partagées, d'histoires racontées le soir, de dessins travaillés à deux, de longues promenades et de jeux dans le parc. Alicia était toute sa vie, et elle aimait cette enfant-là comme jamais elle n'aurait pu imaginer que c'était possible. Au même instant, comme si elle sentait le poids du regard de sa mère posé sur elle, Alicia leva la tête et lui fit un grand sourire.

– Regarde, maman! Il y a même un sac de bonbons!

Charlotte répondit au sourire de sa fille.

– Et c'est bon des bonbons, n'est-ce pas?

– Oh oui!

– Dans ce cas, intervint Antoinette, qu'est-ce qu'on attend pour manger? Plus vite on aura fini les sandwiches, la salade, les carottes et le céleri et plus vite on pourra manger les bonbons. Allez! Un coup de main, s'il vous plaît!

D'une main énergique, Antoinette dépliait déjà une grande nappe à carreaux rouges et blancs. Charlotte se releva d'un bond pour l'aider.

«Vivement les sandwiches qu'on puisse manger les bonbons!» pensa-t-elle, aussi gourmande qu'Alicia.

Dès le repas terminé, Antoinette proposa d'aller à la pêche aux coquillages, ce que les enfants acceptèrent avec enthousiasme.

– Avec un peu de chance, ajouta-t-elle en replaçant la nappe dans le panier, on devrait même trouver des étoiles de mer. Dans le creux des rochers, là-bas, il y en a souvent quand la marée est basse.

Charlotte, qui se sentait alourdie par le repas avalé trop vite et alanguie par la chaleur cuisante de midi, jeta un regard accablé vers les rochers qui lui semblaient fort loin et décréta qu'elle resterait sur la plage pour surveiller leurs effets.

– Il faut bien que quelqu'un le fasse, déclara-t-elle sans vraiment y croire.

Une main placée en visière au-dessus de ses yeux, elle était en train d'estimer la distance qui les séparait de la pointe rocheuse qui délimitait la plage vers l'ouest.

– Disons surtout que ça ne me tente pas vraiment d'escalader des rochers, avoua-t-elle sincèrement. Est-ce que ça te dérange, Alicia, si je reste ici?

La petite fille leva une épaule indifférente.

– Non, pas vraiment… De toute façon, j'aurais pas le temps de rester avec toi pour jaser. Je m'en vais cueillir des étoiles…

Charlotte sourit devant la jolie image que sa fille venait de faire : cueillir des étoiles…

Il arrivait souvent qu'Alicia ait de ces mots d'enfant, jolis, faits de poésie et de naïveté. Charlotte se faisait un devoir de les retenir pour les inscrire dans un petit calepin noir qui la suivait discrètement presque partout. Pour Charlotte, dans quelques années ces petites lignes seraient tout aussi précieuses que l'album de photographies qu'elle garnissait au fil du temps en souvenir de l'enfance de sa fille.

Elle regarda le joyeux groupe qui s'éloignait rapidement, un sourire moqueur aux lèvres en repensant aux derniers mots que sa sœur avait prononcés. Quand Antoinette avait déclaré que le pot en verre ayant précédemment servi à transporter la salade de patates ferait un excellent panier pour la pêche et avait demandé à Jason d'aller le rincer dans la mer, Anne avait demandé, incrédule :

– On va vraiment mettre les coquillages et les étoiles de mer dans le contenant de la salade? Est-ce que tu vas t'en resservir après?

Antoinette avait soulevé un sourcil et froncé l'autre.

– Oui, pourquoi? Une fois bien lavé, je ne vois pas ce qui…

– Ben ça alors! interrompit Anne. Jamais ma mère n'aurait eu une idée pareille. Juste à y penser, je suis sûre que ça la rendrait malade!

Anne avait haussé les épaules et tendu la main à Alicia avant d'emboîter le pas à Jason et à sa mère. Charlotte avait alors esquissé un sourire, qui disparaissait au fur et à mesure que le petit groupe des apprentis cueilleurs d'étoiles prenait de la distance en chantant à tue-tête.

La moquerie céda alors le pas à l'inquiétude et les traits de son visage se creusèrent.

Charlotte savait fort bien qu'Anne faisait peu de cas des manies de leur mère. Les trois sœurs n'en étaient pas à une pilule ou une remarque près. Non, si Anne en avait parlé comme elle venait de le faire, c'était parce que l'empreinte de Blanche était toujours présente en elle. Que sous les apparences de son insouciance, Blanche veillait.

Pour Charlotte, c'était clair : malgré le plaisir et la plage, Anne continuait de penser à sa mère comme si cette dernière avait été témoin de chacun de ses gestes.

Charlotte sentit son cœur se serrer.

Sa petite sœur trouverait-elle en elle toute la force nécessaire pour passer à travers ce qui les attendait à leur retour ? Car si son père donnait suite à ses promesses de tenter l'impossible pour soustraire Anne à la présence de Blanche, certaines déchirures seraient inévitables.

Malgré la chaleur ardente du soleil, Charlotte eut un bref frisson qu'elle maîtrisa d'un haussement d'épaules exagéré. Comment pouvait-elle deviner ce qui se passerait à Montréal à leur retour ? Avec Blanche Deblois, on pouvait s'attendre à tout, surtout à être confronté à ce qu'on n'avait pas prévu... C'était comme cela depuis toujours. D'aussi loin qu'elle se souvenait, Blanche avait toujours été imprévisible. Il n'y avait donc aucune raison que cela change aujourd'hui. L'accident dont sa mère avait été victime juste avant leur départ ne devrait qu'amplifier la propension qu'elle avait toujours eue à s'imaginer plus malade que les autres, mais ce qui en découlerait appartenait au domaine des impondérables.

Sans qu'elle l'ait cherché délibérément, Charlotte se sentit aspirée vers le passé.

L'album de souvenirs qu'elle gardait au fond de son cœur venait de s'ouvrir.

Toutes ces images qu'elle avait emmagasinées au fil des années remontaient présentement en vagues lentes et tenaces.

Mémoires d'enfance où elle voyait sans relâche la main de sa mère qui se dirigeait vers la tablette en coin, la tablette aux pilules.

Charlotte n'avait gardé que l'image de la main agrippant fiole ou bouteille, comme si cette main avait été habitée d'une force intrinsèque.

Oublierait-elle un jour cette vision ?

Oublierait-elle un jour que l'esprit malade de sa mère avait détruit la santé de sa sœur Émilie à force de la gaver de sirop ? Étaient-ce là des gestes que l'on pouvait réussir à pardonner quand la folie qui les avait dictés avait teinté toute son enfance ?

Pourtant Émilie, qui était la première concernée, n'en voulait pas à Blanche.

Charlotte ne comprenait pas. Dieu sait qu'elle avait essayé de voir la situation par le regard d'Émilie, mais cela avait été en pure perte. Émilie était si différente d'elle, tellement plus passive et conciliante. Leur perception de la vie différait énormément. Émilie lui avait même dit, un jour, que si toutes les deux, elles avaient chacune un talent particulier, c'était justement « grâce » à leur mère. Elle-même aurait dit que c'était « à cause » de leur mère. Le résultat était peut-être le même, mais ce qui l'avait provoqué était perçu de façon opposée. Par contre, les deux sœurs s'entendaient sur un point : l'une comme l'autre, elles étaient conscientes que leur enfance, à plusieurs égards, avait été suffisamment difficile pour qu'elles cherchent à s'en évader. Elle l'avait fait par les mots qui peu à peu étaient devenus des romans. Émilie l'avait fait dans le monde des couleurs et des formes. Mais alors que le talent d'Émilie avait rapidement été reconnu et qu'une belle carrière s'offrait à elle, ses romans n'avaient pas trouvé preneur. Ils étaient toujours sous forme de manuscrits et elle ne savait plus si elle croyait encore qu'un jour, elle les verrait sur les rayons d'une librairie. Pourtant, lorsqu'elle avait seize ans, elle ne pouvait envisager l'avenir autrement qu'en écrivant. Cette époque avait été la plus belle de sa vie alors qu'elle se donnait tout entière à l'écriture, encouragée en ce sens par Gabriel qui peignait à ses côtés. Ensemble, malgré une grande différence d'âge, ils avaient vécu la plus belle, la plus folle des passions. Passion du corps et du cœur, passion des mots et des couleurs. Puis la guerre les avait séparés. Gabriel était parti pour Paris et il n'était jamais revenu. À peine avait-il envoyé une lettre, suivie, près d'un an plus tard, d'une simple carte postale où il se rappelait au bon souvenir de Charlotte dans un post-scriptum...

La jeune femme ouvrit les yeux, jeta un coup d'œil autour d'elle, le cœur déchiré par ce souvenir.

En elle, il y avait encore aujourd'hui cette sensation de vide qui ne l'avait jamais quittée depuis le départ de Gabriel. Curieusement, c'était ici, sur cette même plage, qu'elle avait compris que jamais elle n'oublierait cet homme qui avait su exalter ce qu'il y avait de meilleur en elle.

Charlotte n'avait alors que seize ans.

Tout son corps, toute son âme aspiraient à être aimés, compris, acceptés. Et celui qui avait si bien su le faire n'était plus là. Le désespoir de la toute jeune femme qu'elle était alors n'avait eu aucune limite. Était-ce pour cette raison qu'elle s'était donnée à un étranger? Par dépit, par déception, par besoin immense de sentir un peu de chaleur?

À ce souvenir, Charlotte se mit à rougir.

Était-ce aussi pour ces mêmes raisons qu'elle avait fréquenté Marc ou était-ce pour fuir une famille habitée par l'indifférence et l'égoïsme?

Il y avait de cela, Charlotte eut l'honnêteté de se l'avouer en soupirant. Mais elle était quand même sincère quand elle avait désespérément cru que l'amour existait entre Marc et elle. Elle avait eu besoin de s'accrocher à quelqu'un ou à quelque chose pour donner un sens à sa vie. À cette époque, c'était Marc qui s'était présenté.

Elle s'était jetée dans cette relation avec l'énergie du désespoir.

Aujourd'hui, elle pouvait comprendre les motivations pro-fondes qui avaient dicté son attitude envers Marc. Mais en ce temps, elle était incapable de le faire. Ce n'était pas mensonge que de dire qu'elle avait aimé Marc. Un amour imparfait, dépendant, sécurisant mais sincère. Malgré les apparences, elle était une femme honnête et droite. Pourtant, le jour où elle avait compris qu'elle portait l'enfant de Marc, elle avait choisi de fuir. Aujourd'hui, avec le recul, elle croyait comprendre la raison qui l'avait poussée à poser ce geste qui ressemblait à une fuite. Bien sûr, il y avait eu la peur. Peur de la réaction de ses parents, de sa mère surtout, peur de l'inconnu, des responsabilités à venir. Comme si le fait de partir au loin allait y changer quelque chose! Mais au-delà de tout cela, c'était l'engagement envers Marc qu'elle n'avait pu se résoudre à envisager. Se marier avec lui, c'était fermer définitivement la porte à Gabriel. Et cela, elle n'était pas prête à le faire. Il avait fallu qu'une petite Alicia vienne au monde pour tout chambarder. Pour elle, Charlotte avait accepté d'unir sa destinée à un homme qui n'était pas Gabriel. Et les années suivantes s'étaient enchaînées comme le plus imprévisible des scénarios.

À la fin de la guerre, les mensonges qu'elle avait inventés à l'intention de sa famille pour expliquer la naissance de sa fille étaient lourds à porter. C'est pourquoi elle avait choisi de s'établir en Angleterre en épousant Andrew, un jeune militaire dont la mère, Mary-Jane, s'était occupée d'Alicia à sa naissance. Malheureusement, son cœur appartenait toujours à Gabriel. Malheureusement, elle n'avait pas eu le courage de repousser ce doux souvenir pour faire place à l'avenir.

Les images appartenant à la vie qu'elle avait menée en Angleterre étaient si claires, si réelles que Charlotte avait les yeux pleins d'eau.

L'armée, l'Angleterre, Mary-Jane, Andrew, un deuxième roman, la petite maison de village qui sentait bon les roses et la lavande anglaise…

Pourquoi avait-il fallu qu'il soit trop tard quand elle avait compris qu'elle était passée à côté de l'essentiel?

Aujourd'hui, Andrew était décédé, l'Angleterre était loin derrière et Charlotte n'écrivait plus. Une fois encore, il n'y avait eu qu'au moment où elle avait tout perdu qu'elle avait compris à quel point elle s'était trompée. À force de courir après l'impossible, elle avait oublié de profiter du temps présent à travers l'amour d'Andrew, l'affection de Mary-Jane et la vie toute simple qu'elle menait en Angleterre. Sans l'avoir voulu, elle se retrouvait à la case départ: elle habitait de nouveau à Montréal, sa vie continuait de tournoyer autour de la maladie comme une mouche s'entête autour d'une lumière, sa sœur Émilie avait toujours des problèmes de santé occasionnés par une mère qui n'avait jamais pu contenir ses inquiétudes malsaines et Anne essayait de survivre sous le même toit que Blanche devenue alcoolique. Il n'y avait plus que celle-ci, perdue dans les brumes de l'alcool, qui osait croire encore que personne ne savait qu'elle buvait. Mais à ce sujet, Charlotte avait envie de dire tant mieux. La nonchalance de Blanche permettrait peut-être à son père d'intervenir efficacement. Il le fallait pour Anne mais pour Blanche aussi.

Charlotte ferma les yeux un instant.

Et dire que tout cela se vivait en vase clos. De l'extérieur, pour tous ceux qui ne voyaient que la surface des gens et des événements, les Deblois formaient une famille normale, ordinaire : un père bourreau de travail comme il y en avait tant, une mère à la santé fragile mais relativement présente et trois sœurs qui suivaient chacune sa destinée. Même le fait que Charlotte soit veuve à vingt-quatre ans n'avait rien d'exceptionnel en ces années d'après-guerre. Pas plus que le fait qu'Émilie avait dû attendre des années avant de porter un bébé et qu'Anne fut une passionnée de musique au point où elle passait plus de temps chez son professeur que chez elle. En apparence, la famille Deblois était comme toutes les autres. Mais Charlotte savait ce qui se camouflait sous le vernis de la banalité.

Sa famille n'était qu'un imbroglio de passions étouffées, de secrets inavoués, de faux-fuyants, de lâcheté…

Charlotte secoua vigoureusement la tête pour essayer d'effacer ses dernières pensées.

Allons donc ! Sa famille n'était pas aussi sombre que cela. Il y avait aussi de l'amour chez elle et du respect.

En fait, murmura-t-elle pour elle-même, le seul problème, c'est Blanche. Si elle avait été normale, jamais…

La voix d'Alicia, qu'elle reconnaissait toujours entre toutes, interrompit brusquement sa réflexion. Elle releva la tête et porta le regard au loin, une main en visière au-dessus de ses yeux.

En direction du port, sur la grève, Antoinette revenait avec les enfants. Jason portait triomphalement le pot de verre, Alicia trottinait à ses côtés et Anne avait glissé sa main sous le bras d'Antoinette.

Charlotte tressaillit.

Fallait-il que sa petite sœur, habituellement réservée, même farouche, soit en manque d'attention pour oser s'agripper au bras d'une femme qu'elle connaissait à peine. Mais elle devait l'avouer : Antoinette n'avait pas son pareil pour mettre les gens à l'aise. Et dire qu'il s'en était fallu de peu pour que ce soit elle qui épouse son père. Mais allez donc comprendre les secrets du cœur ! Celui de Raymond avait un moment balancé entre Antoinette et Blanche, puis il avait choisi cette dernière. « Quel gâchis ! » pensa Charlotte en se relevant pour aller au-devant des promeneurs.

Quand Alicia l'aperçut, elle se mit à courir vers elle. Alors Charlotte comprit qu'elle était encore en train d'ignorer l'essentiel. Pourquoi entretenir des chimères qui n'engendrent que douleur ? Pourquoi se complaire dans des regrets inutiles, stériles ? Il valait mieux regarder devant, vers l'avenir. Quand elle souleva Alicia qui venait de se jeter dans ses bras, Charlotte se promit de faire tout ce qui était en son pouvoir pour que le passé ne se porte pas garant de l'avenir. Calant sa fille contre sa hanche, elle se tourna à demi et tendit la main à Anne.

— Alors, ma grande, cette promenade ? Tu l'as aimée ?

— Tu aurais dû venir, Charlotte, tu as manqué quelque chose.

Anne avait les joues roses de soleil et de plaisir.

— C'est fascinant, ajouta-t-elle, de voir toute la vie qu'il y a dans une petite flaque d'eau. Viens voir tout ce qu'on a trouvé !

Jason les avait précédées et, assis sur une serviette de plage, il avait déjà dévissé le bouchon du bocal pour faire voir à Charlotte les fruits de leur cueillette…

Les enfants passèrent la soirée à préparer un aquarium de fortune pour leurs étoiles de mer et autres petits mollusques. Puis, épuisés et heureux, ils se couchèrent sans se faire tirer l'oreille.

La journée avait été belle, chaude et la soirée l'était tout autant. Pourtant, même la brise venue du large qui entrait par les fenêtres du salon laissées grandes ouvertes n'arrivait pas à chasser l'humidité poisseuse que la maison avait emmagasinée durant la journée.

Recroquevillée dans une berceuse de toile fleurie, Charlotte attendait Antoinette, partie à la cuisine pour préparer une citronnade. Il faisait vraiment très chaud.

Comme chaque fois que Charlotte se retrouvait au salon, son regard se promena d'une toile de Gabriel à une autre. Curieux tout de même ce que la vie lui avait réservé comme surprise en arrivant ici. Comme un rendez-vous avec son passé, fixé à l'avance, et offert sous la forme de deux peintures de Gabriel Lavigne.

Même s'il y avait de nombreuses œuvres accrochées aux murs, seules les deux peintures faites par celui qu'elle avait tant aimé attiraient son attention. Charlotte essayait de comprendre le message qu'elles portaient en elles.

Cette femme dont on ne pouvait que deviner le visage, reproduite sur les deux tableaux, était-ce bien elle, comme elle se plaisait à le croire?

Promenant son regard d'une toile à l'autre, Charlotte se mordillait un coin des lèvres, indécise.

Pour le nu, Charlotte n'hésitait pas vraiment: la pose, le drap rouge et la fenêtre que l'on apercevait dans un coin sortaient tout droit de ses plus merveilleux souvenirs. De mémoire, Gabriel avait reproduit l'atelier où Charlotte le rejoignait si souvent.

Mais qu'en était-il de l'autre toile? Cette femme debout face à la mer, était-ce bien elle? Antoinette jurait que oui, même si le visage était voilé par l'ombre d'un grand chapeau. Mais le cas échéant, qui donc était ce petit garçon qui jouait à ses pieds? Les deux femmes en avaient longuement parlé, l'autre soir, après que Charlotte eut raconté sa belle histoire d'amour avec Gabriel. C'était la première fois qu'elle osait en parler en détail et de le faire avait, pour quelques instants, rendu réelle l'existence de Gabriel qu'autrement, elle ne voyait plus qu'à travers la brume des souvenirs.

Se pourrait-il qu'il l'attende encore?

– Voici la citronnade! Antoinette venait d'entrer dans le salon, portant un grand plateau devant elle. Elle ne put s'empêcher de suivre le regard de Charlotte hypnotisée par la jeune femme au drap rouge.

– Toujours indécise?

– Toujours… Et si ce n'était qu'un vilain tour de mon imagination? Si je prends mes désirs pour des réalités, c'est évident que je me reconnais. Dans les deux tableaux. Sinon…

– Sinon quoi? l'interrompit Antoinette tout en déposant le plateau pour se saisir du pot de jus et en servir deux grands verres. Si ce n'est pas toi, ça veut dire que Gabriel m'a menti. Et pourquoi l'aurait-il fait? On n'a pas besoin de mentir aux étrangers.

– Je sais bien… Alors qui donc est ce petit garçon?

– Peut-être tout simplement l'expression d'un grand désir. Une façon de concrétiser un espoir toujours vivant. Tiens, bois. Ça va te faire du bien.

Antoinette lui tendait un grand verre de jus déjà couvert de gouttelettes de condensation tellement il faisait chaud. Puis elle s'installa sur le canapé face au grand tableau.

– On est toujours mauvais juge face à soi-même, poursuivit Antoinette. J'irais jusqu'à dire que même si tu ne m'en avais pas parlé, j'aurais fini par voir la ressemblance. Toute seule… C'est trop évident…

Un lourd silence suivit ces paroles, brisé de longues minutes plus tard par Charlotte qui murmura :

– J'espère seulement que tout cela n'est pas juste une illusion.

Puis, d'une voix plus forte :

– Si tu savais comme j'espère que tu dis vrai.

Il y avait tant d'attente douloureuse dans le regard que Charlotte avait posé sur elle qu'Antoinette déposa aussitôt son verre pour lui faire signe de venir la rejoindre.

– Viens, viens t'asseoir près de moi.

Sans se faire prier davantage, Charlotte la rejoignit sur le canapé.

Le salon était plongé dans une demi-clarté, éclairé uniquement par les ampoules qui mettaient les tableaux en valeur. Au loin, on entendait les vagues qui se brisaient contre les rochers et la brise qui gonflait les rideaux sentait bon les embruns de mer. Charlotte aurait eu envie de poser sa tête sur l'épaule d'Antoinette et de lui dire qu'elle avait toujours rêvé d'avoir une mère comme elle. Une mère à qui l'on pouvait tout dire, tout confier. Avec qui on pouvait espérer, rêver et pleurer. Elle aurait aimé avouer à Antoinette qu'elle était au courant de l'amour qui existait entre son père et elle, qu'elle savait qu'il y avait eu une aventure entre eux et qu'elle avait deviné que Jason était son demi-frère. Mais elle n'avait pas le droit d'en parler. Ce secret ne lui appartenait pas. C'était celui de son père et d'Antoinette, et elle respecterait leur silence. Cependant, parfois les choses du cœur n'ont pas besoin de mots pour être comprises. Antoinette venait de passer son bras autour des épaules de Charlotte et l'attirait vers elle.

– J'aurais aimé avoir une fille comme toi, tu sais, murmura-t-elle d'une voix très douce. Oui, j'aurais tant aimé avoir une grande famille dont l'aînée se serait peut-être appelée Charlotte.

À ces mots, Charlotte dessina un sourire un peu triste. Elle venait de comprendre qu'en cet instant, Antoinette et elle pensaient toutes les deux à la même chose.

* * *

Installée sur la chaise longue qui avait passé l'été sur le balcon, Émilie profitait d'une éclaircie entre deux nuages. Le fond de l'air n'était pas très chaud, mais la saison estivale avait été si maussade, si souvent pluvieuse, que la moindre clémence était la bienvenue. Or c'était à peine si Émilie s'en réjouissait. Depuis quelques semaines, nausée et fatigue étaient au rendez-vous chaque matin et, présentement, la future mère s'appliquait à respirer longuement pour maîtriser la nausée. Quant à la fatigue, rien à faire pour l'atténuer ! Émilie avait l'impression qu'elle aurait dormi vingt heures par jour que cela n'y aurait rien changé ! Depuis quelque temps, elle n'aspirait qu'à poser sa tête sur un oreiller et à fermer les yeux pour s'abandonner à un profond sommeil.

Et dire qu'elle s'était engagée à rendre visite à sa mère chaque après-midi en l'absence de Charlotte et d'Anne.

Si au moins Blanche avait apprécié le geste ! Mais rien dans son attitude ou ses propos ne laissait supposer que tel était le cas. Elle passait l'après-midi à geindre et à se plaindre de tout et de rien au lieu de profiter de la présence de sa fille pour oublier son infortune durant un bref moment.

Émilie soupira bruyamment avant de fermer les yeux pour offrir son visage aux rayons du soleil.

– Tant pis pour maman. Je penserai à elle plus tard, murmura-t-elle pour elle-même alors qu'elle sentait son esprit vaciller, déjà prêt à se laisser aller au sommeil.

Puis, machinalement, ses mains s'égarèrent sur son ventre, le caressant tout doucement. Émilie avait tellement hâte que *cela* se voie! Elle avait tellement hâte de sentir le bébé bouger!

Elle s'imagina un instant promenant son gros ventre au parc La Fontaine au bras de Marc, puis sa pensée fit volte-face et s'amusa à transformer l'atelier en chambre avant que son esprit vacille et qu'Émilie finisse par sombrer dans un profond sommeil…

Ce fut la fraîcheur subite de la brise qui l'éveilla. Les nuages étaient revenus en force et couvraient le ciel de gros nimbus qui se détachaient les uns des autres dans tous les tons de gris. La pluie ne devrait plus tarder. Émilie grimaça en frissonnant puis se releva à contrecœur pour se préparer à partir. Elle aurait préféré s'emmitoufler dans une grosse veste de laine et rester chez elle à admirer la procession des nuages. Depuis qu'elle était enceinte, il lui semblait avoir une acuité toute différente devant les couleurs, les formes.

Malheureusement, sa mère devait déjà surveiller la porte de sa chambre pour enfin partager le lot des récriminations qu'elle entretenait à l'égard du personnel infirmier, de sa proverbiale malchance dans la vie et de ses nombreuses douleurs qu'elle supportait avec un stoïcisme à nul autre pareil, selon ses dires.

Émilie soupira une seconde fois en refermant la porte du balcon derrière elle.

– Allons, un petit coup de cœur! Tu lui dois bien ça, murmura-t-elle en se dirigeant vers la chambre pour se changer.

Puis elle ajouta à voix haute:

– Et toi, bébé, que dirais-tu d'une rôtie au miel avant de partir? C'est bien la seule chose que j'arrive encore à manger sans avoir mal au cœur! Sur ce, Émilie éclata de rire.

Hier au souper, Marc lui avait demandé si elle portait un vrai bébé ou une petite abeille. Depuis qu'elle était enceinte, les liens étroits qui l'unissaient à son mari avaient une plénitude qu'elle n'avait jamais osé espérer.

Émilie se prépara à partir le cœur en joie. La courte sieste lui avait fait du bien et la rôtie au miel avait amoindri sa nausée.

Pour une rare fois, Blanche ne l'attendait pas en s'impatientant contre elle.

Elle avait les yeux fermés et, malgré le fait que sa jambe droite était sous traction, elle semblait dormir confortablement. Sa respiration était régulière et ses traits détendus.

Émilie resta un instant à la regarder dans son sommeil. Sa mère avait beaucoup vieilli depuis quelque temps. Ses cheveux grisonnaient et de minuscules rides striaient tout son visage. Mais ses mains, longues et toujours soignées, gardaient une surprenante apparence de jeunesse. Émilie dessina un sourire attendri en repensant à la fraîcheur de ces mêmes mains qui avaient si souvent calmé ses fièvres d'enfant puis elle se retira silencieusement. Le temps de choisir un magazine à la boutique de cadeaux de l'hôpital et elle reviendrait voir si Blanche était éveillée. Elle qui aimait tant lire devrait apprécier la petite pensée.

Quand Émilie revint à la chambre, quelques minutes plus tard, Blanche était effectivement bien éveillée. Elle surveillait le va-et-vient du corridor par la porte entrebâillée et son regard était si vif qu'Émilie se demanda si elle ne s'était pas trompée en la croyant endormie.

— Bon, enfin, te voilà, toi! Pourquoi m'as-tu fait attendre comme ça? Tu sais à quel point je déteste les gens qui n'ont aucun respect de la ponctualité.

— Je n'étais pas en retard, maman. C'est toi qui dormais.

Blanche glissa un regard mauvais entre ses cils.

– Je ne dormais pas du tout, tu aurais dû vérifier. De toute façon, comment veux-tu que je dorme installée comme je le suis ? Depuis que je suis ici, je n'ai pas fermé l'œil. Il n'y a que les médecins pour oser croire qu'on peut se reposer avec un pied qui pointe le plafond.

Blanche s'agitait dans son lit, essayant de se redresser du mieux qu'elle pouvait, ne ménageant ni les grimaces ni les gémissements.

– Alors si tu n'arrives pas à dormir, mon petit cadeau devrait te plaire, lança joyeusement Émilie en tendant le magazine à sa mère tout en s'approchant du lit pour l'aider à s'installer confortablement. Tiens ! Il y a des recettes, des photos de mode et un reportage sur…

Blanche avait repoussé la main de sa fille sans même jeter un regard sur le magazine.

– Pauvre Émilie ! Comment veux-tu que j'aie la tête aux recettes ? Mets-la sur le bord de la fenêtre. Dans quelques jours peut-être… Et ne touche pas au lit, ça me résonne dans tout le corps…

Émilie se dépêcha de détourner la tête pour que Blanche ne puisse lire la déception qui traversa son regard. Jusqu'à maintenant, elle s'était accommodée de l'humeur capricieuse de Blanche, se disant, à juste titre, que ce ne devait pas être facile de devoir rester immobile tout le temps.

Mais aujourd'hui, sa mère n'était pas seulement capricieuse, elle semblait tout simplement hargneuse.

Émilie retint à grand peine un profond soupir.

Elle n'était pas ici pour se disputer avec sa mère ni lui faire des reproches, même s'ils étaient justifiés. Émilie s'efforça donc de glisser un sourire sur ses lèvres avant de revenir face à sa mère. Elle se heurta aussitôt à un regard sévère qui la détaillait avec insistance.

— Tu n'as pas l'air en forme, ma pauvre Émilie. Je dirais même que tu es verte comme une asperge.

Émilie haussa les épaules avec fatalisme en même temps qu'une lueur malicieuse traversait son regard.

— Tu sais ce que c'est… les nausées, l'envie de dormir. Ça devrait finir par passer.

Blanche toisa sa fille d'un regard acéré avant de déclarer :

— Nenni, ma fille. Ça ne passe pas, comme tu dis. Ça dure aussi longtemps que tu te laisses aller. L'important, c'est de contrôler les nausées. Une fois qu'elles auront disparu, la fatigue s'en ira d'elle-même. Tu es comme moi, ma pauvre chérie. Le système digestif gouverne tout le reste. Une bonne purgation devrait être souveraine dans ton cas.

Une purgation? Émilie ouvrit les yeux tout grands avant de prendre le parti d'en rire.

— Mais voyons donc, maman! Je ne souffre pas d'une indigestion quelconque, je suis enceinte!

— Et alors? Je sais très bien que tu es enceinte! Ça ne change rien à la façon de traiter une indisposition de l'estomac. Il n'y a pas trente-six solutions. Si l'estomac ne va pas bien, il faut l'aider à se vider. Après tout ira mieux. Je te ferai remarquer que j'ai été enceinte moi aussi, trois fois plutôt qu'une. Je dois donc savoir ce que je dis, non?

Brusquement, d'une façon tout à fait inattendue, les yeux de Blanche s'emplirent de larmes.

— Il n'y a que lorsque j'étais enceinte de toi que je n'ai eu aucun problème. Comme si mon corps savait à l'avance à quel point tu serais fragile et avait décidé de faciliter la chose à tout le monde… Ma petite Émilie! Viens, approche.

Dès qu'Émilie fut à sa portée, Blanche saisit sa main pour la porter à sa joue.

— Je ne veux pas être sévère avec toi, ma chérie, je ne veux que t'aider. Si tu savais comme ça me pèse lourd d'être ici alors que tu aurais tant besoin de moi.

— Ne t'en fais pas pour si peu, maman. Je ne suis pas malade, j'attends un petit bébé. Pense plutôt à toi! Dans quelque temps, tu seras guérie et on préparera la chambre du bébé ensemble. De toute façon, les petits malaises que je ressens devraient disparaître d'ici peu. Le médecin me disait juste…

— Ne crois pas tout ce que les médecins disent, ma pauvre fille! l'interrompit Blanche sur un ton alarmiste. Si tu savais! À Charlotte, j'ai été malade pendant des mois et des mois et ce n'est que lorsque j'ai pris ma situation en mains que j'ai connu un peu de répit. Je le répète: toi et moi, nous sommes différentes et je suis persuadée qu'une bonne purgation te ferait du bien.

Voyant qu'Émilie s'apprêtait à riposter, Blanche se mit à tapoter sa main avec affection.

— Oublions tout cela pour l'instant. Je veux simplement que tu me promettes d'être très prudente. On n'a jamais vu d'homme porter un bébé, n'est-ce pas? Alors écoute avec circonspection ce que le médecin te dit.

Pendant un moment, Blanche resta silencieuse, le regard voguant au-dessus des toits qu'elle apercevait par la fenêtre de sa chambre, puis elle revint à Émilie et serra sa main très fort entre les siennes.

— Même ceux en qui on a le plus confiance peuvent parfois nous décevoir, nous tromper. Te souviens-tu du docteur Dugal?

— Le vieux médecin à la longue barbe qui me faisait si peur avant que j'apprenne à mieux le connaître? Bien sûr que je m'en souviens. Il était tellement gentil.

— C'est vrai. Il était gentil et compréhensif aussi. Et compétent. Mais quand j'étais enceinte d'Anne, il s'est trompé. Il n'a pas voulu m'écouter quand je disais que j'avais faim tout le temps. Lui, il préconisait la retenue. C'est ce que j'ai fait. J'ai suivi ses conseils et finalement j'ai accouché avant terme et j'ai été très malade. Quant à Anne…

Blanche ne termina pas sa pensée et Émilie n'osa demander d'explication à ce que sa mère avait laissé en suspens. Elle se rappelait trop bien l'impatience qui dictait la majeure partie des relations entre Blanche et Anne. Émilie n'avait surtout pas envie de s'éterniser sur ce sujet. Elle se contenta d'embrasser Blanche sur la joue avant de se redresser.

– D'accord maman, promit-elle en s'installant dans le gros fauteuil de cuir posé près du lit, je vais être très prudente. Dans le fond, ce que tout le monde souhaite, c'est un beau bébé en santé, n'est-ce pas?

– En effet.

– Alors on devrait arriver à s'entendre. Et maintenant, si on parlait de toi? Comment ça va aujourd'hui? Les douleurs à la cuisse sont-elles moins fortes?

Au mot «douleur», Blanche se recroquevilla sur elle-même à la limite permise par les attaches qui maintenaient sa jambe sous traction.

– Ne m'en parle pas! La douleur est insoutenable. C'est vraiment parce que je suis très forte que j'arrive à passer à travers tout cela. Et imagine-toi donc que le médecin, ce matin, proposait de…

Blanche passa le reste de l'après-midi à commenter les faits et gestes du personnel infirmier qui, à son avis, ne pouvait savoir traiter adéquatement quelqu'un à l'ossature aussi fragile que la sienne.

– C'est de famille, ma pauvre Émilie et personne ne veut m'écouter…

Émilie retint un sourire malicieux. «Pauvre maman, pensa-t-elle, espiègle. À l'entendre, un mauvais sort a été jeté à sa famille et, de génération en génération, on n'en sortira jamais!»

Faisant semblant de s'intéresser aux propos de sa mère, Émilie posa machinalement la main sur son ventre et se laissa aller à sa rêverie préférée: à qui ressemblerait ce petit bébé qui était en préparation dans son ventre!

Pas besoin d'être attentive aux propos de Blanche, ils se résumaient à ce qu'elle disait depuis toujours. Quand sa mère faisait une pause, Émilie disait:

– Ah oui? Pauvre toi!

Et sa mère repartait de plus belle, tandis qu'Émilie reprenait sa rêverie...

CHAPITRE 2

Antoinette avait attendu que la visite soit repartie pour être seule quand elle ouvrirait le présent envoyé par Raymond.

Cette décision découlait d'un choix délibéré. Elle voulait tout simplement prolonger en toute intimité le lien ténu que Charlotte avait fait naître entre ce bel été 1948 et une grande partie de son passé qu'elle ne pourrait jamais oublier.

Antoinette venait de vivre deux merveilleuses semaines en compagnie des filles et de la petite-fille de Raymond. Chaque matin, au réveil, elle se disait qu'il s'en était fallu de peu pour que cette vie ait été la sienne.

Mais toute bonne chose ayant une fin, l'heure du réveil avait fini par briser son rêve, même s'il était des plus doux.

Charlotte et les filles étaient donc reparties ce matin, par le train de huit heures, et Antoinette avait dû tenir compagnie à un Jason grognon tout le long de la journée parce qu'il avait le cœur gros. Présentement, il dormait. Au moment de se glisser sous les couvertures, il avait enlacé sa mère pour se lover une longue minute tout contre elle, avant de lever la tête pour demander avec un regard implorant :

— Anne va-t-elle revenir un jour, maman ? Je l'aime beaucoup, tu sais. Je vais m'ennuyer d'elle et de la petite Alicia, aussi. C'est drôle, une toute petite fille.

— Bien sûr, mon grand, que les filles vont revenir.

Antoinette était restée songeuse un instant. Puis elle avait suggéré :

– Tiens, que dirais-tu d'écrire à Anne pour l'inviter à passer quelques semaines avec nous, l'été prochain? Ça te permettrait d'améliorer ton français et je suis certaine que cela ferait plaisir à Anne de recevoir de tes nouvelles.

Elle aurait voulu ajouter qu'ils pourraient aussi aller à Montréal pour célébrer les fêtes de fin d'année, mais l'émotion l'en avait empêchée. Elle avait serré Jason très fort contre elle et l'avait embrassé dans le cou en pensant que si la vie en avait décidé autrement, Anne et lui auraient pu jouer ensemble tous les jours.

Mais était-ce bien la vie qui l'avait décidé ainsi?

N'avait-elle pas posé des gestes et pris des décisions au nom d'une certaine fatalité où elle s'était contentée de glisser en essayant de se convaincre qu'elle avait raison?

Antoinette avait embrassé Jason en retenant ses larmes puis elle s'était réfugiée dans sa chambre pour que son fils ne l'entende pas renifler.

Elle aussi allait beaucoup s'ennuyer des filles. À ses yeux, les deux dernières semaines avaient été un aperçu de ce que sa vie aurait pu être. Le bruit des courses dans l'escalier, les rires joyeux qui se répondaient d'un étage à l'autre et les tablées bruyantes allaient terriblement lui manquer.

Après s'être emmitouflée dans sa longue robe de chambre, Antoinette avait ouvert sa penderie pour en retirer le petit paquet envoyé par Raymond ainsi que les deux manuscrits, enveloppés dans de vieux sacs d'épicerie et bien ficelés, que Charlotte lui avait confiés.

Du bout du doigt, elle en avait caressé le papier sans se décider à ouvrir ni la boîte ni les manuscrits. Elle avait fait durer le plaisir, puisant un semblant de réconfort dans le simple fait que les deux colis constituaient en soi un lien tangible entre Montréal et Bridgeport. Jamais le Connecticut ne lui avait paru si loin de sa terre natale.

Antoinette poussa un long soupir tremblant. Elle était une femme suffisamment lucide pour reconnaître que sans la présence d'Humphrey, les États-Unis avaient beaucoup moins d'attrait. Mais elle n'avait pas le droit d'abandonner le bateau avant de savoir si l'entreprise de son défunt mari intéressait réellement Jason. C'était son héritage et la certitude d'un avenir confortable. Mais Jason n'avait toujours que onze ans…

Antoinette soupira encore une fois.

Ce n'était pas demain qu'elle repartirait même si, présentement, elle en avait très envie. La présence de Charlotte, d'Anne et d'Alicia lui avait ramené un vague à l'âme qu'elle ne pensait jamais revivre. Maintenant qu'elles étaient parties, le vide était très grand. D'autant plus que Charlotte s'était confiée à elle avec une grande liberté, une grande confiance, bien qu'Antoinette ait deviné certains non-dits au-delà des confidences. Il y avait eu entre elles une complicité qu'il aurait été bon de poursuivre au fil du quotidien. La promesse de s'écrire, renouvelée sur le quai de la gare, ce matin, pour atténuer la douleur des adieux, ne saurait jamais remplacer la chaleur dégagée par la présence réelle de ceux que l'on aime…

La tête appuyée contre le dossier de la bergère, Antoinette ferma les yeux, laissant ses pensées et ses émotions s'unir entre elles. Ses plus beaux souvenirs et ses rêves les plus chers se mariaient intimement dans la perspective d'un avenir où Raymond aurait sa place. Tout comme Charlotte, et Anne, et Alicia, et Émilie qu'elle ne connaissait pas encore, et…

Antoinette se dépêcha d'ouvrir les yeux avant de sombrer dans un monde chimérique qui entretiendrait une douleur inutile.

Comment pouvait-elle encore imaginer qu'il puisse exister un quelconque avenir entre Raymond et elle ?

Blanche serait toujours omniprésente entre eux.

Instinctivement, les poings d'Antoinette se refermèrent avec colère.

Cette année encore, Raymond avait choisi de rester à Montréal à cause d'elle. Cette présence auprès de Blanche était-elle aussi nécessaire qu'il s'était plu à lui expliquer au téléphone quand il avait appelé pour lui annoncer que, finalement, il ne serait pas du voyage? Antoinette en doutait.

Cette décision de Raymond qui avait quand même choisi de rester auprès de sa femme avait réveillé de mauvais souvenirs dans l'esprit d'Antoinette.

Le soir où il l'avait appelée, pendant un bref moment, elle avait éprouvé une douleur au cœur qui ressemblait étrangement à celle déjà connue quand elle avait compris qu'elle ne dirait pas à Raymond qu'elle portait son enfant. Antoinette avait aussi ressenti une rancœur viscérale envers la vie qui se répétait sournoisement à travers des moments d'intense déception.

Malgré tout, une fois encore, elle avait accepté le choix de Raymond comme jadis elle avait accepté la solitude d'une grossesse vécue seule.

Puis Charlotte et les filles étaient arrivées et Antoinette avait admis, une fois de plus, que le bonheur d'une vie est fait de mille et une petites choses que l'on ne prévoit pas toujours.

Les deux semaines vécues auprès de Charlotte lui avaient procuré beaucoup de joie. La jeune femme avait longuement parlé d'elle-même, de ses rêves d'écriture, de Gabriel... Par contre, et Antoinette trouvait la chose un peu surprenante, Charlotte n'avait parlé ni de sa mère ni de son père sinon pour en donner des nouvelles banales, superficielles tout comme elle avait à peine effleuré sa vie en Angleterre et celle de sa sœur Émilie. Antoinette en avait conclu que ces sujets étaient source de douleur ou d'embarras et n'avait pas insisté. Elles avaient suffisamment de points en commun pour occuper le temps des vacances à travers les escapades, les visites et les pique-niques. Finalement, elle avait passé un merveilleux moment avec Charlotte.

– Peut-être même plus facile que si Raymond avait été là, constata-t-elle à mi-voix en soupirant pour la troisième fois en peu de temps.

Elle porta les yeux sur la petite boîte enveloppée, elle aussi, de papier brun retenu par une ficelle qu'elle avait posée sur le bras du fauteuil. Un sourire moqueur illumina son visage. Si ce petit colis était un cadeau, l'emballage laissait à désirer.

Antoinette se décida brusquement à l'ouvrir.

L'impatience venait de bousculer le plaisir de faire durer les choses. Elle défit le nœud, retira les papiers collants, déplia le papier et souleva lentement le couvercle.

Sur un papier de soie, Raymond avait déposé une liasse de lettres, dûment adressées à son intention. Sur le dessus, une simple feuille de papier avec quelques mots lui enjoignant de les lire selon l'ordre, si elle le voulait bien. Antoinette remarqua alors qu'à la place des timbres, Raymond avait inscrit un chiffre.

Il y avait neuf lettres…

Antoinette s'installa confortablement dans la bergère et du bout de l'ongle, elle décacheta l'enveloppe de la lettre où apparaissait en gros le chiffre *un*. Elle en retira quatre grandes feuilles couvertes de la belle écriture de Raymond.

Cette première missive était datée de l'automne 1947…

Machinalement, Antoinette fit un bref calcul mental pour constater que cette lettre avait été écrite à l'époque où chaque matin, fébrilement depuis des mois et des mois, elle vérifiait son courrier dans l'espoir que Raymond aurait enfin répondu à la lettre qu'elle lui avait envoyée et qui lui annonçait le décès d'Humphrey, son mari. Comme elle n'avait rien reçu, elle en avait conclu que plus jamais elle n'entendrait parler de Raymond.

Pendant quelques longues semaines, elle avait eu l'impression de vivre deux deuils en même temps.

Puis la vie avait repris ses droits et elle s'était jetée corps et âme dans le travail et s'était occupée de Jason avec passion.

Elle avait donc été très surprise, à la fin du mois de juillet, lorsque Raymond l'avait appelée pour lui parler de ses intentions de vacances. « Tiens donc, s'était-elle dit en haussant les sourcils, il pense encore à moi ! »

Et voilà que ce soir, par ces quelques lettres qui dataient déjà de plusieurs mois, Antoinette comprenait qu'il ne l'avait jamais oubliée...

Elle ferma les yeux un bref instant. Le temps d'inspirer profondément pour calmer un cœur qui s'était mis à battre un peu trop vite. Elle s'était donc trompée. Non seulement Raymond ne l'avait pas oubliée, mais encore avait-il souvent pensé à elle.

Les mains tremblantes, elle souleva la première lettre et se mit à lire.

Aussitôt, Antoinette oublia le temps qui passait. Elle cessa d'entendre le vent qui sifflait à sa fenêtre et le tic-tac de l'horloge dans le hall d'entrée.

Lentement, elle s'enfonça dans l'histoire de toutes ces années où Raymond et les siens avaient continué à vivre sans elle à Montréal.

D'une lettre à l'autre, Antoinette avançait de plus en plus profondément dans le cœur de l'homme qu'elle aimait toujours. Raymond lui écrivait comme il lui avait si souvent parlé du temps de leur aventure. Toutes ces pages couvertes d'une écriture élégante étaient les propos d'un homme blessé, tourmenté par les choix qui s'imposaient et les contraintes auxquelles il était soumis. Vivre avec Blanche était devenu un véritable cauchemar.

Il avait peur d'elle, de ce qu'elle pouvait être capable de faire quand l'alcool lui obscurcissait l'esprit. Et c'était de plus en plus fréquent. Surtout depuis qu'ils avaient eu une froide mise au point l'un envers l'autre, Blanche et lui. Sa femme ne faisait même plus l'effort d'être discrète. Mais comment la quitter sans risquer de perdre Anne? Les cours de musique avaient posé un baume sur ses tourments. Il savait sa fille en sécurité après les heures de classe, c'était déjà énorme à ses yeux. Même si c'était loin d'être suffisant. Dans la dernière lettre, celle qu'il avait écrite la veille du départ de Charlotte, Anne et Alicia, pour la première fois, il parlait d'internement pour Blanche et avouait qu'il allait profiter de l'accident pour justifier une demande d'examens psychiatriques. Il se faisait horreur d'en être arrivé à une telle extrémité, mais pour le bien d'Anne, il n'avait plus le choix. Blanche était dangereuse pour les autres comme pour elle-même. Il terminait en lui répétant son amour et la grande tristesse qu'il ressentait à ne pouvoir se joindre au groupe des vacanciers. Mais comme le lui avait dit son ami avocat: il faut battre le fer quand il est chaud. La chute de Blanche dans l'escalier à cause de son état d'ébriété était une occasion à ne pas laisser passer.

Antoinette était bouleversée.

Son visage était inondé des larmes qu'elle avait tenté d'essuyer du revers de la main pendant qu'elle lisait. Toutes ces confidences mises sur le papier, ces petites anecdotes qui ponctuaient l'écriture, et surtout ces mises au point que Raymond avait faites, tant pour lui que pour elle, étaient le plus beau cadeau qu'il aurait pu lui offrir.

Il venait de lui redonner une partie de sa vie qui était restée dans l'ombre. Onze longues années de silence prenaient subitement un sens.

Le cœur d'Antoinette battait la chamade.

Comme Raymond l'avait écrit: s'il ne lui avait pas donné de nouvelles après l'annonce du décès d'Humphrey, c'était uniquement pour ne pas accabler la femme qu'il aimait avec des propos qui n'avaient rien de réjouissants. Il s'était contenté de se confier à elle, tout comme avant, en mettant par écrit ce qui rendait sa vie si difficile, mais il n'avait rien envoyé. S'il osait le faire aujourd'hui, c'était qu'il avait atteint la limite de sa résistance. Il n'en pouvait plus, il était épuisé de cette vie sans agrément, sans chaleur, sans amour, alors qu'il aimait tant Antoinette et savait que ce sentiment était partagé. Il lui demandait pardon pour ce trop long silence, il ne voyait plus ce qu'il avait cherché à protéger en s'acharnant à essayer de comprendre Blanche. Son mariage n'avait de sens que dans la mesure où, aujourd'hui, il avait trois filles qu'il aimait tendrement et une petite-fille adorable.

Pour le reste, Raymond l'avouait sans ambages: il avait été ébloui par le sourire d'une femme égoïste, sans constance autre que ce monde imaginaire qu'elle se plaisait à entretenir maladivement.

Il n'y avait ni mièvrerie ni complaisance dans les lettres de Raymond. Il y faisait froidement un constat d'échec et il acceptait d'en prendre tout le blâme.

Antoinette resta longtemps blottie dans le fauteuil où elle s'était recroquevillée. Elle étreignait la dernière lettre de Raymond en la pressant contre son cœur. Tous les mots qu'elle venait de lire se transformaient en images. Elle voyait clairement le bureau de Raymond où elle l'imaginait penché sur la feuille de papier en train de lui confier ses peines et ses tourments tout en sachant que cette lettre ne partirait jamais.

Puis elle repensa à la nuit qu'ils y avaient passée tous les deux, au décès de sa mère, mordant passionnément dans l'instant présent en oubliant tout le reste. Il y avait eu trop peu de temps pour les confidences, cette nuit-là, et ils avaient chacun leur vie, leur compagnon, leurs enfants…

C'est alors qu'Antoinette éclata en bruyants sanglots. Elle aurait tant voulu être auprès de Raymond pour le consoler, le soutenir et en même temps, elle aurait tant voulu qu'Humphrey soit à ses côtés pour l'aider à voir clair dans cet avenir qui lui semblait aussi bouché que l'horizon par matin de brume sur la mer. La présence rassurante de son mari lui manquait terriblement. Et aussi paradoxal que cela puisse paraître, la complexité de la vie qu'elle avait partagée avec Raymond pendant quelques mois lui manquait tout autant.

Deux hommes qui avaient croisé sa vie et qu'elle avait aimés…

Deux hommes qu'elle continuait d'aimer même si elle savait ces amours impossibles. Humphrey était mort. Il ne serait plus jamais à ses côtés qu'à travers les souvenirs et Raymond devrait d'abord mettre de l'ordre dans sa vie pour qu'Antoinette puisse y avoir une place.

Raymond finirait-il par y arriver, un jour ?

Antoinette le connaissait depuis fort longtemps et si elle était capable de reconnaître ses qualités de droiture et de respect, elle savait aussi que cet homme aurait toujours besoin d'être écouté avant de prendre ses décisions. Et pour l'instant, alors qu'il disait vouloir faire un grand ménage dans sa vie, Raymond était seul. Personne à consulter, avec qui partager autrement que par lettre… À cette pensée, l'avenir apparut brusquement à Antoinette sous la forme d'une immense spirale où tous les deux ils tourneraient en rond sans jamais se rejoindre.

Ses larmes redoublèrent.

Un peu comme après la naissance de Jason, alors que la vie avait pris un sens nouveau sans qu'elle sache dans quelle direction elle l'emmenait, Antoinette se sentait démunie, fragile devant tant d'incertitude et en même temps très forte de l'amour que Raymond éprouvait toujours à son égard.

Antoinette choisit de s'accrocher à cet amour. Le reste, tout le reste, y compris Blanche, ne serait désormais qu'accessoire ou obstacle à surmonter. Ils étaient deux et c'était à deux qu'ils donneraient un nouveau souffle à leur amour.

Lentement, les larmes d'Antoinette se firent plus rares. Elle se moucha longuement, remit chaque lettre dans son enveloppe et replaça le tout dans la boîte. Elle savait que, probablement, elle les lirait et les relirait jusqu'à les savoir par cœur. Ces lettres seraient à la fois son passé et sa raison de croire en l'avenir.

Un avenir qui peut-être, un jour, aurait de nouveau un sens à deux.

Après avoir replacé la boîte dans sa penderie, Antoinette s'installa à son petit secrétaire qui était placé entre les deux fenêtres et qui donnait sur la mer. La lune était toute ronde et haute dans le ciel, faisant miroiter la surface glauque de l'eau. Son regard s'y attarda, suivant le mouvement des pépites de lumière qui ondulaient comme sous l'effet d'un puissant souffle, puis elle se pencha sur la feuille qu'elle avait étalée devant elle. La décision d'écrire avait été facile à prendre.

Aux quelques lettres qu'elle venait de lire s'ajouteraient toutes celles que Raymond et elle allaient désormais échanger…

La nuit était déjà bien entamée quand Antoinette eut fini d'écrire. La lune avait déjà tourné le coin de la maison et quelques oiseaux particulièrement matinaux commençaient à lancer quelques trilles.

À défaut d'être présente, Antoinette espérait que les mots qu'elle avait alignés à l'intention de Raymond sauraient lui apporter un peu de réconfort. Comme elle l'avait écrit en terminant sa lettre, si elle avait écouté son cœur, elle aurait fait deux petites valises et aurait immédiatement pris la route en direction de Montréal avec Jason. Mais ce n'était pas possible. Pas dans l'immédiat. Elle le savait et Raymond aussi devait le savoir…

Tandis qu'elle cachetait l'enveloppe, Antoinette repensa aux filles de Raymond. Pour Charlotte et Anne aussi, tout ce qu'elle venait d'apprendre sur leur vie familiale avait des conséquences irrémédiables. Son cœur se serra. Elle venait de comprendre l'attitude d'Anne à son égard et celle de Charlotte aussi. Toutes les deux, elles étaient en manque d'attention, d'affection. Toutes les deux, elles étaient à un passage de la vie où la présence d'une mère n'a pas de prix. Charlotte vivait un récent veuvage et Anne était à cet âge où l'enfance est de moins en moins confortable et le monde des adultes, un peu affolant.

Antoinette se rappelait fort bien à quel point elle avait eu besoin de la présence de sa mère quand elle avait compris qu'elle était enceinte. Pourtant, elle était une adulte, elle avait déjà quarante ans. N'empêche que les conseils et la simple présence de sa mère avaient fait toute la différence entre une solitude accablante et l'assurance de se savoir aimée.

Le fait que Charlotte se soit confiée à elle avec autant de liberté, de confiance et qu'Anne ait profité du moindre prétexte pour glisser son bras sous le sien prouvait que Blanche n'était pas à la hauteur. Cela prouvait, par la même occasion, que l'opinion de Raymond n'était pas exagérée.

Finalement, il avait eu raison de rester à Montréal et de tout tenter pour rendre le quotidien de ses filles plus supportable.

À l'aube, Antoinette était toujours éveillée. Après avoir déposé la lettre sur le guéridon de l'entrée, elle s'était emmitouflée dans une chaude couverture et avait pris place sur la galerie face à la mer. Très haut dans le ciel, quelques goélands se pourchassaient en lançant des cris aigus. La marée était basse, les vagues presque inexistantes. Les premières lueurs du jour commençaient à démarquer l'horizon qui n'était, pour l'instant, que teinté d'une vapeur blanchâtre. Mais Antoinette savait que dans quelques minutes, la goutte de lumière qui fait naître le jour embraserait l'océan tout entier comme l'espoir qui la portait embraserait désormais sa vie.

Quand Jason s'éveilla, il trouva sa mère endormie sur une des chaises longues qui passaient toute la belle saison sur la galerie ceinturant leur maison. Le soleil était déjà haut et la journée serait belle. Il n'était pas inquiet de trouver sa mère endormie dehors. Cela arrivait souvent qu'ils s'installent ainsi, tous les deux, quand il faisait trop chaud à l'intérieur. Il prit place sur une autre chaise tout près d'elle et attendit patiemment qu'elle s'éveille, ce qui ne tardait jamais quand le soleil était aussi haut. Dès qu'il la vit s'étirer et entrouvrir les yeux, il se leva et vint se glisser près d'elle. Antoinette ébouriffa les cheveux de son fils avant de l'embrasser.

– Bien dormi, mon grand ?

– Oui. Mieux que je le pensais. Mais ce matin…

Jason fit une petite grimace avant de poursuivre :

– C'est juste ce matin que ça me fait tout drôle.

– Comment ça ?

– J'ai l'impression que notre maison est devenue trop grande.

Antoinette esquissa un sourire ému.

– C'est vrai qu'on s'est vite habitués, tous les deux, à avoir du bruit autour de nous, n'est-ce pas ?

Jason ne répondit pas. Il resta un long moment songeur puis demanda d'une voix absente :

– C'est comment, maman, la ville où habite Anne ?

– Montréal ? C'est une grande ville. Pas aussi grande que New York, mais bien plus grande que Bridgeport.

– Ah bon! Et c'est bien là que tu habitais toi aussi quand tu étais petite, n'est-ce pas?

– Oui. C'est là que j'ai habité pendant très longtemps.

C'est alors que l'idée surgit, comme un grand élan qui poussait Antoinette à agir. Elle se souleva sur un coude et, regardant Jason droit dans les yeux, elle déclara:

– Et qu'est-ce que tu dirais d'aller à Montréal?

– Tout de suite?

Antoinette fit une petite moue.

– Pas tout de suite, mais très bientôt. Le plus beau temps de l'année au Québec, c'est le mois d'octobre. On pourrait peut-être s'offrir une dizaine de jours de vacances. Qu'en penses-tu?

– Oh oui, alors!

Jason était tout sourire. Il sauta en bas de la chaise, fit une pirouette sur lui-même avant de froncer les sourcils en revenant face à sa mère.

– Mais l'école, elle? fit-il, subitement défiant. Au mois d'octobre je vais à…

– Tant pis pour l'école! l'interrompit joyeusement Antoinette. Tu reprendras le temps perdu à notre retour.

– Wow! Et à Montréal, je vais voir Anne?

– Qu'est-ce que tu crois? Bien sûr!

Jason se remit à sauter de plus belle avant d'empoigner les mains d'Antoinette pour l'obliger à se lever afin qu'il puisse la prendre par la taille et la serrer très fort. Il se dégagea ensuite pour se diriger vers la porte de la véranda.

– J'ai faim, tout à coup, lança-t-il derrière lui.

Sur ce, il s'arrêta brusquement et se retourna vers sa mère.

– Tu es la maman la plus merveilleuse du monde! Tu veux un jus d'orange?

La porte claqua sur ces derniers mots et le bruit de la course des pieds nus de Jason qui filait vers la cuisine emplit la tête d'Antoinette d'un bruit joyeux alors que ses yeux brillaient de larmes.

«Tu es la maman la plus merveilleuse du monde!»

Quand un enfant lance de telles paroles, c'est qu'il est heureux.

Pour Antoinette, ces quelques mots de Jason étaient aussi doux qu'une caresse. Mais alors qu'ils lui donnaient envie de fermer les yeux sur ce petit bonheur tout simple mais si grand, Antoinette ne put s'empêcher d'avoir une pointe de tristesse dans le cœur en se disant que tout là-bas, vers le nord, il y avait une petite fille de l'âge de son fils qui n'avait pas la même chance que lui...

* * *

Anne avait avalé son sourire à l'instant où elle s'était assise dans le train, sur le bout du banc, le nez à la fenêtre.

Elle avait fixé les rails jusqu'au moment où Jason et Antoinette n'avaient plus été que deux petits points noirs se confondant aux objets qui traînaient sur le quai de la gare. Puis elle s'était enfoncée dans son banc en fermant les yeux.

Charlotte, qui sentait à quel point sa petite sœur était triste, avait pris le temps de poser doucement la main sur son genou avant de se retourner pour attraper au vol une petite Alicia qui s'apprêtait à filer vers le corridor pour se rendre au wagon-restaurant.

– Minute, jeune fille! Ce n'est pas encore l'heure de manger.

Anne fut renfrognée tout au long du voyage. Elle toucha à peine à son assiette quand vint l'heure de manger et elle passa la majeure partie du temps le front appuyé contre la vitre à regarder le paysage qui défilait à côté d'elle.

Un paysage qui défilait à l'envers, aujourd'hui, la ramenant chez elle, la ramenant vers un inconnu qui l'effrayait.

Sa mère était-elle encore à l'hôpital?

Cette question l'obsédait.

L'autre soir, juste avant de partir pour les vacances, Anne était arrivée à la maison à l'instant où l'ambulance repartait en direction de l'hôpital. Elle n'avait pas été vraiment surprise d'apercevoir les lumières clignotantes du véhicule garé devant sa maison. Depuis le temps qu'elle disait que sa mère était malade d'une drôle de façon, elle s'attendait à ce que quelque chose d'inhabituel finisse par se produire un jour ou l'autre. Elle avait été simplement soulagée que cela ait été son père qui était arrivé avant elle parce que cette fois-ci, sa mère devait être vraiment très malade pour qu'il ait songé à appeler l'ambulance.

Si elle était arrivée la première, aurait-elle su quoi faire?

Ce soir-là, toute seule, elle avait longtemps attendu que son père revienne de l'hôpital où il avait accompagné sa mère. Elle était restée assise dans le noir, rongée beaucoup plus par la peur d'apprendre que les vacances étaient annulées que par l'angoisse causée par l'accident de sa mère.

Et cette inquiétude de ne pas partir en voyage, cette hantise ressentie comme une espèce de crampe dans le ventre, elle ne l'avait quittée qu'au moment où le train s'était mis à rouler en direction du sud.

Au bout des rails, Anne avait découvert une maison de soleil, heureuse, joyeuse alors que chez elle, tout était sombre.

Au bout des rails, elle avait rencontré une femme qui s'appelait Antoinette et qui ressemblait à une vraie mère.

Plus d'inquiétude, plus de longues promenades l'après-midi après l'école pour ne pas avoir à entrer seule chez elle, plus d'oreille tendue épiant les bruits ou les silences de la maison pour essayer de deviner les humeurs de celle qui l'occupait. Chez

Antoinette, on riait, on s'amusait, on parlait librement sans risque d'être rabroué.

L'idée de ne plus jamais quitter Bridgeport avait alors germé dans le cœur d'Anne, à peine quelques jours après son arrivée.

Et cette pensée l'avait habitée en permanence, chaque jour un peu plus forte.

Elle aurait tant voulu qu'Antoinette lui propose de prolonger son séjour. Quelques jours auraient déjà été un vrai cadeau pour Anne, car cela aurait permis de repousser l'échéance de renouer avec une vie qui ne l'inspirait plus du tout.

Mais la magie n'existe que dans les contes de fée...

Sous quel prétexte Antoinette l'aurait-elle gardée à ses côtés? Il n'y en avait aucun.

Ce matin, Anne avait donc repris le train pour retourner à Montréal.

Elle entendait le frottement du métal contre les rails et il lui semblait entendre un ricanement.

C'était ridicule d'avoir imaginé que si elle était bien gentille, Antoinette lui proposerait de partager leur vie, à Jason et elle.

Anne soupira longuement alors que des centaines d'arbres filaient à toute allure à côté du train.

Pourquoi avoir entretenu toutes ces suppositions et ces questions alors qu'elle connaissait déjà la réponse? Antoinette et Jason avaient leur vie et malheureusement, Anne n'en faisait pas partie. Elle était la fille de Blanche et de Raymond et sa vie était à Montréal, pas à Bridgeport.

En se répétant ces mots, Anne ferma très fort les paupières pour empêcher les larmes de couler. Elle ne voulait pas que Charlotte la voie pleurer, elle ne voulait pas avoir d'explications à donner. Charlotte était bien gentille et savait écouter, mais depuis qu'elle était revenue à Montréal pour y rester, ce n'était plus tout à fait la même Charlotte.

Premièrement, elle habitait pas mal loin de la maison et en plus, elle travaillait souvent le soir. Même durant les fins de semaine.

Et il y avait Alicia.

Même si elle comprenait très bien que sa sœur devait d'abord s'occuper d'Alicia parce qu'elle était sa fille et même si elle aimait vraiment beaucoup sa petite nièce, entre Charlotte et elle, ce n'était plus pareil. Charlotte était devenue une dame, une maman très occupée, et Anne voyait bien que l'horaire et les préoccupations de sa sœur ne laissaient plus beaucoup de place pour elle. Même si elle comprenait très bien que Charlotte n'avait pas le choix d'agir comme elle le faisait, elle était déçue.

Mais cela ne réglait pas son problème. Elle aurait donné la lune pour ne plus habiter la grande maison victorienne trop sombre, trop triste et trop silencieuse.

Quant à Émilie, elle était tellement occupée à vivre sa grossesse et à faire ses peintures qu'elle n'avait même pas cherché à savoir s'il n'y aurait pas, par un heureux hasard, une petite place de libre pour elle dans la vie bien remplie de sa sœur.

Avec Marc qui devait occuper le reste du temps disponible, Anne n'avait rien à faire chez les Lavoie. Émilie était une femme beaucoup trop prise pour s'occuper de sa petite sœur de quelque façon que ce soit. Anne trouvait cela dommage, car Émilie était douce et tranquille et cela aurait agréablement changé la perspective de rentrer chez elle. D'autant plus qu'Émilie n'habitait pas très loin, elle.

Anne soupira en regardant les maisons colorées de la petite ville qu'ils étaient en train de traverser puis elle referma les yeux.

Bien sûr, il y avait son père. Elle l'aimait beaucoup. Malgré cela, par expérience, elle savait que même habité de la meilleure volonté du monde, son père n'était pas toujours à la hauteur. C'est pourquoi, malgré cette promesse de mettre de l'ordre dans leur vie, il restait tout de même un certain doute dans son esprit. Trop souvent, son père avait reconduit des promesses faute de temps, de disponibilité, d'occasions ou tout simplement parce que sa mère avait besoin de lui pour une raison ou une autre.

Pourquoi cette fois-ci aurait-elle une confiance absolue en lui?

Anne serra les paupières encore plus fort tellement la perspective de retrouver sa mère lui pesait lourd. Il ne fallait pas que les larmes se mettent à couler parce qu'elle n'arriverait plus à les arrêter, elle en était persuadée.

Elle s'appliqua donc à prendre de longues inspirations puis elle renifla discrètement avant d'ouvrir les yeux pour regarder à l'extérieur.

En se concentrant sur le paysage qui défilait, peut-être cesserait-elle de penser à ce qui l'attendait à l'autre bout des rails?

Ce fut à cet instant que venues de loin, probablement d'une autre cabine, quelques notes d'harmonica chatouillèrent son oreille et lui firent penser à madame Mathilde.

Par chance, il y avait madame Mathilde, son professeur de piano.

Avec elle, au moins, Anne n'avait pas la sensation de déranger. Le grand logement de madame Mathilde était accueillant à toute heure du jour et résonnait en tout temps de notes de musique, ce qui n'était pas pour déplaire à Anne.

Elle aimait la musique et quand elle en jouait, elle avait l'impression que l'espace se refermait autour d'elle, créant un univers sonore qui lui faisait tout oublier.

Pendant qu'elle pensait à son professeur, machinalement, les doigts d'Anne s'étaient mis à bouger comme si elle travaillait ses gammes, et un sourire furtif traversa son visage. La douceur qui se dégagea alors des traits de la jeune fille n'échappa aucunement à Charlotte qui sentit son cœur se serrer. Anne aussi était en train de réintégrer sa vie. Un peu comme elle-même qui savait que dès le surlendemain, elle devrait se présenter à l'hôpital pour travailler.

Impulsivement, Charlotte prit une main de sa sœur entre les siennes et la serra avec beaucoup d'affection. Anne tourna la tête, un peu surprise.

— Pas facile de retourner à la maison, n'est-ce pas? demanda Charlotte en la fixant intensément.

— Non, pas du tout, répliqua Anne en soupirant encore, mais cette fois de soulagement, comprenant que Charlotte partageait ses appréhensions et ne semblait pas lui en vouloir pour son mutisme.

Alicia s'était endormie, couchée sur la banquette, la tête reposant sur les cuisses de sa mère. Anne la regarda un moment puis en profita pour s'appuyer tout contre Charlotte.

— Non, répéta-t-elle. Ça ne me tente pas du tout de retourner chez nous. Mais je sais bien que je n'ai pas le choix.

Charlotte ne répondit pas. Ce qu'elle aurait dit était plutôt amer et Anne n'avait pas besoin de connaître ses états d'âme. Car Charlotte non plus, n'avait pas la moindre envie de reprendre là où elle avait laissé deux semaines plus tôt. L'hôpital, la vie seule avec Alicia, même en compagnie de Françoise, cette amie d'enfance qu'elle avait retrouvée avec plaisir et dont elle partageait le logement, ce n'était pas exactement ce qu'elle souhaitait pour les années à venir. En guise de réponse, elle se contenta de glisser une main sous le menton d'Anne et de caresser sa joue pendant qu'elle fermait les yeux à son tour.

Et toutes les deux, blotties l'une contre l'autre, chacune poursuivant des pensées qui lui étaient propres, se laissèrent porter par le train qui les ramenait à leur point de départ.

Quand le convoi entra en gare, Anne n'eut aucune difficulté à repérer son père qui faisait les cent pas sur le quai. Raymond avait l'air fatigué, ses traits étaient creusés.

Elle fronça les sourcils.

N'était-il pas content de la revoir ? À moins que sa mère ne soit déjà de retour à la maison et que son état nécessite tellement de soins que son père soit exténué. Dans un cas comme dans l'autre, elle ne se sentait pas à l'aise.

Se faisant aussi discrète que possible, elle se glissa derrière Charlotte avant de lui emboîter le pas pour rejoindre Raymond.

Par contre, Charlotte, elle, avançait à larges foulées, un franc sourire éclairant son visage. Anne était à se dire qu'elle trouvait curieux que sa grande sœur ne semblait jamais intimidée par leur père, même quand celui-ci affichait sa figure des mauvais jours, lorsque celle-ci lâcha la main d'Alicia pour se précipiter vers Raymond. Elle lui sauta au cou.

– Merci papa ! Merci, merci pour ce merveilleux voyage.

Puis Charlotte recula d'un pas et ajouta :

– Tu avais raison, Antoinette est une femme absolument merveilleuse !

C'est alors qu'Anne assista à la transformation radicale de son père. De morose qu'il était, son visage afficha en un instant une joie évidente. Comme si une lourde inquiétude venait de glisser de ses épaules. À peine le temps de se dire qu'elle trouvait cela un peu curieux puisqu'il n'avait pas eu la chance de les accompagner et Anne s'élançait vers lui à son tour. Raymond la souleva dans ses bras comme si elle était encore une toute petite fille et l'embrassa sur les deux joues, visiblement heureux de la retrouver. Anne répondit aussitôt à son sourire.

Elle venait de retrouver le papa qu'elle aimait, celui qui savait rire et s'amuser.

Quand ils arrivèrent enfin chez eux, après avoir déposé Charlotte et Alicia, Anne commençait à être sérieusement fatiguée. Mais son père, lui, semblait débordant d'énergie. Depuis que Charlotte lui avait brièvement parlé d'Antoinette, son père était intarissable. Alors qu'Anne s'apprêtait à monter l'escalier, traînant sa lourde valise derrière elle, Raymond l'arrêta en posant une main sur son épaule.

Elle leva la tête.

Son père la regardait avec un petit sourire en coin.

Elle fronça les sourcils.

Le sourire de son père lui faisait curieusement penser à celui de Jason. Mais elle n'eut guère le temps d'approfondir cette vague impression. Étranger à l'examen qu'il subissait, Raymond la prenait déjà par la main et l'entraînait à sa suite en direction de la cuisine.

— Je sais bien qu'il est tard. Mais j'ai pensé que tu aurais peut-être un petit creux avant d'aller au lit. Et oublie les bagages, on s'en occupera demain.

Du bout du doigt, Raymond pressa le bouton de l'interrupteur et la lumière crue du plafonnier de la cuisine fit cligner Anne des paupières avant qu'elle n'éclate de rire. Au beau milieu de la table trônait un immense gâteau au chocolat.

— On dirait la tour de Pise, papa!

Raymond affichait un air mi-figue, mi-raisin.

— Ouais! C'est vrai qu'il est un peu croche et que le glaçage a coulé... Mais je l'ai fait tout seul, déclara-t-il fièrement en redressant les épaules.

Il tourna la tête pour que son regard croise celui de sa fille et il lui dit avec une curieuse émotion dans la voix:

— Je l'ai fait pour toi, Anne. Il faut bien que j'apprenne à cuisiner autre chose que des *grilled cheese* et des salades si on est pour vivre ensemble tous les deux...

Anne se mit à rougir violemment. À mots couverts, son père venait de parler de sa mère et sur le sujet, les émotions de la petite fille étaient si contradictoires qu'elle ne savait plus où elle en était. À leur arrivée, elle avait été à la fois soulagée et inquiète de constater que Charlotte ne demandait pas de nouvelles de Blanche et que son père ne songeait pas à leur en donner. Sa mère allait-elle suffisamment bien pour que ce soit sans grande importance ou, au contraire, était-elle si malade que le sujet ne s'abordait pas sur le quai d'une gare ou dans une automobile? Chose certaine, elle n'avait pas l'intention d'être celle qui déclencherait un débat et jusqu'à maintenant, elle avait su se retenir.

Mais voilà que son père en avait parlé sans vraiment en parler. Que voulait-il dire en évoquant leur vie à deux?

Raymond sentit la main d'Anne qui se mit à trembler dans la sienne. Alors, il glissa un index sous son menton, l'obligeant à lever les yeux vers lui et captant ainsi toute son attention, puis il se mit à expliquer franchement la situation. Il parlait d'une voix très douce, une voix qu'Anne n'avait pas entendue souvent mais qui la remuait jusqu'au fond du cœur chaque fois que son père l'employait.

– Tu te souviens, n'est-ce pas, quand tu me disais que maman était malade d'une drôle de façon parfois?

D'un petit signe de la tête, Anne acquiesça alors que Raymond poursuivait.

– Vois-tu, Anne, tu avais raison. Et le problème de ta mère, c'est l'alcool. Sais-tu ce que c'est?

Cette fois-ci, Anne haussa les épaules tout en répliquant:

– Oui. Charlotte me l'a expliqué.

Raymond fronça les sourcils.

– Charlotte?

– Oui. Durant les vacances. Le soir au souper, Antoinette servait souvent un liquide rouge ou blanc dans de belles coupes en verre. Je trouvais cela très joli avec la lumière qui brillait dessus. Charlotte m'a alors expliqué que ce liquide s'appelait du vin, que c'était de l'alcool et qu'habituellement on n'en servait qu'aux adultes. Elle m'a dit aussi qu'en Europe, les gens en prennent souvent aux repas, ce qui n'est pas une habitude chez nous. Est-ce que c'est de cela que tu veux parler?

Raymond ébaucha un demi-sourire.

– D'une certaine façon, oui. Est-ce qu'elle t'a dit autre chose, Charlotte, en parlant du vin?

– Rien… Il y avait autre chose à dire?

Avant de répondre, Raymond regarda autour de lui, cherchant peut-être les mots qui sauraient expliquer. Puis, de la main, il montra la table.

– Qu'est-ce que tu dirais de t'installer? On pourrait manger un morceau de gâteau pendant que je vais t'expliquer certaines choses. Qu'en penses-tu?

– Bonne idée.

Ce fut ainsi que Raymond expliqua à Anne que l'alcool était une curieuse boisson. Accepté en certaines occasions, symbole de détente et de plaisir, il devenait dangereux dès qu'on en abusait. Pendant l'absence de sa fille, sachant qu'il aurait à expliquer ce qui arrivait à Blanche, Raymond avait longuement soupesé la question, se demandant comment aborder le sujet avec une enfant de cet âge. Il en avait conclu que la vérité était probablement la seule chose à dire. Il lui présenterait une vérité sans doute édulcorée pour être accessible, mais suffisamment étoffée pour qu'Anne comprenne. C'est pourquoi il avait choisi de dire que Blanche buvait, qu'elle prenait trop de boisson, avec les conséquences que sa fille connaissait déjà. Quand la petite fille revenait à la maison et trouvait sa mère dans un drôle d'état, c'était parce que cette dernière avait abusé de l'alcool.

– Mais si ça rend malade, abuser de l'alcool, pourquoi maman en prend-elle?

Anne comprenait très bien ce que son père avait expliqué sans comprendre le pourquoi de la chose. Il lui semblait qu'il y avait une bonne dose d'illogisme dans les propos de son père.

– Malheureusement, ma chérie, je ne peux pas répondre à ta question, avoua Raymond en soupirant. Il n'y a que ta mère qui pourrait nous dire pourquoi elle prend de l'alcool. Et encore… Malheureusement, les gens qui boivent ont souvent de la difficulté à comprendre pourquoi ils le font… C'est un peu comme une mauvaise habitude dont on n'arrive pas à se débarrasser même si on sait qu'elle est mauvaise pour nous.

– Je vois…

Anne, qui pourtant raffolait du gâteau au chocolat, resta un long moment immobile, sa fourchette pointant le plafond, sans toucher à son assiette. Elle comprenait très bien tout ce que son père avait tenté d'expliquer. Mais elle ne voyait pas en quoi cela changeait quelque chose pour elle. Parce que dans le fond, présentement, sa mère était malade de deux façons. Il y avait l'alcool, comme son père venait de le dire, et il y avait aussi ses fractures aux jambes. Ces dernières allaient bien finir par guérir un jour et ce jour-là, sa mère reviendrait à la maison et tout reprendrait comme avant. Alors pourquoi son père avait-il parlé de vivre à deux si c'était pour être temporaire? Même avant l'accident, il lui avait déjà glissé un mot sur la possibilité de vivre tous les deux ensemble sans sa mère. Présentement, elle ne voyait pas comment la chose pourrait être réalisable. Elle sentait qu'une partie de la vérité lui échappait. Elle se dit alors que l'alcool était peut-être une maladie qui ne guérissait jamais et nécessitait des soins que seul un hôpital pouvait donner. C'était peut-être à cela que son père faisait allusion quand il parlait d'une vie où sa mère serait absente…

Anne haussa imperceptiblement les épaules. Et après ?

Cette pensée inavouable lui fit fermer les yeux précipitamment. Quelle sorte de petite fille était-elle donc pour souhaiter que sa mère ne guérisse pas ?

Elle se mit à rougir et détourna la tête pour que son père ne puisse voir à quel point elle était mal à l'aise. Elle aurait bien dû, aussi, passer par-dessus sa gêne et demander à Antoinette de la garder quelque temps. Qu'en savait-elle vraiment ? Peut-être bien que la mère de Jason aurait accepté qu'elle vive avec eux pendant un bon moment ?

Bousculée par toutes ces pensées, Anne s'agita sur sa chaise avant de fixer la fenêtre pour tenter d'éloigner les larmes qui menaçaient de s'échapper à nouveau. Pas plus avec son père qu'avec Charlotte elle n'avait envie d'en parler.

Malgré l'inquiétude qui se lisait sur les traits de Raymond, celui-ci respecta le silence de sa fille. Il aurait cent fois préféré qu'elle s'exprime, qu'elle crie sa peur ou pleure ses déceptions. Toutefois, Anne semblait avoir choisi de vivre ses émotions à l'intérieur d'elle-même, et Raymond ne savait pas comment s'y prendre pour faire tomber la barrière qu'il voyait érigée, immense, entre sa fille et lui. Il repoussa son assiette et se releva. Toujours sans dire un mot, il empila la vaisselle sale pour la porter à l'évier. Quand il revint près de la table, Anne n'avait toujours pas bougé.

– Fatiguée, ma puce ?

Effectivement, Anne tourna vers lui un visage livide aux yeux rougis.

– Un peu, oui. La journée a été longue.

Raymond aurait aimé connaître une formule magique qui aurait fait refleurir le sourire de sa fille. À onze ans, il est beaucoup trop tôt dans la vie pour renvoyer un regard aussi sombre, aussi triste. Mais que dire, comment le dire? Raymond ne connaissait pas les mots qu'une enfant de onze ans a besoin d'entendre. Trop d'années de silence entre Blanche et lui en avaient fait un homme taciturne. Cependant, il était resté un homme de cœur. Alors il posa les mains sur les épaules d'Anne et les pressa affectueusement. Peut-être que la chaleur qu'il lui communiquait arriverait à remplacer les mots qu'il ne savait pas trouver. Anne leva la tête vers lui.

– Je t'aime, papa.

Puis, dans un élan du cœur qu'elle-même n'avait pas prévu, Anne s'écria:

– Si tu savais comme tout cela me fait peur!

Tout ce qu'elle souhaitait, c'était que son père soit capable de l'aider. Anne aurait tant voulu que les mots de haine et de colère qui grondaient en elle puissent enfin s'échapper. Alors, elle arriverait peut-être à se sentir bien. Malheureusement, Raymond se méprit sur le sens de ces quelques mots. Croyant qu'elle était triste à cause de Blanche, il chercha à la rassurer.

– Ne t'en fais pas. Avec de bons soins, même si cela prend du temps, peut-être beaucoup de temps, maman devrait finir par guérir. Tu vas voir.

Anne n'ajouta rien. Son père n'aurait pas compris. Au-delà de la crainte qu'elle avait de rentrer chez elle, plus grand que la haine qu'elle ressentait envers sa mère, il y avait en effet le mépris que celle-ci avait toujours affiché à son égard. Anne ne voulait pas que sa mère guérisse. Anne ne voulait plus jamais la revoir. Elle ne comprenait pas pourquoi elle était comme cela. Par moment, elle avait même l'impression d'être anormale. Mais c'était plus fort qu'elle.

Plus jamais personne ne la traiterait d'insignifiante, elle ne le supporterait pas.

Tout doucement, elle se dégagea de l'emprise de son père et, sans le regarder, elle se dirigea vers la porte de la cuisine en disant :

– Ça va aller, papa. Si tu dis que tout est bien, je te crois. Tu dois t'y connaître plus que moi. Maintenant, si ça ne te fait rien, j'aimerais aller me coucher. Je suis très fatiguée.

Chapitre 3

L'été des Indiens n'en finissait plus de s'étirer dans tous les sens.

Depuis au moins une semaine, il faisait très beau, les soirées étaient presque chaudes et l'on devait encore garder les fenêtres ouvertes pour dormir confortablement. Il était facile d'oublier qu'octobre avait déjà parcouru presque la moitié du chemin qui lui était alloué. On se serait cru en plein été et encore, un été nettement plus clément que ce que l'on avait connu en juillet et en août.

Habillée d'un pantalon léger et d'une chemise à manches courtes, n'ayant plus personne pour lui dicter ses moindres faits et gestes, Anne avançait d'un bon pas en direction de la maison. Elle avait prévenu madame Mathilde qu'elle serait un peu en retard pour sa leçon de piano, car elle avait plus important à faire. Elle n'avait pas dit en quoi consistait cette urgence et malgré le froncement des sourcils de son professeur de musique, qui détestait qu'une de ses élèves s'absente sans raison valable, Anne avait gardé son secret.

Cet après-midi, la petite fille avait rendez-vous avec la réalisation d'un de ses plus chers désirs, et rien au monde n'aurait pu l'empêcher d'en reporter l'échéance.

Tout en marchant rapidement, elle fit cependant la moue.

Peut-être...

C'était là exactement ce que son père avait dit: aujourd'hui peut-être...

Elle entra dans la maison sur le bout des pieds, comme si le moindre bruit avait pu la tirer d'un rêve merveilleux. C'était vraiment ce qu'elle ressentait: elle était en train de rêver et le réveil serait désagréable.

Anne s'arrêta sur le seuil du salon, tendit le cou, les yeux fermés, puis s'enhardit à les ouvrir très lentement.

Un large sourire détendit ses traits.

Non, finalement, elle ne rêvait pas. Le rendez-vous tant attendu avait bel et bien lieu. Le rêve était devenu réalité.

Au beau milieu de la pièce trônait un superbe Steinway noir avec des dorures en guise de garniture. Son père avait bien fait les choses, le piano était magnifique.

Anne s'en approcha lentement, frôla le bois verni du plat de la main. Puis elle releva le protège-clavier et effleura les touches d'un doigt très léger. Avec respect.

Enfin! Enfin, elle avait un piano chez elle, un piano à elle. Anne dessina un autre sourire, d'une tout autre nature, cette fois-ci.

Si son père avait acheté ce piano, cela voulait aussi dire que sa mère n'allait pas revenir de sitôt, car celle-ci s'était toujours opposée à l'achat d'un piano. Chaque fois que son père en avait parlé, sa mère avait levé les yeux au ciel et répliqué d'un sonore: «Et mes migraines? Comment veux-tu que je soigne une migraine avec une enfant qui pioche sur un clavier?» Ce à quoi Raymond répondait systématiquement qu'Anne ne piochait pas sur un clavier mais jouait de la musique. Peine perdue! Blanche ne voulait pas en entendre parler. Au bout du compte, la conversation n'avait jamais débordé des propositions d'achat accompagnées de «si» et de «peut-être», de «plus tard» et de «on verra».

Un autre vœu pieux dans la famille Deblois.

Anne esquissa un petit pas de danse.

Depuis que sa mère avait eu son accident, tout allait pour le mieux dans le meilleur des mondes! Elle se dépêcherait de téléphoner à madame Mathilde pour lui dire qu'à bien y penser, elle n'irait pas au cours aujourd'hui. Et elle ferait taire ses protestations en lui annonçant qu'elle allait tout de même pratiquer ses gammes puisque dorénavant, il y avait un piano chez elle.

Anne était folle de joie. Elle pourrait faire de la musique aussi souvent qu'elle en aurait envie. Depuis le temps qu'elle rêvait de jouer autre chose que les pièces et les exercices imposés par ses professeurs, madame Mathilde et son amie Renée! Maintenant il n'y aurait plus de limite à son plaisir!

De nouveau, du bout des doigts, elle effleura le clavier. Puis elle s'enhardit à enfoncer les touches. Les blanches, les noires…

Une première gamme égrena ses notes dans le salon. Puis une seconde.

La sonorité de l'instrument plut aussitôt à la jeune fille. Décidément, son père n'avait pas lésiné sur cet achat. C'était un piano d'une très belle qualité.

– Et en plus, il est neuf, murmura-t-elle en se laissant tomber sur le petit tabouret ajustable.

Elle avait les jambes molles et son cœur frappait à grands coups dans sa poitrine. Jamais elle n'aurait pensé qu'un jour elle se sentirait aussi heureuse, aussi libre. À cet instant, elle se rappela que Charlotte lui avait dit, quand elle était encore bien petite, que les mots étaient la porte de la liberté. Longtemps, elle avait cru en cette vérité. C'est pourquoi, à l'école, elle avait travaillé très fort pour apprendre à lire et à écrire. Et, jusqu'à un certain point, elle avait compris ce que Charlotte avait voulu dire. Cette évasion possible par la lecture, cet oubli du monde qui nous entoure… Puis il y avait eu madame Mathilde et les cours de piano. Anne avait alors découvert que pour elle, la liberté, la vraie, celle qui lui donnait des ailes et faisait accepter tout le reste, cette liberté-là passait par la musique.

Aujourd'hui, du haut de ses onze ans, Anne comprenait, même si c'était encore un peu confus, que la liberté pouvait avoir bien des visages. Il suffisait parfois de trouver la voie qui était la sienne pour être heureuse. Pleinement heureuse.

Elle repensa à Antoinette et à Jason. Si elle était restée au Connecticut comme elle l'avait tant espéré tout en sachant la chose impossible, il n'y aurait pas eu de piano. Comme quoi, et cela, son père le disait souvent, il fallait faire confiance à la vie et aux surprises qu'elle nous réserve !

Pendant un long moment, Anne resta immobile les deux mains sur le clavier, juste pour le plaisir de sentir la joie qui chantait en elle. Et ce grand bonheur, c'était à son père qu'elle le devait. Comment avait-elle pu ignorer pendant si longtemps à quel point il était généreux et digne de confiance ?

C'est alors qu'une idée lui traversa l'esprit. Une idée qu'elle jugea suffisamment bonne pour sauter aussitôt sur ses pieds et se précipiter en direction de la cuisine. D'abord, un appel à madame Mathilde pour qu'elle ne s'inquiète pas et après, les recettes.

Ce soir, Anne ferait le repas.

Elle avait amplement le temps de s'occuper de tout puisque son père l'avait prévenue que si le piano était arrivé, il aurait à travailler un peu plus tard pour reprendre les heures perdues à attendre la livraison et qu'elle ne devait pas s'inquiéter de son absence.

Elle ferait donc des spaghettis. À la viande, dont son père raffolait mais que sa mère ne faisait presque jamais, car elle disait que cela lui donnait des brûlements d'estomac.

Anne était tout excitée à l'idée de la bonne surprise qui attendrait son père. Sa façon à elle de lui dire merci.

Le temps de prévenir son professeur, qui lui assura que ce n'était pas grave qu'elle manque un cours et qui s'offrit même à venir vérifier l'accord de l'instrument, et Anne sortait le gros livre de recettes de sa mère.

Elle trouva celle de la sauce à la viande assez facilement, consulta la liste des ingrédients et vérifia ce qui restait comme provision au réfrigérateur et dans le garde-manger.

– Parfait, lança-t-elle, heureuse de voir que son projet était réalisable. Il ne manque que la viande hachée.

Elle grimpa aussitôt à l'étage et fila vers sa chambre où elle attrapa par une oreille sa tirelire en forme de petit cochon. Elle en renversa le contenu sur son lit. Plus de trois dollars, une vraie fortune! Suffisamment pour acheter de la viande et peut-être même un dessert à la pâtisserie.

Deux minutes plus tard, Anne sautillait le long de l'avenue en direction des petits commerces qui avaient pignon sur rue à quelques intersections de chez elle. Depuis le temps qu'elle faisait les courses pour sa mère, elle savait exactement où aller et quoi demander.

Ce fut au retour, alors qu'Anne était assise à la table, le livre de recettes devant elle, que les choses commencèrent à se compliquer. Blanche ne tolérait personne autour d'elle lorsqu'elle cuisinait de telle sorte qu'Anne ignorait l'abc des termes culinaires.

– Mais qu'est-ce que ça veut dire? demanda-t-elle à haute voix avec une pointe d'inquiétude. Faire suer des oignons… Ça sue, des légumes? Et ça? Je n'avais pas remarqué cette ligne-là tout à l'heure. «Au goût, ajouter un doigt de bon vin rouge.» C'est combien un doigt? fit-elle en regardant une main qu'elle tenait devant elle, les doigts écartés. De toute façon, je n'ai pas de vin rouge. Est-ce que ça peut être bon quand même?

Anne était terriblement déçue. Elle aurait tant voulu surprendre son père, lui faire plaisir. Oh! Un bien petit plaisir à côté de celui qu'il lui procurait. Mais quand même…

C'est alors qu'elle pensa à Charlotte. Elle savait cuisiner, elle, et très bien. Peut-être qu'un simple appel réglerait son problème? Anne se précipita au téléphone. Malheureusement, ce fut Françoise qui répondit. Charlotte n'était pas rentrée, mais elle ne devrait plus tellement tarder. Anne raccrocha vivement, déçue. Quand Charlotte la rappellerait, resterait-il assez de temps? Dans la recette, il était écrit de laisser mijoter pendant deux heures. Au moins, je sais ce que veut dire mijoter, soupira-t-elle avec amertume.

Au même moment, elle entendit la porte d'entrée qui s'ouvrait et se refermait. Sa déception fut alors à son comble. Contrairement à ce qu'il avait dit, son père devait être déjà de retour. Pour la surprise, c'était raté. Aussi, quelle ne fut pas sa joie quand, au lieu d'entendre la voix de Raymond qui l'interpellait, ce fut celle d'Émilie qui semblait de fort bonne humeur.

– Anne, es-tu là?

La petite fille sursauta et afficha aussitôt un immense sourire. Son problème était réglé.

– Dans la cuisine…

Puis elle repensa au piano. Elle sortit de la cuisine en coup de vent, fébrile, excitée.

– Attends, Émilie! Reste là. Je veux te montrer quelque chose. Tu vas voir, c'est extraordinaire. Il est trop beau!

Surprise, Émilie resta dans le hall d'entrée en fronçant les sourcils. N'ayant pas été du voyage à la mer, ce qu'elle connaissait de sa petite sœur n'avait rien à voir avec l'enthousiasme qu'elle avait entendu dans sa voix. Qu'est-ce qui pouvait provoquer une telle exubérance chez sa sœur, habituellement plutôt tranquille, voire effacée?

– Regarde, Émilie, regarde !

Anne l'avait empoignée par la main pour la tirer jusqu'au salon.

– N'est-ce pas qu'il est beau ?

Anne avait lâché la main d'Émilie pour s'approcher du piano, les deux mains pressées sur son cœur.

– Je n'ai jamais été aussi heureuse de toute ma vie. Je vais pouvoir en jouer aussi souvent que je le voudrai.

Elle jeta un dernier regard à la merveille et sans même laisser le temps à sa sœur d'émettre le moindre commentaire, Anne fit volte-face et la reprit par la main.

– Et maintenant, à la cuisine ! lança-t-elle d'un ton autoritaire. Tu vas m'aider.

Après quelques explications, Émilie partagea l'enthousiasme de sa petite sœur et elle retroussa ses manches pour se mettre au fourneau. À deux, la sauce fut mise à mijoter en un tournemain.

– Et voilà ! Tu vois que ce n'était pas compliqué. Et la prochaine fois, quand tu n'es pas trop certaine de toi, regarde dans le dictionnaire. Même les termes culinaires y sont expliqués.

– Je n'y avais pas pensé, fit Anne, contrite.

Puis elle éclata de rire.

– C'est Charlotte qui ne serait pas fière de moi ! Elle passe son temps à dire qu'un dictionnaire, c'est l'encyclopédie la plus complète qui soit, même si c'est dans une forme condensée, et qu'on devrait régulièrement s'en servir…

– Anne ! Où es-tu ? T'es-tu fait mal ?

En écho à la réflexion d'Anne, la voix inquiète de Charlotte venait de les rejoindre dans la cuisine à l'instant même où la porte d'entrée se refermait avec fracas.

– Nous sommes à la cuisine, s'empressa de répondre Émilie, surprise d'entendre sa sœur. Mais veux-tu bien me dire ce que tu fais ici ?

Charlotte venait d'entrer dans la cuisine. Sans se donner la peine de répondre à Émilie, elle se dirigea directement vers la petite table à angle qui supportait le téléphone.

– Ah! Voilà le coupable!

Elle reposa correctement le combiné puis se retourna enfin vers ses sœurs qui la regardaient sans comprendre.

– Mais veux-tu bien me dire ce qui se passe ici, Anne? J'étais morte d'inquiétude.

Anne ouvrit les yeux tout ronds.

– Morte d'inquiétude? Pourquoi?

– Mets-toi à ma place! Je reviens de travailler et qu'est-ce que j'apprends? Que tu as appelé, que tu semblais fort énervée et que devant mon absence, tu as raccroché précipitamment. J'essaie de t'appeler à mon tour. C'est engagé! Après trois tentatives, j'ai sauté dans un taxi pour venir voir ce qui se passait. Pour la ligne occupée, j'ai ma réponse, fit-elle en pointant l'appareil, mais pour le reste…

– Le reste? C'était juste une question de recettes.

– De recettes?

En un clin d'œil, Charlotte comprit la démesure de sa réaction et éclata de rire.

– Tu veux dire que je me suis énervée pour une simple recette?

– On dirait bien, constata Anne d'une voix penaude, comprenant, elle aussi, en un clin d'œil, qu'elle aurait dû être plus explicite. Je m'excuse, j'aurais dû être plus claire.

C'est alors qu'Émilie intervint.

– Quelle importance tout ça? Suis-moi, Charlotte, tu vas comprendre ce qui rend notre petite sœur aussi fébrile.

Puis elle se ravisa et, se tournant vers Anne, elle ajouta:

– Non, ce n'est pas à moi de faire les présentations… À vous l'honneur, mademoiselle!

Anne s'approcha de Charlotte et la prit par la main.

– Viens, suis-moi. J'ai quelque chose à te montrer.

Et en procession, les trois sœurs gagnèrent le corridor puis le salon. Tout comme sa petite sœur l'avait fait avant elle, Charlotte porta les mains à son cœur.

– Ho là! Papa n'y est pas allé avec le dos de la cuiller, constata-t-elle. C'est un vrai bijou que tu as là!

Elle se tourna vers Anne. La petite fille avait les yeux brillants de plaisir.

– Heureuse? demanda Charlotte. Depuis le temps que tu en parlais!

– Bien plus que ça, murmura Anne. Je pense que même toi tu ne trouverais pas de mots pour décrire ce que je ressens.

Charlotte dessina un petit sourire en posant la main sur l'épaule d'Anne.

– En effet. Il y a parfois de ces moments bénis que l'on ne peut mettre en mots. Je comprends très bien ce que tu veux dire.

– Alors, si tu nous mettais ta joie en musique, Anne? demanda Émilie. Paraîtrait-il que tu t'y connais! C'est fou, mais je ne t'ai jamais entendue jouer, constata-t-elle surprise en prenant place sur le canapé.

– Oui, approuva Charlotte en rejoignant Émilie. Joue-nous quelque chose.

– Qu'est-ce que vous voulez que je joue? demanda Anne, subitement rouge comme une tomate, à la fois heureuse de pouvoir enfin montrer ce qu'elle savait faire et intimidée de le faire devant public.

– Quelque chose de doux, demanda alors Émilie en posant spontanément la main sur son ventre qui commençait à s'arrondir.

– De doux, répéta Anne en se détournant pour faire face au

clavier et y poser ses mains avec beaucoup d'attention, comme si elle touchait un bibelot fragile. Puis elle ferma les yeux. Dans sa tête, les notes se plaçaient d'elles-mêmes, formaient une mélodie.

Alors Anne ouvrit les yeux et plaça ses mains correctement.

À l'instant où ses doigts se mirent à courir d'une note à l'autre, le monde cessa d'exister pour Charlotte et Émilie. Elles avaient toutes deux fermé les yeux, se laissant emporter par la valse qu'Anne était en train de jouer. C'était à la fois joyeux et tendre, très léger. Puis la petite fille enchaîna avec une petite berceuse, suivie d'une mélodie enfantine. Quand elle s'arrêta, ses deux grandes sœurs restèrent un long moment silencieuses. Puis Charlotte ouvrit les yeux, émue. Anne avait joué avec une grande sensibilité et l'avait remuée jusqu'au cœur.

— Cela faisait longtemps que je ne t'avais pas entendue jouer. C'est magique. Tu joues divinement bien, Anne.

Anne se remit à rougir de plus belle. Nul compliment n'était plus doux à ses oreilles.

— Si un jour mon bébé ne veut pas dormir, enchaîna Émilie, je sais ce que j'aurai à faire. Je te demanderai de jouer pour lui... ou pour elle !

Anne ne trouvait rien à répondre. Sans prétention aucune, elle savait qu'elle avait un certain talent, son professeur le lui disait régulièrement. Mais ce qu'Anne savait surtout, c'était qu'elle aimait la musique, qu'elle aimait en jouer.

— Sais-tu à qui tu pourrais faire un très gros plaisir avec ta musique, Anne ?

La petite fille se tourna vers Charlotte.

— Non. À qui ?

— À mamie.

— Mamie ? Mamie Deblois ? Je ne la vois pas très souvent... Je crois que papa va chez elle le midi. Comme ça, mamie aime la musique ?

— Tout à fait. Je ne sais combien de fois je l'ai entendue se plaindre qu'aucun de ses enfants n'était attiré par la musique. Elle-même jouait très bien, tu sais! Aujourd'hui, avec son arthrite, elle n'est plus capable de le faire. C'est pourquoi je te dis que cela lui ferait très plaisir que quelqu'un joue pour elle.

— Mamie, fit Émilie songeuse alors qu'elle n'avait écouté Charlotte que d'une oreille distraite.

Elle leva alors la tête vers son aînée.

— Ça fait une éternité que je ne suis pas allée la voir, tu sais. Je suis impardonnable. Elle est tellement gentille.

Puis elle éclata de rire.

— Te souviens-tu, Charlotte, le soir où elle nous avait gardées à coucher, avec Michel?

— Et comment!

Charlotte resta silencieuse un moment. Si la nuit passée chez mamie était un beau souvenir pour elle, la raison qui les avait amenées à passer la nuit chez elle l'était beaucoup moins. C'était à la suite d'une grosse déception que les deux petites-filles avaient pu rester chez leur grand-mère. Blanche avait promis un voyage à Charlotte si elle avait de bonnes notes à l'école et malgré une première place, elle était revenue sur sa promesse prétextant que Charlotte semblait être malade… Charlotte ferma les yeux un instant, soupira et revint à Émilie.

— Et comment, que je m'en souviens, répéta-t-elle.

Puis elle se tourna vers Anne.

— Justement, ce soir-là, mamie avait joué du piano et nous avait fait danser. On s'était vraiment bien amusés.

— Tellement! renchérit Émilie les yeux brillants comme ceux d'un enfant. Et te souviens-tu du souper que mamie avait organisé pour ma fête?

— Oh oui! J'étais verte de jalousie devant la belle table qu'elle avait préparée pour toi. Je me souviens très bien d'avoir pensé que c'était une vraie table de princesse.

– Et dire que c'est ce soir-là que tout mon avenir s'est précisé, ajouta Émilie.

Charlotte fronça les sourcils.

– Bien oui, expliqua Émilie voyant que sa sœur ne la suivait pas. C'est à cette occasion que tante Bernadette m'a donné ma première boîte d'aquarelle.

– C'est bien vrai ! À l'époque, tu ne pouvais savoir quelle importance ça revêtait mais avec le temps… Et il y a aussi la fois où…

Toujours installée devant le piano, Anne écoutait avec ravissement les propos de ses sœurs. C'était la première fois qu'elle les entendait évoquer des souvenirs de leur enfance. Les souvenirs de cette époque où elle n'était pas là. Et ce qu'elle entendait laissait supposer une vie familiale différente de tout ce qu'elle avait connu. Comme s'il y avait déjà eu une âme dans cette maison mais qu'aujourd'hui, elle en avait disparu. Alors au plaisir qu'Anne prenait à entendre Charlotte et Émilie parler de leur enfance s'ajouta une pointe de tristesse. Était-ce sa naissance qui avait chassé la joie de vivre dans leur famille ? C'était peut-être cela que sa mère voulait dire quand elle la traitait avec impatience, comme si elle était contrariée de sa présence.

Anne soupira bruyamment.

Peut-être bien que Charlotte pourrait lui expliquer ce qui s'était réellement passé ? Malheureusement, son soupir se perdit dans le petit cri qu'Émilie poussa.

– Oh là !

Émilie avait levé le nez pour humer l'air ambiant.

– Tu ne trouves pas, Anne, que ça sent le brûlé ?

Anne leva le nez à son tour, toute question concernant sa naissance ayant disparu.

– La sauce à spaghetti! s'écria-t-elle en sautant sur ses pieds. Oh non! J'espère que mon souper n'est pas en train d'être tout gâché!

Émilie lui emboîta le pas et toutes les deux, elles filèrent en direction de la cuisine. Au moment où Charlotte s'apprêtait à se relever pour les rejoindre, un éclat de rire lui fit avorter son geste. Rassurée sur l'état de la sauce, elle se cala confortablement dans le canapé en fermant les yeux. Cela lui avait fait du bien de se remémorer avec Émilie quelques bons moments de leur vie. Ils avaient été rares, ces instants de joie pure et simple. Mais ils avaient existé et aujourd'hui, elle en comprenait toute l'importance.

Quelques beaux souvenirs, placés ici et là à travers la grisaille du temps, et c'est tout le paysage qui change.

Charlotte se rappela alors qu'elle avait déjà comparé sa vie à une courtepointe.

– La courtepointe de ma vie, murmura-t-elle, émue qu'un tel souvenir soit remonté à la surface. Elle est un peu sombre, mais piquée de fils clairs avec quelques rosaces lumineuses, ajouta-t-elle en pensant à Gabriel, à Alicia, à Andrew, à Mary-Jane et à quelques joyeux moments de son enfance qu'elle avait partagés avec Émilie.

Puis elle eut un pincement au cœur en prenant conscience qu'Anne était absente de ces instants magiques.

Depuis qu'ils habitaient cette maison, des instants magiques, des fous rires d'enfants, il n'y en avait plus eu.

Le cercle infernal des maladies de sa mère avait cédé la place au cercle pervers de l'alcoolisme et c'était encore pire. Un second éclat de rire venu de la cuisine la ramena au moment présent et lui fit esquisser un petit sourire. Émilie et Anne, ses deux petites sœurs… En ce moment, elle ressentait la même joie que celle qu'elle connaissait lorsque sa fille Alicia riait toute seule dans sa chambre parce qu'elle s'amusait bien. Émilie et Anne… Bien que par l'âge, Émilie soit très proche de Charlotte, la vie avait fait en sorte que ce que Charlotte ressentait pour ses sœurs se ressemblait beaucoup. Maladroitement, du mieux qu'elle pouvait, elle avait tenté de les aimer, de les protéger d'une mère incapable d'aimer qui que ce soit à l'exception d'elle-même. Même leur père avait été un père absent malgré la meilleure volonté du monde et l'amour qu'il ressentait pour ses filles. Trop souvent, c'était Charlotte qui avait été la mère et le père dans cette maison. Mais peut-être qu'aujourd'hui, toutes les trois, elles avaient la chance de changer les choses. Blanche était toujours à l'hôpital et son père lui avait assuré qu'il profiterait de l'occasion pour la faire soigner pour son alcoolisme. S'il avait acheté un piano, c'était probablement qu'il savait certaines choses qu'il ne croyait pas essentiel de partager avec ses filles et qu'en réalité, Blanche n'était pas à la veille de revenir chez elle.

Curieusement, Charlotte ne ressentait aucune gêne devant cet état de choses. Savoir que sa mère serait probablement internée, et peut-être même pour très longtemps, ne suscitait aucun malaise en elle. Quand son père disait que Blanche était dangereuse pour elle-même autant que pour Anne, il avait raison. La chute qu'elle avait faite dans l'escalier et qui l'avait envoyée à l'hôpital en était une preuve éloquente.

Charlotte se releva. Oui, la vie leur offrait la chance de modifier les relations qui existaient entre elles. Charlotte n'avait plus à être la mère. Dorénavant, elle pourrait se contenter d'être la grande sœur, et cette perspective l'enchantait.

Quand elle entra dans la cuisine, Émilie transvidait la sauce dans un autre chaudron sous l'œil critique d'Anne. Émilie jeta un regard par-dessus son épaule.

– C'était moins une, lança-t-elle à Charlotte. Effectivement, la sauce avait pris au fond. Mais elle n'a pas eu le temps de prendre mauvais goût. Anne n'aura qu'à la réchauffer au moment de servir.

Puis elle revint à sa petite sœur avant de dire, sur un ton moqueur :

– Il ne te reste plus qu'à récurer, ma belle !

Mais la *belle* ne se souciait pas du chaudron. Les instants qu'elle vivait présentement étaient trop beaux pour être gâchés par un vulgaire chaudron ! Au moment où Charlotte se glissa à côté d'elle pour humer le contenu de la casserole, Anne prit impulsivement ses deux sœurs par la taille pour les serrer tout contre elle.

– Je suis contente que vous soyez là. Je pense que c'est la première fois qu'on est ensemble comme ça, sans personne d'autre avec nous.

À ces mots, Charlotte, tout comme Émilie, pensa à leur mère. Il était vrai qu'en sa présence, les moments d'intimité entre les trois sœurs avaient été inexistants. Elle embrassa Anne sur les cheveux qui lui chatouillaient le bout du nez. Tout comme Charlotte l'avait été à son âge, Anne était grande, presque aussi grande qu'Émilie l'était aujourd'hui.

– Moi aussi je suis contente d'être ici, répliqua Émilie d'une voix douce. Tu as raison : on ne se retrouve pas souvent toutes les trois ensemble. Seules ou avec d'autres !

– Alors, si on suscitait des occasions de se retrouver ? proposa Charlotte. Ce serait bien d'aller au cinéma, au…

– D'aller magasiner, interrompit Émilie en riant. Rien ne me ferait plus plaisir que de vous avoir avec moi quand viendra le temps de magasiner pour le bébé. C'est fou tout ce que ça prend pour un si petit bébé !

Charlotte lui jeta un regard sévère.

— Tu dois faire attention à toi, Émilie. Tu sais ce que le docteur t'a dit.

— Oui, oui, ne t'inquiète pas. S'il y a quelqu'un sur terre qui veut connaître ce petit bébé-là, c'est bien moi. Tu ne crois pas?

— C'est sûr!

— Alors je vais attendre le feu vert du médecin avant d'entreprendre quoi que ce soit. Mais je peux dire que pour l'instant tout va bien. Les nausées sont choses du passé et je me sens dangereusement en forme.

Émilie fit une pause qu'elle marqua d'une petite grimace comique sous ses sourcils froncés.

— J'irais même jusqu'à dire que je n'ai jamais été aussi bien de toute ma vie. Tout ce que je souhaite, c'est avoir un beau bébé en santé. Un petit garnement qui ressemblera à son papa ou une jolie puce qui aurait le minois de ta petite Alicia.

— Justement, en parlant d'Alicia… Tu sais, Charlotte, ajouta alors Anne, vraiment heureuse de voir la situation évoluer dans un sens que jamais elle n'aurait espéré, même dans ses rêves les plus fous, tu pourrais amener Alicia avec nous quand nous irons magasiner ou au cinéma. Je peux très bien comprendre que tu n'aies pas envie de la laisser derrière toi pour faire la fête avec tes sœurs.

— Et quand le bébé sera né, il viendra aussi, compléta Émilie toute joyeuse.

— Moi, je prédis que ce sera une fille, fit Anne en pointant un index vers le plafond. Et toutes les cinq nous formerons le clan des filles Deblois!

À ces mots, spontanément, les trois sœurs tendirent une main devant elles et entrelacèrent leurs doigts. À cet instant, Charlotte se fit la promesse de rester attentive aux besoins de chacune puisqu'elle était l'aînée.

Un jour, en effet, qu'elles le veuillent ou non, Blanche finirait bien par reprendre sa place dans le clan et ce jour-là, toutes leurs belles promesses risquaient de finir en lambeaux.

Charlotte en était persuadée : tous les malheurs qu'elles avaient connus venaient de leur mère.

Quand Raymond entra chez lui, un vieux réflexe retroussa sa moustache et lui fit fermer les yeux sur une ancienne émotion. L'odeur des épices et des tomates le ramena dans le passé à une époque où la vie familiale des Deblois avait encore un certain sens. Du moins en avait-elle à ses yeux. Quand il arrivait chez lui et que toute la maison embaumait le repas qui cuisait, cela voulait dire que Blanche avait eu une bonne journée. Et quand Blanche avait eu une bonne journée, les filles aussi avaient eu une bonne journée. Elles étaient deux, en ce temps-là. La bonne grosse Charlotte comme le disait Blanche et la fragile Émilie. Elles étaient encore si petites ! La détente qu'il ressentait, ces soirs où la maison sentait la joie, était totale et le comblait de bien-être. Ce ne fut que plus tard, des années plus tard, qu'il avait enfin compris que ce qu'il percevait comme une apparente forme de normalité n'était en fait que l'expression d'une certaine culpabilité. Quand Blanche devenait normale, c'était qu'elle avait quelque chose à cacher.

Elle buvait pour oublier qu'elle se sentait coupable de boire !

Raymond se frotta longuement le visage du plat des deux mains. À cet instant l'odeur persistante de l'origan se glissa jusque dans ses souvenirs et le ramena au moment présent. Décidément, la maison sentait rudement bon et cette fois-ci, Blanche n'y était pour rien.

Raymond ouvrit les yeux. Et alors qu'il enlevait son manteau pour l'accrocher dans le garde-robe, il alla même jusqu'à se dire que l'attitude habituelle de Blanche qui faisait d'elle une femme geignarde et dangereuse pour les filles le servait à merveille. Cela faisait deux mois qu'elle avait eu son accident et elle refusait toujours de se lever pour essayer de marcher, alléguant que personne ne pouvait savoir à quel point c'était toujours douloureux.

Même son médecin traitant n'y croyait plus, car les fractures étaient parfaitement guéries et n'avaient laissé aucune séquelle. Il avait même semblé soulagé quand Raymond lui avait proposé une expertise en psychiatrie.

– Je crois que cela s'avère nécessaire, en effet, avait-il approuvé. Je n'ai jamais vu quelqu'un d'aussi buté que votre femme, monsieur. Cela étant dit sans vouloir offenser qui que ce soit. Je suis persuadé qu'avec une canne, elle pourrait se déplacer facilement. Il serait même de la toute première importance qu'elle commence à bouger. Sinon…

Il lui semblait entendre encore le ton de la voix du médecin : mi-narquois, mi-exaspéré… C'était la semaine dernière et demain, Raymond avait rendez-vous avec le docteur Chamberland avant que ce dernier ne rencontre Blanche. Mais cette visite au bureau du psychiatre ne l'inquiétait pas. Il avait trente ans d'arguments à lui réfuter si jamais ce docteur ne comprenait pas le sérieux de la situation. Il saurait le convaincre que Blanche avait besoin de son aide.

Pour l'instant, il avait mieux à faire.

Raymond ébaucha un sourire de joie anticipée. Il voulait consacrer sa soirée à Anne. À Anne et à son piano. Même si la dépense avait été assez lourde, il ne regrettait rien. Anne méritait ce plaisir qu'il lui faisait. Il emprunta donc le couloir qui menait à la cuisine d'un pas léger, non sans avoir jeté un coup d'œil au salon en passant devant la porte entrebâillée pour admirer la merveille qu'il contempla un instant avec une sensation de satisfaction comme il n'en avait pas éprouvée depuis longtemps.

Anne n'avait pas entendu son père arriver. Elle vérifiait l'allure de la jolie table qu'elle avait montée pour lui. Depuis dix bonnes minutes, elle tournait autour de la table, grimaçait et soupirait, replaçait les couverts et ajustait les roses qu'elle avait prises au jardin pour en faire un bouquet. Elle les avait toutes cueillies, emportée par son enthousiasme. Quand Raymond, ému, se racla la gorge, elle sursauta. Puis elle se retourna en rougissant. Son père n'allait-il pas se moquer d'elle? C'était si peu, ce petit souper, en comparaison avec le merveilleux cadeau qu'il venait de lui faire. Mais Raymond n'avait pas l'air de se moquer. Bien au contraire. Il fit un pas vers elle et, d'une voix grave, il lui dit:

– C'est bon de revenir chez soi quand quelqu'un nous attend.

Anne rougit de plus belle. Mais cette fois-ci, c'était de plaisir. N'écoutant que son cœur, elle se précipita vers son père et lui sauta au cou.

– Merci, papa. Merci mille fois! Il est tellement beau!

Nul besoin de précision, le piano était au cœur de ses paroles. Puis Anne détourna la tête.

– La jolie table et le souper, c'est pour te dire merci, murmura-t-elle en posant un ultime regard d'appréciation sur ses préparatifs.

L'émotion gagna Raymond encore une fois. Il fut sur le point de dire que ce n'était pas nécessaire mais se retint à la dernière seconde, pressentant que ces quelques mots pourraient décevoir sa fille. Alors, à la place, il entoura ses épaules d'un bras protecteur et lui dit:

– C'est gentil d'y avoir pensé… Comme quoi le bonheur n'a pas besoin de grandes choses pour exister. Un piano, un bon repas et c'est fait.

Puis après un court silence, il ajouta d'une voix enjouée:

– Et maintenant, à table! Je meurs de faim!

Ils mangèrent tous les deux de fort bon appétit. Puis Raymond expédia Anne au salon.

– Allez, ouste! Va jouer pendant que je vais faire la vaisselle. Je te rejoins tout de suite après.

– Tu es certain que tu ne veux pas que je t'aide? C'est tellement plate faire la vaisselle!

– Justement! Profites-en pendant que je suis de bonne humeur, répliqua Raymond, moqueur.

Anne ne se le fit pas dire deux fois. Elle fila vers le salon, fit un peu de clarté. Pas trop cependant. Elle aimait l'atmosphère feutrée que dégageait la petite lampe de table. Puis elle s'installa au piano pour faire quelques gammes afin de délier ses doigts.

Quand elle jouait, Anne oubliait tout. Le temps qui passait, l'endroit où elle était et les bruits ambiants n'existaient plus. Les yeux mi-clos, elle se laissa emporter par toutes les pièces musicales qui lui venaient spontanément à l'esprit. Le répertoire classique qu'elle répétait inlassablement avec madame Mathilde n'avait plus besoin de partition.

Quand elle s'arrêta enfin, son père avait pris place sur le fauteuil et il avait les yeux fermés. Lui aussi, il avait été emporté par la grande sensibilité qu'Anne mettait dans son jeu. Blanche s'était lourdement trompée: leur fille ne piochait pas sur le clavier, elle frôlait les notes, leur donnait tout juste ce qu'il fallait d'intensité pour faire parler la musique qui s'envolait au bout de ses doigts. Quand Raymond ouvrit enfin les yeux, Anne remarqua qu'ils étaient plus brillants qu'à l'accoutumée.

– Merci, fit-il finalement d'une voix enrouée. Merci. Tu viens de me redonner une partie de ma jeunesse. Ma mère jouait souvent comme tu viens de le faire. Cela lui ferait sûrement plaisir de t'entendre.

À ces mots, Anne quitta sa place pour venir rejoindre son père sur le divan.

— Mamie? Oui, je sais. Charlotte m'en a parlé cet après-midi.

— Charlotte? Charlotte était ici aujourd'hui?

Anne éclata de rire.

— Eh oui! Émilie aussi d'ailleurs.

Raymond haussa les sourcils en signe de curiosité.

— Mais qu'est-ce que tes sœurs faisaient ici?

— Je vais t'expliquer.

Prenant une mine de conspiratrice, Anne lança avec grandiloquence:

— Je vais te raconter l'histoire de la sauce à spaghetti!

C'est ainsi que la petite fille raconta sa journée. De l'immense joie ressentie en apercevant le piano à la déception connue devant la recette, en passant par l'émotion vécue quand ses sœurs avaient parlé de leur enfance pour en arriver à sa grand-mère qui avait déjà joué du piano.

— Comment ça se fait que tu ne m'en as jamais parlé?

— De quoi? Parler de quoi?

— De mamie qui aime la musique.

Raymond haussa les épaules, embarrassé.

— Je ne sais pas pourquoi, mais je n'y ai pas pensé.

Anne resta songeuse un moment. La réponse de son père la décevait et rejoignait cette autre chose qu'elle voulait demander sans trop savoir comment s'y prendre. Il lui semblait que cela aurait été plus facile à faire avec Charlotte. Mais sa sœur était partie et Anne n'avait pas envie de se coucher sans savoir au moins pourquoi il n'y avait plus jamais de moments de joie chez elle. À l'exception d'aujourd'hui, bien sûr. Mais le jour où l'on reçoit un piano en cadeau est une journée unique dans une vie et à ses yeux, cela ne comptait pas vraiment. «Une journée à marquer d'une pierre blanche comme le dirait Charlotte» pensa-t-elle avec un curieux chatouillement dans la gorge, comme il lui arrivait d'en ressentir parfois quand elle avait le cœur gros. Cela la ramena à ce qui la préoccupait depuis l'après-midi.

Était-ce sa naissance qui avait tout bouleversé dans cette maison comme elle se désespérait de le croire?

Anne leva alors les yeux vers son père.

– Papa?

– Oui? Quelque chose ne va pas?

– Non… En fait, peut-être, oui. Mais je ne sais trop comment le dire. Même moi, j'ai de la difficulté à m'y retrouver.

Anne se mordit la lèvre, indécise. Comment dit-on à son père que l'on a l'impression d'être de trop chez soi, même parfois avec lui? Car c'était là l'impression qu'elle avait quand sa mère la traitait avec mépris. Une impression renforcée trop souvent par l'absence d'un père qui travaillait jusque tard le soir. Pourquoi Raymond était-il si fréquemment absent? Parce que lui aussi trouvait la présence d'Anne dérangeante? Et même si pour l'instant c'était sa mère qui était absente et son père, plus présent, Anne ne se faisait pas d'illusion: un jour, c'était inévitable, Blanche allait bien finir par revenir. Et elle avait terriblement peur que ce jour-là, elle reviendrait à la case départ et que le plaisir ressenti à retrouver son père chaque soir serait chose du passé. Il recommencerait à travailler de plus en plus et Anne recommencerait à craindre ce qu'elle pourrait trouver chez elle. Alors…

Elle se décida tout d'un coup mais de façon détournée:

– Pourquoi, moi, je ne vais jamais chez mamie, ou si peu? Il m'a semblé, cet après-midi, que Charlotte et Émilie y allaient souvent, elles, et que chaque fois c'était la fête.

En effet, pourquoi?

Raymond tarda à répondre, car il sentait que derrière la question d'Anne, il y avait une sensibilité extrême qui allait beaucoup plus loin qu'une simple interrogation à propos de sa grand-mère. D'instinct il sentait que la réponse qu'il allait lui donner aurait une grande importance pour sa fille. La vérité, c'était que les visites à sa mère s'étaient insidieusement espacées quand Blanche avait commencé à dire que cela la fatiguait. Combien de fois Raymond avait-il prétendu une migraine pour expliquer l'absence de sa femme ? Puis, ils avaient emménagé dans cette maison et la distance avait grandement accommodé Blanche qui n'avait jamais eu de réelle sympathie à l'égard de ses belles-sœurs et n'avait plus eu à s'inventer un quelconque malaise pour éviter les rencontres. Raymond avait donc pris l'habitude d'aller voir sa mère sur semaine, le midi. C'était plus simple et permettait d'éviter d'interminables discussions avec Blanche. Et comme Charlotte et Émilie avaient grandi, sa mère ne lui avait jamais fait le reproche de ne pas les amener avec lui. En fait, sa mère était aux antipodes de Blanche et n'utilisait les reproches qu'en cas d'absolue nécessité. Il avait fallu qu'Anne pose une banale question pour que Raymond prenne conscience avec une acuité nouvelle à quel point toute leur vie avait changé quand ils avaient déménagé ici. Et à quel point il était fautif dans toute cette histoire. Mais une chose qu'il avait apprise au fil du temps, c'était que la vérité valait mieux que les mensonges. Il suffisait de l'adapter selon l'âge et les circonstances ou se taire.

– Tu vois, quand tes sœurs étaient plus jeunes, on habitait une autre maison. Et cette maison était située tout près de chez ta grand-mère. Elles pouvaient y aller facilement et toutes seules.

– Oui, d'accord, je le savais qu'on avait habité ailleurs. Mais ça n'explique rien, papa. Ça ne me dit pas pourquoi on n'y allait pas le dimanche ensemble, par exemple. On aurait pu y aller facilement, on avait une auto. N'est-ce pas qu'on avait une auto quand j'étais toute petite ?

– Oui, tu as raison, on avait déjà une auto à cette époque. Et tu as aussi raison, quand tu dis qu'on aurait pu y aller plus souvent. Mais on ne l'a pas fait. Pourquoi? Pour des tas de raisons, à commencer par ta mère qui trouvait que les filles y allaient beaucoup trop souvent. Elle disait que mamie n'était plus toute jeune et que ça devait la fatiguer, tout ce monde dans sa maison.

Anne balaya l'explication du revers de la main.

— Peuh! fit-elle avec une pointe de mépris dans la voix. Maman est toujours fatiguée et elle s'imagine que tout le monde est comme elle. C'est très déplaisant.

— Peut-être, oui, en effet. Mais à mes yeux, savoir que ta mère exagérait n'était pas suffisant pour déclencher des discussions qui auraient été désagréables pour tout le monde. C'est pourquoi j'ai pris l'habitude d'aller voir ma mère le midi sur semaine et que vous, les filles, vous y êtes allées beaucoup moins souvent.

— Dans le fond, ce que tu es en train de me dire, c'est que d'avoir déménagé nous a privées de mamie? Pourquoi déménager alors? Charlotte m'a déjà dit combien l'ancienne maison était plus belle, plus éclairée et qu'en plus, il y avait une rivière qui coulait au fond du jardin. Je ne comprends pas pourquoi on est partis de là.

— Parce que ta mère avait peur de la rivière, justement. Elle trouvait que tu étais un bébé plein d'énergie et la rivière lui faisait peur.

Anne eut un geste d'impatience.

— Elle a toujours peur de tout...

Puis elle plongea son regard dans celui de son père.

— Mais toi, papa? Est-ce que tu trouvais cela dangereux?

Raymond hésita une fraction de seconde. Allait-il s'en tenir à cette vérité qu'il disait si importante ou chercherait-il à se réfugier sous le couvert des mensonges sécurisants? Ce serait si simple de dire que lui aussi trouvait la rivière dangereuse et Anne comprendrait probablement leur déménagement avec plus de facilité. Mais ce n'était pas le cas, loin de là! Quand ils avaient quitté leur ancienne demeure, il avait la mort dans l'âme. Et aujourd'hui encore, dix ans plus tard, le bruit de la rivière coulant au fond de son jardin lui manquait toujours autant. Alors il répondit avec une pointe d'humeur dans la voix:

– Non, Anne, je ne trouvais pas la rivière dangereuse. Pourvu qu'on exerce une bonne surveillance, une rivière n'est pas vraiment dangereuse. Et c'est là où le bât blessait. Avec ta mère, je ne savais pas vraiment ce qui se passait à la maison quand je n'y étais pas. Alors quand tu me demandes si je trouvais la rivière dangereuse, je te dirais qu'en soi, non. Par contre, je quittais la maison inquiet car, effectivement, tu étais une petite fille plutôt enjouée et comme ta mère était souvent malade et gardait le lit...

Raymond n'eut pas besoin de pousser l'explication plus loin. Anne avait très bien compris ce qu'il essayait de dire. Impulsivement, elle se rapprocha de lui et il en profita pour glisser le bras autour des épaules de sa fille.

– Dans le fond, papa, il n'y a que maman qui voulait déménager et il n'y a qu'elle qui aime vraiment la maison.

Raymond fit un drôle de petit bruit avec sa bouche.

– Même pas. Blanche n'en a jamais rien dit, mais son attitude laisse supposer qu'elle n'aime pas cette maison plus que nous.

Anne se dégagea légèrement et regarda autour d'elle. La pièce était quand même très belle avec ses boiseries sombres et ses teintes de bleu qui portaient à la détente.

– Mais pourquoi on ne l'aime pas? demanda-t-elle alors. C'est un beau salon, ici. J'aime les couleurs et avec les fauteuils placés comme ça, face à face, on a envie de venir s'asseoir. Pourquoi? répéta-t-elle, en reportant les yeux sur son père. Pourquoi on n'est pas bien ici?

À son tour, Raymond jeta un regard circulaire. Puis il murmura :

– Peut-être tout simplement parce qu'il n'y a pas d'âme. C'est beau, oui, et là-dessus il faut rendre à César ce qui appartient à César, ta mère a un sixième sens pour la décoration, mais c'est froid. C'est impersonnel.

Il n'osa dire que si la pièce dégageait cette impression, c'était surtout parce que dans la famille, chacun vivait pour soi. Pourtant, il eut le sentiment qu'Anne ressentait la même chose, car elle murmura :

– Je comprends…

Un long silence suivit les dernières paroles d'Anne. Ce fut Raymond qui reprit la parole après une réflexion un peu folle qui le poussa à dire :

– Et si on déménageait ? Dans le fond, personne n'est vraiment heureux ici et tu n'es plus un bébé. On pourrait trouver quelque chose au bord de l'eau… Qu'en penses-tu ?

Jamais Anne n'avait vu son père prendre une décision aussi vite ! Son regard se posa sur le piano.

– Et mes cours de musique, eux ? demanda-t-elle avec une petite grimace d'indécision. Si on va trop loin, je ne pourrais plus suivre mes cours.

Raymond balaya l'objection d'une petite chiquenaude sur son épaule.

– Ne t'inquiète pas pour ça. On trouvera bien une solution. Il y a toujours des solutions à tout quand on se donne la peine de chercher.

Mais Anne n'était qu'à demi convaincue.

– Et maman, elle ? Qu'est-ce qu'elle va dire de ça ?

Raymond haussa les épaules.

– Elle dira ce qu'elle voudra, fit-il avec détermination. Je ne serais pas surpris qu'elle soit tout à fait d'accord avec le projet même si jamais elle n'admettra s'être trompée en choisissant la maison que nous habitons présentement.

Plus il parlait, plus Raymond avait la conviction que cette décision prise à l'emporte-pièce avait du sens. Depuis qu'ils avaient emménagé ici, Blanche n'avait cessé de sombrer. Une longue hospitalisation avait suivi de peu leur déménagement et après, même si, en apparence, il y avait eu certaines périodes de répit, jamais plus Blanche n'avait semblé éprouver la moindre joie de vivre. Ce n'était que récemment que Raymond avait eu la preuve qu'elle buvait de plus en plus, mais le mal existait bien avant qu'il ne s'ouvre les yeux. Et pour lui, quelqu'un qui buvait comme Blanche le faisait, c'était quelqu'un qui cherchait à meubler son ennui ou qui voulait oublier le monde qui l'entourait. Un changement de maison ne pouvait donc qu'être salutaire pour tout le monde. De toute façon, Blanche n'était pas là pour l'instant. Et en son for intérieur, même s'il ne l'avait jamais dit clairement, Raymond n'avait pas l'intention de reprendre la vie commune avec elle. Le jour où il avait promis à Charlotte de tout mettre en œuvre pour mettre Anne à l'abri de sa mère, il avait délibérément tourné une page de sa vie et il n'avait pas l'intention de revenir en arrière. La solution qu'il voulait apporter serait définitive et passerait par une rupture, sous une forme ou sous une autre. Pour l'instant, Blanche avait besoin de soins. Il verrait à convaincre le médecin de la garder tant et aussi longtemps qu'il le faudrait pour être certain de ne faire face à aucune récidive. Ce serait la dernière attention directe qu'il aurait à l'égard de la mère de ses enfants. Pour elle, bien sûr, pour son équilibre mais aussi pour lui. L'avocat qu'il avait consulté était formel: quoi qu'il puisse arriver dans l'avenir, Raymond devait prouver hors de tout doute que la santé mentale de sa femme était précaire. Une longue hospitalisation irait en ce sens. La vente de la maison était donc le cadet des soucis de Blanche, pour l'instant. Le jour où elle serait mise devant le fait accompli, elle devrait être assez forte pour s'en accommoder. Raymond soupira puis redressa les épaules. Après tout, la maison lui appartenait. Il pouvait bien en faire ce qu'il voulait!

– Alors, qu'est-ce que tu en penses? demanda-t-il pour la seconde fois. On met la maison en vente?

De nouveau, Anne promena son regard à travers la pièce. Ce fut au moment où elle croisa la porte en arche qui donnait sur la salle à manger qu'elle sut qu'elle voulait partir. En pensée, elle revoyait sa mère qui déchirait les nappes et tenait des propos incohérents sur l'héritage qu'elle laisserait à ses filles. Jamais Anne n'avait eu si peur d'elle, de ce qui pouvait arriver. Elle la croyait gravement malade. Aujourd'hui, elle savait que c'était l'alcool qui avait tout causé. Elle revint à son père. Oui, elle voulait s'en aller. En fait, cela faisait longtemps qu'elle voulait partir d'ici et essayer d'oublier la peur que sa mère lui inspirait.

– D'accord, papa! On déménage!

Les yeux d'Anne brillaient de plaisir anticipé. Décidément, cette journée allait passer aux annales des belles journées! Non seulement elle avait reçu un piano, mais en plus il y avait du changement dans l'air, ce qui n'était pas pour lui déplaire.

Elle sauta sur ses pieds.

Anne était redevenue une gamine de onze ans, et la perspective de magasiner une nouvelle maison avec son père lui semblait aussi excitante que la promesse d'un beau concert ou, comme elle l'avait vécu à l'été, l'attente d'un voyage à la mer. Elle en aurait des choses à raconter à Jason dans la prochaine lettre qu'elle lui enverrait!

Ce ne fut qu'au moment où il refermait la porte d'Anne après lui avoir souhaité bonne nuit que Raymond repensa à l'appel qu'il avait reçu en après-midi. Incapable de résister, il ouvrit la porte et fit de la lumière.

– J'avais oublié, dit-il alors qu'Anne se soulevait sur un coude. J'ai reçu un coup de téléphone aujourd'hui. Un appel qui devrait te faire plaisir.

Anne fronça les sourcils, ne voyant absolument pas de qui il pouvait s'agir.

– On va avoir de la visite, poursuivit Raymond, restant volontairement évasif pour faire durer le suspense.

– De la visite? Mais qui? Je ne vois pas.

– Antoinette et Jason!

À ces mots, Anne repoussa vivement les couvertures et s'assit brusquement dans son lit. Elle était toute rose de plaisir.

– Quand ça? Ils viennent pour longtemps? Et pourquoi maintenant?

Raymond éclata de rire.

– Ils arrivent samedi et comptent rester environ quinze jours.

– Et ils vont habiter chez nous? Dis oui, papa! J'aimerais tellement que Jason…

– Je ne crois pas, interrompit Raymond en rougissant à son tour.

Il détourna la tête pour qu'Anne ne voie pas son embarras.

– En fait, je crois qu'Antoinette a encore de la parenté à Montréal et c'est là qu'ils vont rester. Ou peut-être à l'hôtel, je ne sais trop… Mais si ça peut te faire plaisir, on invitera Jason à passer quelques jours avec nous. Qu'est-ce que tu en penses?

– Oh oui, alors! C'est bien samedi qui vient qu'ils arrivent, hein?

– Tout à fait. En fin de soirée. Antoinette m'a promis d'appeler dès le dimanche matin. D'après ce que j'ai compris, Jason ne tient plus en place tellement il est content de venir te voir.

– Moi aussi, je suis contente de savoir qu'il va être ici, à Montréal, déclara Anne en se recouchant.

Puis elle tourna la tête vers son père et lui décocha le plus merveilleux sourire qui soit.

– Je pense, papa, que je vais me souvenir de la journée qui vient de passer jusqu'à la fin de ma vie. Sans blague! C'est vraiment la plus belle journée que j'ai vécue.

– Tant mieux! Et maintenant, au dodo.

Anne finit par s'endormir, de longues minutes plus tard. Elle avait pris le temps de repasser toute la journée dans sa tête pour être bien certaine qu'elle n'oublierait rien. Cette journée avait été parfaite.

En fait, elle n'avait qu'un seul regret, et c'était d'avoir cueilli toutes les roses qui restaient dans leur minuscule jardin.

Elle aurait bien aimé en offrir quelques-unes à Antoinette. Juste comme ça, pour lui dire qu'elle l'aimait beaucoup.

CHAPITRE 4

Confortablement installée sur le fauteuil du salon, les jambes étendues devant elle et les pieds croisés sur la table à café, Charlotte avait les yeux fermés et affichait un sourire béat.

De fait, quiconque aurait eu l'occasion d'observer attentivement la jeune femme au cours des trois derniers jours aurait constaté qu'elle esquissait ce même sourire plusieurs fois par jour et qu'invariablement celui-ci était accompagné d'une longue inspiration tremblante. Ce phénomène, moult fois répété, se produisait au moment précis où lui revenait à l'esprit la voix grave et chaleureuse de l'homme qui venait d'accepter de lire ses deux manuscrits.

– Promis, je vous fais signe le plus rapidement possible. Et si c'est aussi bon que ce que cette dame semble dire, ce sera vraiment très bientôt.

La dame n'étant nulle autre qu'Antoinette qui se tenait à ses côtés, sûre d'elle et souriante.

Et dire que Charlotte avait failli lui en vouloir suffisamment pour ne plus jamais avoir envie de lui parler!

Quand elle avait laissé à Bridgeport ce qui comptait le plus à ses yeux après sa fille Alicia, ses deux manuscrits, Charlotte avait espéré qu'Antoinette lui en donnerait des nouvelles rapidement. Si l'amie de son père aimait ce qu'elle avait écrit, elle ne devrait tarder à lui faire part de son appréciation. Les premiers jours avaient donc passé sans que Charlotte ne s'inquiète de quoi que ce soit. Pourquoi s'en faire? Émilie était formelle: les deux romans de sa sœur étaient parmi ceux qu'elle avait préférés. Alors pourquoi en serait-il autrement pour Antoinette? Il fallait bien que son amie des États-Unis prenne le temps de tout lire et les manuscrits de Charlotte étaient quand même assez volumineux.

Une semaine s'était donc écoulée sans le moindre appel mais en toute sérénité. Quelques jours plus tard, plutôt que de commencer à s'en faire, Charlotte s'était dit qu'Antoinette avait préféré lui écrire. La lettre devait être en route. Elle avait donc attendu une semaine de plus sans se poser de questions.

Malheureusement, cette deuxième semaine s'était terminée à l'image de la première, dans le silence le plus complet.

Une certaine inquiétude avait alors effleuré l'esprit de Charlotte.

Se pourrait-il qu'Antoinette n'ait pas apprécié sa lecture?

C'est à partir de là que le temps avait commencé à s'étirer malicieusement. Charlotte n'osait appeler de peur d'être horriblement déçue. Si Antoinette ne donnait signe de vie, c'était qu'elle n'avait rien à dire ou plutôt, que ses propos auraient été désagréables à entendre.

Plus le temps avait passé, plus elle en avait été convaincue.

À partir de la fin de septembre, les heures s'étaient mises à stagner et Charlotte, à ronger son frein.

Après deux interminables semaines de ce régime d'attente et de questionnement, de déception et de colère, elle en avait déduit que ses romans n'étaient d'aucun intérêt pour d'éventuels lecteurs et qu'Antoinette ne savait comment s'y prendre pour lui dire ce qu'elle en pensait, puisqu'elle savait fort bien toute l'importance que Charlotte y attachait.

Elle, Charlotte Deblois, n'était qu'une imbécile qui s'était bercée d'illusions en osant croire qu'elle pouvait avoir un certain talent dans l'art des mots.

Les éditeurs de la France le lui avaient déjà dit : trop régional, trop banal… Elle aurait dû s'en tenir à cela au lieu de s'exposer à des critiques qui lui feraient mal.

La semaine suivante avait donc été un véritable deuil.

L'écriture, même si elle y trouvait une immense satisfaction, n'aurait pas de place dans sa vie. Pas au sens où elle l'entendait, elle qui rêvait de devenir écrivain pour ainsi gagner sa vie et celle d'Alicia.

Sa déception avait atteint un tel paroxysme qu'elle se voyait condamnée à passer le reste de ses jours entourée de malades avec tout ce que cela sous-entendait de rancœur et d'amertume, pour ne pas dire d'agressivité, pour celle qui avait juré d'éloigner la maladie de son quotidien.

Et que dire du ressentiment qu'elle éprouvait à l'égard d'Antoinette !

Elle était surprise de découvrir une femme si peu respectueuse envers elle et aussi lâche à exprimer son opinion. Elle ne s'y attendait pas du tout. L'image qu'elle avait gardée de l'amie de son père ne ressemblait en rien à celle qu'elle lui renvoyait aujourd'hui.

Puis Anne avait reçu son piano la semaine dernière.

La joie de sa petite sœur était si grande qu'elle en était contagieuse et avait mis un baume sur sa morosité. Anne aurait la chance de croire encore en ses rêves pour le temps où cela pourrait durer. Tout comme Émilie, d'ailleurs, à qui on avait parlé d'une exposition à Paris quand le bébé serait né et qu'elle aurait un peu plus de temps à consacrer à sa carrière. Si elle ne pouvait se réjouir pour elle-même, au moins pourrait-elle le faire pour ses sœurs. Piètre consolation devant un quotidien qui lui pesait de plus en plus lourd, mais consolation quand même.

Puis Raymond lui avait appris la visite prochaine d'Antoinette et Jason.

Sur ce point, sa réaction avait été plus partagée. Serait-elle heureuse de revoir celle qui brillait par son silence? Indéniablement, elle en voulait à Antoinette de ne pas avoir donné suite à sa lecture comme elle avait promis de le faire. Mais d'autre part, Charlotte n'arrivait pas à oublier les moments chaleureux qu'elle avait passés avec elle. Il lui semblait qu'il y avait quelque chose qui lui échappait dans toute cette histoire. Alors, plutôt que de lui écrire comme elle en avait l'intention, intention qu'elle remettait jour après jour, ne sachant trop comment aborder le sujet, Charlotte se dit qu'elle allait profiter de cette visite inattendue pour clarifier la situation. L'attitude d'Antoinette et ses explications donneraient le ton à la relation qui pourrait peut-être encore exister entre les deux femmes dans l'avenir.

Or Antoinette étant ce qu'elle est, à savoir une femme décidée qui savait fort bien ce qu'elle voulait dans la vie et les chemins à emprunter pour y arriver, elle n'avait nullement attendu que Charlotte lui fasse signe pour lui parler des manuscrits. Dès son arrivée à Montréal, les événements s'étaient mis à se précipiter les uns après les autres.

En début de semaine, Charlotte avait reçu un appel très tôt le matin. C'était inhabituel et elle savait qu'Antoinette était arrivée depuis samedi. Son cœur s'était mis à battre très fort. La voix toute pétillante d'Antoinette avait décontenancé Charlotte. Au bout du fil, la voix n'avait pas du tout l'intonation de quelqu'un qui s'apprête à annoncer une mauvaise nouvelle.

– Je m'excuse d'appeler si tôt, mais je voulais être certaine de te parler avant que tu partes travailler. Quand pourrait-on se rencontrer?

Ce jour-là, effectivement, Charlotte travaillait. Pendant une fraction de seconde, elle fut tentée de dire qu'elle allait appeler à l'hôpital pour prévenir qu'elle était malade. Elle avait tellement hâte de mettre un terme à toute cette histoire. Mais elle s'était ravisée aussitôt. Valait mieux garder les quelques congés qui lui restaient pour Alicia, en cas de besoin. Les deux femmes s'étaient donc entendues pour se rencontrer le soir même, chez Charlotte, quand Alicia serait couchée.

Antoinette était arrivée les bras encombrés d'une grosse boîte de carton à l'effigie de sa maison d'édition. Charlotte avait froncé les sourcils à l'instant où Antoinette déposait le lourd colis pour s'approcher d'elle et la prendre dans ses bras.

– Je me suis terriblement ennuyée de toi, tu sais.

Puis, sans la moindre transition, elle avait ajouté en se débarrassant de son manteau:

– Et maintenant, vos merveilleux romans, madame!

Antoinette était vibrante d'énergie, ce qui cadrait mal avec l'état d'esprit de Charlotte qui s'attendait à tout sauf à cela. Elle était plutôt sur la défensive.

– Ne te moque pas, s'il te plaît, murmura-t-elle, un brin agacée, persuadée qu'Antoinette en mettait un peu trop avant que les critiques ne se mettent à pleuvoir.

Antoinette se tourna vers elle.

– Mais je ne me moque pas du tout! Tes deux romans sont de vrais bijoux… Mais qu'est-ce que tu as? demanda-t-elle, franchement surprise devant la blancheur de Charlotte.

– Je… je ne m'attendais pas à cela. Tu avais dit que tu appellerais. Alors comme je n'avais pas de nouvelles j'en avais conclu que…

– Quelle idiote, je suis! interrompit Antoinette en se frappant le front avec la paume de sa main. Comment est-ce que j'ai pu être aussi aveugle! C'était évident. Quelqu'un qui sait écrire avec autant d'émotion a une sensibilité à fleur de peau! Mon silence a dû être terrible pour toi. Je m'excuse, Charlotte. J'aurais dû y penser. Mais je voulais être avec toi le jour où je te dirais que j'ai contacté deux maisons d'édition qui ont pignon sur rue à Montréal et que les directeurs attendent notre visite! Je voulais voir ta réaction!

Le visage d'Antoinette pétillait d'espièglerie. Celle qui avait préféré attendre pour voir la physionomie de Charlotte devant la bonne surprise qu'elle lui avait préparée était servie! De blanc qu'il était, le visage de Charlotte s'était empourpré et, les jambes flageolantes, elle s'était laissée tomber sur le premier fauteuil venu.

— Tu veux dire que tu as aimé cela? Tu es sérieuse quand tu dis ça?

— Aimé? C'est peu dire. C'est vraiment très bon. Tu m'as fait rire, tu m'as fait pleurer et tu m'as souvent obligée à revoir mes propres émotions, ma propre vie. C'est remarquable, Charlotte.

Jamais Charlotte n'avait été aussi soulagée qu'en ce moment-là. De savoir qu'Antoinette avait aimé ses livres était une chose. Une éventuelle publication en était une autre. Et entre les deux, il y avait encore tout un monde, mais c'était déjà un début. C'était ce qu'elle avait espéré. Aussi, quand Antoinette avait ouvert la caisse qu'elle avait emportée avec elle et qu'elle avait tendu un exemplaire du manuscrit d'un des romans, relié à la main, les larmes lui étaient montées aux yeux.

— Tiens, Charlotte, c'est pour toi. J'ai demandé à un de mes employés d'en faire quelques copies. Comme ça, même si tu les confies à des éditeurs, il t'en restera au moins une copie à la maison. On ne sait jamais ce qui peut arriver.

La boîte en carton contenait trois exemplaires de chacun des manuscrits de Charlotte…

Les deux femmes avaient passé la soirée à faire des projets, à commencer par les rencontres avec les éditeurs qu'Antoinette avait approchés.

– Jeudi, je suis en congé.

– Parfait ! Je les appelle demain à la première heure.

La complicité qu'elles avaient connue à l'été avait refait surface spontanément. Elles avaient donc passé de joyeux moments ensemble. Ce n'avait été qu'au moment de son départ qu'Antoinette était redevenue sérieuse. Brusquement son visage était devenu très grave alors que de fines stries rouges marquaient le haut de ses pommettes.

– Je voulais te dire…

Antoinette avait hésité, embarrassée. Puis elle avait levé les yeux vers Charlotte et avait soutenu son regard pendant un bref moment.

– Cet après-midi, j'ai longuement parlé avec ton père. Il m'a avoué que tu étais au courant de notre… de notre liaison. Et que tu savais aussi pour Jason. Je te demanderais simplement d'être discrète. Je… Nous aimerions, ton père et moi, que les choses ne s'ébruitent pas pour l'instant. Dans la situation que vit Raymond, c'est préférable comme ça.

– Je comprends.

Charlotte était rouge de confusion. Même si jamais elle n'avait critiqué les choix de son père, d'être confrontée à son adultère la mettait mal à l'aise. Et en plus, il y avait Jason.

– Est-ce… est-ce que papa a rencontré Jason ? avait-elle demandé impulsivement, tout en se sachant très indiscrète.

Mais Antoinette pouvait comprendre.

– Non, pas encore. Mais demain midi, nous dînons ensemble tous les trois. Pour l'instant, Jason croit qu'il va rencontrer un bon ami à moi. C'est suffisant.

Quand Charlotte avait revu Antoinette, le jeudi matin, rien dans l'attitude de celle-ci ne rappelait les brèves confidences qu'elles avaient échangées. Seuls les manuscrits avaient été au cœur de leur conversation et l'accueil chaleureux des deux directeurs des maisons d'édition avait éclipsé facilement les interrogations que Charlotte avait entretenues au sujet de la rencontre qui avait eu lieu entre Raymond et Jason.

Et c'était là où elle en était par ce beau samedi après-midi d'octobre. Le mois s'apprêtait à tirer sa révérence, les arbres se dépouillaient chaque jour un peu plus, mais l'air était doux et le soleil continuait à briller. On reprenait le temps perdu à l'été qui avait été si pluvieux. Et le cœur de Charlotte battait à l'unisson de la température. Alors qu'elle avait été si anxieuse après avoir laissé ses manuscrits en France, aujourd'hui, elle était habitée d'une assurance qu'elle aurait été en peine d'expliquer. C'était là en elle, tout simplement. Bien sûr, il restait une grosse part d'inconnu, mais cela ne lui faisait pas peur. Si on refusait ses manuscrits, elle irait frapper à d'autres portes et finirait par trouver celui qui aimerait ses histoires comme les gens autour d'elle disaient les aimer.

Les quatre coups égrenés par l'horloge qui montait la garde dans l'entrée la firent sursauter et bondir sur ses pieds. Assez rêvassé !

De la cuisine s'échappaient les effluves du poulet qui rôtissait. Ce soir, Charlotte recevait sa famille à souper ! Toute sa famille. Antoinette et Jason devaient se joindre à eux pour la soirée. Un curieux spasme lui tordit l'estomac au moment où elle entrait dans la cuisine, qui commençait à s'assombrir. Comment allait-elle se sentir devant son père et Antoinette réunis autour de la même table ? Sans avoir d'amour débordant envers sa mère, Charlotte se sentait néanmoins complice d'une situation un peu trouble. Elle resta immobile un instant, puis secoua vigoureusement la tête en poussant l'interrupteur. Après tout, cela ne la regardait qu'indirectement. Pour l'instant, elle avait un repas à finir de préparer et une petite fille à récupérer chez les parents de

Françoise. Malheureusement, son amie assumait la garde à l'hôpital jusque tard ce soir. Charlotte aurait aimé qu'elle puisse être de la soirée, mais les malades avaient eu priorité.

Charlotte expira bruyamment. D'impatience.

Travailler dans un hôpital, c'était accepter de mettre en veilleuse toute forme de vie sociale. Et pour Charlotte, c'était un irritant de plus. Vivement que ses manuscrits trouvent preneur !

Puis elle se concentra à soigner sa réception.

Quand Émilie et Marc frappèrent à sa porte, sur le coup de six heures, Charlotte était fin prête. La table était joliment montée et Alicia faisait les cent pas dans le couloir, vêtue de sa plus jolie robe. Charlotte éprouva un bref embarras quand Antoinette arriva un peu plus tard et qu'elle se retrouva face à Raymond. Puis elle comprit rapidement qu'étant la seule à connaître le secret qui entourait les véritables liens qui unissaient Antoinette et Raymond, elle était la seule à les épier. De ce moment, Charlotte se mêla au groupe avec une plus grande spontanéité, ce qui ne l'empêcha pas de remarquer certains regards plus soutenus que son père et Antoinette échangeaient. Et ce geste, aussi discret fût-il, lui rappela le temps de ses amours avec Gabriel. Combien souvent avaient-ils échangé de ces regards quand ils se retrouvaient en groupe avec les amis de Gabriel ? Charlotte avait gardé au fond de son cœur cette sensation merveilleuse qui faisait en sorte que le reste de l'univers semblait s'effacer pour ne laisser de place qu'à eux, qu'à leur amour. Elle se souvenait aussi qu'elle n'avait qu'une seule envie en tête : que les autres partent pour être enfin seule avec Gabriel.

C'est alors qu'elle eut une idée.

Se tournant vers Anne, qui était tout bonnement radieuse depuis l'arrivée de Jason, elle lui demanda, sans même avoir vraiment réfléchi avant de parler :

– Et si vous restiez à coucher, Jason et toi? Je crois qu'Alicia en serait ravie. D'autant plus que pour une fois, je suis en congé demain aussi. On pourrait peut-être organiser une sortie tous ensemble? Qu'est-ce que tu en penses?

– Oh oui!

Anne tourna aussitôt un large sourire vers son père, sachant que la permission ne pouvait venir que de là. Si Blanche avait été présente, la situation aurait été plus compliquée. Raymond donna son accord d'un simple signe de tête accompagné d'un clin d'œil. Il devinait aisément à quel point l'invitation de Charlotte lui faisait plaisir. Bien entendu, au même instant, Jason s'était détourné pour chercher le regard de sa mère qui acquiesça aussitôt.

Il y eut un dernier regard entre Raymond et Antoinette, à peine une œillade glissée entre les cils. Mais ce fut suffisant pour que Charlotte sente la pointe acérée de l'envie lui transpercer le cœur. Il était évident qu'Antoinette et son père allaient profiter de la situation qu'elle leur offrait.

Quand Charlotte connaîtrait-elle de nouveau la complicité amoureuse avec un homme?

Elle retint un soupir tremblant.

Il n'y avait vraiment que de Gabriel qu'elle avait encore et toujours envie. Même Andrew, qui avait été son mari, s'estompait dans le monde des souvenirs, et depuis que le secret entourant la naissance d'Alicia avait été dévoilé, Marc était redevenu le bon ami qu'il avait toujours été, comme Charlotte l'avait voulu. Toutefois, à l'occasion, elle regrettait qu'il ne soit pas plus intéressé par Alicia. D'une part, elle souhaitait que plus jamais Marc ou Émilie ne revienne sur le sujet, mais d'autre part, elle aurait bien aimé que Marc se montre attentif à Alicia. Charlotte savait que son attitude était plutôt ambiguë devant la situation, mais elle n'y pouvait rien.

À quelques minutes de là, ce fut Émilie qui sonna l'heure du départ sans que personne n'y trouve à redire. Dans son état, elle avait tous les droits.

En quelques instants à peine, le salon s'était vidé. Les trois enfants avaient filé vers la chambre d'Alicia pour voir comment ils pourraient s'installer pour la nuit ; les feux arrière de la nouvelle automobile de Marc luisaient au coin de la rue ; et un peu plus loin, sur le trottoir, son père et Antoinette poursuivaient une discussion qu'ils étaient seuls à connaître. Debout à la fenêtre, Charlotte les regardait sans pouvoir s'arracher à son indiscrétion. La pointe d'envie qu'elle avait ressentie un peu plus tôt se transforma aussitôt en jalousie. Elle aurait donné quelques années de sa vie pour être à leur place. C'était injuste qu'à son âge, elle soit toujours seule. C'était depuis le départ de Gabriel qu'elle se sentait seule. Bien que Marc et Andrew aient traversé cette solitude, apportant une espèce d'accalmie dans sa vie, jamais ils n'avaient complètement effacé cette sensation d'abandon. Charlotte ferma les yeux, essayant de retrouver dans ses souvenirs la sensation exacte ressentie quand un bras se pose sur nos épaules, quand le souffle de l'être aimé effleure notre cou…

– Maman, viendrais-tu nous aider ?

Charlotte sursauta.

Depuis sa chambre, Alicia l'appelait. Alors Charlotte obligea sa tristesse à se retirer. Il n'y avait peut-être plus de complicité amoureuse dans sa vie, mais il y avait Alicia qu'elle aimait plus que tout et qui le lui rendait bien. De quoi se plaignait-elle ? Peut-être tout simplement d'un vide à combler.

Pourquoi cherchait-elle toujours à y associer Gabriel ?

Depuis le temps, il avait dû refaire sa vie. Et il y avait sûrement d'autres hommes qui ne demanderaient pas mieux que de faire un bout de chemin avec elle.

Pourquoi était-elle toujours aussi réticente à accepter les invitations?

À cet instant, l'image d'une certaine toile accrochée sur le mur du salon d'Antoinette refit surface. Et si Gabriel pensait encore à elle, après tout? Charlotte ferma les yeux une fraction de seconde. Dieu que tout cela était compliqué, tellement parsemé d'inconnus, d'impondérables. Puis elle secoua la tête vigoureusement en se détournant de la fenêtre.

– J'arrive, ma puce!

Charlotte quitta le salon d'un pas décidé et en un tournemain, elle installa deux lits de fortune avec des couvertures. Au moment où elle allait éteindre le plafonnier, recommandant aux enfants de vite s'endormir tout en sachant pertinemment qu'ils n'en feraient rien, Anne lui demanda:

– Et demain qu'est-ce qu'on va faire?

Charlotte haussa les épaules.

– Je n'en sais trop rien. On verra ça au déjeuner, tous ensemble.

Anne hésita un bref moment puis elle ajouta:

– J'aimerais ça que tu me montres l'ancienne maison où tu vivais quand tu étais petite. Si j'ai bien compris, elle ne serait pas très loin d'ici.

– En effet, approuva Charlotte qui ne voyait pas où Anne voulait en venir. C'est à peine à quelques rues. Mais pourquoi ce soudain intérêt pour la vieille maison?

Anne se mordit l'intérieur d'une joue, indécise. Avait-elle le droit d'annoncer ce projet de déménagement dont son père avait parlé? Elle jugea que non, puisqu'il n'en avait pas reparlé depuis l'autre soir. Elle se fit volontairement évasive.

– Comme ça! Par curiosité.

– Pas de problème, ma belle. Si ça te tente d'aller voir notre ancienne maison, nous irons dès le déjeuner avalé. Et après, on pourrait même faire un détour par chez mamie, ce n'est pas très loin. Qu'est-ce que tu en dis?

Anne était tout sourire.

– C'est une bonne idée. Une EXCELLENTE idée même! Ainsi je pourrai lui montrer ce que je sais jouer au piano. Papa aussi a dit que ça lui ferait plaisir.

* * *

La décision n'avait pas été difficile à prendre. En fait, aucune décision n'avait été prise. Après quelques commentaires sur la soirée, échangés au coin de la rue, Antoinette s'était contentée de dire qu'elle était descendue au Ritz. Et Raymond s'était contenté de répondre qu'il la suivrait.

Dès qu'ils étaient entrés dans la chambre, Raymond avait pris Antoinette dans ses bras pendant qu'elle refermait la porte d'un coup de talon. Ils s'étaient longuement embrassés, comme on s'abreuve à une fontaine par jour de canicule. Les manteaux étaient tombés sur le sol. Les chaussures avaient été lancées du bout du pied et ils s'étaient dévêtus sans quitter l'autre des yeux. Puis ils avaient roulé ensemble sur le lit, emmêlant leurs corps, emmêlant leurs chaleurs. Raymond avait intensément humé l'odeur d'Antoinette à la naissance de ses seins et il avait retrouvé cette senteur un peu masculine qui l'avait toujours excité. Cette senteur de musc qu'elle s'entêtait à porter à l'époque, disant que c'était un atout pour réussir à se tailler une place dans un monde d'hommes. Tremblant, ému, Raymond avait fermé les yeux sur le moment présent et les plus beaux souvenirs de sa vie amoureuse. Les gestes étaient vifs, les souffles courts. L'érection de Raymond était si forte qu'elle en était douloureuse. Sans attendre, par réflexe autant que par désir, il se glissa aussitôt dans l'intimité moite et accueillante d'Antoinette. À peine le temps de lui murmurer à l'oreille qu'il l'aimait depuis toujours et Raymond connaissait un plaisir intense, précipité. Il retomba sur le lit sans oser regarder Antoinette.

— Je m'excuse, fit-il penaud comme un adolescent qui n'a pas su se retenir. Ce n'est pas comme ça que j'aurais voulu célébrer nos retrouvailles. Mais ça faisait si longtemps.

Antoinette posa un doigt sur ses lèvres pour l'obliger à se taire.

— C'était très bien comme ça. Moi aussi, ça faisait une éternité.

Puis elle se souleva sur un coude.

— La nuit est encore jeune, constata-t-elle avec un sourire taquin.

Raymond l'enlaça et l'embrassa dans le cou.

— Tu sens bon… Et c'est vrai, nous avons encore toute la nuit devant nous.

Nul besoin d'ajouter que c'était la première fois qu'ils n'avaient aucune obligation ailleurs, ils en étaient conscients tous les deux. Ils restèrent ainsi, blottis l'un contre l'autre, sans dire un mot. Pour l'un comme pour l'autre, il y avait si longtemps qu'ils n'avaient senti la chaleur d'un corps tout contre eux qu'ils voulaient goûter à l'intensité du moment présent sans penser à autre chose. Puis Antoinette s'étira avant de se lover encore plus étroitement contre Raymond.

— J'aurais envie de parler, parler sans m'arrêter pour que la nuit ne finisse jamais. Je veux tout te dire de ma vie et je veux tout savoir de la tienne. Depuis l'été, j'ai l'impression de n'avoir que des bribes.

— Des bribes ? Des lambeaux de vie, tu veux dire.

Ils gardèrent un bref silence sur cette constatation amère. Puis Antoinette murmura :

— Merci pour les lettres. C'est le plus beau cadeau que l'on ne m'ait jamais fait.

Raymond resserra son étreinte.

– Il n'y avait qu'à toi que je pouvais tout confier. Dans le fond, c'était un réflexe un peu égoïste. J'avais besoin de parler.

– Et moi j'avais besoin de savoir… Depuis le décès d'Humphrey, ma vie ne ressemble plus à ce qu'elle était. Je me sens loin de chez moi, loin de mes attaches. Si ça t'a fait du bien d'écrire, moi ça m'a fait du bien de te lire.

Antoinette poussa un profond soupir.

– Depuis que mon mari n'est plus, j'ai souvent l'impression que le Connecticut est au bout du monde.

– Pourquoi ne reviens-tu pas alors?

– À cause de l'imprimerie et de la petite maison d'édition. Elles reviennent de droit à Jason. J'attends de savoir si ça l'intéresse et je prendrai une décision après. Pour l'instant, je n'ai pas le droit d'abandonner même si j'en ai parfois envie.

Sur ce, Antoinette eut un long frisson. Elle se sentait fatiguée. Trop d'émotions, d'espoirs entretenus depuis si longtemps qui semblaient vouloir être enfin récompensés et de désirs assouvis donnaient envie de dormir. Mais Antoinette ne voulait pas dormir. Pas tout de suite.

– Que dirais-tu de se faire monter chacun un bon cognac? suggéra-t-elle en se roulant en petite boule sur le lit qui était fripé mais non défait.

À ces mots, Antoinette sentit que Raymond se raidissait.

– Un cognac? Pourquoi un cognac? demanda-t-il d'une voix très dure, agressive. Pourquoi de l'alcool alors qu'on est si bien comme ça?

– Pardon?

Antoinette pouvait peut-être comprendre ce qui poussait Raymond à parler ainsi, mais elle n'acceptait pas le ton sur lequel il l'avait fait. S'assoyant dans le lit, d'un geste sec, elle tira sur le couvre-lit pour le décoincer de sous le matelas et s'en couvrit.

Brusquement, sa nudité la gênait. Puis elle se leva.

Tant bien que mal, Raymond avait réussi à se cacher avec un bout du drap, tout aussi mal à l'aise que sa compagne. Debout au pied du lit, Antoinette le regardait avec une lueur de tristesse dans le regard.

– Écoute-moi bien, Raymond. Je peux très bien comprendre que l'alcool soit une source de colère pour toi. Mais il ne faudrait pas qu'elle me retombe dessus. Je n'ai rien à voir là-dedans et je ne suis pas Blanche. Je ne suis ni malade ni dépendante de la boisson. Présentement, j'ai simplement besoin d'un petit coup de fouet pour me tenir éveillée. Les moments d'intimité entre nous sont trop rares et trop précieux pour que l'on passe la nuit à dormir. Tant pis si nous sommes fatigués demain, je veux profiter au maximum des minutes qui nous sont allouées. De toute façon, pour moi, un bon vin ou un bon cognac font partie des plaisirs de la vie. Je n'en abuse jamais. Ce n'est ni quotidien ni un besoin, mais un petit luxe que je m'offre quand l'occasion se présente, quand vient le temps de célébrer. Et ce soir, j'estimais qu'il y avait tout ce qu'il fallait pour célébrer.

Au fur et à mesure qu'Antoinette parlait, Raymond se sentait rougir. Mais qu'est-ce qui lui avait pris d'associer les problèmes de Blanche à Antoinette ?

D'autant plus qu'elle avait raison : lui aussi sentait le besoin de quelque chose de fort pour le tenir éveillé.

– D'accord pour la cognac. Et pardonne-moi cette réplique un peu rude. Ça a été comme un réflexe… Si tu savais tout le mal que le maudit brandy a pu faire chez nous…

En ce moment, ce n'était plus de la colère qu'Antoinette entendait dans la voix de Raymond, mais de la détresse. Elle revint s'asseoir sur le lit et appuya la tête contre son épaule.

– À mon tour de m'excuser. Je ne crois pas que j'étais consciente de l'ampleur du désastre que l'alcool a semé dans ta vie.

– Désastre, murmura Raymond en reprenant le mot d'Antoinette. Tu as raison, ma vie est un désastre. J'ai l'impression d'avoir pieds et poings liés. Si au moins il y avait des solutions sensées à toute cette histoire…

Raymond soupira bruyamment, glissa un bras autour des épaules d'Antoinette et la serra très fort contre lui.

– Allons, fit-il avec un semblant d'enthousiasme dans la voix, Blanche ne viendra pas déteindre sur nous jusqu'ici! Appelle le service aux chambres et demande deux cognacs. Moi aussi, finalement, je crois avoir besoin d'un bon coup de fouet, comme tu dis. Et moi aussi j'ai toujours considéré qu'un bon alcool faisait partie des petits plaisirs de la vie. Mais à cause de Blanche, c'est une petite douceur que je dois me refuser depuis bien des années, ajouta-t-il avec humeur.

Le cognac réchauffa les corps et donna une certaine clarté à leurs pensées. En riant, ils refirent le lit et se glissèrent sous les couvertures en s'appuyant confortablement contre les oreillers qu'ils avaient empilés à la tête du lit.

Et ils parlèrent.

Non par bribes et à la surface des choses comme ils l'avaient fait au moment du décès de la mère d'Antoinette, sachant que la présence de l'autre était éphémère. Non, ce soir, ils se permirent d'aller au fond des émotions et des événements. Comme deux personnes qui veulent faire le point avant de tourner la page. Par besoin, par respect l'un pour l'autre, ils y mirent toute la franchise, l'honnêteté nécessaires à l'exercice qui n'avait rien de particulièrement facile.

Ils commencèrent par parler de leurs jeunes années comme ils l'avaient si souvent fait. Mais curieusement, ce soir, il n'y avait aucun regret dans leurs propos. Ils posaient un regard objectif sur ce qui les avait motivés à l'époque à emprunter des chemins différents. Un peu comme s'ils avaient parlé d'une connaissance commune perdue de vue depuis de longues années. Ils constataient ce qu'ils avaient fait de leur vie sans amertume. Ils n'y pouvaient rien changer mais devaient apprendre des expériences malheureuses.

Puis ils arrivèrent au temps présent.

Antoinette fut la première à raconter sa solitude loin de Montréal. Même la présence de nombreux amis ne suffisait pas à combler le vide qu'Humphrey avait laissé en mourant.

— Une chance que j'ai Jason, fit-elle en serrant la main de Raymond entre les siennes. Je suis tout à fait consciente de l'ambiguïté qu'il donne à ma vie. C'est à cause de lui si je reste loin de Montréal, mais c'est aussi à cause de lui que la vie prend tout son sens. C'est difficile à expliquer.

— Pourtant, je comprends très bien ce que tu ressens, enchaîna Raymond. Je vis sensiblement la même chose avec mes filles. Sans elles, ma vie n'aurait aucun sens. Même si je t'aime et qu'un de mes plus chers désirs est de finir ma vie à tes côtés, en même temps, je sais que la présence des filles fait toute la différence. Jamais je ne pourrais envisager de changer mon quotidien au détriment des filles.

— Et jamais je n'oserais te le demander, précisa Antoinette en murmurant.

Un long silence dressa une invisible barrière entre eux après ces paroles. L'un comme l'autre, ils se sentaient pris au piège de conditions familiales qui empêchaient leur amour de prendre son envol.

— Malgré tout, précisa Raymond qui essayait de voir quelque chose de positif dans leur situation, bien des choses sont en train de changer. Et j'irais jusqu'à dire qu'à court terme, le problème de Blanche est réglé, annonça-t-il d'une voix songeuse, comme s'il ne parlait que pour lui-même. Le médecin qui s'en occupe est formel : s'il découvre la moindre anomalie d'ordre psychiatrique, il va la garder tant et aussi longtemps qu'elle aura besoin de soins.

– Crois-tu qu'il va trouver quelque chose ? Les problèmes de Blanche sont donc aussi graves que ça ? demanda Antoinette, tout à fait consciente qu'elle était en train d'échafauder des espoirs au détriment de Blanche, même si elle était loin d'éprouver la même assurance que Raymond. Tu sembles si sûr de toi, Raymond ! On ne garde pas quelqu'un à l'hôpital pour un quelconque problème d'alcool ou des états d'âme qui sont particuliers.

– Trouver quelque chose ? reprit Raymond en écho. C'est certain qu'ils vont mettre le doigt sur le bobo. Blanche n'est pas une femme normale. Elle ne l'a jamais été. Je suis persuadé qu'elle en a pour un long, un assez long moment à l'hôpital. Ce qui règle le problème d'Anne dans l'immédiat. Bien qu'elle ne l'ait pas dit clairement, je sais qu'Anne refuserait de vivre sous le même toit que sa mère, ne serait-ce qu'un jour de plus. Et je la comprends. Blanche n'a jamais voulu de cette enfant-là et le lui a fait sentir de mille et une façons. C'est parfois intenable, même pour moi. Alors imagine ce qu'elle doit vivre…

– Pauvre gamine, soupira Antoinette, le cœur gros.

Elle revoyait clairement la petite fille qui courait sur la plage avec Jason. Son rire sonnait trop haut, comme si elle n'avait pas l'habitude de jouer et qu'elle était en train d'apprendre à être joyeuse… Antoinette n'avait pas eu besoin qu'on lui dise quoi que ce soit pour que son intuition de mère comprenne que cette enfant-là était malheureuse. Cependant, jamais elle n'aurait pu imaginer que le drame qui se jouait était aussi lourd. Même à travers les lettres envoyées par Raymond, elle n'avait su y détecter la gravité de la situation.

– Et si jamais le médecin ne trouvait rien qui puisse justifier une longue…

– Il va trouver, interrompit Raymond avec détermination. Ça fait presque trente ans que je vis à ses côtés, je sais de quoi je parle. Jamais je ne pourrais croire que le médecin ne va rien voir. Blanche est malade, pas besoin d'un cours en médecine pour s'en apercevoir.

Un second silence se posa sur eux durant un court moment.

– Bon d'accord, admettons que le médecin trouve quelque chose et fasse interner Blanche, reprit Antoinette comme si elle cherchait à faire le point. Qu'est-ce que ça change pour toi ? Pour nous ?

– Pour Anne et moi, ça change tout. La vie redevient supportable et même plus. La vie va sûrement être agréable. Quand Anne n'a pas à subir la présence de sa mère, elle est très gentille, très facile. Et nous allons déménager !

– Déménager ?

– Oui ! Nous n'aimons pas la maison, ni Anne ni moi. C'est trop sombre et il n'y a finalement que des mauvais souvenirs rattachés à cette maison. Nous en avons parlé et je vais essayer de trouver quelque chose qui soit au bord de l'eau. Si tu n'avais pas annoncé ta visite, la pancarte serait déjà devant la maison.

Antoinette écoutait parler Raymond et elle trouvait qu'une fois encore, il restait à la surface des choses. Que les solutions qu'il tentait maladroitement d'apporter n'étaient que du vent. Comme si une maison allait changer sa vie ! Et il semblait si sûr de lui quand il parlait de Blanche, ce qu'elle était loin de partager. Blanche finirait bien par revenir un jour, et ce jour-là…

Antoinette obligea sa réflexion à arrêter à ce point. Elle ne voulait pas imaginer de quoi aurait l'air leur vie à tous le jour où Blanche referait surface, s'ils n'avaient rien prévu.

S'asseyant en tailleur sur le lit, elle se tourna franchement vers Raymond et soutint son regard.

— Et si on arrêtait de mentir ? proposa-t-elle d'une voix à la fois très douce et très ferme. Si on essayait, pour une fois, d'édifier notre vie sur la vérité ? Avouer tout simplement que nous nous aimons depuis longtemps, que Jason est notre fils et le frère de tes filles. Nous n'avons qu'à dire clairement la vérité, Raymond, ce ne serait pas difficile. Il me semble que tout le reste coulerait de source. Pourquoi chercher plus loin ? Pourquoi tenter de voir une seule et unique issue à la situation ? Comme si tout devait obligatoirement passer par Blanche ! Tu ne trouves pas qu'elle en a assez fait comme ça ? Et que comptes-tu faire si jamais le médecin décidait qu'elle n'a pas besoin de soins ? Y as-tu seulement pensé ? Tu ne trouves pas qu'il serait temps de s'occuper de nous ? Moi, vois-tu, je suis persuadée que si on ose le faire, tes filles aussi en seront gagnantes. Tu veux une maison au bord de l'eau ? Je t'offre une maison au bord de l'eau. Tu veux une vie normale pour Anne ? Je t'offre une vie normale pour Anne. Que demander d'autre ? À moins que tu n'aies changé d'avis et que tu aies l'intention de reprendre la vie commune avec Blanche si jamais le médecin décidait de ne pas la garder.

— Jamais ! gronda-t-il avec colère. Jamais. Je ne lui veux aucun mal, comprends-moi bien. Par contre, je ne veux plus jamais vivre sous le même toit qu'elle.

Cherchant à rassurer Antoinette, il ajouta avec fougue en lui prenant la main :

— Ne t'inquiète pas, Blanche est à l'hôpital pour longtemps.

— C'est ce que tu dis. Mais qu'elle y soit ou pas, qu'est-ce que ça change à ce que je viens de te proposer ? Ou on continue de vivre dans le mensonge ou on avoue la vérité. À mes yeux, il n'y a pas trente-six solutions. À moins que tu ne préfères le *statu quo*.

Je retourne au Connecticut et tu restes ici avec ta fille. Et vogue la galère jusqu'au prochain épisode !

La voix d'Antoinette était sarcastique et piqua Raymond au cœur de ses plus vives inquiétudes. En effet, qu'allait-il pouvoir faire si jamais Blanche revenait ? Que pourrait-il faire d'autre que dire la vérité s'il voulait enfin s'en libérer ?

Raymond ne répondit pas immédiatement. Il n'avait plus envie de vivre loin d'Antoinette. Aujourd'hui, elle était redevenue une femme libre et lui, s'il voulait être honnête, il devait avouer qu'il se sentait libre. Il n'y avait plus rien qui le rattachait à Blanche. Si sa femme avait été une frivole, si elle avait eu un autre homme dans sa vie, Raymond n'aurait eu qu'à demander une séparation. Cela aurait été facile. Mais ce n'était pas le cas. Et il y avait Anne… La séparation n'aurait pas amélioré la situation d'Anne. Bien au contraire ! Quel juge aurait accepté de laisser une enfant de cet âge à son père ? Aucun, et Raymond le savait fort bien. Alors la solution d'Antoinette était peut-être la meilleure après tout. Dire la vérité, mettre Blanche devant le fait qu'il n'y avait plus rien entre eux et poursuivre sa vie aux côtés d'Antoinette.

Raymond prit une profonde inspiration. Son cœur battait à grands coups. Il savait qu'Antoinette avait raison. Que le cœur d'Antoinette ne pouvait se tromper, car il parlait le même langage que le sien. Mais Raymond était un homme raisonnable qui n'aimait pas les décisions prises à l'emporte-pièce et qui ne voulait surtout pas regretter ses choix un jour. Il y avait suffisamment eu de regrets jusqu'à maintenant pour emplir deux ou trois vies ; il ne serait pas celui qui allait en ajouter alors que le panier était déjà rempli à ras bord. C'est pourquoi il ajouta par principe, même s'il savait qu'il n'y croyait pas vraiment :

– Je ne peux pas quitter Montréal comme ça. Il y a mon étude, il ne faudrait pas l'oublier. J'ai une profession qui compte aussi pour moi. Et puis, qui sait? Anne voudra peut-être prendre la relève un jour.

À ces mots, Antoinette comprit que pour une toute première fois dans leur relation, une brèche venait de s'ouvrir. Une brèche porteuse d'espoir. Les embûches que Raymond soulevait n'étaient que des prétextes et à la façon dont il en parlait, Antoinette voyait bien qu'il le savait. Elle leva les yeux vers Raymond qui y vit une lueur toute pétillante.

– Raymond! Es-tu vraiment sérieux quand tu dis ça? Je ne connais pas beaucoup ta fille, mais il y a un petit quelque chose qui me dit qu'elle ne sera jamais notaire. La musique serait peut-être une meilleure idée, tu ne crois pas?

Raymond ébaucha un sourire. Antoinette avait raison et il le savait. Anne ne vivait que pour son piano!

– D'accord, je me cherche des raisons qui n'en sont pas.

Sur ces mots, Raymond retomba dans son mutisme. Il resta immobile de longues minutes, puis il se laissa glisser sous les couvertures et prit Antoinette par la taille pour l'attirer vers lui.

– Raconte, demanda-t-il alors avec autant d'attente joyeuse dans la voix qu'un petit garçon. Raconte-moi ta maison, ton chez-toi. Comment est la ville? Comment sont les gens? Et la mer? Est-elle aussi belle que sur les images?

Alors Antoinette raconta.

Elle parla de l'odeur saline qui s'insinuait partout et de celle du poisson, âcre et soutenue, qu'on finissait par aimer et rechercher.

Elle décrivit l'ancien chalet transformé en une maison confortable d'où l'on pouvait admirer les orages sur la mer et les grandes marées de l'automne. Au Connecticut, en effet, il y avait aussi quatre saisons comme ici. Moins marquées peut-être, mais bien présentes.

Elle raconta aussi les levers de soleil qu'elle aimait regarder, car c'était l'instant de la journée où elle pensait à lui. Même par moments quand Humphrey vivait encore. Son mari avait toujours compris et accepté qu'une partie du cœur d'Antoinette appartiendrait à un autre.

Puis elle parla des gens de la place. Des amis d'Humphrey qui étaient aujourd'hui ses amis, de l'oncle Paul et de son épouse Ruth qui vieillissaient, mais avaient encore bon pied bon œil. Jason les considérait un peu comme ses grands-parents.

Puis elle s'appliqua à tenter de lui expliquer la mentalité américaine qui l'avait déconcertée quand elle était arrivée à Bridgeport et qui continuait de le faire onze ans plus tard.

– Là-bas, tout le monde est croyant et pratiquant. Encore plus qu'ici. Malgré cela, ils ont une ouverture d'esprit remarquable. Pourvu que tu sois un bon citoyen, un bon parent, ils vont te respecter. J'ai des amis qui se sont séparés, il y a deux ans, et personne ne leur a lancé de pierres. Leur choix a été respecté. Pourtant, c'est contre tous les principes religieux. Mais ça n'a pas eu d'importance. C'est comme moi quand je suis arrivée chez eux, enceinte. Personne n'a posé de questions. Même si je suis persuadée, encore aujourd'hui, que cette histoire de veuvage n'a dupé personne. En tous cas, elle n'avait pas dupé Humphrey. J'aime bien cette mentalité. Chacun se mêle de ses affaires.

Pendant qu'Antoinette parlait, Raymond avait fermé les yeux, tentant de mettre des images sur les mots. Quand Antoinette se tut enfin, il resta silencieux un bref instant puis il se tourna vers elle.

– Si c'est aussi bien que tu viens de me le décrire, pourquoi veux-tu revenir à Montréal?

– Peut-être tout simplement parce que c'est là que tu habites.

Raymond se sentit rougir comme un gamin que l'on pointe du doigt.

– Oh! Et il y a des professeurs de piano à Bridgeport?

– Sûrement. Je ne me suis jamais intéressée à la question, mais la ville est assez grande pour qu'il y en ait même quelques-uns.

– Tant mieux. C'est très important pour Anne. La musique pour elle est comme la peinture pour Émilie.

Raymond laissa couler un petit rire de satisfaction.

– Mes filles sont des artistes! Il n'y a que Charlotte qui n'ait pas de talent en ce sens. Elle était tellement sollicitée quand elle était petite qu'elle n'a pas eu la chance de trouver mieux que la lecture. Elle n'a pas eu le temps de se découvrir une passion. Cela étant dit, j'ajouterais que le passe-temps qui a toute sa ferveur vaut autant qu'une passion.

À ces mots, Antoinette détourna la tête pour que Raymond ne puisse lire l'embarras qui lui rosissait les pommettes. C'était peut-être la première fois qu'il y avait un secret entre eux depuis la naissance de Jason. Antoinette soupira, mal à l'aise. Pourtant, le fait que Raymond n'était pas encore au courant des démarches de Charlotte ne la surprenait pas vraiment. Pour le peu qu'elle en savait, Charlotte lui semblait une femme secrète. Une femme que la vie avait forcée à vivre refermée sur elle-même.

Combien de secrets se cachaient derrière le regard d'océan?

Si ce n'avait été de la présence des toiles de Gabriel dans son salon, Charlotte lui aurait-elle parlé de son grand amour? Elle savait bien que non. Ce n'était pas dans la nature de Charlotte de se confier facilement. Alors elle décida de ne rien dire des merveilleux romans que celle-ci avait écrits. Ce serait à Charlotte de mettre son père dans la confidence au moment où cela lui conviendrait. «Ce n'est qu'un geste de loyauté envers elle, se dit Antoinette en se coulant contre Raymond. Et non une cachette envers lui.»

Raymond était songeur. Brusquement, il avait l'impression que le temps n'existait plus. Antoinette et lui étaient encore à l'aube de la vie. Ils n'avaient que vingt ans et des projets plein la tête, de l'amour plein le cœur. Il se sentait exalté comme un tout jeune homme face à sa destinée. S'il donnait suite aux propositions d'Antoinette, c'était ce qui allait arriver : il se retrouverait face à un monde inconnu, une destinée nouvelle.

– Redis-moi comment c'est chez toi, Antoinette. La maison est-elle assez grande pour nous quatre ? Et a-t-on le droit d'avoir un chien quand on habite sur une plage ? J'ai toujours voulu avoir un chien.

Blottissant sa tête dans le creux de l'épaule de Raymond, Antoinette se remit à parler de chez elle. Et imperceptiblement, de mots en mots, de phrases en phrases, ils commencèrent à faire des projets. Raymond allait vendre la maison, mais il ne cherche-rait rien d'autre pour l'instant.

– Au Québec, on a la curieuse manie de tous déménager en même temps. Et c'est ce que je vais faire avec Anne. Le premier mai, on part pour le Connecticut ! Cela me laisse largement le temps de m'occuper de mes affaires.

Antoinette ne demanda pas ce qu'étaient ces affaires. Sûrement qu'il y avait le bureau. Mais avec Marc à la barre, le bateau serait en eaux calmes. Raymond ne tarissait pas d'éloges à l'égard de son gendre. Sûrement qu'il y avait Blanche aussi. Et là, Antoinette préférait ne pas en entendre parler. Pas ce soir. Ni demain. Plus jamais… Il y avait aussi Charlotte et Émilie. Même si elles étaient aujourd'hui des adultes, il allait falloir partager tous ces beaux projets avec elles. Pour Charlotte, Antoinette ne s'en faisait pas vraiment. Même si la jeune femme n'avait pas parlé de sa mère lors de ses vacances, et peut-être justement parce qu'elle n'en avait pas dit un seul mot, Antoinette devinait que la relation était plutôt froide. De toute façon, c'était toujours ce que Raymond avait laissé entendre. Ne restait qu'Émilie qui était, selon les dires de son père, très proche de Blanche. Accepterait-elle que son père quitte sa mère pour vivre avec une autre femme? Et puis, il y aurait aussi la famille de Raymond. Ses sœurs, sa mère… Que diraient-elles? Antoinette n'en savait rien. Si tout le monde savait que plusieurs hommes prenaient maîtresse, au Québec, personne n'en parlait. Si jamais Raymond et elle choisissaient de vivre à Montréal pour une raison ou pour une autre, il leur faudrait faire face aux collègues, aux amis. Ici, la société n'acceptait pas les séparations. L'Église non plus, même s'ils ne pratiquaient pas vraiment ni l'un ni l'autre. Par contre, cet état de choses n'existerait pas au Connecticut. Les mentalités étaient différentes. À l'âge où elle était parvenue, la jeune cinquantaine, Antoinette se dit qu'elle serait au-dessus de telles considérations. «Choisir de vivre malheureuse sans lui ou pointée du doigt avec lui, je préfère avec, se dit-elle. Et personne ne peut demander à quelqu'un de vivre malheureux ou en danger par respect des lois ou des conventions.» Et en se disant cela, elle pensait surtout à Anne.

Anne à qui Raymond devrait dire la vérité en tout premier lieu…

Pendant que Raymond continuait d'énumérer toutes les choses qu'il aurait à faire, enthousiaste comme s'il énumérait une liste de cadeaux de Noël, Antoinette se retira à l'intérieur d'elle-même. En ce moment, son cœur battait si fort qu'elle avait peur d'étouffer. Cela faisait tellement d'années qu'elle rêvait d'un instant comme celui-là. Et quand elle était heureuse aux larmes, elle avait envie de remercier. Le ciel, la vie, une bonne étoile… Fermant les yeux très fort, elle remercia Humphrey de continuer à veiller sur elle comme il l'avait fait de son vivant. Son si merveilleux ami Humphrey qui lui avait permis de traverser une grande partie de son existence sans être trop écorchée.

– Tu dors, Antoinette?

Cette dernière sursauta et ouvrit précipitamment les yeux, rougissante, confuse d'avoir été démasquée, comme si Raymond avait pu lire dans son esprit. Elle leva la tête vers lui.

– Mais tu pleures?

S'agenouillant sur le lit, Raymond se pencha vers la femme qu'il aimait et prit son visage entre ses mains. Avec les pouces, il essuya les larmes qui coulaient sur ses joues avant de les embrasser avec douceur.

– Je t'en prie, Antoinette ne pleure pas. Je t'aime. Et quand je dis que les filles ont donné un sens à ma vie, je suis injuste de ne pas ajouter que toi aussi tu as donné un sens à ma vie. Tout comme Jason maintenant. Malgré les embûches que je vois se dresser devant moi avant d'atteindre le but que nous nous sommes fixé, je suis un homme comblé. Je suis un homme chanceux que tu m'aies attendu malgré mes indécisions et mes peurs. Je t'aime, Antoinette. Je t'aime pour toutes ces heures que nous avons passées ensemble, mais aussi pour toutes les autres où tu occupais mes pensées alors que tu étais si loin. Je t'aime parce que tu es généreuse et que tu sais si bien écouter. Je t'aime parce que ton corps répond si bien à mes caresses et que lorsque je suis en toi, j'ai l'impression de goûter au paradis. Tout ce que je demande à la vie, c'est d'être encore bien longue pour que j'aie le temps de rattraper mes erreurs. Pour que j'aie le temps de répéter tous les «Je t'aime» que je n'osais dire avant, pour que j'aie le temps d'effacer toutes les larmes que tu as versées à cause de moi.

Son regard plongé dans celui de Raymond, Antoinette buvait ses paroles. Jamais auparavant un homme ne lui avait parlé ainsi. Et celui qui le faisait enfin était le seul qu'elle voulait entendre lui faire des serments d'amour. Quand Raymond posa ses lèvres sur les siennes, elle ferma les yeux sur son bonheur et, se laissant glisser sous les couvertures, elle entraîna Raymond avec elle à la recherche de ce paradis dont il venait de lui parler.

CHAPITRE 5

Anne avançait à bons pas tout en tenant un pan de son capuchon rabattu sur son visage pour contrer le vent et la pluie.

Depuis le départ de Jason, quelques jours auparavant, il faisait un temps affreux. À croire que Dame nature avait emmagasiné vents et pluie tout au long du mois d'octobre, les réservant pour novembre. Depuis la Toussaint, ils étaient constants. Mais comme Antoinette et Jason avaient promis de revenir pour les fêtes de fin d'année, Anne faisait contre mauvaise fortune bon cœur et les petits désagréments du quotidien n'avaient pas tellement d'emprise sur elle. Elle travaillait fort à l'école pour prouver à son père qu'il avait toutes les raisons du monde de lui faire confiance et aussi pour le remercier de tout ce qu'il faisait pour elle.

La vie à deux était vraiment agréable !

Et puis maintenant, le soir quand elle revenait chez elle, c'était son piano qui l'attendait et non cette peur affreuse qui lui avait tordu le ventre pendant toutes ces années où sa mère l'attendait à la maison, jamais dans le même état.

Aujourd'hui, Anne n'avait plus de craintes de savoir ce qui se cachait derrière la porte et n'essuyait plus de remarques désobligeantes. L'insignifiante n'existait plus. Elle avait disparu en même temps que Blanche.

Anne n'avait même pas été désolée quand elle avait appris que les enfants ne pouvaient rendre visite aux malades à l'étage où était sa mère. Au contraire, cela lui convenait drôlement ! Elle profitait des quelques heures que son père passait à l'hôpital, le dimanche après-midi, pour faire de la musique.

En repensant à son piano, la petite fille accéléra le pas. Elle voulait avoir un long moment toute seule avant que son père n'arrive. Elle aimait improviser des petites mélodies, reproduire certaines autres qu'elle avait entendues à la radio. Quand il y avait quelqu'un dans la maison, elle n'osait pas, elle craignait que l'on se moque de ses essais parfois malhabiles et comme depuis toujours elle détestait les reproches ou les moqueries, elle évitait toutes les situations qui pouvaient les provoquer. De plus, elle savait qu'elle devait continuer à pratiquer ses gammes, les pièces imposées par madame Mathilde ; sur le sujet son père était très strict et quand il était là, c'était ce qu'elle faisait.

Malgré la température exécrable et l'envie de se retrouver bien au chaud chez elle devant son piano, Anne ne put s'empêcher de ralentir le pas et de relever la tête dès qu'elle tourna le coin de la rue. Trois maisons plus loin, installée bien droite et bien solide près du trottoir pour être très visible, une belle pancarte attirait les regards.

« Maison à vendre »

Émilie l'avait faite à la demande de son père qui voulait que SON panneau soit différent afin d'attirer l'attention des passants et des conducteurs d'automobiles. Pour ce faire, Émilie avait dessiné une jolie maison très colorée dans un coin et peint les lettres de l'annonce en rouge. Le numéro de téléphone, lui, était tracé en bleu vif et se découpait très bien sur le jaune pâle de l'écriteau.

Raymond et Anne l'avaient planté en face de la maison, dimanche dernier, malgré la pluie qui tombait à plein ciel.

— Et voilà ! avait lancé Raymond visiblement satisfait du résultat.

Il avait alors reculé de quelques pas pour évaluer l'allure de son annonce. Posant une main sur l'épaule d'Anne, il avait ajouté :

– Il faudra peut-être se montrer patient. Ce n'est pas la période idéale de l'année pour vendre une maison. Mais je ne suis pas inquiet, on va finir par trouver un acheteur. Le quartier est agréable et nous sommes proches de nombreux commerces. J'ai confiance qu'au premier mai prochain, toi et moi, nous allons déménager !

– Et quand allons-nous commencer à chercher une autre maison ? avait demandé Anne, vraiment excitée à la perspective de partir à la recherche d'une nouvelle demeure avec son père.

Raymond avait alors esquissé un drôle de petit sourire.

– J'ai peut-être quelque chose en vue, avait-il répliqué, volontairement évasif.

Anne avait levé un sourire radieux.

– Ah oui ? Tu as déjà trouvé ? C'est où ? La maison est-elle grande ? Et est-ce que c'est au bord de l'eau comme on avait dit ?

– Tu verras !

– Oh papa ! Quand est-ce que je vais pouvoir la voir ?

– Quand le temps sera venu ! Mais je suis certain qu'elle va te plaire.

Anne n'avait jamais réussi à lui soutirer un mot de plus.

Et c'était ainsi que depuis dimanche, chaque fois qu'Anne regardait l'écriteau annonçant leur maison à vendre, elle avait l'impression qu'un certain mystère entourait le projet et elle adorait cette sensation.

En fait, depuis que sa mère avait eu son accident, tout avait changé pour le mieux ! À commencer par toutes ces bonnes surprises que la vie semblait avoir gardées en réserve pour elle.

En premier, il y avait eu le voyage, puis le piano, ensuite la visite de Jason et maintenant la maison…

Quand elle passa près de la pancarte, Anne ne put s'empêcher d'en effleurer le dessin du bout de l'index.

Décidément, Émilie avait vraiment beaucoup de talent! C'était certain que tout le monde allait être tenté de visiter leur maison pour l'acheter devant une si belle invitation.

Et pour cette raison, depuis quelque temps, Anne gardait sa chambre impeccable. Tout comme elle partait à la chasse aux poussières, chaque soir après le repas, armée d'un plumeau et du balai.

— Comme ça, si quelqu'un se présente sans préavis, nous serons prêts!

Elle entra dans la maison en se secouant comme un jeune chien mouillé, s'obligea à ranger ses vêtements malgré son impatience de se retrouver au salon et, après une rapide incursion à la cuisine pour une légère collation, elle s'installa enfin au piano.

Quatre heures!

Elle avait au moins une heure devant elle pour laisser libre cours à sa fantaisie. Après, elle irait mettre les légumes à cuire comme son père le lui avait demandé ce matin.

Au même instant, un peu plus au nord de la ville, Charlotte avançait, elle aussi, à pas rapides pour contrer le mauvais temps. Elle venait de finir de travailler et se dépêchait pour arriver chez elle en même temps qu'Alicia, qu'elle avait inscrite à l'étude de l'école pour que leurs horaires coïncident le plus possible. Mais la petite fille ne s'en plaignait pas. Vive et curieuse, elle revenait toujours enthousiaste et pressée de raconter sa journée. Ensemble, elles préparaient le souper en bavardant et le soir, elles avaient au moins deux heures à leur disposition pour se gâter. Lectures et jeux étaient invariablement au programme. L'infirmière en chef de l'étage où travaillait Charlotte était une femme très humaine et sensible aux besoins du personnel de son département. Quand la jeune femme était revenue de ses vacances, une petite surprise l'attendait : désormais, Charlotte travaillerait de jour en permanence, à l'exception de quelques jours par mois où elle serait de nuit. Jusqu'à maintenant, les horaires de Françoise et de Charlotte avaient toujours fait en sorte qu'il y ait quelqu'un à la maison pour Alicia. Et cela permettait à la petite fille d'avoir une vie de famille presque normale avec sa maman.

Comme souvent, Charlotte arriva chez elle avant sa fille. Le temps de déposer couvre-chaussures et manteau dans le vestibule et elle se dirigea vers sa chambre pour retirer son uniforme.

Elle détestait cette odeur d'hôpital qui imprégnait ses vêtements.

Ce fut à ce moment qu'elle vit la lettre.

Françoise l'avait déposée au beau milieu du lit, sur un coussin, pour être bien certaine que Charlotte la voie. Comme elle le faisait chaque fois qu'il y avait du courrier venu d'Angleterre où une certaine «grand-ma» Mary-Jane se languissait de sa petite Alicia. Charlotte prit donc le temps de se changer avant de s'occuper de la lettre. Puis elle l'attrapa machinalement par un coin et se dirigea vers la cuisine où elle la lirait plus tard avec sa fille. Charlotte se faisait un devoir de garder bien vivant le souvenir de Mary-Jane qui avait été une merveilleuse grand-mère pour Alicia en se disant que peut-être, un jour, elles auraient l'occasion de lui rendre visite.

Pourtant, avant de déposer la lettre de Mary-Jane sur la table, comme chaque fois qu'elle en recevait une, Charlotte la regarda un long moment, songeuse.

Qu'aurait été sa vie si Andrew n'était pas décédé ?

Aurait-elle un autre enfant ? Probablement. Et elle habiterait toujours l'Angleterre, cela était certain. Un petit spasme lui chatouilla l'estomac quand elle revit en pensée la petite maison de village qu'elle avait habitée avec son mari et sa fille. La vie était très différente là-bas et il avait fallu que Charlotte perde mari et maison pour s'apercevoir à quel point elle avait été bien en Angleterre. Pourtant, en ce moment, ce n'était pas de véritables regrets que Charlotte ressentait. C'était plutôt une espèce de curiosité face à la vie qu'elle aurait pu mener si les événements avaient été différents. Une sorte de nostalgie qui ne durait jamais bien longtemps. Depuis l'été, et Charlotte en était très consciente, elle n'y pensait d'ailleurs plus qu'au moment où elle recevait des nouvelles de Mary-Jane. Car depuis qu'elle avait revu des toiles de Gabriel, c'était lui qui accaparait une grande partie de ses souvenirs comme de ses espoirs.

Au moment où elle lançait distraitement la lettre sur la table pour y revenir plus tard, un petit détail attira son attention. Charlotte fronça les sourcils. Le timbre lui semblait légèrement différent. On y voyait le roi, comme chaque fois qu'elle recevait une lettre d'Angleterre, mais le profil était moins marqué. Elle reprit l'enveloppe et la retourna machinalement.

À l'arrière, sur le rabat de l'enveloppe, il y avait l'adresse de l'expéditeur.

Les éditions de l'Arbre.

Charlotte dut s'asseoir.

Les mains tremblantes, elle revint au recto de l'enveloppe et se demanda aussitôt comment il se faisait qu'elle avait pris cette écriture pour celle de Mary-Jane.

La réponse tant attendue était là, juste au bout de ses doigts. Son cœur se mit à battre à tout rompre. Enfin! Enfin, elle allait savoir!

Elle déchira l'enveloppe fébrilement, prit une profonde inspiration puis sortit la lettre. Il n'y avait qu'une seule feuille.

Il y avait tout son avenir dans ces quelques phrases. Celui

auquel elle aspirait depuis si longtemps ou la fin d'un beau rêve. Et curieusement, à l'instant où elle se décida à lire, Charlotte comprit que si la réponse était négative, ce serait aussi la fin de son espoir de retrouver Gabriel.

Dans sa tête comme dans son cœur, écriture et Gabriel étaient trop intimement liés pour qu'il en soit autrement.

L'histoire de Myriam, c'était avec Gabriel qu'elle l'avait pensée, écrite, lue et relue. C'était encore en pensant à lui qu'elle s'était rendue à Paris dans l'espoir de trouver un éditeur pour ce roman. Même chose pour le deuxième manuscrit qu'elle avait écrit en Angleterre et qui mettait en scène une femme heureuse malgré une vie difficile aux côtés d'un mari artiste qui ressemblait étrangement à Gabriel.

Si un jour elle retrouvait Gabriel, Charlotte voulait se tenir fièrement devant lui.

Charlotte dut s'y reprendre à deux fois pour lire la lettre et surtout la comprendre tant les mots valsaient devant ses yeux.

Un large sourire éclaira son visage.

Plus de doute possible, on avait aimé, on parlait de légères corrections, on prévoyait la sortie du livre pour le printemps.

Charlotte venait de relire la lettre pour la troisième fois quand elle entendit la porte d'entrée qui se refermait avec fracas. Elle souriait toujours, mais elle avait aussi de grosses larmes qui inondaient ses joues. D'un bond, elle fut debout, bousculant sa chaise, puis elle se précipita au-devant d'Alicia, la souleva dans ses bras et se mit à tournoyer dans le corridor avec elle. La petite fille riait sans comprendre ce qui se passait. Puis Charlotte la déposa sur le prélart du couloir.

– Mais qu'est-ce qui se passe, maman?

Alicia regardait sa mère avec une lueur de curiosité au fond des prunelles de ses immenses yeux bleus.

– Et pourquoi tu ris et tu pleures en même temps?

– Parce que je suis heureuse, ma puce! Viens dans la cuisine, je vais tout t'expliquer. C'est une longue histoire…

Quand Charlotte se coucha, ce soir-là, elle flottait encore à quelques pieds du sol. Elle avait lu la lettre un nombre incalculable de fois, se délectant de chacun des mots. Alicia avait semblé comprendre que c'était une très bonne nouvelle pour sa maman et que d'ici peu, elle n'aurait peut-être plus à travailler à l'hôpital tous les jours.

– Tu te rends compte, Alicia? Tu pourrais venir manger à la maison tous les midis!

– Chouette alors!

Elle poussa un profond soupir de joie. Dès demain, elle appellerait l'éditeur pour prendre rendez-vous avec lui afin de signer le contrat qui enclencherait tout le processus de fabrication de son livre. Dans la lettre, on parlait de parution au printemps pour l'histoire de Myriam et à l'automne pour le second livre.

Ensuite, elle en parlerait à Émilie et à Antoinette.

«Tant pis pour la dépense, pensa-t-elle en se retournant entre ses draps. Je vais faire un interurbain pour lui parler. Je veux entendre sa voix.»

Mais avant…

– Avant, je vais aller voir papa après le travail demain. Il est temps que je lui confie mon beau secret, murmura-t-elle en bâillant et en se recroquevillant sous les couvertures. Je n'aurai qu'à demander à la mère de Françoise de s'occuper d'Alicia à son retour de l'école. Il est temps que je fasse les choses dans l'ordre!

Il y avait surtout un trop-plein d'émotions qu'elle voulait partager avec quelqu'un. Et il n'y avait qu'avec son père qu'elle avait envie de le faire.

Contre toute attente, elle s'endormit d'un seul coup alors qu'à l'extérieur la pluie se changeait petit à petit en une fine dentelle blanche qui recouvrit toute la ville. À l'aube, les bruits étaient feutrés et les rues semblaient illuminées de l'intérieur, ce qui éveilla la petite Alicia bien avant l'heure habituelle. Un rapide coup d'œil par la fenêtre et elle s'élançait aussitôt vers la chambre de sa mère pour sauter à pieds joints sur son lit.

– Maman! Réveille-toi.

– Mais qu'est-ce que c'est que ces manières, ce…

– Regarde, maman! Regarde comme c'est beau!

Alicia avait tendu le bras pour soulever la lourde tenture qui pendait devant la fenêtre.

– Oh!

Charlotte était séduite. Le petit coin de cour où donnait sa chambre était presque lumineux, chargé de toute cette belle neige blanche. Charlotte avait toujours aimé l'hiver pour sa froidure piquante et ses paysages féeriques qui lui mettaient une grande douceur dans le cœur et des mots plein la tête. Et bientôt ce serait Noël.

Ce fut à ce mot que le souvenir refit surface. Et malgré tout ce qu'elle en avait pensé jusqu'à maintenant, Charlotte comprit que c'était encore sensible, presque douloureux.

Il y a un an, elle préparait Noël avec Mary-Jane et Alicia. Cela aurait dû être la fête, car Andrew devait revenir bientôt de sa mission et ils avaient des projets plein la tête et le cœur.

Mais Andrew n'était jamais revenu…

Déjà un an!

Charlotte sentit une grosse boule de chagrin se former dans sa gorge. Elle détourna la tête pour qu'Alicia ne puisse voir sa tristesse. Cela faisait tout juste quelques semaines que la petite fille ne parlait plus de son père régulièrement. Elle ne voulait pas lui faire de peine. Elle vit alors la lettre qu'elle avait posée sur la table de chevet.

Mais oui! On allait éditer ses livres! Que d'émotions en même temps!

Cette perspective de voir enfin ses manuscrits transformés en livres l'aida à prendre une profonde inspiration pour se détendre même si elle se disait que la vie avait parfois la curieuse manie de la promener aux antipodes des émotions. La bonne nouvelle de cette année aiderait peut-être à faire oublier la tristesse rattachée à la fête de Noël.

Pendant ce temps, Alicia tenait toujours la tenture soulevée et avait collé son nez à la fenêtre. Puis elle se tourna vers Charlotte.

— Est-ce que ça veut dire que c'est Noël bientôt, maman?

— Dans quelques semaines, oui. On va avoir bien des choses à faire pour s'y préparer.

— Je sais…

Alicia avait détourné la tête pour revenir face à la fenêtre.

— J'espère que notre Noël va être plus joyeux, cette année.

Charlotte comprit alors qu'Alicia pensait aussi à Andrew. Elle repoussa les couvertures et rampa jusqu'au pied du lit pour prendre la petite fille tout contre elle.

— Je suis certaine que notre Noël va être très beau, cette année. Regarde toute cette neige! On va décorer le devant de notre maison avec un gros bonhomme. Et tu vas m'aider à fabriquer une belle couronne pour la porte d'entrée.

— Oui, d'accord, fit Alicia sans grand enthousiasme.

Après quelques instants de silence, elle murmura d'une toute petite voix:

— Je crois que je vais recommencer à m'ennuyer de papa.

Charlotte prit Alicia dans ses bras et se mit à la bercer tout contre elle, comme lorsqu'elle était petite. Elle se surprit alors à répondre, pendant qu'elle embrassait Alicia sur les cheveux:

— Moi aussi. Moi aussi je vais m'ennuyer de papa. Beaucoup.

Et sa sincérité était sans faille. La présence d'Andrew allait lui manquer en cette période de l'année. Tout comme elle aurait aimé qu'il soit à ses côtés pour partager sa joie devant son beau rêve qui prenait enfin forme. Elle savait fort bien qu'Andrew aurait été très fier d'elle, ils en avaient déjà parlé. Quant à Gabriel, elle n'avait pas la moindre idée de ce qu'il aurait dit.

Cela faisait maintenant tellement d'années qu'elle n'avait pas de nouvelles de lui, elle ne pouvait savoir ce qu'il était devenu.

Était-il toujours le grand romantique qu'elle avait connu? L'art, sous toutes ses formes, occupait-il encore une place prépondérante dans sa vie?

Charlotte n'en savait strictement rien. Tous les espoirs qu'elle entretenait à l'égard de Gabriel n'étaient que du vent. Un grand vent qui la poussait vers l'avant, certes, mais ce même vent pourrait fort bien se retourner contre elle et la jeter au sol si jamais Gabriel l'avait oubliée. Dans le fond, que voulait dire une toile où elle croyait se reconnaître?

Charlotte ferma les yeux un instant en serrant Alicia très fort contre elle.

– Je t'aime, ma puce. Et je te promets que notre Noël va être le plus beau que tu puisses imaginer.

Cette promesse, elle la faisait tant pour elle-même que pour sa fille.

– Moi aussi je t'aime, maman.

Charlotte savoura ce moment d'intimité avec sa fille. Une chance qu'Alicia était là. Sa fille donnait un sens à ce que sa vie était devenue. Même si elle n'avait pas vraiment à se plaindre quand elle se donnait la peine de bien envisager de quoi étaient faites ses journées. En effet, pourquoi se lamenterait-elle? Elle avait une petite fille merveilleuse, un bon emploi et la perspective d'améliorer son sort en publiant ses romans. Elle n'allait tout de même pas gâcher tout cela sous prétexte qu'elle rêvait de retrouver un homme qui avait quitté sa vie depuis des lustres !

– Un jour à la fois, murmura-t-elle en se retournant pour se lever après un dernier baiser sur la tête d'Alicia.

Et aujourd'hui allait être une belle journée. D'abord, elle allait appeler l'éditeur pour prendre rendez-vous avec lui et ensuite, passer voir son père à son bureau après le travail. Oui, vraiment une très belle journée.

– Allez ! Au galop, mademoiselle ! Il faut nous préparer tout de suite parce que je veux passer chez grand-maman Adèle avant de te conduire à l'école. J'aimerais qu'elle te garde un petit peu ce soir, car je vais être en retard.

Alicia tourna vers sa mère un sourire ravi, toute tristesse envolée.

– Chez grand-maman Adèle ? Ce soir ? Chouette alors !

À son tour, Charlotte dessina un sourire. Finalement, pour Alicia aussi, la journée serait bonne.

* * *

Trois soirs à s'endormir en compagnie de Myriam, l'héroïne du roman de Charlotte, et trois matins à s'éveiller en pensant à l'auteure.

Raymond s'étira en bâillant, le cœur tout léger.

Et dire qu'il croyait que sa fille aînée n'avait développé aucune passion ! Il aurait dû se douter qu'une femme de la trempe de sa Charlotte avait suffisamment de ressources pour trouver un peu de place dans sa vie pour quelque chose d'important, d'essentiel. Et comme l'écriture et la lecture découlaient d'un seul amour, d'un unique intérêt, il aurait dû y penser.

Charlotte écrivaine ! Après une Émilie peintre et peut-être une

Anne musicienne, il y avait de quoi se réjouir!

Par contre, Raymond n'était pas dupe: il était cruellement conscient que, chacune à sa façon, ses trois filles avaient trouvé un moyen de survivre à l'atmosphère qui régnait chez eux, de se soustraire à Blanche. Tant mieux si les moyens trouvés s'avéraient être des talents à développer.

Il eut un sourire en se disant qu'il était tout de même curieux qu'aucune des sœurs n'ait eu une passion identique. Mais c'était peut-être prévisible: elles étaient si différentes les unes des autres!

Couché sur le dos, les bras derrière la nuque, Raymond pensa à chacune de ses filles. Charlotte la forte, grande comme lui, calme et posée. Il lui souhaitait de tout cœur que ses livres connaissent un bon succès comme les toiles d'Émilie. Puis il eut un sourire attendri en pensant à sa cadette. Dire que la délicate Émilie allait avoir un bébé! Il était tellement heureux pour elle et Marc. Tous les deux, ils rayonnaient de bonheur. Et en dernier lieu venait la petite Anne qui n'était plus si petite que cela. Physiquement, elle ressemblait à sa grande sœur. Et depuis quelque temps, elle était resplendissante. Anne s'affirmait davantage et lui faisait penser de plus en plus à Charlotte tant par ses réflexions mûres et pertinentes que par sa façon d'être qui faisait d'elle une enfant serviable.

Le mot «enfant» flotta un moment dans son esprit.

Bientôt, Anne ne serait plus une enfant. Son corps commençait à prendre des rondeurs de femme et bien qu'il se sente assez proche d'elle, il ne savait trop comment aborder la question.

«Il faudra que j'en parle à Charlotte» songea-t-il en s'étirant une dernière fois entre ses draps avant de se redresser d'un coup de reins, prêt à se lever, tout à fait lucide que toutes ces petites choses auraient dû être normalement faites par une mère.

Mais voilà, de mère il n'y avait plus sous son toit.

Raymond soupira bruyamment.

– Et il n'y en a jamais vraiment eu une, poursuivit-il à mi-voix tout en enfilant sa robe de chambre. Mais bientôt ce serait chose du passé !

Il sentit littéralement son cœur se gonfler quand il pensa à Antoinette qui serait en ville dans moins de trois semaines. Tous les deux, ils avaient pris la décision de parler à Jason et à Anne en même temps durant la période des fêtes.

Leur dire tout simplement la vérité et discuter ensemble de l'avenir qui serait le leur. Antoinette avait raison de croire que les choses seraient plus simples ainsi. Plus il y pensait, plus il trouvait que cette solution était pleine de bon sens.

Mais en tout premier lieu, il devait parler à Blanche.

Régler la situation avec Blanche…

Il ne savait ni quand ni comment il le ferait, mais ce serait bientôt, avant l'arrivée d'Antoinette. Une seule chose était claire dans son esprit comme dans son cœur : dorénavant, il voulait vivre avec cette femme merveilleuse qu'il avait tenue à l'écart de sa vie trop longtemps. C'était la seule chose à faire, tant pour eux que pour Anne et Jason. Et sur le sujet, il considérait que Blanche n'avait pas grand-chose à dire. S'il voulait partir, rien ne pourrait l'en empêcher. Ni les lois, ni les larmes, ni les menaces. Il en était rendu à ce point. Quant à Anne, si Blanche avait le moindrement un peu de respect pour sa fille, à défaut de l'aimer, elle allait accepter qu'elle suive son père. De toute façon, elle avait dit si souvent à quel point cette enfant-là l'exaspérait qu'elle devrait être soulagée de la voir partir. En fait, peut-être même qu'il n'aurait pas à débattre la question tellement longtemps. Si les événements se précisaient dans le sens où il le croyait, Blanche serait hospitalisée pour un long moment et dans ce cas, il serait normal qu'Anne reste avec son père. On ne confie pas la garde d'une enfant à une femme internée dans un asile même en cas de séparation. Car c'était exactement ce qu'il s'apprêtait à faire, avec ou sans l'aide des lois : il allait se séparer de Blanche après plus de trente ans de vie commune et tout ce qu'il demandait, c'était de garder Anne avec lui. Et quand il y pensait bien froidement, il admettait qu'il n'y avait rien de bien difficile dans tout cela. Il dirait à Blanche qu'il voulait partir et qu'Anne restait avec lui. Un point c'est tout. Il n'y avait rien à riposter. De toute façon, que pourrait-elle faire du fond de son asile ?

Le mot « asile » le fit frémir. Il ne l'aimait pas. Mais que pouvait-il y changer ? C'était la réalité de leur famille. Blanche était une femme malade.

Mais pour une fois, les événements semblaient être de son côté.

Ce matin, il avait rendez-vous avec le docteur Chamberland. Nul doute que ce dernier allait lui demander une signature l'autorisant à transférer Blanche à l'hôpital St-Jean-de-Dieu où elle pourrait recevoir des soins mieux adaptés à sa condition. C'était ce que ce médecin avait laissé entendre la dernière fois qu'ils s'étaient parlé.

– Mon opinion n'est pas arrêtée, avait-il affirmé, mais si cela s'avérait nécessaire, seriez-vous prêt à signer une demande de transfert pour un autre hôpital ?

Raymond avait acquiescé sans aucune hésitation. Il s'y attendait et était soulagé de voir qu'il existait quelqu'un capable de comprendre ce qui se passait réellement sous son toit. L'alcoolisme de Blanche n'était pas qu'une simple mauvaise habitude sans conséquence. Dans son cas, cette manie s'avérait un réel danger, tant pour elle que pour les autres. Il n'y avait qu'à voir la transformation d'Anne pour le comprendre. Elle n'était plus la même depuis qu'elle n'avait pas à voir sa mère jour après jour. Or l'alcoolisme de Blanche n'était qu'une facette de ses problèmes.

La source du mal était tellement plus profonde, plus insidieuse que ce que l'on pouvait percevoir à première vue. Non, Raymond ne s'en faisait vraiment pas pour la rencontre de ce matin. Le médecin l'avait convoqué parce qu'il avait compris à quel point Blanche était perturbée et c'était ce dont il voulait parler.

Il frappa donc joyeusement à la porte d'Anne pour l'éveiller, comme il le faisait tous les matins avant de se raser.

– Debout là-dedans! C'est l'heure. Le grognement habituel de gros ours que l'on dérange lui répondit. Tout allait bien…

Ce ne fut qu'en arrivant au bureau du médecin qu'il prit conscience de l'ampleur du geste qu'il allait poser ce matin.

Il avait stationné sa voiture à quelques portes de celle du médecin. La plaque en marbre noir annonçant le cabinet du docteur Chamberland brillait sous les rayons du soleil qui s'était enfin décidé à revenir et qui parviendrait peut-être à faire fondre la neige tombée quelques jours auparavant.

Assis derrière le volant, Raymond n'arrivait pas à se décider de sortir de l'auto. Dans quelques minutes, il allait apposer sa signature sur un document officiel qui ferait interner sa femme, Blanche Deblois. Mais il y avait beaucoup plus que cela dans cette signature, même s'il était le seul à en connaître la portée réelle en ce moment. Dans quelques minutes, il allait mettre un terme à une longue partie de sa vie qui n'aurait jamais dû exister. Et de ce fait, il allait disposer de la vie d'une autre personne sans même lui en avoir parlé.

Il n'était pas à l'aise dans sa démarche. Il avait la nette impression d'être en train d'agir contre tout bon sens. Il aurait dû parler à Blanche dès le dimanche précédent quand il était allé lui rendre visite. L'avertir de ce qui risquait d'arriver, la prévenir de ses intentions quoi qu'il arrive. Même si elle était de mauvaise humeur, même si elle se plaignait que le médecin était un tyran qui s'entêtait à la faire marcher alors qu'elle avait encore tellement mal. Même si elle répétait, litanie usée d'avoir été si souvent redite, que personne ne la comprendrait jamais. À ce souvenir, Raymond esquissa un sourire las. Sur ce point, Blanche avait peut-être raison : non, il ne la comprenait pas. Blanche avait eu tout ce qu'il fallait pour être une femme heureuse et elle était passée à côté sans même s'en rendre compte. Pire, elle avait trouvé moyen de rendre la vie de ses proches insipide, désagréable et même dangereuse sous de faux prétextes qu'elle était seule à s'expliquer.

Ce fut l'image du sourire enjôleur d'Anne qui le décida à quitter l'abri illusoire de son auto. Au petit déjeuner elle avait encore une fois tenté de l'amadouer pour lui soutirer le secret entourant la nouvelle maison.

– Tu sais, papa, c'est très sérieux l'achat d'une maison, avait-elle déclaré en se donnant des allures de grande personne. Tu devrais peut-être m'en parler, non ? Si jamais je n'aimais pas ce que tu as trouvé, ce serait vraiment dommage d'avoir perdu tout ce temps sans en chercher une autre.

Raymond avait répondu d'un éclat de rire qui avait provoqué une moue d'impatience chez sa fille.

Après tout, ce qu'il était en train de faire, c'était aussi pour elle qu'il le faisait. Même si ce n'était qu'une demi-vérité.

Il sortit enfin de sa voiture avec l'état d'esprit de quelqu'un qui va chez le dentiste : ce n'était qu'un mauvais moment à passer. Après, tout irait mieux.

Il lui tardait d'appeler Antoinette pour lui dire qu'une étape venait d'être franchie et non la moindre ! Pour un homme comme lui, le premier pas était toujours le plus difficile à faire.

Le médecin l'attendait, un dossier ouvert sur son pupitre. Raymond n'eut aucune difficulté à deviner qu'il s'agissait de celui de Blanche. Le document avait une taille impressionnante et il en déduit que cela devait être l'ensemble de son dossier que le médecin avait pris à l'hôpital.

Le docteur Chamberland se leva à demi en tendant une main à Raymond.

– Monsieur Deblois… Asseyez-vous, je vous prie.

Le médecin lui avait tendu une main molle qui contrastait étrangement avec sa voix qui était incisive. À peine quelques instants pour consulter une dernière fois le dossier avant de le refermer d'un geste sec et le médecin levait un large sourire vers Raymond qui sentait brusquement que quelque chose lui échappait. Pourquoi cette voix dure et maintenant ce sourire ?

– J'ai de bonnes nouvelles pour vous ! Je mentirais en vous disant que votre femme n'a pas de problème, commença le médecin en s'appuyant contre le dossier de sa chaise. Vous aviez raison quand vous m'avez parlé d'exagération. Le simple fait de se lamenter quand vient le temps de marcher en est la preuve la plus éloquente. On sent même de l'agressivité chez elle, un peu comme si on l'attaquait et qu'elle avait à se défendre. Pourtant, le docteur Marchand est formel : la guérison des fractures subies par madame Deblois est totale et sauf une certaine raideur persistante pour l'instant, elle n'est pas censée avoir mal. Ce qui me fait déduire que votre femme a une forte, une très forte propension à la complaisance, c'est le moins que je puisse dire. Mais dans le cas de madame Deblois, la vie n'ayant pas été très facile côté santé, je peux comprendre son attitude. De toute façon, voyez-vous, elle n'est pas la seule à agir de la sorte. Notre ville est remplie de gens complaisants envers eux-mêmes et nous ne nous en portons pas plus mal. À ce titre, je ne peux malheureusement rien faire. Quant à l'alcool…

Le médecin fit une pause alors que Raymond sentait une sueur froide qui partait de ses épaules pour descendre jusqu'au bas de son dos.

— Vous aviez raison : elle boit ! Mais ce qui m'a vraiment surpris, c'est que votre femme ne le nie pas. Elle boit beaucoup et me l'a avoué sans ambages. Cela prend une certaine dose de courage et de discernement pour l'admettre aussi simplement. C'est tout à son honneur. Et en plus, elle fait preuve d'une très grande volonté quand elle dit vouloir s'en sortir. Pour sa famille, comme elle l'a répété à moult reprises, notez-le bien. Elle se dit capable de se battre. Et je la crois sincère quand elle affirme être prête à tout pour le bonheur des siens. L'accident qui l'a amenée à l'hôpital lui a fait peur, très peur, croyez-moi. En quelque sorte, cet événement devient en soi une excellente thérapie. À tout le moins un incitatif pour ne pas recommencer. Un stimulant qui me semble fort valable. C'est incroyable tout ce que l'on peut faire sous l'effet de la peur ! Et c'est là où en est madame Deblois. Elle est prête à tout pour ne jamais revivre ce qu'elle a vécu.

C'était plus que ce que Raymond voulait entendre. Il se doutait de ce qui allait suivre et sans laisser la chance au médecin de poursuivre, il se pencha sur le bureau qu'il se mit à marteler du bout de l'index. Le bruit qu'il faisait était irritant, il en était conscient, mais il n'avait pas l'intention d'arrêter pour autant. L'amertume qu'il avait ressentie un bref instant devant les paroles du médecin s'était vite transformée en impatience, avant de devenir une colère froide.

— Mais vous n'avez rien compris ! fulmina-t-il en regardant le médecin droit dans les yeux. Ce n'est pas de la simple complaisance, comme vous dites. Si ce n'était que cela, je saurais m'en accommoder, je vous prie de me croire. Depuis le temps… Il me semblait avoir été clair quand je vous ai dit d'être prudent ! Ma femme est une manipulatrice née. Et c'est exactement ce qu'elle est en train de faire avec vous, comme elle l'a si souvent fait avec moi. Elle joue les repenties, les contrites pour pouvoir mieux recommencer après. Et moi, je vous dis qu'elle est dangereuse.

Exaspéré, le médecin avait posé sa main sur celle de Raymond pour interrompre le martèlement sur son bureau. Mais il la retira aussitôt pour pointer Raymond du doigt tandis que ce dernier s'enfonçait dans son siège.

— Ça, c'est vous qui le dites, coupa le docteur Chamberland d'une voix sèche. Moi je n'ai aucune preuve de ce que vous avancez. Quand vous m'avez dit qu'elle était une femme dangereuse, parce que ce n'est pas la première fois que vous en parlez, je ne m'attendais pas à trouver quelqu'un d'aussi réfléchi. Il n'y a chez elle ni confusion ni désordre majeur.

Se penchant sur le bureau, il ajouta en soutenant le regard de Raymond :

— Si vous pensez que je n'ai pas vu clair dans votre jeu… Ça serait commode, n'est-ce pas, de vous débarrasser de votre femme ? Si c'est le cas, sachez que je ne suis pas ce genre de médecin qui, pour accommoder les maris, acceptent de faire interner une épouse encombrante à titre préventif.

Raymond se sentit rougir bien malgré lui.

— C'est ce que Blanche vous a dit ?

— Entre autres choses, oui. Voyez-vous, elle m'a raconté sa vie et je considère que vous n'êtes guère mieux qu'elle. Oh ! Bien entendu, vous ne buvez pas, mais est-ce là le véritable problème ? Je ne vous dévoilerai pas tout ce qu'elle m'a dit, j'ai un secret professionnel à respecter, mais ce que j'ai compris, c'est que dans la situation présente, vous avez un sérieux examen de conscience à faire face à votre femme, face aux femmes… Madame Deblois n'a pas connu quelques dépressions pour rien, n'est-ce pas ? lança le médecin en posant une main sur le dossier de Blanche. Tout est là !

– Mais bien sûr, rétorqua Raymond d'une voix sarcastique. Tout est là! Tout ce qu'elle a bien voulu dire. Et il y a un monde entre ce qui est écrit dans ce dossier et la réalité. Je suis même persuadé qu'elle a réussi à convaincre tout le monde que tout est de ma faute. Elle a passé sa vie à le dire. Ce qu'elle a probablement omis de dire, par exemple, c'est qu'à cause de ses phobies et ses habitudes, elle a failli tuer deux de nos filles. Mais cela, ça n'a pas d'importance! Que vaut ma parole contre celle d'une pauvre femme éplorée, incomprise par son mari volage? Vous venez de le dire: Blanche Gagnon est une femme courageuse et nullement perturbée. Alors c'est moi qui dois me tromper. Ce doit être probablement à cause de moi qu'elle a failli tuer Émilie en la gavant de sirop. C'est aussi à cause de moi qu'elle est alcoolique et, si elle s'était mise en tête qu'un peu de brandy ne pouvait faire de tort à un bébé d'un an, ce doit être encore de ma faute. Alors de là à penser que je suis le grand responsable quand il m'arrive de trouver notre maison saccagée...

Raymond poussa un soupir d'exaspération avant de poursuivre.

– Vous voyez? Je suis un monstre, docteur, vous avez bien raison.

– Ce n'est pas ce que j'ai dit.

– Mais c'est ce que vous pensez. Non, inutile de poursuivre, fit Raymond en levant la main, voyant que le médecin s'apprêtait à l'interrompre. Vous m'avez convoqué pour me dire que Blanche n'avait aucun problème et que je suis le mari chanceux qui va retrouver sa gentille épouse à la maison, c'est bien ça, n'est-ce pas?

– Je l'aurais dit en d'autres termes, mais c'est à peu près cela, oui. Je dois rencontrer madame Deblois ce matin et si tout se présente comme je l'espère, j'ai l'intention de signer son avis de sortie. Elle devrait être prête à quitter l'hôpital sur l'heure du midi.

– Parfait.

La voix de Raymond était froide comme une banquise. Il se leva et reprit son manteau qu'il avait déposé sur la chaise à côté de lui. Puis, pour une dernière fois, il se tourna vers le médecin pour soutenir son regard.

– Je ne vous reprocherai pas d'agir avec intégrité, c'est ce que j'ai essayé de faire durant toute ma vie, malgré ce que vous semblez en penser. Je vous donne le bénéfice du doute. Mais vous m'excuserez de ne pas partager votre opinion. Je crois que vous commettez une grave erreur.

Le médecin haussa les épaules en détournant les yeux.

– Peut-être. Je ne suis ni devin ni prophète. Seul l'avenir nous le dira. Et pour vous prouver ma bonne foi, tenez, prenez.

Le docteur Chamberland tendit un papier à Raymond.

– Vous avez mon numéro de téléphone personnel. En cas d'urgence, n'hésitez pas à m'appeler. De jour, de nuit, n'importe quand. Il sera toujours temps d'intervenir. Mais pour aujourd'hui, votre femme peut rentrer à la maison. Avec un peu de bonne volonté de part et d'autre, je suis persuadé que vous arriverez à vous en sortir.

– Je sais que non, mais ai-je le choix? Vous direz donc à ma femme qu'elle peut prendre un taxi pour retourner à la maison. Moi, j'ai des rendez-vous qui ne peuvent attendre plus longtemps.

Quand Raymond sortit du bureau du médecin, il était complètement exténué. Jamais il n'avait parlé à quelqu'un sur ce ton, sinon à Blanche à quelques reprises. Il était surtout conscient qu'il n'avait pas aidé sa cause en agissant comme il venait de le faire. Un simple témoignage de ce médecin et aucun juge ne laisserait Anne sous sa garde.

Raymond courba les épaules, atterré.

Et en plus, ce soir, quand il rentrerait chez lui, Blanche serait là.

Un vilain frisson lui parcourut l'échine. Et dire qu'il attendait Noël avec tant de plaisir anticipé ! Maintenant, il devait tout reprendre à zéro. Atterré, il se dirigea vers son auto.

Contrairement à ce qu'il avait dit au médecin, il n'avait aucun rendez-vous à son agenda et les dossiers en cours pouvaient tous attendre. Il décida de se présenter au cabinet de son ami André. Cet avocat, ami de longue date, connaissait la situation sous tous ses angles. Raymond n'avait eu aucun secret pour lui au sujet de Blanche et d'Antoinette.

— Il connaît la vérité, toute la vérité, je le jure, murmura Raymond, se trouvant pitoyable de faire un si vilain jeu de mots.

Il fit démarrer sa voiture en maugréant contre lui-même et se dirigea vers le nord de la ville où se situait le cabinet de son ami André.

Peut-être qu'à deux ils arriveraient à trouver une petite faille dans la loi ou certains cas de jurisprudence qui lui permettraient de quitter Blanche sans risquer de perdre Anne. Car il en était maintenant convaincu : si Blanche avait réussi à berner le médecin aussi facilement, c'était qu'elle était très lucide et se doutait de ce qui s'en venait. Quand elle disait qu'elle avait eu peur de sa chute dans l'escalier, c'était beaucoup plus des conséquences que Blanche avait peur. Comme il la connaissait, il était persuadé que l'accident la servait à merveille : pour une fois elle était justifiée de se plaindre et tout le monde s'occupait d'elle ! Par contre, devant la tournure des événements, il avait l'intuition qu'il ne se trompait pas : jamais Blanche n'accepterait de le voir partir avec sa fille. Quand bien même ce ne serait que pour lui tenir tête et lui prouver que c'était elle qui avait raison, Blanche tiendrait son bout et ferait valoir son titre de mère.

Quatre heures plus tard, Raymond et André n'avaient trouvé

aucune faille à la loi ni de cas de jurisprudence qui pourrait l'aider. André promit de continuer à chercher même si Raymond n'y croyait pas vraiment et avait conseillé à son ami de ne pas perdre son temps là-dessus. André insista.

— Tu as peut-être raison, mais on ne sait jamais.

Les deux hommes étaient brisés de fatigue. Manches de chemise relevées et cravates relâchées, ils avaient les traits tirés et les yeux cernés d'avoir lu et relu les différents cas de séparation qui pourraient s'apparenter à la situation de Raymond, cherchant le détail qui ferait la différence.

— Ce qui me fatigue dans ton cas, commenta André, c'est que tu veux quitter le pays. À la limite, Blanche pourrait t'accuser d'enlèvement. Ce qui serait extrême, j'en conviens. Mais le peu que je connais de Blanche me laisse croire qu'elle en est bien capable ! Par contre…

André s'étira longuement avant de poursuivre.

— Par contre, répéta-t-il, je connais peut-être quelqu'un…

Se penchant sur le côté de son bureau, il ouvrit un tiroir et sortit une carte professionnelle.

— J'espérais bien qu'on n'en aurait pas besoin. Avec l'accident, j'étais persuadé que l'affaire était réglée. Mais s'il le faut… On va donc revenir à notre première idée. Tiens, prends ça. C'est le nom d'un médecin qui est très compréhensif. Si tu lui racontes ton histoire comme tu me l'as racontée, et ne lésine pas sur les détails, je suis certain qu'il va comprendre ta situation. Moyennant entente entre vous, je crois qu'il va pouvoir apporter la solution dont tu as besoin. C'est à la limite de la morale, mais puisqu'il semble n'y avoir aucune autre solution…

Un bref silence posa une sorte d'inconfort entre les deux hommes. Puis André reprit d'une voix lasse :

— Si Blanche est vraiment aussi déstabilisée que tu le dis, moi, je n'hésiterais pas. Il y va de la sécurité et du bien-être de ta fille, ne l'oublie pas. Une fois confiée aux soins de ce médecin, qui a l'habitude de garder ses patients hospitalisés fort longtemps, Blanche ne pourra plus rien contre toi. En asile, on perd tout.

Raymond sortit du cabinet d'André à la fois soulagé d'avoir à sa disposition une solution qui n'était peut-être qu'un expédient mais qui s'avérerait probablement efficace et choqué par tout ce que sous-entendait cette mesure.

Il allait soudoyer un médecin pour acheter sa liberté.

L'idée lui était insupportable. Pourtant, il savait qu'il allait le faire si cela s'avérait nécessaire. N'allait-il pas, de toute façon, ne dire que la vérité quand il parlerait des troubles de personnalité de Blanche?

Mais d'abord, il essaierait de convaincre Blanche que la vie sous le même toit n'était plus possible. Il se ferait persuasif pour éviter d'en arriver à des extrémités qui lui répugnaient. Peut-être bien, après tout, qu'elle accepterait une séparation qui était devenue inévitable. Peut-être que pour une fois dans sa vie, elle accepterait de se plier devant ce qui était devenu une évidence, car il en était convaincu : Blanche n'était pas plus heureuse que lui.

Il laisserait passer Noël puis il ferait exactement ce qu'Antoinette préconisait : il dirait la vérité. Bien simplement, bien froidement. Tant mieux si Blanche voyait la situation sous le même angle que lui. Sinon, il ferait appel au docteur Clément, ce médecin dont André disait qu'il était on ne peut plus compréhensif.

Machinalement, il jeta un regard à sa montre. Trois heures trente. Le ciel prenait déjà les lueurs orangées qui annonçaient la fin du jour. Raymond détestait cette période de l'année où les journées étaient racornies par les deux bouts. Il avait l'impression d'avoir à peine le temps de souffler que déjà il fallait entrer chez lui.

Cela faisait combien d'années, au juste, que rentrer à la maison était devenu un supplice pour lui?

— Exactement comme pour Anne, murmura-t-il en faisant démarrer la voiture. C'est en prononçant le nom de sa fille que Raymond comprit l'urgence qu'il y avait de se diriger vers l'école de sa fille.

Anne qui allait bientôt sortir de ses cours. Anne qui ne savait pas que Blanche était de retour à la maison.

Il embraya rapidement et, faisant demi-tour au beau milieu de la rue, il se dirigea vers le quartier qu'il habitait.

«Pourvu qu'il n'y ait pas trop de circulation, pensa-t-il en jetant un autre coup d'œil à sa montre. Pourvu que j'arrive à temps!»

Chapitre 6

Anne avait quitté la réception le plus discrètement possible et était venue se réfugier dans l'atelier d'Émilie.

Déjà, on voyait que la vocation de la pièce allait bientôt changer. Le papier peint des murs était à moitié enlevé et les chevalets étaient empilés dans un coin, à l'exception d'un seul qui supportait la toile qu'Émilie était en train de peindre. Comme souvent, il y avait un jardin avec une fontaine, mais pour la première fois, sa sœur y avait ajouté des personnages. Quelques enfants jouaient près d'une plate-bande fleurie.

Le réverbère qui donnait dans la ruelle éclairait faiblement la toile et Anne put admirer le visage des petites filles qui semblaient toutes joyeuses. Elle-même dessina un sourire d'appréciation, car le tableau était vraiment joli. Mais son visage se referma aussitôt qu'elle s'en détourna pour déplacer une chaise berçante qu'elle mit devant la fenêtre pour s'y installer, le cœur gros.

Dehors, il tombait une neige lourde qui emmitouflait les arbustes et le toit des perrons qu'elle pouvait voir par la fenêtre. Une vraie neige de Noël comme il y en avait habituellement dans les contes. Une neige dense qui alourdissait le gros arbre dont les branches ployaient et serpentaient jusque sous son nez. Une neige pour être heureuse quand on aimait l'hiver comme Anne l'aimait. Dans quelques jours, il devrait même y en avoir assez pour aller glisser sur le mont Royal, et Anne adorait descendre vivement les pentes sur son traîneau, tout comme Charlotte et Alicia qui avaient promis de se joindre souvent à elle.

Pourtant, malgré cette perspective joyeuse, ce soir, Anne n'avait pas le cœur à la fête.

Du salon lui parvenait un brouhaha de voix, celles des gens qu'Émilie avait invités pour le réveillon. Il y avait Charlotte et Alicia, son père et sa mère, bien sûr, mais aussi une partie de la famille de Marc qui, à elle seule, donnait le ton à la soirée. Marc et ses frères, tout comme leurs enfants et les grands-parents, étaient de joyeux boute-en-train. Les trois jeunes garçons qui étaient les neveux de Marc étaient particulièrement bruyants.

Sous le sapin, on avait empilé les cadeaux qui formaient une montagne multicolore tissée de jolis rubans irisés. Durant quelques instants, cette vision prometteuse l'avait tirée de sa morosité, titillant sa curiosité et ses envies. Mais Émilie avait décrété que les cadeaux attendraient qu'ils aient fini de manger et cela avait été suffisant pour qu'elle choisisse de s'éclipser.

On allait bientôt passer à table. Le logement d'Émilie et de Marc sentait bon la dinde et les tourtières.

Malgré cela, Anne la gourmande n'avait pas faim.

Ce soir, il manquait quelqu'un pour qu'elle puisse se réjouir. Il manquait Jason. Peut-être qu'avec lui, elle aurait pu oublier pour quelques heures que sa mère était de retour à la maison et que la vie avait repris exactement comme avant. Sinon qu'en plus, maintenant, sa mère se lamentait à chaque pas qu'elle faisait.

Elle poussa un long soupir tremblant. Jamais elle n'oublierait le jour où son père était venu l'attendre devant l'école. Quand elle l'avait reconnu, elle s'était élancée toute joyeuse vers l'auto en se disant qu'il venait enfin de se décider à l'emmener visiter cette fameuse maison qu'il disait avoir trouvée.

Mais juste à voir le visage de Raymond, elle avait compris qu'il n'était pas là par plaisir. Elle s'était engouffrée dans l'auto avec une curieuse crampe au ventre.

Que se passait-il encore ?

Quand son père lui avait appris, sur un ton hésitant, que Blanche était revenue à la maison, elle avait connu un bref soulagement. Sa mère aurait pu être morte. Même si Anne ne voulait plus jamais la revoir, elle ne souhaitait pas sa mort. Mais cette sensation de soulagement avait été de très courte durée. Elle avait courbé les épaules sans dire un mot, déçue. Son père l'avait trompée en disant que sa mère serait absente longtemps. Elle venait de comprendre que le sens des mots n'était pas le même pour tout le monde.

Pour Anne, depuis l'été, le mot « longtemps » avait des consonances de « toujours ». Mais pour son père, il semblait bien que cela s'arrêtait à quatre mois.

Puis son père lui avait proposé de manger au restaurant, ce qu'elle avait accepté avec un certain soulagement. Cela retarderait d'autant leur arrivée à la maison, qui avait été à l'image de ce qu'elle s'attendait à retrouver.

Le bel écriteau qu'Émilie leur avait fait n'était plus à sa place. Quelqu'un l'avait retiré et il reposait appuyé contre la maison, derrière la main courante du balcon, bien à l'abri des regards.

— Et ça recommence ! avait marmonné Anne avant de descendre de l'auto dont elle avait claqué la portière. Elle avait grimpé l'escalier en courant et avait trouvé refuge au salon où elle avait pratiqué ses gammes toute la soirée jusqu'à en avoir mal aux doigts et à la tête.

Au moins, maintenant, elle avait un piano et quand l'atmosphère serait trop lourde à supporter, elle pourrait se réfugier au salon pour tout oublier.

Mais le lendemain, au retour de l'école, elle s'était heurtée à la porte du salon, fermée et verrouillée. Dépitée, Anne s'était mise à secouer la porte vigoureusement à l'instant où résonnaient des pas qui arrivaient en clopinant dans le couloir.

– Mais veux-tu bien cesser ce vacarme, Anne! Ce n'est pas en agissant ainsi que tu vas plaider ta cause.

Anne s'était retournée vivement.

– Ma cause? Quelle cause? Je veux juste jouer du piano. Papa ne l'a pas acheté comme décoration. Il est à moi et je dois pratiquer!

– À toi? Tu dis que ce piano est à toi? Je n'en suis pas si sûre! Tu apprendras que ce qui se trouve dans cette maison m'appartient de droit. Alors, le piano, si tu veux en jouer dorénavant, il faudra passer par moi.

Blanche avait observé un court silence et, voyant qu'Anne n'avait rien à répliquer, elle avait ajouté:

– Et surtout, pas question d'en jouer comme tu l'as fait hier. Il n'y a rien de plus agaçant que d'entendre quelqu'un qui fait des gammes sans jamais s'arrêter.

– Agaçant? Tu trouves la musique agaçante?

– Il arrive que la musique soit énervante. Comme hier soir, par exemple. Cette répétition de notes m'a donné une belle migraine, oui!

Anne avait soutenu le regard de sa mère sans répondre, décontenancée, blessée. Attaquer la musique, c'était aussi l'attaquer. Malheureusement quand venait le temps de se défendre, elle ne trouvait jamais les mots. Sa mère finissait toujours par avoir une riposte qui, le plus souvent, était cinglante. Pourquoi, alors, se torturer l'esprit à chercher une réplique qui serait un coup d'épée dans l'eau?

Par contre, parce que cette fois-ci, c'était aussi la musique que sa mère attaquait, Anne avait dévisagé Blanche sans sourciller, car elle sentait que c'était elle-même qui avait raison en disant que le piano lui appartenait et qu'elle devait pratiquer. Blanche n'avait pas le droit de la priver de musique. C'était mesquin, cruel.

Ce fut aussi à cet instant qu'elle avait compris à quel point elle détestait Blanche. Ce n'était plus cette espèce de peur qui lui tordait le ventre ou la crainte démesurée de retrouver sa mère étendue sur le sol. Non, à ce moment-là, elle avait compris qu'elle avait dépassé ce stade et que ce qu'elle ressentait pour cette femme que l'on disait être sa mère, c'était de la haine. Alors elle s'était redressée, bien aise de constater qu'en quelques mois, elle était devenue aussi grande qu'elle, et elle lui avait dit en articulant exagérément.

— S'il y en a que les gammes de piano agacent, chez moi, ce sont les migraines et l'alcool qui provoquent de l'impatience.

— Pardon ?

Blanche avait été estomaquée. Mais que s'était-il passé pendant son absence ? Qui donc avait pu mettre de telles idées dans la tête de sa fille ? Elle avait fait un pas en avant en exagérant le déhanchement et les grimaces de douleur tout en s'appuyant très lourdement sur la canne qui la suivait partout.

— Qu'est-ce que tu viens de dire, Anne ?

Celle-ci s'était contentée de hausser les épaules même si le regard de sa mère lançait des éclairs de colère.

— Rien. Je n'ai rien dit.

Puis, se détournant, elle avait monté les marches de l'escalier deux par deux en faisant beaucoup de bruit et avait claqué la porte de sa chambre sur les cris de Blanche qui, du bas de l'escalier, la traitait d'insignifiante et d'impertinente.

— Il était temps que je revienne ! Tu es en train de prendre de biens mauvais plis, ma fille. Je vais devoir te remettre au pas !

Mais Blanche avait beau vociférer, Anne ne l'écoutait plus. Les mots blessants que sa mère avait employés l'avaient égratignée au passage, mais elle ne s'y était pas arrêtée. Elle avait coincé une chaise sous la poignée de sa porte pour être bien certaine que personne n'entrerait dans sa chambre puis elle s'était installée au pied de son lit et s'était mise à se bercer tout doucement. Elle retrouvait dans ce geste la seule consolation qui ne lui ait jamais fait faux bond. Puis elle essaya de se souvenir uniquement des bons moments qu'elle avait vécus au cours des derniers mois.

— Et surtout ne pas pleurer, avait-elle murmuré, les bras croisés sur sa poitrine. Je ne veux plus jamais pleurer à cause d'elle.

Mais quand son père l'avait rejointe une heure plus tard, Anne n'avait pu retenir ses larmes.

Être privée de piano était un châtiment qu'elle ne méritait pas et qui lui faisait terriblement mal. Raymond l'avait consolée en lui disant que la situation ne durerait pas. Il lui avait demandé d'être un peu patiente mais promis, il interviendrait au moment opportun.

— Je te jure, Anne, que la pancarte va reprendre sa place au bord du trottoir et que la porte du salon ne sera jamais plus barrée. Je te demande seulement d'être un peu patiente. Toutes ces choses-là sont tellement compliquées…

À ces mots, il avait poussé un profond soupir avant de prendre sa fille par les épaules pour la serrer tout contre lui.

— Fais-moi confiance, dans quelque temps tout sera rentré dans l'ordre pour toi et moi. Promis!

Et Anne avait fait confiance. Ce soir-là, il y avait eu des cris de dispute qui provenaient de la cuisine et elle s'était dit que c'était bon signe. Raymond n'était pas d'accord avec Blanche et il ne se gênait pas pour le lui dire.

Son père avait demandé un peu de patience, elle serait donc patiente.

Mais quand, trois semaines plus tard, il lui avait annoncé que Jason et Antoinette ne viendraient pas à Noël, comme prévu, et ce, à cause de circonstances imprévisibles, elle s'était mise à douter de son père. Elle avait aisément compris que les circonstances imprévisibles n'étaient autres que la présence de Blanche et la conclusion qu'elle en tirait était teintée d'amertume mais aussi de questionnement. Comment se faisait-il que la présence de sa mère empêche Antoinette et Jason de venir?

Elle avait donc attendu que sa mère se soit retirée dans sa chambre pour la nuit et elle avait rejoint son père dans la bibliothèque pour lui demander si elle ne pourrait pas recommencer à aller chez madame Mathilde tous les jours après l'école pour pouvoir pratiquer son piano car à la maison, elle ne savait pas vraiment à quel moment elle serait autorisée à jouer. Il pouvait parfois se passer trois jours sans que sa mère consente à déverrouiller la porte, alléguant qu'elle avait mal à la tête. Quand elle avait parlé à son père, elle était restée très polie, même si tout au fond d'elle-même, elle avait envie de lui dire qu'il n'était qu'un peureux. Après tout, il aurait pu débarrer la porte du salon, lui. Il aurait pu dire à Blanche de la laisser faire ses gammes. L'exiger, même.

Mais quand sa mère était là, son père ne disait jamais rien. Ne faisait jamais rien à part des promesses qui ne se réalisaient pas souvent.

Puis les vacances étaient arrivées.

Hier, madame Mathilde était partie dans sa famille en Gaspésie en compagnie de son amie Renée.

La porte du salon était verrouillée en permanence, car Blanche disait que cette pièce devait rester très propre en cas de visite imprévue.

La pancarte à vendre était toujours sur le perron.

Et son moral était à zéro.

Son père lui avait bien promis qu'il serait à la maison pour tout le temps que dureraient les vacances, mais elle n'y croyait pas tellement. Quand il en aurait assez d'entendre Blanche se lamenter, et c'était ce qu'elle faisait à longueur de journée, il trouverait bien un contrat urgent et il partirait pour son étude.

Ce qui voulait dire qu'elle n'aurait d'autre choix que de recommencer à se quêter une place chez des amies pour pouvoir passer la journée. Sinon, Blanche la mettait au travail car, disait-elle, ses jambes la faisaient trop souffrir pour monter les escaliers à répétition ou se tenir longtemps debout. Et si faire les menus travaux de la maison lui plaisait bien quand elle était seule avec son père, il en allait autrement sous la férule de Blanche qui la surveillait de près et passait son temps à critiquer.

— Anne! Enfin te voilà! Mais veux-tu bien me dire ce que tu fais enfermée ici?

Anne sursauta.

Charlotte venait d'ouvrir la porte de l'atelier, et du salon parvenaient les bruits de la fête. Ce fut comme une grande clameur qu'Anne trouva aussitôt très dérangeante. En même temps, la lumière vive du couloir lui fit plisser les paupières.

— Je ne me suis pas enfermée, fit-elle boudeuse, je me suis retirée.

Charlotte avait refermé la porte et s'était approchée de sa sœur.

— Oh! Retirée… Et pourquoi se retirer dans une chambre à part, le soir du réveillon?

— Parce que c'est plein de monde que je ne connais pas et que ceux que je voulais voir n'y sont pas.

— Jason, n'est-ce pas?

Anne ne répondit pas et se contenta de pousser un profond soupir. Puis après quelques secondes, elle murmura:

— Entre autres choses, oui. Pourquoi ne sont-ils pas venus? demanda-t-elle en ouvrant les mains sur la jupe que sa mère l'avait obligée à porter. À cause de maman, n'est-ce pas? Quand ça va mal, c'est toujours à cause d'elle.

Charlotte cherchait ses mots. Anne n'avait pas tort, et sa façon de voir les choses rejoignait intimement sa propre perception de leur vie familiale. En plus, Anne avait mis le doigt sur la véritable raison de l'absence d'Antoinette et son fils, mais elle n'avait pas le droit d'en parler aussi ouvertement. Une longue discussion avec son père avait suffi pour qu'elle admette que cette visite aurait lourdement compromis les intentions de Raymond. Mais elle n'aimait pas voir sa petite sœur aussi triste un soir de Noël. Alors, sans rien divulguer des secrets que son père lui avait confiés, elle s'accroupit sur le sol et posa une main sur les genoux d'Anne.

— La situation que tu vis présentement n'est pas facile, n'est-ce pas?

— Non. Pas du tout.

— Je m'en doutais, vois-tu. Et je te comprends. Mais dis-toi bien que tout cela n'est pas agréable pour papa, non plus.

— Alors, pourquoi il ne dit rien? Pourquoi c'est toujours maman qui fait ce qu'elle veut? Et d'abord, si c'est vrai ce que tu dis, pourquoi il laisse la pancarte «À vendre» sur le perron? Il ne veut plus déménager?

— Ce n'est pas ça, Anne. Il veut toujours déménager.

— Alors, je ne comprends pas, soupira Anne, découragée, car elle avait espéré que Charlotte aurait eu une réponse toute simple à ses nombreuses interrogations. S'il veut vraiment déménager, papa n'a qu'à remettre la pancarte à sa place et obliger tout le monde à partir. C'est tout. Il me semble que ce n'est pas compliqué!

Charlotte saisissait très bien ce que voulait dire ce «tout le monde». Pour Anne, Blanche n'avait qu'à suivre, car si sa mère était de retour, c'était pour rester avec eux. Elle ne pouvait saisir la portée réelle des intentions de son père. Comme elle ne pouvait réellement savoir que Raymond ne cherchait pas à changer de maison pour changer de maison. Il voulait changer de vie. Et il ne voulait surtout pas perdre sa fille en cours de route.

— Tu vois, ce n'est pas toujours aussi facile que ce que l'on pourrait le croire à première vue, tenta d'expliquer Charlotte qui avait l'impression de marcher sur des œufs. Tu connais Blanche, n'est-ce pas? Il suffit qu'elle se sente brusquée ou incomprise, comme elle le dit si souvent, pour qu'elle mette des tas d'empêchements à réaliser le projet.

— Peut-être, oui, admit Anne, hésitante. Mais ça va durer encore combien de temps, tout ça? Je suis tannée de toujours attendre après...

— Ça ne sera plus très long, interrompit Charlotte. Papa me l'a dit. Il voulait juste laisser passer Noël avant de parler sérieusement à Blanche. Ç'aurait été dommage de gâcher la soirée d'Émilie, tu ne crois pas?

Anne ne voyait pas en quoi le fait de déménager aurait pu gâcher la soirée de sa sœur, mais si Charlotte le pensait... Elle inspira profondément.

— Vous avez probablement raison, admit-elle enfin en faisant une moue.

Puis, après un instant d'hésitation, elle demanda :

— Et mon piano, lui?

Charlotte souleva comiquement les sourcils.

— Qu'est-ce qu'il a ton piano? Il ne veut pas déménager?

Anne ne put s'empêcher d'égrener un petit rire.

— Mais non, tu le sais bien, Charlotte! C'est juste que...

Anne haussa les épaules et redevint très sérieuse.

— Depuis que maman est revenue à la maison, je n'ai plus le droit de jouer quand j'en ai envie. C'est elle qui décide à ma place parce qu'elle affirme que ça lui donne mal à la tête. Et papa ne dit rien. On dirait qu'il a peur de maman. Et son silence, c'est ma plus grande crainte parce que ça, ça ne va pas changer en changeant de maison. S'il a peur de parler à maman dans notre maison actuelle, je ne vois pas pourquoi ça serait différent ailleurs. Et si ailleurs c'est trop loin, je ne pourrai plus aller aussi souvent chez madame Mathilde pour compenser. Peut-être même que je ne pourrai plus y aller du tout. Peut-être que je ne pourrai plus jamais jouer de piano!

Dans la pénombre qui enveloppait la pièce, Charlotte avait remarqué que les yeux d'Anne s'étaient embués pendant qu'elle parlait. Incapable de résister à la tristesse que ces propos et cette crainte faisaient naître en elle, elle intensifia la pression de sa main sur le genou de sa petite sœur.

— Allons, tu sais bien que jamais papa ne permettrait une chose pareille. Ni moi non plus, d'ailleurs.

— Alors pourquoi il laisse maman tout décider?

— Et toi, rétorqua Charlotte en esquivant adroitement la question de sa sœur et en glissant un doigt sous son menton pour l'obliger à lever la tête vers elle, toi, est-ce que tu as parlé à papa? Est-ce que tu lui as dit ce que tu viens de me dire et de la même façon que tu me l'as dit?

— Non, avoua Anne, penaude.

Puis elle bougea les jambes pour se dégager de l'emprise de la main de Charlotte et se cala contre le dossier de la chaise. Comment pouvait-elle expliquer qu'avec sa mère et son père elle n'arrivait jamais à exprimer clairement ce qu'elle ressentait? Elle-même se l'expliquait difficilement. Elle avait peur, c'est tout. Quand venait le temps de commenter quelque chose ou de manifester une émotion, elle avait l'impression de se recroqueviller en dedans d'elle-même, et tous les mots s'envolaient subitement pour ne lui revenir que plus tard, quand elle se retrouvait seule et qu'elle repensait à l'événement. Il n'y avait eu que tout récemment où elle avait osé dire le fond de sa pensée et elle avait vu ce que cela avait donné : sa mère avait interdit l'accès au salon durant cinq interminables journées pour lui apprendre la politesse.

— Non, répéta-t-elle enfin, je ne l'ai pas dit à papa parce que j'ai l'impression que ça ne changerait pas grand-chose.

— Alors, c'est là que tu te trompes. Je te l'ai déjà dit : tu peux faire confiance à papa.

— Ouais… Une confiance à long terme parce qu'avec lui, c'est toujours long.

— Qu'est-ce que tu préfères ? Un changement qui va peut-être prendre du temps à arriver, je te le concède, mais qui va avoir l'avantage d'être durable ou des colères subites qui ne donneront que quelques heures d'accalmie ?

— Un changement durable, approuva Anne, après une légère hésitation. Oui, reprit-elle plus fermement, ce que je veux, c'est un changement durable. Je veux une maison où on a le droit de dire ce qu'on pense, où on peut rire et s'amuser. Mais surtout, ajouta-t-elle précipitamment, croyant qu'elle en demandait trop et qu'elle se ferait rappeler à l'ordre, ce que je veux, c'est une maison où je vais avoir le droit de jouer du piano sans demander la permission tout le temps.

— Alors, ne crains rien, car c'est exactement ce que papa a l'intention de t'offrir, confia Charlotte. C'est pourquoi tu dois lui faire confiance…

Et sur ces mots, Charlotte se releva et s'étira longuement avant de lancer :

— Et maintenant, qu'est-ce que tu dirais de rejoindre les autres ? Après tout, c'est Noël et je meurs de faim ! Et il y a une petite Alicia qui se demande bien où tu es passée… C'est d'ailleurs à cause d'elle que je suis partie à ta recherche… Alors tu viens ?

— D'accord, j'arrive…

Anne sauta sur ses pieds pour rejoindre Charlotte qui se tenait près de la porte. Mais alors qu'elle tenait le battant à demi-ouvert, Charlotte posa doucement une main sur son bras pour la retenir.

– Avant qu'on ne se joigne à la fête, je veux que tu me fasses une promesse, ma belle.

– Une promesse? demanda Anne un peu surprise. Laquelle?

– Si jamais tu te poses des questions, ou que tu es triste ou que tu as peur, ne garde pas tout ça dans ton cœur. Je suis là. Même si aujourd'hui, je suis une maman et que je n'habite plus dans la même maison, dis-toi bien qu'il y aura toujours une place spéciale pour toi dans ma vie. D'accord?

Anne soutint le regard de Charlotte avant de répondre. Il y avait tant de douceur sur le visage de sa grande sœur qu'Anne ne put s'empêcher de se blottir un instant tout contre elle tout en approuvant.

– D'accord... Promis, je te parlerai quand je serai triste.

Pourtant, Anne ne savait trop si elle allait tenir cette promesse. Elle avait tellement peur que ses craintes ne soient jamais prises au sérieux qu'habituellement elle préférait se taire. Mais Charlotte avait peut-être raison en disant qu'elle ne devait pas garder ses peurs et ses chagrins pour elle: elle se sentait tellement toute croche en dedans quand elle était malheureuse! Alors, peut-être qu'elle essaierait de parler à Charlotte. Peut-être...

Puis, autant par besoin de sécurité que pour lui faire plaisir, Anne glissa une main dans celle de sa grande sœur alors qu'elles regagnaient le salon.

«Et tant pis si les autres me traitent de bébé» pensa Anne en entrant dans le salon où un immense sapin brillait de tous ses feux.

C'était sa façon à elle de dire à Charlotte qu'elle l'aimait beaucoup et qu'elle lui faisait confiance.

Puis elle s'accroupit et ouvrit tout grand les bras, car Alicia venait de l'apercevoir et se précipitait vers elle.

– Anne! Enfin! Mais où étais-tu passée?

* * *

La soirée de Marc et d'Émilie avait été un franc succès. Tous ceux qui y avaient participé semblaient s'être bien amusés et ils en étaient repartis le ventre plein et les bras chargés de cadeaux.

Bien sûr, Blanche était arrivée un peu à reculons, à cause de la neige tombée qui rendait sa démarche hésitante, à cause de l'escalier à monter et à cause de la présence de tous ces gens qui n'étaient absolument pas nécessaires à une nuit de Noël réussie, selon ses dires, mais elle était repartie heureuse de sa soirée. Gertrude, la mère de Marc, à titre d'ancienne voisine de Blanche, savait exactement l'attitude à adopter pour renouer des liens qui avaient été rompus presque onze ans plus tôt par le déménagement des Deblois. Les deux femmes ne s'étaient revues qu'une seule fois, lors du mariage de leurs enfants, mais à cette occasion, Blanche était tellement énervée que Gertrude était restée un peu à l'écart. Au réveillon, par contre, elle avait eu tout son temps pour écouter les jérémiades de Blanche, ce qu'elle avait fait sans manifester le moindre signe d'ennui. Blanche avait donc pu raconter son terrible accident en long, en large et en détail et quand elle avait enfin compris qu'elle était en train de se répéter pour la énième fois, la conversation avait bifurqué sur un point d'intérêt qui les passionnait toutes les deux : le bébé qui s'en venait.

— J'espère tellement que ça va être une petite fille ! s'était exclamée Gertrude. Après une trâlée de garçons et trois petits-fils, il me semble que je ne suis pas trop exigeante. En tout cas, je me suis fait plaisir et j'ai tricoté une paire de petites pattes roses. Ça va peut-être forcer le destin !

— Du rose ? Quelle drôle d'idée ! avait rétorqué joyeusement Blanche. Moi, j'opterais pour le bleu. Après trois filles et une petite-fille, j'aimerais bien un petit garçon ! Je crois que je l'ai bien mérité.

À ces mots, les deux grands-pères avaient éclaté de rire, approuvant ce que leurs femmes venaient de dire. Seule Charlotte avait détourné la tête pour que personne ne puisse lire la tristesse qu'elle ressentait. À cet instant, son regard avait croisé celui de Marc. Ils pensaient tous les deux à Alicia qui, si Gertrude l'avait su, aurait fait sa joie. Heureusement, Émilie n'avait rien vu. Elle venait d'entrer dans le salon en convoquant joyeusement tout le monde à passer à table…

Les deux futures grands-mères avaient passé le reste de la nuit à discuter layette, jouets et décoration de chambre!

Et c'était avec ces mêmes mots en tête qu'Émilie s'était éveillée, ce matin. Le logement avait des allures de champ de bataille au lendemain d'une défaite, mais peu lui importait.

Marc et elle allaient y mettre de l'ordre à leur rythme et tant pis si cela prenait deux ou trois jours. Marc étant en vacances puisque Raymond avait décidé de fermer les portes de l'étude pour la semaine entre Noël et le jour de l'An, ils avaient donc tout leur temps. Non, ce qui lui chantait dans le cœur, en ce moment, c'était l'attitude des deux grands-mères qui avaient si joyeusement discuté ensemble à propos du bébé.

Autour de cet enfant-là, Émilie ne voulait que de la joie et il semblait bien que son vœu allait se réaliser. Même sa mère, habituellement si réservée, si réticente à créer des liens, avait proposé aux parents de Marc de se retrouver à l'occasion d'un souper.

– Maintenant que nous allons partager le même petit-fils, avait-elle blagué en faisant un clin d'œil à Gertrude, ce serait agréable de se voir plus souvent.

Même Raymond avait accusé le coup en fronçant les sourcils et en dévisageant sa femme avec un drôle de regard.

Émilie était aux oiseaux!

Ce serait merveilleux si ce petit bébé-là amenait enfin la paix chez elle. Émilie connaissait suffisamment sa mère pour savoir que chez elle, la santé allait de pair avec un but bien précis à l'horizon. Comme Gertrude le faisait en tricotant et en surveillant les catalogues de chez Eaton et Dupuis, frères à la recherche de bonnes occasions, si Blanche décidait de s'occuper du bébé, de préparer sa venue, elle n'aurait plus le temps d'être malade et tout le monde s'en porterait mieux.

« Je vais donc profiter de sa bonne humeur apparente pour lui rendre une petite visite » songea Émilie en s'étirant sous ses draps.

Elle avait une idée bien précise en tête et il lui tardait d'en parler avec sa mère.

Aussi, quand elle sentit que Marc commençait à s'éveiller, Émilie se coula contre lui. Elle avait quelque chose à lui demander.

– Bon matin, monsieur mon mari. Pas trop fatigué par cette grosse soirée ?

– Ce serait plutôt à moi de te poser cette question, grogna l'interpellé en se retournant pour prendre Émilie dans ses bras. Comment se portent mes deux amours, ce matin ?

– Merveilleusement bien.

Puis Émilie se souleva sur un coude.

– As-tu remarqué à quel point maman avait l'air en forme, hier ? Ça me fait vraiment plaisir, tu sais. Après tout ce qu'elle a vécu cet automne !

– Oui, c'est vrai que cela faisait longtemps que je ne l'avais pas vue si débordante de vitalité. Si je ne m'abuse, ce petit-là y est pour quelque chose, ajouta-t-il en mettant la main sur le ventre d'Émilie qui était de plus en plus rond. Les deux futures grands-mères n'en finissaient plus de papoter. À croire que tu es la première femme au monde à attendre un bébé !

– Gros bêta, répliqua Émilie en lui faisant une petite chiquenaude sur l'épaule. Mais je crois que tu as vu juste. Je la regardais, cette nuit, quand elle discutait avec ta mère : ses yeux étaient tout brillants. Et ça m'a donné une idée !

— Une idée ! Voyez-vous ça ! Et peut-on savoir ce que c'est ?

Au lieu de répondre, Émilie s'allongea sur le dos et se mit à compter sur ses doigts.

— Aujourd'hui, on fait un peu de ménage puis on va souper chez tes parents. Demain, on finit le ménage. Après-demain, j'ai rendez-vous chez le médecin et tu m'as promis de venir pour écouter le cœur du bébé avec le stéthoscope spécial, grand comme une soucoupe. Tu vas voir comme ce petit cœur bat vite ! Le médecin croit que ça va être une fille. Et n'en déplaise à maman, j'en suis fort aise... Je ne sais vraiment pas comment je m'y prendrais avec un garçon.

— Comment ça ? répliqua Marc faussement insulté. Comme si c'était différent.

Se faisant câlin, il ajouta, en pressant son visage dans le cou d'Émilie :

— Tu n'auras qu'à faire comme tu le fais avec moi. Laisse-moi te dire que tu sais très bien t'y prendre avec les garçons.

— Moqueur !

— Pas du tout. Je suis très sérieux. Regarde-moi ! J'ai dû prendre dix livres depuis que je suis avec toi... Mais ça ne me dit pas ce que tu as comme idée derrière la tête, tout ça.

— C'est vrai. Mais tu vas voir, ce n'est rien de bien sorcier... En écoutant ta mère parler hier, alors qu'elle faisait l'inventaire des petits gilets et camisoles qu'elle s'amuse à tricoter, je me suis souvenue que lorsque j'étais petite, maman m'avait fait plein de jolies robes pour mes poupées. Et elles étaient très réussies. Je ne l'ai jamais vue tricoter mais par contre, en couture, elle s'y connaît très bien.

— Oui, peut-être, et alors ?

– Alors je vais demander à maman de coudre pour nous la robe de baptême. Qu'est-ce que tu en penses ? Pas besoin de savoir si c'est un garçon ou une fille. Une robe de baptême, c'est une robe de baptême ! C'est pour ça que j'aimerais lui faire une petite visite surprise dans quelques jours. Je n'ai pas envie de lui demander ça au téléphone. Si tu es d'accord, bien sûr. Tu m'as déjà parlé de la robe de famille que tous les enfants ont portée chez toi et tu semblais tenir à ce que notre bébé la porte, lui aussi. Mais est-ce bien important ?

Marc était ému. Il savait que, dans le fond, Émilie cherchait à impliquer sa mère comme la sienne le faisait de façon naturelle. Il la serra tout contre lui. Sa douce Émilie ne pouvait être vraiment heureuse que si tous les siens l'étaient. Même le fait que les livres de Charlotte allaient être édités au printemps avait accru l'état de grâce où semblait baigner Émilie depuis qu'elle avait la certitude que sa grossesse allait bien.

– Je t'aime, Milie, fit-il d'une voix enrouée. Et je trouve que tu as vraiment eu une très bonne idée.

– Tu es bien certain ?

– Tout à fait. On partira une nouvelle tradition et cette robe-là sera celle de tous nos enfants.

– Tous nos enfants ?

Émilie fit semblant d'être effarouchée.

– Ça veut dire combien, ça, au juste ?

– Au moins six, madame. Et rien que des garçons, s'il vous plaît, parce que je veux mon équipe de hockey !

Ce matin-là, Émilie et Marc restèrent au lit fort longtemps avant de se décider enfin à se lever…

Et les quelques jours de vacances qu'ils avaient l'occasion de s'offrir passèrent à la vitesse de l'éclair. Tant chez Marc et Émilie que chez Raymond. Ce matin, au réveil, voyant toute la neige qui était tombée durant la nuit, il pensa aussitôt à proposer une partie de glissade sur le mont Royal.

« Ça va faire plaisir à Anne, songea-t-il debout devant sa fenêtre. Le temps de tout déblayer dans l'entrée et nous partons. Et ce soir, je l'invite au restaurant. Ça fera une autre journée de gagnée avant de… »

Raymond ne compléta pas sa pensée. Depuis le début des vacances, il déployait des trésors d'imagination pour ne pas rester à la maison. Et ce matin, il avait une très bonne raison pour ne pas vouloir voir Blanche ni même la croiser dans le couloir.

Hier, tard en soirée, alors qu'Anne était déjà montée se coucher, il avait enfin parlé. Et contrairement à ce qu'il craignait, Blanche n'avait amené aucune opposition. Bien au contraire ! Elle avait même été sarcastique, ce qui l'avait décontenancé un moment. Puis il s'était senti soulagé de la tournure des événements pour finalement revenir au point de départ quand il avait compris que rien n'était gagné.

Était-ce parce qu'elle s'y attendait ou par geste de défense que Blanche lui avait tenu la dragée haute ?

Encore ce matin, en y repensant, il n'arrivait pas à le dire. En lui persistait un curieux malaise qui lui était étrangement désagréable.

Cela avait été trop facile. Anormalement facile, même si la lutte s'annonçait laborieuse au sujet d'Anne.

Blanche était assise au salon et elle lisait quand il était venu la rejoindre en disant qu'ils avaient à discuter tous les deux. Blanche avait poursuivi sa lecture un moment comme si elle ne l'avait pas entendu puis lentement, très lentement, elle avait levé la tête et posé son regard sur lui. Puis toujours aussi lentement, elle avait dessiné son inimitable sourire qui gardait encore de sa splendeur d'autrefois, et cela l'avait déstabilisé pour un moment. Comme si elle avait pu lire en lui, Blanche avait gardé la pose pour un instant, sachant que ce faisant elle accumulait des points, puis elle avait lancé :

— Tiens donc ! Mon cher époux se décide enfin à parler. Je me demandais s'il fallait que je compte le temps en jours, en semaines ou en mois avant que tu ne te décides… Alors, qu'est-ce que tu as à dire ? Que tu veux me quitter, c'est ça ?

Raymond avait accusé le coup et s'était mis à rougir. Jamais il n'avait entendu Blanche être aussi perfide. Sa voix coulait comme du miel auquel on aurait ajouté du vinaigre. C'était à la fois onctueux et amer. Dangereux.

— Ça ressemble à ça, oui. Tu admettras avec moi qu'il ne reste plus rien entre nous. Et ce, depuis fort longtemps.

Blanche avait levé un sourcil, comme si elle cherchait à comprendre ce qu'il disait, sans toutefois se départir de son sourire.

— Plus rien ? Tu oublies nos enfants, Raymond. Il y aura toujours nos enfants entre nous, quoi que tu en penses.

— Je n'ai jamais remis en doute l'amour que nous avons pour les filles et tu le sais aussi bien que moi. Je ne parle pas de la famille, je parle de toi et moi.

— Oh ! Si ce n'est que cela… Tu as raison, il n'y a pas grand-chose entre nous. Il n'y en a jamais eu. Mais à qui la faute ? Tu ne m'as jamais comprise. C'est difficile dans de telles conditions de créer des liens durables, n'est-ce pas ?

— Si c'est comme ça que tu vois les choses…

— Comment veux-tu que je les voie autrement ? Tu savais fort bien en m'épousant que j'étais une femme fragile. Tu as choisi de ne pas en tenir compte et c'est ça, uniquement ça, qui nous a amenés là aujourd'hui. Si tu veux partir, fais-le, je ne peux te retenir de force. Et c'est parce que je m'y attendais que j'ai retiré la pancarte «À vendre». Si tu veux partir, d'accord, mais aie au moins la décence de me laisser un toit sur la tête.

Raymond avait jeté un regard circulaire sur la pièce. Ce n'était pas ainsi qu'il avait prévu les choses, mais si cette maison suffisait à acheter la paix… Il avait haussé les épaules.

— Si c'est ce que tu veux… Pourtant, j'avais toujours cru que tu ne l'aimais pas, cette maison.

— Pourquoi est-ce que je ne l'aimerais pas puisque c'est moi qui l'ai choisie? Cette maison me convient très bien, avait argumenté Blanche, sachant pertinemment qu'elle la trouvait trop sombre et trop grande et qu'une fois seule, elle prendrait les dispositions qu'elle jugerait à propos.

— Alors garde-la.

— Parfait. Et cela devrait convenir à Anne aussi puisqu'elle pourra conserver les amies qu'elle a dans le quartier.

À ces mots, Raymond avait détourné la tête, le temps de rassembler ses idées, puis il était revenu face à Blanche dont il avait longuement soutenu le regard. «Si au moins elle arrêtait de sourire» s'était-il dit, trouvant que la situation ressemblait à une mauvaise pièce de vaudeville. Il s'était plutôt attendu à des cris, des larmes, des menaces, pas à ce sourire hautain comme si le moment qu'ils étaient en train de vivre n'était qu'une banale discussion de salon, une dernière politesse entre eux.

— Justement, en parlant d'Anne, commença-t-il, je voudrais qu'elle reste avec moi.

Blanche fronça les sourcils.

— Avec toi? Tu veux qu'Anne quitte la maison pour te suivre? Tu ne trouves pas que c'est, comment dire, que c'est inconvenant d'emmener ta fille avec toi? Que c'est dénaturé? À son âge, Anne a besoin d'une mère.

Raymond sentit qu'il était en train de perdre du terrain. Il aurait voulu lui dire qu'elle avait raison. Effectivement, une fille de cet âge a besoin de sa mère. Malheureusement, Blanche n'était pas à la hauteur. Elle n'avait jamais été une véritable mère pour ses filles. Mais cela nuirait à Anne que de confronter Blanche aussi directement. Alors il avait décidé de jouer la carte de la prudence. Parler du bout des mots, tout en douceur, répéter les arguments que Blanche faisait valoir elle-même depuis toujours pour peut-être arriver à la coincer.

— Je croyais que cela te soulagerait, fit-il en haussant les épaules. Depuis qu'elle est au monde, tu dis que tu étais trop vieille pour avoir un autre enfant, que tu trouves que…

— C'est vrai, concéda Blanche en l'interrompant. Sur ce point tu n'as pas tort : j'étais… nous étions trop vieux pour avoir un autre enfant. Mais est-ce une raison pour me défiler, pour rejeter mes responsabilités ? Je ne le crois pas. C'est pourquoi Anne restera ici, chez elle, auprès de sa mère, de ses amies et de son professeur de musique. On dirait bien que tu as oublié à quel point elle aime madame Mathilde. Ce serait dommage de l'en priver, n'est-ce pas ?

À ces mots, Raymond avait compris qu'une fois encore, Blanche avait réussi à retourner la situation à son avantage et que ce qu'il avait appréhendé le plus était en train de se produire. Il n'aurait pas le choix : il devrait contacter le docteur Clément et voir avec lui ce qu'il pouvait faire. Brusquement, il se détestait autant qu'il détestait cette femme qui le regardait en souriant. Elle l'obligeait à avoir recours à des moyens extrêmes qui lui répugnaient. Mais il n'avait pas le choix : il n'était aucunement question de laisser Anne avec sa mère et il n'était plus question pour lui de reculer et de reprendre la vie à trois comme si de rien n'était.

Il s'était retiré en disant qu'ils en reparleraient. Blanche avait alors rétorqué, avant de replonger les yeux dans son livre :

– On pourra en reparler jusqu'à la fin des temps, rien ne pourra me faire changer d'avis. Une fille de bientôt douze ans a besoin d'une mère, pas d'un père.

Il en était là ce matin. Attendre que la période des fêtes passe pour contacter ce médecin dont André avait dit qu'il était fort compréhensif. En apparence, depuis qu'elle était de retour, Blanche semblait normale. Mais Raymond savait qu'un jour ou l'autre, la crise surviendrait et que ce serait sans doute Anne qui ferait les frais des lubies de sa mère. Il ne le voulait pas. Plus jamais sa fille n'aurait à subir les perturbations de Blanche, elle en était trop bouleversée. Alors il n'attendrait pas la crise et il interviendrait avant que l'irréparable se produise. Mais ce faisant, il savait fort bien qu'il risquait de se mettre Émilie à dos. Surtout quand elle apprendrait qu'il quittait Montréal pour le Connecticut. Elle serait bien capable de l'accuser d'avoir fait interner Blanche pour acheter sa liberté. Elle n'aurait pas tout à fait tort, mais elle n'aurait pas entièrement raison non plus.

Raymond se sentait coincé.

De quoi aurait l'air sa famille après tout cela? Quand donc la vie consentirait-elle à se montrer clémente envers lui? Il était fatigué de toujours avoir à se battre. Si au moins Blanche avait recommencé à boire, cela lui donnerait de bonnes raisons pour passer aux actes! Il se trouvait odieux d'avoir de telles pensées, mais depuis le dernier voyage d'Antoinette, il ne pensait qu'à elle et au moment où ils se retrouveraient enfin.

– D'autant plus que l'attitude de Blanche n'a rien à voir avec celle d'une mère envers Anne, soupira-t-il en laissant retomber le rideau de la chambre de Charlotte qu'il habitait depuis de longs mois déjà, cherchant à se justifier pour la centième fois peut-être.

Mais allez donc expliquer cela à Émilie qui ne jurait que par sa mère qui l'avait tant aidée quand elle était petite. Même quand elle avait appris que Blanche l'avait gavée de sirop à la rendre malade, Émilie était restée la même. Tout comme Charlotte, Raymond avait de la difficulté à comprendre, mais comme c'était le choix d'Émilie, il n'avait qu'à s'incliner. Pourtant, cette attitude risquait de lui compliquer singulièrement l'existence dans les jours et les semaines à venir.

Raymond se dépêcha de déblayer l'entrée et de quitter la maison en compagnie d'Anne. Aujourd'hui, il se saoulerait de grand air et de rire avec sa fille et ainsi peut-être arriverait-il à arrêter de penser à tout ce qui pourrait arriver…

* * *

Blanche était réveillée depuis longtemps, mais elle avait attendu que la porte d'entrée se referme sur les rires d'Anne et de Raymond avant de se risquer hors de sa chambre.

La journée serait longue, très longue, seule dans cette immense maison, mais elle préférait cette solitude à la présence de Raymond. Qu'il parte au plus vite pour qu'elle puisse en finir avec les surveillances et les regards accusateurs.

Qu'il parte pour qu'elle puisse recommencer à vivre même si elle savait que sans lui, elle ne vivrait qu'à moitié.

Elle se fit un café très fort et très chaud parce qu'elle était frigorifiée jusqu'au fond de l'âme puis elle se réfugia au salon dont elle débarra la porte avec la petite clé qu'elle gardait en permanence sur elle. Les rayons du soleil arrivaient à créer un semblant d'été en jouant sur la patine des meubles. Dans quelques heures à peine, la maison serait sombre jusqu'au lendemain et Blanche trouvait cela très difficile à tolérer.

Elle sirota son café qu'elle tenait à deux mains pour se réchauffer. Par habitude, elle s'était assise à la place qu'elle occupait hier soir et en levant les yeux, elle regretta de ne pas se heurter à Raymond qui était resté debout devant elle sans bouger tout le temps qu'avait duré leur discussion.

Peut-être, ce matin, à la clarté du jour, seraient-ils arrivés à s'entendre, à trouver une solution? Peut-être aurait-elle dû se lever avant qu'il ne parte avec Anne et régler cela tout de suite?

Elle se demandait surtout comment elle avait pu rester aussi froide alors que du fond de son cœur montait un immense cri de détresse.

Probablement pour se protéger. Depuis qu'Émilie lui avait parlé de la visite d'Antoinette et Jason, à l'automne, les dents de la jalousie lui grignotaient le cœur impitoyablement.

Savoir que l'amour est mort entre deux êtres est une chose, savoir que son mari a une autre femme dans sa vie est une tout autre chose.

Même quand l'amour est mort, se savoir si facilement remplacée fait mal.

L'image de Raymond tenant Antoinette tout contre lui s'imposa, lui faisant fermer précipitamment les yeux sur un curieux vertige qui venait de loin, si loin lui semblait-il.

Le besoin de prendre quelques gorgées de brandy fut aussi subit qu'imprévu.

Blanche ouvrit les yeux et se dépêcha d'avaler une longue gorgée de café pour faire passer l'envie. Petit à petit, au cours de son hospitalisation, elle avait appris à vivre sans alcool, un jour après l'autre, péniblement. Elle n'avait pas eu le choix. Aujourd'hui, elle espérait en toute bonne foi qu'elle allait réussir à tenir. C'était ce qu'elle avait dit au médecin et elle était sincère. Sa chute dans l'escalier lui avait fait très peur et elle avait suffisamment souffert pour ne pas avoir envie de se retrouver dans une situation analogue. Elle ne se rappelait l'événement qu'entouré d'une brume opaque où elle sentait qu'elle perdait pied et se mettait à voler avant de heurter une surface très dure et très froide. Il y avait eu une grande douleur, comme si tous les os de son corps s'entrechoquaient, puis plus rien. Quand elle était revenue à elle, la douleur était toujours présente, mais le visage de Raymond n'était pas loin et elle avait pu refermer les yeux en sécurité. Elle avait toujours eu besoin de quelqu'un pour s'occuper d'elle. Alors, si Raymond était à ses côtés, plus rien de fâcheux ne pourrait arriver.

Et voilà qu'hier, il lui avait annoncé son intention de partir.

Son intuition lui soufflait qu'Antoinette y était pour quelque chose.

Comment allait-elle réussir à survivre en l'imaginant avec une autre ? Qui veillerait sur elle désormais ? Anne ? Elle n'y croyait pas tellement. Entre sa fille et elle, la communication était ardue. Anne ressemblait trop à Charlotte pour espérer qu'un jour, elle puisse changer. Si au moins Émilie était encore là…

Ce matin, au grand soleil, elle admettait qu'elle était déchirée entre son besoin de sentir quelqu'un à ses côtés et son envie de solitude qui allait croissant avec les années.

Elle se sentait toute tremblante, mais elle aurait été en peine de dire ce qui causait cette espèce d'angoisse qui lui étreignait le cœur. Était-ce la perspective de se retrouver seule ou simplement le froid ambiant que la vieille fournaise n'arrivait pas à réchauffer ?

Blanche ferma les yeux encore une fois et s'imagina vivant seule avec Anne, jour après jour, semaine après semaine…

L'envie d'un peu de brandy lui revint à l'esprit quand elle comprit que la vie était en train de lui jouer un sale tour.

Elle ouvrit les yeux précipitamment et jeta un regard vers l'escalier qui montait aux chambres.

Il n'y aurait que quelques pas à faire.

Elle n'en prendrait qu'un tout petit peu, juste quelques gorgées pour tuer l'angoisse et faire disparaître les tremblements.

La bouteille n'attendait qu'elle, bien cachée au fond du garde-robe de sa chambre. Blanche avait vérifié, elle y était toujours.

Pourquoi pas? Dans le fond, elle était seule pour la journée, personne n'en saurait rien. Blanche se souleva à demi, prête à attaquer le long escalier qui montait à l'étage. Puis, dans un sursaut de volonté, elle y renonça.

— Non, pas ce matin, murmura-t-elle après avoir fini le peu de café qui restait dans sa tasse. Je suis capable d'attendre… Je vais prendre un bon bain chaud à la place…

La chaleur de l'eau l'apaisa, comme elle l'avait escompté, diminuant l'envie de se réconforter avec un peu d'alcool. Et ce désir s'effaça complètement quand elle entendit la voix d'Émilie qui l'appelait depuis le hall d'entrée.

— Maman? Tu es là? C'est moi, Émilie.

— J'arrive, ma belle. Donne-moi une minute pour m'habiller et je descends.

Le visage de Blanche avait changé radicalement au son de la voix de sa petite Émilie. La journée n'était pas perdue, son bébé était là! Elle quitta la salle de bain sans rien ranger et fila vers sa chambre, oubliant de prendre sa canne qui ne servait plus qu'à la sécuriser, car malgré ce qu'elle disait, il y avait déjà un bon moment que les douleurs avaient disparu.

Quand elle arriva au salon, Émilie était déjà installée, allongée sur le divan, les jambes surélevées par un coussin.

— Mon doux, qu'est-ce qui se passe, Émilie? Pourquoi es-tu allongée? As-tu mal?

— Pas du tout.

Émilie pouffa de rire.

— Regarde, fit-elle en remontant l'ourlet de sa jupe jusqu'à ses genoux. On dirait des jambes d'éléphant. Ça a commencé le jour de Noël.

Blanche joignit les mains à hauteur de son cœur.

– Ma pauvre petite fille !

Depuis les genoux jusqu'aux pieds, les jambes d'Émilie ressemblaient à un tuyau : plus de chevilles et de drôles de pieds en boule tout au bout.

– C'est laid, n'est-ce pas ? lança Émilie en agitant comiquement les orteils sous ses bas.

Déjà Blanche s'affolait, en proie à une grande inquiétude.

– Mais qu'est-ce qui t'arrive, ma pauvre chérie ? Jamais je n'ai vu des jambes aussi enflées. J'ai bien fait un peu de rétention d'eau quand j'attendais Anne, mais quand même !

Tout en parlant, Blanche avait soulevé les jambes de sa fille pour y placer un autre coussin.

– Est-ce que ça va comme ça ?

– Ne t'inquiète donc pas, maman. Et merci pour le coussin.

Émilie se redressa pour placer ses jambes le plus confortablement possible.

– C'est inconfortable, j'en conviens, et surtout très laid, mais absolument pas douloureux.

Blanche n'était pas convaincue. On ne pouvait avoir les jambes aussi grosses sans avoir de douleur.

– Et c'est dangereux ?

– Dangereux ? Pourquoi ? Le médecin dit que ça arrive parfois. Il me recommande de faire des pauses dans la journée pour soulever mes pieds, je dois éviter les aliments salés qui sont mauvais dans les cas de rétention d'eau, mais tant que ma pression est bonne, il dit qu'il n'y a pas lieu de s'inquiéter. Tu devrais voir les drôles de blocs que Marc a installés sous les pattes de notre lit ! On dort la tête en bas !

Émilie avait beau avoir l'air de quelqu'un qui ne s'en faisait absolument pas, Blanche n'arrivait pas à détacher ses yeux des jambes de sa fille. Il y avait sûrement quelque chose de grave qui se produisait. « Les médecins n'y connaissent rien » pensa-t-elle, alarmée par la situation comme elle l'était quand Émilie n'était qu'un bébé si petit, si délicat et que personne ne voulait l'écouter quand elle disait que sa fille avait quelque chose.

Et si c'était ses reins qui ne fonctionnaient plus normalement ? Elle l'avait déjà lu dans une revue médicale : la grossesse d'une femme avait rendu ses reins paresseux. Et c'était dangereux pour sa vie et celle du bébé.

Et si c'était le bébé qui n'était pas normal ? Cela aussi s'était déjà vu : la nature avait éliminé un bébé mal formé mais non sans avoir, au préalable, sérieusement compromis la vie de sa mère qui était en train de s'empoisonner alors que le bébé était mort en elle.

À cette pensée, Blanche ferma les yeux, épouvantée. Pas son Émilie !

Et si c'était un empoisonnement alimentaire à cause de ses intestins fragiles ?

L'idée s'imposa.

C'était évident. Émilie avait toujours eu des intestins fragiles et probablement qu'à cause de sa grossesse, les troubles étaient encore plus grands. C'est lourd, un bébé qu'on porte, et justement il appuyait sur les intestins d'Émilie qui étaient encore plus paresseux que d'habitude.

Émilie devait probablement être constipée et elle était en train de s'empoisonner et d'empoisonner son bébé.

Un peu comme dans l'article qu'elle avait déjà lu. Ou à peu près…

Comment se faisait-il que le médecin n'ait rien vu ? Mais ils étaient tous pareils ! Elle se souvenait de la fois où elle avait dû se battre pour faire admettre par un médecin que sa petite Émilie était malade. Personne ne voulait l'écouter jusqu'au jour où le docteur Jodoin avait décidé de l'opérer et là, le chirurgien et lui, ils avaient bien vu qu'elle avait raison: les intestins d'Émilie étaient aussi usés que ceux d'un adulte. Elle avait jubilé. C'était héréditaire, elle s'était tuée à le dire depuis que sa fille était au monde.

Et même si le médecin avait été très clair et avait soulevé nombre d'hypothèses à ce sujet, jamais l'idée que c'était elle qui avait causé tout ce dégât n'avait effleuré son esprit. Émilie était à son image: fragile de naissance; les médecins avaient beau dire, ils n'y connaissaient rien!

Et voilà que cette fragilité la rattrapait.

Blanche dut faire un gros effort pour revenir à ce qu'Émilie lui disait.

– …et Marc est d'accord!

Blanche secoua la tête et porta son regard sur le visage d'Émilie.

– Tu m'excuseras, Émilie. J'en ai perdu un bout… Marc est d'accord pour quoi?

– Pour que tu nous fasses la robe de baptême. À la condition, bien sûr, que cela ne te fatigue pas trop.

– La robe de… mais bien sûr, ma belle! C'est gentil d'avoir pensé à moi.

L'enthousiasme de Blanche semblait forcé et Émilie se demanda si sa mère n'avait pas accepté uniquement pour lui faire plaisir. Sa mère semblait bizarre aujourd'hui, comme absente. Émilie se dépêcha de changer de sujet.

– Que dirais-tu de m'aider à faire une liste pour tout ce qu'il faudrait que j'achète? Je n'y connais pas grand-chose et le temps commence à presser. Dans trois mois, bébé devrait être là!

– Trois mois? Déjà?

Pendant plus d'une heure, Blanche fit de louables efforts pour montrer autant d'enthousiasme qu'Émilie. Mais chaque fois que son regard se posait sur les jambes de sa fille, son cœur se serrait et aussitôt c'était la voix de Raymond qu'elle entendait, lui annonçant son intention de la quitter. Une grande amertume et une inquiétude non moins grande en une seule journée, c'était plus, beaucoup plus que ce qu'elle était capable d'endurer. Le cœur torturé, elle participait à la conversation du bout des mots, du bout de la pensée. Et Émilie n'était pas dupe. Elle sentait que sa mère n'était là qu'à moitié.

— Qu'est-ce qui se passe, maman? demanda-t-elle finalement. Tu n'as pas l'air dans ton assiette, aujourd'hui.

Blanche leva les yeux vers sa fille. Émilie était radieuse. Elle avait toujours été jolie, c'était la plus jolie de ses trois filles, mais depuis qu'elle était enceinte, il y avait dans son regard une étincelle qui la rendait resplendissante. Alors Blanche sut qu'elle ne se confierait pas. Elle ne serait pas celle qui allait souffler sur cette étincelle en lui racontant la discussion qu'elle avait eue avec son père. Elle ne lui dirait pas qu'elle était jalouse à en crever de cette Antoinette qui était en train de ravir Raymond à sa famille. Elle ne parlerait pas plus du désespoir qui l'habitait et de la peur qu'elle avait de se retrouver seule avec Anne. Elle se contenta de hausser les épaules.

— Un peu de fatigue, sans doute, expliqua-t-elle. Le réveillon, le jour de Noël… Ne t'inquiète pas, ça va passer.

— D'accord…

Habituée depuis toujours à ne pas riposter, Émilie se satisfit de cette réponse même si la jeune femme se doutait qu'elle n'était qu'une demi-vérité. Puis elle se redressa et posa ses pieds tout ronds sur le plancher.

— J'en ai assez de rester allongée, déclara-t-elle en s'étirant. Que dirais-tu d'un bon verre de jus? Si tu as ce qu'il faut, je pourrais nous préparer un jus d'orange ou un thé? Je meurs de soif!

À ces mots, Blanche sauta sur l'occasion pour se soustraire à la conversation qui commençait à lui peser.

— Quelle bonne idée! Moi aussi, je boirais bien quelque chose. Mais pas question que tu prépares quoi que ce soit. C'est moi qui m'en occupe. J'ai au réfrigérateur quelques oranges qui devraient faire l'affaire. Donne-moi quelques minutes et je reviens. Et toi, fit-elle faussement sévère, en tançant Émilie du doigt, remonte-moi ces jambes-là sur les coussins. Je veux un petit-fils en parfaite santé.

— Maman!

— Je sais ce que je dis! Quand est-ce que je me suis trompée pour toi?

Et sans attendre de réponse, Blanche fila vers la cuisine.

Le fait d'avoir quelque chose à faire lui procura une espèce de détente. Couper les oranges, en extraire le jus, mesurer le sucre… Comme avant, quand les filles étaient petites et que la vie avait encore un certain sens. Tout en préparant le jus, Blanche se rappelait l'époque où elle s'occupait de tout, d'Émilie surtout. Ce qu'elle mangeait, ce qu'elle buvait occupaient une grande partie de ses pensées, de ses journées. Si elle pouvait encore s'occuper d'elle durant sa grossesse, probablement qu'elle n'aurait pas ces vilaines jambes toutes difformes. Pauvre Émilie!

Ce fut au moment où elle levait les yeux vers la fenêtre, tout en brassant le jus auquel elle venait d'ajouter de l'eau, que son regard fut attiré par la tablette.

La tablette aux médicaments.

Avec l'âge, elle n'en usait plus que rarement, comme si son organisme s'était modifié à la longue et consentait enfin à fonctionner presque normalement. Mais qu'en était-il pour Émilie?

Sa fille n'était encore qu'une fleur à peine éclose, et enceinte de surcroît. Surveillait-elle adéquatement tout ce qu'elle mangeait? Aidait-elle son organisme à fonctionner normalement par l'ajout de quelque médicament susceptible de le seconder? De toute évidence, il n'en était rien.

L'idée la prit par surprise.

Et si elle intervenait comme elle l'avait fait tant de fois pour le bien de sa petite Émilie? Comme elle pouvait le faire jadis avant qu'Antoinette n'entre dans leur vie et vienne embrouiller toutes les cartes.

Blanche ferma les yeux un court moment. Sur l'écran de ses souvenirs, elle revoyait clairement Antoinette lors d'un pique-nique qui avait regroupé des amis de jeunesse. La grosse Antoinette, comme elle l'appelait. Trop grosse et qui riait trop fort. Sans jamais avoir osé le dire, elle la trouvait vulgaire, sans aucun de ces vernis que la bonne éducation pose sur les gens. C'était elle qui avait bouleversé leur vie. Incapable de se trouver un homme, elle avait jeté son dévolu sur Raymond, le bon Raymond qui voulait plaire à tout le monde et elle l'avait séduit.

Jamais Blanche n'avait vu la situation sous cet angle, mais maintenant qu'elle y pensait, tout devenait clair pour elle.

Les soupçons de Raymond à son égard dataient bien de ce temps-là. L'époque où Antoinette avait fait irruption dans la vie de son mari.

Le nom d'Antoinette précipita son geste.

Blanche attrapa la grosse bouteille brune qui était derrière les autres, car elle ne l'utilisait plus que sporadiquement, elle l'ouvrit et en versa une bonne rasade dans le pot de jus d'orange.

— As-tu besoin d'aide maman?

Blanche sursauta. Du salon lui parvenait la voix d'Émilie.

— Non, non, ma chérie, c'est presque prêt. J'arrive.

Et sans réfléchir à ce qu'elle faisait, Blanche vida la bouteille dans le pot avant de bien brasser le tout. Puis elle le disposa sur un plateau avec deux verres et une assiette de biscuits.

– Et voilà! J'arrive! J'ai de quoi satisfaire la soif et l'appétit d'une future maman.

Blanche attaquait le couloir de son pas militaire, ayant oublié que ses jambes étaient censées la faire souffrir. Elle venait de renouer avec l'essentiel de sa vie: veiller au confort de sa petite Émilie.

Et demain, au réveil, sans aucun doute, Émilie l'appellerait pour lui dire que ses jambes allaient beaucoup mieux et alors Blanche la mettrait face à la réalité, sa réalité de jeune femme fragile qui devrait toujours tenir compte de sa différence.

Blanche était tellement convaincue d'avoir raison. Alors, pour prouver sa bonne foi, elle se servit un grand verre de jus. «De toute façon, pensa-t-elle en buvant, une bonne purgation n'a jamais fait de tort à qui que ce soit. Là-dessus, mon père avait bien raison. Après les excès du réveillon, ça va être salutaire pour tout le monde.»

Le reste de l'après-midi fut beaucoup plus détendu.

Les deux femmes s'entendirent pour aller voir ensemble les différents patrons pour la robe de baptême et quand Émilie repartit, un peu avant le souper, elle avait oublié que sa mère avait été morose une bonne partie de la journée…

Le lendemain, Blanche se leva courbaturée. Elle avait passé la nuit à faire la navette entre sa chambre et la salle de bain. Mais comme chaque fois qu'elle prenait de l'huile de ricin en grande quantité, elle trouvait que ces courbatures avaient un certain charme puisque, à ses yeux, elles étaient synonymes de bonne santé.

Anne avait quitté la maison pour la journée, partie jouer chez une amie, et Raymond avait dit qu'il en profiterait pour faire un saut au bureau. Tant mieux, elle n'était pas encore prête à l'affronter au sujet d'Anne. Elle savait fort bien que Raymond y reviendrait un jour et que ce jour n'était sûrement pas très loin.

Pour l'instant, elle allait prendre un bon café suivi d'un léger déjeuner pour refaire ses forces, puis elle appellerait Émilie pour prendre de ses nouvelles et peut-être planifier une sortie dans les magasins pour voir les patrons.

Au premier appel, il n'y eut aucune réponse.

Machinalement, Blanche leva les yeux vers l'horloge. À peine dix heures trente. Trop tôt pour être sortie mais trop tard pour être encore au lit.

Elle fronça les sourcils puis recomposa le numéro. Elle avait dû se tromper la première fois car, à l'autre bout de la ligne, quelqu'un venait de décrocher.

C'était Marc et il semblait agité.

– Bonjour Marc. C'est Blanche. Émilie est-elle là?

– Émilie est bien là, mais elle ne peut venir au téléphone.

– Une indisposition, n'est-ce pas? Moi non plus, je ne suis pas très bien et j'aimerais lui parler.

À l'autre bout de la ligne, Marc ferma les yeux d'impatience. Blanche et ses euphémismes!

– Non, répliqua-t-il d'une voix véhémente, ce n'est pas une indisposition, comme vous dites. Elle a été malade toute la nuit et présentement elle a des saignements et de violentes contractions. On dirait bien que le travail est commencé et ce n'est pas normal. Le médecin nous attend à l'hôpital. Si vous voulez bien m'excuser, je vous appellerai plus tard quand j'en saurai un peu plus.

Et sans autre forme d'explication, Marc raccrocha.

Ce fut comme si Blanche avait reçu un coup de massue sur le crâne.

Elle reposa le combiné sur le téléphone et, impulsivement, porta les deux mains à ses tempes pour les masser. C'était impossible, Émilie en était à peine à six mois de grossesse. Ce que Marc appelait des contractions ne devait être que des coliques et ils s'étaient mis à paniquer tous les deux sans raison valable.

Blanche chercha à se convaincre qu'elle voyait juste en retournant à la table pour prendre un second café comme si de rien n'était.

Allons donc! Une purgation ne peut déclencher un accouchement.

Les contractions d'Émilie n'étaient que des crampes provoquées par l'huile de ricin. Dans quelques heures, tout serait rentré dans l'ordre.

Marc devait sûrement se tromper.

Mais tout au fond d'elle-même, par instinct, par intuition, de tout l'amour qu'elle ressentait pour Émilie, elle savait que Marc ne se trompait pas.

N'avait-il pas parlé de saignements?

Alors, pour la première fois de sa vie, Blanche douta. D'elle-même, de ce qu'elle avait fait, de ce qu'elle avait peut-être involontairement provoqué.

Et si elle s'était trompée? Et si, cette fois-ci, elle était allée trop loin?

Une dernière fois, elle tenta de se rassurer. On ne peut pas trop en faire quand une jeune femme a les jambes aussi enflées que l'étaient celles d'Émilie. C'était de ne rien essayer qui aurait été condamnable!

Mais elle avait beau tenter de s'en convaincre, elle n'arrivait pas à faire taire cette peur immense qui lui creusait un grand trou à la place du cœur.

Elle passa l'heure suivante à déambuler dans la maison comme une âme en peine, sursautant au moindre craquement de la maison, espérant entendre la sonnerie du téléphone. Elle ne savait même pas dans quel hôpital était sa fille.

Comment avait-elle pu se montrer aussi négligente face à Émilie?

En passant devant sa chambre, elle reprit sa canne. Brusquement, ses jambes lui faisaient mal, elle se sentait instable tellement elle était fébrile.

Ce fut à cet instant qu'elle prit conscience qu'elle avait la tête dans un étau.

Quand elle revint à la cuisine, Blanche attrapa la bouteille d'aspirines et en avala une pleine poignée. Son mal de tête s'était transformé en migraine.

Plus le temps passait, plus son inquiétude croissait.

S'il n'y avait rien de grave, Marc aurait déjà appelé.

L'attente était intolérable, l'inquiétude s'était transformée en angoisse. Blanche ressentait une appréhension proche de la panique, soutenue par une immense sensation de culpabilité.

Émilie était en train de perdre son bébé et tout était de sa faute.

Émilie était peut-être, elle aussi, en train de mourir et jamais Blanche ne pourrait survivre à la mort de sa fille.

Et si Émilie survivait, ce serait elle qui jamais ne lui pardonnerait ce geste. Jamais.

L'après-midi était déjà bien entamé quand Blanche comprit que Marc ne rappellerait pas. Les nouvelles devaient être pires que tout ce qu'elle avait imaginé et il ne savait comment lui apprendre que le bébé était mort.

Ce n'était plus une supposition. Dans l'esprit de Blanche, c'était une certitude. Elle avait tué le bébé de sa petite Émilie.

Qui donc pourrait lui pardonner ce geste?

Elle s'était réfugiée dans sa chambre et de sa fenêtre, elle voyait le jardin enneigé. Ce jardin qu'Émilie avait pris tant de plaisir à peindre quand elle habitait encore ici.

Était-ce l'effet de toutes ces aspirines qu'elle avait prises? Elle avait l'impression que le cœur lui battait dans la gorge et, dans sa tête, elle entendait des tas de voix qui s'entrechoquaient, qui s'apostrophaient. Des voix en colère, des voix qui s'excusaient, des voix qui geignaient. Et tout derrière, comme si elle se cachait, il y avait une toute petite voix, venue de loin, de très loin et qui promettait d'être bien sage.

Elle avait reconnu cette voix: c'était la sienne quand elle était encore une toute petite fille.

Oubliant tout ce qui était autour d'elle et en elle, Blanche remonta dans le temps. Elle se revoyait, accroupie dans un coin de la cuisine parce qu'elle avait peur. Oh oui! comme elle avait peur de cet homme autoritaire quand il chapitrait ses frères! Surtout quand il détachait sa ceinture en clamant qu'une bonne correction était plus efficace qu'un long discours. S'il fallait qu'un jour il décide de détacher sa ceinture pour lui administrer une correction, elle en mourrait, c'était certain. Elle aimait tellement cet homme qu'elle appelait «papa». Il la gâtait tellement. Tout ce qu'elle souhaitait, c'était qu'il l'aime en retour. Alors, elle faisait tout ce qu'il disait, même avaler les pilules qui donnent mal au cœur, même refuser les invitations de ses amies parce qu'il disait qu'on ne va pas chez des étrangers, même porter des robes avec des manches longues en plein été parce qu'il disait que les femmes réservées sont des femmes de goût. Tout, elle était prête à tout pour qu'il soit fier d'elle. Et il devait l'être puisqu'il lui donnait beaucoup de cadeaux.

Pourtant, ce n'était pas des cadeaux qu'elle aurait voulus, la petite Blanche, elle souhaitait simplement qu'il lui dise: «Je t'aime».

Mais cela, il ne l'avait jamais fait.

Blanche regardait toujours par la fenêtre, mais elle ne voyait plus le jardin. Elle n'était plus dans sa maison, Raymond ne lui avait jamais annoncé qu'il voulait la quitter et Émilie n'était pas à l'hôpital. Il n'y avait même plus de Charlotte, d'Émilie ou d'Anne. Il ne lui restait que les émotions suscitées par les événements et une petite fille blottie contre le mur d'une cuisine sombre qui avait peur d'être disputée parce qu'aujourd'hui, elle avait fait une bêtise, une grosse bêtise.

– Promis, papa, je ne le referai plus jamais, murmura Blanche, redevenue l'enfant craintive qu'elle avait été. Promis, la prochaine fois, je vais réfléchir avant d'agir, comme tu dis souvent. Mais ne me fais pas mal, ne me donne pas la volée comme tu le fais à mes frères! Ça doit faire très mal, car je les entends crier. Ils crient jusque dans ma tête, papa, et j'ai peur. Viens, viens avec moi, papa. Je sais, moi, ce qu'il te faut pour te détendre. Quand ça va mal et qu'on est irrité, il faut se détendre. C'est toi qui me l'as dit. Viens, papa, on va prendre un peu de brandy ensemble. Je sais bien que tu dis que ce n'est pas pour les femmes, le brandy, mais j'ai compris: je n'exagère plus jamais. Je suis comme toi, papa, je sais me contrôler. Moi aussi, ça me fait du bien. Viens, on va en prendre juste un peu et on va jaser comme avant. Est-ce que tu veux parler avec moi, papa? Est-ce que tu as le temps?

À genoux à même le sol, la porte du garde-robe grande ouverte, Blanche continuait de soliloquer alors qu'elle fouillait à travers les boîtes de ses chaussures, les lançant derrière elle à travers la pièce.

Puis elle poussa un soupir de soulagement.

Elle était là.

La bouteille verte aux épaules carrées, au nectar qui ferait taire toutes ces voix qui se disputaient dans sa tête, l'attendait bien sagement au fond d'une boîte à chaussures.

— Fidèle au rendez-vous, murmura Blanche en la soulevant à deux mains.

Sans la moindre hésitation, elle enleva le bouchon et porta le goulot à sa bouche. Ce n'était plus une question de volonté. Pourquoi se serait-elle arrêtée, interrogée sur quelque chose qui n'avait plus aucun sens à ses yeux?

Elle devait boire parce qu'elle avait peur de ce qu'elle avait fait. Elle avait peur de découvrir un être abject caché tout au fond d'elle-même.

Et il fallait que toutes les voix qui criaient en elle se taisent, sinon elle allait mourir.

Mais l'alcool n'apporta pas le réconfort habituel. Le liquide qui coulait dans sa gorge laissait un sillon de feu et son estomac brûlait comme s'il était rempli de tisons ardents.

Et toutes ces voix qui hurlaient dans sa tête, inlassablement, comme une torture, ne voulaient pas se taire. Surtout la plus forte, qui grondait de colère et qui ressemblait à celle de son père. Cette voix-là disait qu'elle avait bien mérité d'avoir mal. Elle avait tué le bébé d'Émilie et elle devait être punie.

Alors Blanche se releva. La voix avait raison. Elle devait se punir.

Élevée à coup de cadeaux qui disaient l'amour, elle devait détruire tout ce qu'elle possédait et qui avait du prix à ses yeux pour prouver son repentir. Pour avouer qu'elle ne méritait plus d'être aimée.

Systématiquement, Blanche parcourut la maison, une pièce après l'autre, déchirant, brisant, cassant ce qu'elle aimait le plus.

Elle allait l'air hagard, la bouteille à la main, et chaque gorgée sirupeuse qui lui brûlait le corps était méritée. Elle devait souffrir pour tout le mal qu'elle avait causé.

Quand elle entra dans le salon, la bouteille était presque vide.

Derrière elle, Blanche avait laissé désolation et colère. Ici, elle avait abîmé une tapisserie en soie qu'elle aimait tant. Là, elle avait cassé ce vase de Limoges offert à son mariage. Et plus loin encore, elle avait arraché de grands morceaux de papier peint. Elle était même descendue au sous-sol où elle avait déchiré les vêtements de bébé qu'elle avait gardés en souvenir. Seule une petite camisole blanche avec un ruban de satin avait été épargnée et elle l'avait mise dans la poche de sa jupe avec la clé du salon. Blanche avait décidé de garder ce minuscule vêtement pour que jamais elle n'oublie le mal qu'elle avait fait.

Un peu partout dans la maison, il y avait des coussins éventrés, des rideaux arrachés, des dentelles déchirées, des bibelots cassés...

Blanche avait mal au cœur, elle était étourdie et ses jambes la portaient difficilement. Mais elle ne pouvait pas s'asseoir. Pas tout de suite.

Il lui restait quelque chose à faire. Quelque chose d'important.

Elle tourna un moment sur elle-même, incapable de fixer son regard sur le moindre objet. Tout tournait autour d'elle. Puis elle le vit, là, qui ondulait sur le mur du fond.

Puis elle se vit, elle, sur le mur du fond.

Blanche Gagnon dans la splendeur de ses dix-huit ans. C'était un portrait d'elle, grandeur nature, que son père avait fait immortaliser par un peintre de renom.

La toile qu'elle aimait tant regarder, le plus beau cadeau que son père lui avait offert. Celui qui disait l'amour qu'il ressentait pour elle à défaut des mots qu'il n'avait jamais prononcés et qu'elle avait rêvé d'entendre.

En titubant, Blanche s'en approcha et le décrocha du mur. Il était lourd et elle faillit tomber à la renverse. Elle se retint de justesse au bras du fauteuil. Puis, avec un ongle, elle tenta de perforer la toile. En vain. Alors elle le posa sur le plancher et parvint à regagner la cuisine en s'aidant des murs pour avancer. La tête lui tournait de plus en plus et le plancher se dérobait sous ses pieds. Malgré cela, Blanche prit un couteau dans le tiroir à côté de la cuisinière et revint au salon où elle se mit à lacérer la toile jusqu'à ce que les jambes commencent à lui manquer et qu'elle tombe sur le sol.

Du tableau, il ne restait plus que le cadre où pendaient lamentablement des lambeaux colorés.

Ce fut alors que les voix qui se disputaient dans sa tête consentirent à se taire.

Maintenant, elle pouvait se reposer.

Dormir pour tout oublier. Dormir pour faire s'évader l'enfance et les déceptions, les erreurs et le temps présent. Dormir… Au réveil, tout irait mieux.

Se roulant en petite boule sur le côté, Blanche plia un bras sous sa tête et sombra enfin dans un profond sommeil. Dans sa main, elle tenait la camisole de bébé…

Il était trois heures trente.

Au même moment, Raymond ressortait d'un magasin du centre-ville où il avait acheté de menus présents pour Antoinette et Jason. Le temps de passer au bureau de poste pour les envoyer avec la lettre qu'il avait écrite ce matin en allant au bureau et il rentrerait à la maison. Anne l'avait appelé pour lui demander la permission de dormir chez son amie, alors il en profiterait pour reprendre la discussion avec Blanche.

Le fait d'avoir écrit à Antoinette lui avait redonné tout son courage.

Quand il arriva chez lui, le jour n'était plus qu'une faible clarté au-dessus des toits. Il faisait froid et les passants marchaient à petits pas rapides. Cette année plus que les autres, il regrettait le foyer qu'il y avait dans leur ancienne maison. «Ce doit être l'âge qui me rend frileux» pensa-t-il en restant encore un moment derrière le volant, profitant de l'ultime chaleur qui restait dans la voiture.

Il n'avait pas envie de rentrer. Si ce n'était de l'obligation qu'il s'était faite de parler à Blanche, il aurait fait demi-tour et serait allé au cinéma.

Un petit coup frappé à la vitre de sa portière le fit sursauter. Quand il vit Charlotte, il se hâta de sortir.

– Mais veux-tu bien me dire ce que…

Il n'eut pas le temps de terminer que Charlotte se jetait dans ses bras en pleurant.

– Oh papa! Pauvre Émilie!

Raymond savait que si Charlotte était bouleversée à ce point, c'était que la situation était grave. Il la laissa pleurer un moment, puis il l'écarta de lui et dit:

– Viens, Charlotte, entrons et tu vas…

Il sentit sa fille se raidir. À sa proposition d'entrer dans la maison, Charlotte avait relevé la tête dans un geste de défi que Raymond ne comprenait pas.

– Je ne veux pas entrer. Pas tout de suite… Je veux te parler avant.

– Alors assieds-toi dans l'auto, on gèle.

S'installant à la place du passager, Charlotte prit le temps de se moucher puis elle tourna un visage défait vers son père.

– Émilie a perdu son bébé, fit-elle sans détour.

Malgré le peu de clarté qu'il y avait autour d'eux, Charlotte vit son père blêmir.

– Elle a été malade toute la nuit, poursuivait-elle, vomissements, diarrhées… Ce matin, elle a commencé à avoir des saignements. Le médecin a tout tenté pour arrêter l'hémorragie, mais il était trop tard. C'est Françoise qui m'a prévenue quand Émilie est arrivée à l'hôpital. On m'a permis de rester avec Marc pendant qu'Émilie était en salle d'opération. Décollement partiel du placenta… Le médecin ne comprend pas ce qui a pu arriver. Jusqu'à maintenant, tout allait parfaitement bien… Inutile de dire que Marc est bouleversé. Quand je suis partie de l'hôpital, Émilie dormait encore. La seule bonne nouvelle, c'est qu'elle pourra encore avoir des enfants.

Raymond serrait le volant à s'en blanchir les jointures. Il était tellement déçu pour Émilie et Marc. Ils semblaient si heureux tous les deux. Il ferma les yeux un bref moment puis soupira longuement avant de se tourner vers Charlotte.

– C'est terrible pour eux. Mais comment se fait-il qu'elle ait été malade à ce point?

Ce fut alors que Charlotte plongea un regard froid et dur dans le sien.

– Tu te poses vraiment la question? Et si je te disais qu'hier, Émilie a passé l'après-midi avec Blanche?

La réaction de Raymond fut immédiate.

– Voyons, c'est impossible. Qu'est-ce que tu vas imaginer là?

– Tu crois que je fabule, n'est-ce pas? J'ai bien essayé de m'en convaincre moi aussi. Malheureusement, je n'y arrive pas. Le scénario ressemble trop à ce que Blanche a fait vivre à Émilie quand elle était toute petite. J'espère que tu n'as pas oublié?

– Mais non, voyons. Mais de là à croire que Blanche ait pu…

Raymond ne termina pas sa pensée. Hier au souper, Blanche lui avait dit que la pauvre Émilie avait les jambes enflées et que cela l'inquiétait. C'est en repensant à cette petite conversation anodine qu'il comprit que Charlotte pouvait avoir raison. Quand Blanche s'inquiétait pour Émilie, le pire était à prévoir.

– Viens, fit-il d'une voix dure. Heureusement, Anne n'est pas là. On va voir ce que ta mère a à dire. Mais il va falloir y aller doucement.

Il hésita avant d'ajouter :

– Ne dis rien à propos du bébé. Si on veut savoir la vérité, il ne faut rien dire à propos du bébé. Sinon ta mère est bien capable de…

Il n'osa terminer sa pensée. Puis il répéta :

– Il ne faut rien dire à propos du bébé.

– De la petite fille, reprit doucement Charlotte. C'était une petite fille comme Émilie espérait tant avoir.

Mais Raymond ne l'entendit pas. Il foulait déjà les dalles de l'entrée à grandes enjambées colériques.

Ce fut l'odeur qui les alerta.

Dans la maison, il régnait une odeur à la fois fétide et âcre qui prenait à la gorge. Raymond se hâta de pousser l'interrupteur et se précipita vers le salon.

Blanche semblait dormir à même le plancher dans une mare de vomissures.

Par réflexe, Charlotte bouscula son père pour entrer dans la pièce et, s'approchant de Blanche, elle se pencha pour prendre son pouls. Elle se releva aussitôt.

– Je crois qu'il faudrait appeler une ambulance. C'est à peine si je sens une pulsation très lente.

Mais Raymond retint Charlotte au passage alors qu'elle se dirigeait déjà vers la cuisine où était le téléphone.

– Non. Pas d'ambulance. J'ai le nom d'un médecin que j'ai promis d'appeler si jamais il se produisait quelque chose. Je veux qu'il voie ce que je voulais dire. L'ambulance viendra après.

– Mais c'est une urgence !

Raymond ne se donna même pas la peine de répondre et soutint le regard de Charlotte. Pour une fraction de seconde dont il se souviendrait longtemps, à ce moment très précis, Raymond souhaita que le médecin arrive trop tard.

Puis il passa devant Charlotte pour se rendre au bout du couloir où il remarqua que le papier peint avait été arraché.

Dans la cuisine assombrie, il marcha sur le vase en cristal qui était en mille miettes sur le prélart.

Il comprit alors que Charlotte avait raison. Peu importait comment Blanche avait pu savoir ce qui se passait chez Émilie, l'état dans lequel il avait trouvé et sa femme et sa maison était un aveu.

La mort dans l'âme parce qu'il n'avait pas vu venir le coup, Raymond se jura une fois de plus que ce serait la dernière fois. Il avait concentré ses efforts sur Anne, cherchant à la protéger, alors qu'Émilie était tellement plus vulnérable qu'elle. Pourquoi n'y avait-il pas pensé? Pourquoi n'avait-il pas mis Émilie en garde même s'il connaissait son avis sur la situation?

Pourquoi arrivait-il toujours trop tard?

Fouillant dans son porte-monnaie, il trouva le papier que le docteur Chamberland lui avait remis et signala le numéro.

– Docteur? Ici Raymond Deblois. Je crois que vous devriez venir. Quand vous aurez vu Blanche, vous allez tout comprendre.

* * *

Il y eut une cérémonie des anges à l'église de la paroisse où habitaient Émilie et Marc. La petite Rosalie serait mise en terre aux côtés de ses arrière-grands-parents Lavoie, au printemps prochain, quand le sol serait dégelé, et on ajouterait une inscription sur le monument funéraire de la famille. Émilie s'était presque battue avec le médecin pour avoir l'autorisation de quitter l'hôpital. Mais elle avait gagné. Sa fille avait eu le temps de pousser quelques cris à sa naissance, il n'était pas question qu'elle soit enterrée à la fosse commune sans aucune cérémonie.

– Cette fois-ci, ce n'est pas une simple déception. C'est un deuil. Et je veux le vivre comme je l'entends. Il y a quelques jours à peine, je la sentais bouger, pleine de vie. Ne venez pas me dire que ce n'est rien. Pour moi, j'ai perdu tout ce qui était ma vie.

Pendant qu'elle parlait, Émilie avait le visage inondé de larmes.

– Marc et moi, nous avons eu une petite fille que nous avons appelée Rosalie. Si vous saviez comme je l'aimais, comme je l'aime encore. Elle fera toujours partie de ma vie. Et je veux que tout le monde autour de nous sache que jamais nous ne l'oublierons.

Le médecin n'avait eu qu'à s'incliner.

C'est pourquoi, ce matin, elle se tenait au premier rang, très droite, sans larmes, frêle et forte à la fois. Marc avait passé un bras autour de ses épaules pour la soutenir. Il avait les yeux rouges et le cœur en berne.

À la naissance, il avait demandé à voir le bébé. Quand l'infirmière avait délicatement repoussé la couverture qui cachait la petite fille, Marc avait éclaté en sanglots. Même aussi petite, il avait reconnu le menton d'Émilie et la forme de sa tête.

Rosalie aurait ressemblé à sa maman.

Quand Émilie avait parlé de deuil, il avait très bien compris ce qu'elle voulait dire et il s'était tenu à ses côtés pour supplier le médecin de la laisser quitter l'hôpital. À deux, dans les bras l'un de l'autre, ils arriveraient peut-être à panser leurs plaies.

La mère de Marc avait proposé d'organiser un goûter après la cérémonie à l'église, mais Émilie avait décliné l'invitation. Elle préférait se retrouver seule avec Marc.

Ils passèrent toute une semaine enfermés chez eux à ne vouloir parler à personne. Puis Marc avait repris le chemin de l'étude.

– La vie continue, avait-il dit tristement en ce lundi matin en embrassant Émilie avant de partir.

Il n'avait pas envie de partir en laissant Émilie seule derrière lui. Mais avait-il le choix? Cela faisait trois semaines qu'il n'avait pas mis les pieds au bureau, il ne pouvait plus en repousser l'échéance.

Émilie avait regardé Marc sans dire un mot. Comment pouvait-il parler ainsi et dire que la vie continuait?

La vie ne pouvait pas continuer normalement puisqu'elle s'était arrêtée le jour où Rosalie était morte.

Émilie regarda Marc descendre l'escalier de la maison et s'engouffrer dans l'auto à quelques pas plus à gauche, vers la rue principale. Quand l'auto disparut au coin de l'avenue, la douleur qu'elle ressentit la fit se plier en deux. Jamais elle ne s'était sentie aussi seule, abandonnée. Jamais elle n'avait eu autant besoin de sa mère qu'en ce moment. Blanche aurait pu partager sa peine parce que Blanche était une mère.

Mais Blanche n'était pas là.

Elle était hospitalisée, elle avait fait une crise d'angoisse en apprenant la mort du bébé. C'était ce que son père avait dit: une grave crise d'angoisse qui avait amené sa mère à perdre la tête, à divaguer à un point tel qu'il n'avait eu d'autre choix que d'appeler le médecin qui avait préféré l'hospitaliser. Depuis, Blanche était plongée dans un état d'hébétude qui laissait tout le monde perplexe.

Qu'est-ce que Raymond aurait pu dire d'autre? Émilie était suffisamment éprouvée par la mort de son bébé. Savoir que sa mère y était peut-être pour quelque chose, apprendre qu'elle avait recommencé à boire achèveraient de la démolir.

La crise d'angoisse devint l'explication pour tous devant l'absence de Blanche à l'église. Et tous acquiescèrent sans faire de commentaires. Blanche était si fragile!

Quand Émilie comprit que Marc ne ferait pas demi-tour comme elle l'avait tant espéré, elle laissa retomber le rideau et ses pas l'amenèrent jusqu'à l'atelier où elle s'installa dans la chaise berçante placée devant la fenêtre. La dernière fois qu'elle s'était assise ici, elle s'était longuement bercée en caressant son ventre et en parlant au bébé à voix basse. Elle avait tellement hâte de le prendre dans ses bras. Mais même ce tout petit instant de bonheur lui avait été interdit.

Impulsivement, les mains d'Émilie se pressèrent sur son ventre qui était désespérément vide et de grosses larmes se mirent à couler sans bruit.

C'était tout ce qu'elle était capable de faire, pleurer sans bruit. Pleurer jusqu'au sommeil, car Émilie n'avait plus aucune force en elle. Rosalie avait tout pris. Il ne lui restait que des larmes silencieuses et quelques heures de sommeil parfois. Des heures de sommeil peuplées de cauchemars où elle entendait son bébé qui l'appelait et où elle courait sans relâche en direction d'une petite voix qui s'éloignait sans cesse. Au réveil, Émilie avait un bref instant de soulagement en constatant que cela n'avait été qu'un rêve, jusqu'à l'instant où la réalité la rattrapait. Alors les larmes revenaient pour ne tarir que devant Marc, comme pour le protéger, ou quand l'épuisement la menait au sommeil…

Elle souhaitait seulement que sa mère revienne rapidement. Il n'y avait qu'avec elle qu'elle pourrait vraiment crier sa douleur, qu'elle pourrait enfin cracher sa haine envers la vie qui avait fait d'elle une femme si fragile. Après, peut-être qu'elle irait mieux. Elle se disait que ce moment ne devrait tarder. On ne garde pas quelqu'un à l'hôpital très longtemps pour une simple crise d'angoisse.

Raymond et Charlotte mis à part, seule Anne se doutait qu'il y avait peut-être autre chose que ce que son père en avait dit. Même si Raymond avait nettoyé la maison, il restait des murs abîmés qui la préoccupaient. Mais habituée qu'elle était à ne jamais dire un mot, elle garda pour elle ses interrogations et se contenta de l'explication de son père, en ajoutant intérieurement que la crise, cette fois-ci, devait être pire que tout ce qu'elle avait vu jusqu'à maintenant. Pourquoi chercher plus loin?

D'autant plus que la jeune fille ne pourrait vraiment pas se fier à ce que son père lui répondrait si elle le questionnait. Que voulait dire une crise d'angoisse? Qu'en serait-il vraiment de ce qu'il appelait une longue hospitalisation? Sur le sujet, ils utilisaient des mots auxquels ils ne donnaient pas le même sens.

Les six semaines que Blanche avait passées à la maison avaient suffi pour lui redonner ses indécisions et ses gaucheries. L'insignifiante avait refait surface, annulant le peu de confiance qui s'était épanouie entre elle et son père.

Les semaines passèrent.

La pancarte d'Émilie était toujours sur le balcon et son père ne parlait jamais plus de déménagement ni de retour probable de Blanche. Anne avait l'impression que la vie ne coulait plus comme avant. Depuis le jour où Émilie avait perdu son bébé, elle sentait comme un souffle arrêté, suspendu au-dessus d'elle. Il y avait trop d'interrogations, trop de déceptions pour pouvoir s'accrocher à quelque chose de concret. Seule la musique avait encore ce pouvoir magique qui lui donnait l'impression que rien, jamais, ne pourrait l'atteindre.

Et les semaines devinrent des mois.

Et à son grand soulagement, Blanche ne revenait pas.

Elle était toujours hospitalisée, et personne ne pouvait prédire un retour à la santé. Depuis le jour où Raymond l'avait trouvée, Blanche était prostrée en permanence, tournée vers l'intérieur d'elle-même, comme subjuguée par une vision qu'elle était la seule à voir.

Quand il était arrivé chez les Deblois, le docteur Chamberland n'avait pas hésité une seconde. Devant l'état de sa patiente, sans aller jusqu'à s'excuser, il avait tout de même admis que Raymond n'avait pas tort.

— Je vois ce que vous vouliez dire…

Le médecin avait jeté un coup d'œil autour de lui, puis il s'était penché sur Blanche en retenant son souffle. L'odeur qu'elle dégageait était affreuse.

— Coma éthylique, avait-il conclu en se relevant et en s'essuyant le visage et les mains avec un mouchoir de lin très fin. Classique, avait-il ajouté comme s'il s'agissait là d'une banalité, d'un quelconque fait divers. J'appelle une ambulance. Seriez-vous d'accord pour qu'on l'emmène à St-Jean-de-Dieu? Il y a d'excellents médecins qui pourront s'en occuper. Je crois que c'est ce qu'il y a de mieux à faire, monsieur Deblois.

Ce dernier avait retenu difficilement les mots acerbes qui lui étaient venus à l'esprit. Si cet homme avait voulu l'écouter, Émilie serait encore enceinte.

— Oui, le plus vite sera le mieux. Et si ce n'est pas trop vous demander, j'aimerais que ce soit le docteur Clément qui la voie. Vous pourriez laisser une note au dossier?

Raymond en avait assez de tous ces pontifes qui agissaient en décideur dans sa vie. À partir de maintenant, plus personne ne choisirait pour lui. Blanche avait besoin de soins, son état nécessitait une hospitalisation et personne ne se mettrait en travers de sa route.

Et c'était ce que le docteur Chamberland avait compris. Il avait accompagné Blanche jusqu'à l'hôpital et avait demandé qu'elle soit vue par le docteur Clément. Il ne voulait plus jamais avoir affaire à cette femme.

Deux longues heures d'entretien entre Raymond et le docteur Clément avaient suffi.

— Ce n'est pas compliqué, monsieur, trois avenues s'ouvrent

devant nous. Ou nous entamons un processus qui amènera votre épouse à prendre conscience de sa situation, ce qui risque d'être très long et surtout très difficile pour elle, car elle n'est pas consciente qu'elle est malade et que cette maladie la porte à faire du tort autour d'elle. Ou alors nous lui donnons une médication qui la laissera calme et sans douleur, et surtout sans souvenir de ce qui s'est passé. Ou nous procédons à une lobotomie qui réglera probablement son état dépressif. À mon avis, j'opterais pour cette dernière solution. Mais c'est à vous de décider. Pour sa protection, je peux faire en sorte qu'elle reste ici fort longtemps. Vous êtes le seul juge. Je ne crois pas que madame Deblois soit en mesure de le faire elle-même.

Et Raymond avait tranché.

Pour le bien de tous, Blanche resterait à l'hôpital sous médication. Ce serait sans souffrance pour elle et libérateur pour lui comme pour ses filles. Une enveloppe glissée dans la main du docteur Clément, quelques jours plus tard, avait scellé l'entente.

Raymond se détestait.

Mais il était enfin un homme libre.

L'hiver passa et le printemps arriva.

De Blanche, Anne ne s'inquiétait plus vraiment. Pour cette fois, il semblait bien que le long terme dont son père parlait ressemblait à l'idée qu'elle s'en faisait.

Ce qui l'inquiétait, et au plus haut point, c'était la pancarte « À vendre » qui n'avait jamais repris sa place sur le bord du trottoir. Elle s'était fait une si grande joie à l'idée de déménager qu'elle ne pouvait concevoir que ce projet soit jeté aux oubliettes malgré tous les drames qui avaient traversé leur vie.

Que se passait-il encore qu'elle ne savait pas et qui faisait que son père n'était jamais revenu sur le sujet?

Ce fut à ce moment qu'elle se rappela la promesse faite à sa sœur. Elle s'en ouvrit donc à Charlotte qui, sans l'avouer directement, se posait la même question. En effet, que se passait-il encore pour que son père ne mette ses intentions à exécution? À l'automne, il lui avait parlé d'un projet de vie entre Antoinette et lui. Il lui avait confié ses espoirs, ses craintes et depuis quelques semaines, en fait depuis le départ de Blanche, plus rien ne transpirait de cette conversation. À un point tel que Charlotte se demandait si elle ne l'avait pas imaginée.

Comme chaque fois qu'elle avait quelque chose d'important à dire à son père, elle profita d'une journée de congé pour se rendre à son bureau.

Raymond était à sa table en train de travailler. Charlotte n'arrivait toujours pas à s'habituer à le voir avec ses petites lunettes de lecture perchées sur le bout de son nez qui lui donnaient l'air beaucoup trop sérieux.

Raymond ne l'avait pas entendue ouvrir la porte. Il était penché sur la copie qu'il était en train de rédiger et semblait fort concentré. Charlotte lui trouva l'air fatigué. Il avait les traits tirés. Elle toussa discrètement pour attirer son attention.

– Charlotte!

Sans la moindre hésitation, Raymond repoussa les papiers qui étaient devant lui et enleva ses lunettes qu'il lança négligemment sur son bureau.

– Entre! Entre voyons.

– Je ne te dérange pas?

– Quand est-ce que tu m'as dérangé? Au contraire, ça me fait toujours plaisir quand tu viens me voir.

Montrant la pièce d'un large mouvement du bras, il ajouta:

– C'est un peu chez moi, ici! Cette pièce me ressemble! Alors, quoi de neuf? Ça fait au moins deux semaines que tu n'as pas donné de nouvelles. Et ton livre, ça avance?

Ils bavardèrent un moment à bâtons rompus. Oui, le livre était enfin corrigé et il était rendu à l'imprimerie. Dans quelques semaines, Charlotte en aurait enfin quelques exemplaires. Puis, ayant épuisé les banalités du quotidien de chacun, Charlotte alla directement au but:

— Et tes projets, papa? Que deviennent tous ces beaux projets dont tu m'avais parlé? Le temps passe et…

— Mes projets!

Raymond eut un petit rire sans joie en interrompant Charlotte.

— C'est facile de réinventer le monde quand tu te trouves auprès de celle que tu aimes. C'est même très facile. Mais vois-tu, la réalité est tout autre.

Curieusement, Charlotte s'attendait un peu à cette réponse. Durant un court moment, elle fixa son père sans rien dire. Il reculait encore. Mais qui donc était cet homme? Un lâche, un peureux, quelqu'un qui les avait aimées par obligation, par devoir ou au contraire un homme qui avait choisi de tout sacrifier pour ses filles, librement, en toute connaissance de cause? Pour la première fois de sa vie, Charlotte avait un doute.

— Alors toutes ces belles paroles que tu m'as dites, l'automne dernier, ce n'était que du vent? demanda-t-elle d'une voix très douce. On dirait que tu te défiles, papa.

— Je me défile?

Charlotte n'aurait su dire si son père était exaspéré ou abattu. Il soutint son regard fixement en fronçant les sourcils, comme s'il ne comprenait pas vraiment ce qu'elle venait de dire. Alors, elle ajouta:

— Qui cherches-tu vraiment à protéger?

À ces mots, Raymond explosa. Il se leva brusquement en bousculant son fauteuil et, sans accorder la moindre attention à sa fille, il se mit à marcher de long en large dans la pièce. Sa voix grondait comme celle d'un ours prisonnier de sa cage. Jamais Charlotte ne l'avait vu dans un tel état.

– Qui je cherche à protéger? Tu oses me demander qui je cherche à protéger? Une façon détournée de m'accuser de lâcheté, peut-être? Mais tu n'as rien compris! Je l'avoue sans problème: je ne suis pas un preux chevalier sans peur et sans reproche, mais je ne suis pas un lâche, non plus. Je sais que j'agis avec circonspection, que j'hésite souvent, que je suis difficile à suivre. Mais je suis comme ça, je n'y peux rien. Par contre, ne viens jamais me dire que je ne vous aime pas. Jamais, tu m'entends?

Charlotte retenait son souffle. Que s'était-il passé pour qu'ils en viennent à cette confrontation? Raymond était hors de lui. Il la prenait à témoin sans lui laisser le temps de répondre. Elle avait l'impression que toute une vie de frustration éclatait devant elle, trouvait enfin l'exutoire dont elle avait besoin pour s'exprimer.

– Qui je cherche à protéger! répéta-t-il. Est-ce que tu n'essaierais pas de laisser entendre que c'est moi que je cherche à protéger? Est-ce que tu ne serais pas en train d'insinuer que j'ai peur des qu'en-dira-t-on, de l'opinion des gens? C'est bien ça, n'est-ce pas? Mais sache, ma fille, que je me fous éperdument de tout ce que les gens pourraient penser ou dire. Je me fous de tout le monde, sauf de mes filles. Est-ce clair? Et quand je dis mes filles, je pense à toi, à Émilie et à Anne.

Raymond se tut pour reprendre son souffle. Mais Charlotte n'osa intervenir. Il y avait tant d'électricité dans l'air qu'elle en perdait les mots qui sauraient peut-être ramener son père au calme. Après cette courte pause, Raymond reprit de plus belle.

– Que veux-tu que je fasse, Charlotte? Dis-le, toi qui sembles si bien tout comprendre. Tu voudrais que je dise la vérité? Quoi de mieux que de la vérité, n'est-ce pas? Imagine-toi donc que j'y avais pensé. C'est ce que nous avons cru, Antoinette et moi. Dire la vérité et tous les problèmes s'envoleraient comme par magie. Mais avec ce qui s'est passé cet hiver, j'ai compris que la vérité était parfois plus lourde à supporter qu'un silence. Nous étions aveugles quand nous pensions que tout prendrait sa place en disant simplement la vérité. Ça vaut pour Émilie qui n'a pas à savoir ce que sa mère a fait. Elle est assez perturbée comme ça. On n'a pas le droit de venir démolir ce qui a toujours été les assises de sa vie. Toi comme moi, même si Blanche n'a rien avoué, nous savons ce qui s'est probablement passé. Pour l'instant, je considère que ça doit rester entre nous. Seul l'avenir nous autorisera peut-être à parler. Quand Émilie sera assez forte pour apprendre ce qui s'est réellement passé. Et avec Anne, c'est la même chose. Parce que si je veux être honnête en disant cette fichue vérité, il faudra aussi que j'ajoute: en passant, Anne, la femme que j'aime et que j'aimais, c'est Antoinette. Toi, c'est triste à dire, tu n'es qu'un accident de parcours. Je n'ai jamais voulu avoir de troisième enfant avec ta mère et je me suis bercé d'illusions en osant croire que ta venue allait arranger les choses. C'est le contraire qui s'est produit. Quand tu es née, ça n'a fait qu'empirer avec les années. C'est ça que tu veux que je dise à ta sœur?

— Mais non, tu le sais bien.

— Pourtant, sacrament, c'est ça qui serait la vérité! cracha Raymond hors de lui. Alors, vois-tu, je trouve qu'elle n'est pas très belle à dire, cette vérité. Si j'avais su qu'Antoinette portait mon enfant, au même moment où ta mère portait Anne, je ne sais pas ce que j'aurais fait. Et je préfère ne pas le savoir. La vie s'est occupée de prendre certaines décisions à ma place et c'est peut-être mieux ainsi. Alors, non, je ne dirai pas à Anne ce qui s'est réellement passé et non, je n'irai pas vivre au Connecticut, car elle est assez intelligente ou assez intuitive pour deviner des choses qui pourraient la blesser. Comment veux-tu qu'elle accepte que tout d'un coup, parce que sa mère est internée, je tombe amoureux justement de la mère de son bon ami Jason? C'est insensé de croire qu'elle ne se poserait pas de questions. Et vois-tu, Anne a été suffisamment rabaissée, dévalorisée par ta mère pour lui éviter cela. Un jour, peut-être que nous pourrons en parler ensemble librement. Mais ce jour-là n'est pas encore venu. Anne est trop jeune encore.

Pendant qu'il parlait, Raymond avait cessé de déambuler dans son bureau. Présentement, il se tenait devant la fenêtre et semblait regarder dehors.

Charlotte sentit que la tension était tombée. Son père lui tournait le dos. À contre-jour, elle vit ses épaules s'affaisser alors que du bout du doigt, il se mit à gratter le givre qui dessinait des arabesques sur le carreau; même si le printemps était arrivé, le froid perdurait.

Alors Charlotte regretta d'avoir douté de lui. Même si cela n'avait duré qu'un instant. Elle se leva pour venir le rejoindre. Glissant une main sous son bras, elle dit:

— Je te demande pardon, papa. Je ne voulais pas te faire de peine. Je t'aime, tu sais.

— Oh! Je le sais, fit-il la voix enrouée. Moi aussi je m'excuse de m'être emporté. Ce n'est pas contre toi que j'en ai, c'est contre la vie. Curieux de voir ce qu'elle nous réserve parfois. J'étais persuadé que Blanche écartée, tout le reste coulerait de source. Mais ce n'est pas le cas. Bien sûr, pour Anne, une grande partie du problème est réglé. Mais il restera réglé tant et aussi longtemps que je tairai ce qui s'est réellement passé au moment de sa naissance. Pour l'instant du moins. Et il n'y a pas qu'elle dans cette décision. Il y a Émilie aussi.

— Émilie? Je ne voudrais pas te contredire, papa, mais je ne crois pas qu'Émilie ait besoin de toi en ce moment. C'est de Marc qu'elle a besoin. Si c'est à elle que tu penses pour justifier ta position, ce sont de faux prétextes.

— Mais je le sais très bien… Nous disons la même chose, Charlotte. Émilie n'a pas besoin de son père, elle a besoin de son mari pour refaire surface. Ce qu'elle a vécu est terrible. C'est pour cela que Marc n'est au bureau qu'à moitié. Et je remercie le ciel qui fait en sorte que je peux travailler pour deux le temps qu'Émilie aura besoin de son mari. Alors, comme tu vois, ce n'est pas du tout le temps d'annoncer que je prends ma retraite. Ça aussi, ça viendra plus tard.

Il y eut un instant de silence que ni l'un ni l'autre n'eut le courage d'interrompre. Puis Raymond ajouta d'une voix tremblante:

— Comme tu peux le constater, mon Charlot, dans la vie, rien n'est jamais tout noir ou tout blanc. Il y a la gamme infinie des gris entre les deux.

Mon Charlot…

Charlotte aimait quand son père employait ce surnom qui remontait à son enfance. Elle se serra plus étroitement contre lui.

— Mais toi, papa? Et Antoinette? Je trouve tellement triste que vous ne…

— Oh! Tu sais, nous deux, on a appris à attendre, coupa Raymond. Nous en avons longuement parlé l'autre jour au téléphone.

Il laissa couler un petit rire qui leur fit du bien à tous les deux.

— Ça m'a coûté une petite fortune! Mais ça nous a fait comprendre et accepter bien des choses, cette bonne et longue conversation. Et puis, rien ne nous empêche de nous voir. Elle viendra ici et nous irons visiter le Connecticut, Anne et moi. Dès le mois de juillet, d'ailleurs. J'attends le prochain bulletin de ta sœur pour le lui annoncer. Avec un peu de chance, tout devrait aller mieux chez Marc et il pourra prendre la relève au bureau durant un mois. Tu te rends compte? Un mois de vacances! Je n'ai pas fait cela depuis le temps de mes études. Laisse-moi te dire que j'ai hâte!

– C'est vrai que tu l'as mérité. Et la maison, dans tout ça? Tu sais qu'Anne attend toujours que tu replaces la pancarte au bord de la rue.

– Ah oui? Elle t'en a parlé? Je croyais que ça n'avait plus tellement d'importance pour elle. Mais si tu le dis…

– Je crois, oui, qu'elle espère toujours déménager. Le moins que tu pourrais faire, c'est de lui en parler, tu ne crois pas?

– Tu as raison. Et c'est ce que je vais faire dès ce soir. Ce n'est plus vraiment la bonne période de l'année pour vendre, les gens vont déménager dans quelques semaines à peine! Mais pourquoi pas? Si ça ne prend que ça pour rendre Anne heureuse…

Et quand il rentra chez lui, ce soir-là, Raymond replaça la pancarte au bord du trottoir. Anne avait raison: il était plus que temps de quitter cette sinistre maison.

Ensemble, sa fille et lui, ils allaient chercher une nouvelle maison. Et quand viendrait le temps d'annoncer qu'il avait choisi de poursuivre sa vie aux côtés d'Antoinette, il n'aurait qu'à vendre l'autre maison.

Mais d'ici là, Raymond savait que beaucoup d'eau coulerait sous les ponts. Beaucoup d'eau…

DEUXIÈME PARTIE

Automne 1950 - Automne 1951

« *L'âge ne vous protège pas des dangers de l'amour.*
Mais l'amour, dans une certaine mesure,
vous protège des dangers de l'âge. »

JEANNE MOREAU

Chapitre 7

Anne avait repris le chemin de l'école avec une certaine appréhension : elle venait de changer d'institution et aucune de ses amies ne la suivait à cette nouvelle école. Dorénavant, elle irait au couvent, toute seule chaque matin, et elle trouvait cela terrifiant de se retrouver dans une cour d'école où elle ne connaissait personne.

Le temps était venu pour elle d'entrer au secondaire et elle commençait son cours classique.

Éléments latins…

Juste le nom que l'on donnait à cette première année du secondaire lui semblait rébarbatif. Mais son père était catégorique.

– La maison n'est toujours pas vendue. Je sais bien que cela t'agace de voir qu'après plus d'un an, la maison n'ait toujours pas trouvé preneur, mais c'est ainsi. Alors, aussi bien profiter de l'occasion pour t'inscrire au couvent. Avec un cours classique, toutes les portes te seront grandes ouvertes quand viendra le temps de choisir un métier.

Et sur le sujet, inutile de s'ingénier à trouver des arguments de persuasion, Raymond n'avait pas bougé d'un iota au fil des années. Ce n'était pas parce que l'on était une fille qu'on n'avait pas à préparer son avenir.

– Et ne viens pas me dire que, plus tard, tu veux être musicienne, avait-il prévenu, avant même qu'Anne n'ouvre la bouche pour protester, je le sais. Mais à mes yeux, ce n'est pas une raison suffisante pour te défiler. Tu iras au couvent comme tes sœurs et tu feras tes humanités. Point à la ligne et pas de discussion ! Par contre, si tu aimes toujours autant la musique quand tu auras fini ton cours, on pourra peut-être envisager le conservatoire. Mais pas avant.

Ainsi, tous les matins, depuis quelques semaines, Anne rageait contre l'horrible tunique de serge bleu nuit qu'elle était obligée de revêtir et elle haranguait les non moins horribles bas de laine beige qu'elle devait faire tenir avec un abominable et inconfortable corset qui s'ingéniait à se tortiller autour de sa taille. Pour compléter le tout, elle devait obligatoirement enfiler un chemisier blanc à manches longues et au col amidonné, que son professeur inspectait tous les matins afin d'en vérifier la propreté.

La seule concession possible en cas de grande chaleur : les élèves avaient le droit de rouler les manches du chemisier à hauteur de coude.

Un vrai cauchemar pour une fille qui s'appelait Anne Deblois et qui, aujourd'hui encore, préférait les pantalons et adorait grimper aux arbres.

D'autant plus qu'elle n'avait jamais été une adepte inconditionnelle de l'école. Jusqu'à ce jour, elle y était allée sans trop rouspéter, avait pris un certain plaisir à étudier quelques matières, mais elle n'était pas avide d'apprendre comme l'avait été Charlotte et comme l'était Alicia.

Tout devint donc prétexte à confrontation.

Devant des contraintes vestimentaires qu'elle trouvait ridicules, un couvent qui sentait le vieux chou selon ses dires et des compagnes de classe jeunes de caractère, depuis septembre, Anne s'était radicalement transformée. De tiède partisane de l'éducation, elle était devenue farouche opposante à toute forme de scolarité. Elle savait ce qu'elle voulait faire dans la vie, pourquoi perdre son temps à étudier des matières qui ne serviraient à rien, de toute façon! La charge des devoirs étant nettement plus lourde qu'à la petite école, le temps à y consacrer lui semblait interminable. Certains soirs, elle devait parfois y passer des heures. Bien entendu, lesdites heures étaient soustraites irrévocablement, chaque fois, aux précieuses minutes qu'elle avait l'habitude de consacrer au piano. Anne trouvait cette routine éprouvante et profondément injuste. Si son père avait voulu l'envoyer à l'école du quartier, elle n'aurait pas à traduire des thèmes latins obscurs et des versions encore plus nébuleuses, et il lui resterait suffisamment de temps pour avoir des pratiques de musique intéressantes au lieu de la petite demi-heure qu'elle pouvait y consacrer habituellement. Même madame Mathilde semblait la comprendre puisqu'elle n'avait rien dit quand elle lui en avait parlé.

Qui ne dit mot consent! C'était là un dicton qu'elle venait d'apprendre et qu'elle trouvait fort à propos dans son cas.

Anne traversa donc le mois de septembre affichant une mine plutôt ténébreuse, ce qui faisait rire Raymond. Rien de bien encourageant pour motiver une quelconque envie de changer. Si en plus son père se moquait d'elle, Anne sentait qu'elle allait devenir belliqueuse!

Le cheveu en bataille et la semelle traînante, elle ripostait à sa façon. Elle voulait changer d'école et elle tiendrait son bout jusqu'à ce que son père se range derrière elle.

Mais peine perdue, Raymond lui tenait tête.

Ce fut seulement à la fin d'octobre qu'elle accepta de baisser les armes, quand le charme un peu désuet d'une vieille religieuse joua en faveur du couvent.

Elle s'appelait sœur Marie-Reine-du-monde. C'était la titulaire de sa classe. La dame, qui n'était pas tombée de la dernière pluie, reconnut chez Anne la petite fille qu'elle avait jadis été et nombre de gamines qui étaient passées dans sa classe. Un peu bougon, légèrement brouillon, susceptible, pas très assidue, mais baignée d'une émotivité à fleur de peau et dotée d'une intuition peu commune chez une enfant de cet âge, Anne l'avait séduite.

La chrysalide n'avait besoin que d'un peu de confiance en elle et d'attention pour se transformer en papillon magnifique et apprécier la chance qu'elle avait d'avoir un père qui tenait aux études.

Sœur Marie, comme les filles de la classe l'appelaient familièrement, la prit donc sous son aile.

La vieille religieuse lui confia de menus travaux, de petites responsabilités et elle se fit un devoir de la féliciter régulièrement, de l'encourager quand la tâche demandée était plus difficile. Quand elle sentit que la glace de l'apparente indifférence d'Anne commençait à céder, elle lui proposa de rester parfois après l'heure des classes, juste pour le plaisir de bavarder ensemble.

Ce fut ainsi que sœur Marie apprit qu'Anne vivait seule avec son père, sa mère étant internée à cause de nombreux problèmes de santé, problèmes auxquels la jeune fille n'avait fait qu'une légère allusion, sans trop élaborer, ce que sœur Marie avait respecté. D'un même souffle, elle apprit aussi qu'Anne avait deux sœurs, une qui était veuve et vivait avec sa petite fille Alicia et l'autre qui avait perdu un bébé l'année dernière et qui ne s'en était jamais remise.

Elle apprit surtout que sa jeune élève avait une grande passion dans la vie : la musique.

Elles passèrent des heures, toutes les deux, à discuter tendance musicale actuelle et grands musiciens classiques. Anne était surprise de voir que de l'intérieur d'un couvent sœur Marie pouvait être aussi férue en musique moderne, celle qu'elle écoutait l'oreille collée sur le haut-parleur du poste de radio.

– Mais nous avons, nous aussi, quelques postes de radio, Anne !

Et j'aime bien la chansonnette française et cette musique un peu, comment dire, un peu rythmée qui nous vient des États-Unis.

Et, contre toute attente, Anne, la fille farouche, l'indépendante, la sauvageonne, se laissa apprivoiser par la vieille religieuse.

Du coup, elle trouva du temps pour rester le plus souvent possible avec sœur Marie et faisait parfois ses devoirs en sa compagnie, ce qui rendait la tâche nettement moins ardue et lui laissait beaucoup plus de temps pour jouer du piano.

À treize ans, elle apprenait enfin ce que pouvait être la douceur maternelle d'une femme à l'écoute exceptionnelle.

Sœur Marie lui faisait un peu penser à madame Mathilde. Deux femmes irremplaçables à ses yeux et qui avaient une disponibilité incomparable.

Toutes les deux, chacune à sa façon, comblaient ainsi un besoin d'attention qui n'avait jamais trouvé pleine satisfaction auparavant.

Sœur Marie et madame Mathilde n'avaient pas de famille, peu d'obligations, et leur occupation première était de s'occuper d'elle. Du moins était-ce ainsi que la jeune Anne le voyait.

L'humeur de la jeune fille s'améliora nettement et les notes grimpèrent de façon appréciable.

Ce fut en outre à partir de ce temps qu'Anne cessa complètement de parler de sa mère.

Jusqu'à maintenant, même si elle n'était pas tellement portée à prendre de ses nouvelles, il lui arrivait parfois de sonder le terrain pour savoir si elle allait mieux.

La réponse de son père était invariable : nul changement, nulle perspective de retour.

Un an et demi ayant déjà passé depuis l'hospitalisation de sa mère, et ce, sans la moindre amélioration, Anne jugea que maintenant, elle pouvait respirer en paix. Le « longtemps » de son père ressemblait enfin au sien. Il voulait dire «toujours».

Ne restait plus que la maison qui n'avait toujours pas trouvé preneur.

Ou c'était trop grand. Ou c'était trop sombre. Ou c'était trop vieux…

Il y avait toujours quelque chose qui n'allait pas.

Ce qui faisait dire à Anne qu'ils seraient prisonniers de cette affreuse maison jusqu'à la fin de leurs jours et que la belle pancarte d'Émilie finirait sa carrière en perchoir pour les oiseaux.

— Tu parles d'une corvée de toujours faire le ménage! Juste au cas où… Et puis, comment veux-tu, papa, que cette fichue maison me convienne si elle ne convient à personne? Tu admettras que ce n'est pas la plus belle maison en ville.

Et Raymond en convenait. Lui non plus ne l'avait jamais beaucoup aimée.

— Un peu de patience, ma fille, on finira bien par trouver quelqu'un qui y trouvera un certain charme. Ce n'est tout de même pas un taudis! Et que dirais-tu, en attendant, d'aller passer les fêtes dans le Connecticut?

— Chez Jason? C'est sérieux? Vraiment sérieux? Alors là, pas de problème, ça me convient tout à fait!

Depuis un peu plus d'un an, les rencontres avec Antoinette et Jason s'étaient multipliées, à la grande joie d'Anne qui les retrouvait toujours avec un bonheur renouvelé. L'été dernier, pour la deuxième fois, Charlotte et Alicia avaient partagé leurs vacances, et les deux semaines passées à la mer avaient été une fête tous les jours.

Curieusement, depuis l'hospitalisation de sa mère, jamais aucun des voyages prévus n'avait été remis ou annulé. Anne n'avait pas manqué de le remarquer. Ce qui lui avait fait penser qu'elle avait eu raison de croire que Blanche avait été ce que son père avait appelé une circonstance imprévisible quand Jason et Antoinette ne s'étaient pas joints à eux pour célébrer Noël. Le pourquoi de la chose lui échappait complètement, mais à ses yeux cela n'avait guère d'importance puisque maintenant, Jason et elle se rencontraient plusieurs fois par année.

Et contrairement à ce qu'elle avait craint quand elle était entrée à l'école en septembre, l'automne passa relativement vite et les vacances ne furent plus qu'à un jet de pierre. Encore quelques examens et le semestre serait derrière elle.

La ville avait repris ses allures d'igloo, car il tombait une grosse neige lourde depuis plusieurs jours. Raymond, toujours aussi prudent, décida donc de faire la route en train, ce qui ajouta au plaisir du voyage. Anne s'installa à la fenêtre pour regarder le paysage qu'elle commençait à connaître de mieux en mieux. Les villages suivaient les forêts et précédaient les petites villes industrielles. Ensuite il y avait une région parsemée de fermes et après venaient les grandes villes.

Le nez collé à la vitre, Anne se rappelait le chemin qu'elle avait parcouru dans ce même train alors qu'elle revenait de ses premières vacances chez Jason. Elle se souvenait à quel point elle était malheureuse de rentrer chez elle. Cela faisait à peine plus de deux ans. Mais il s'était passé tellement de choses depuis qu'elle avait l'impression que cela faisait une éternité.

À commencer par elle-même, qui avait beaucoup changé.

Et c'était exactement cela que Raymond se disait au même instant en regardant sa benjamine à la dérobée. Anne n'était plus une petite fille.

Physiquement, elle ressemblait de plus en plus à Charlotte. Même carrure, même allure un peu altière. Seul le regard était différent. Alors que son aînée posait des reflets d'océan sur les gens et les choses, Anne avait les yeux foncés, d'un brun sombre et impénétrable qui lui permettait de cacher facilement ses émotions.

Mais depuis quelque temps, Raymond avait remarqué que lorsque sa fille était heureuse, le brun de ses yeux virait à la couleur noisette.

«Comme ceux d'Antoinette» pensa Raymond, particulièrement ému à l'idée qu'ils avaient deux longues semaines devant eux.

Ce fut à ce moment qu'Anne prit conscience que son père l'observait. Elle tourna la tête vers lui.

– Quelque chose ne va pas?

Raymond ouvrit tout grand les yeux.

– Si de trouver que sa fille devient une très jolie jeune femme est un problème, alors c'est le problème que j'ai! Peux-tu m'aider à le régler?

Anne se mit à rougir. C'était si nouveau pour elle de recevoir régulièrement compliments et félicitations que chaque fois, elle était embarrassée, gênée, et ne savait que dire. Après avoir fait une petite grimace comique à son père, elle glissa sur la banquette pour s'approcher de lui avant de glisser un bras sous le sien.

– Je t'aime, papa.

Chez les Deblois, ce n'étaient pas des mots que l'on prononçait souvent. Raymond en fut tout ému et il se promit de ne plus jamais être avare de ces mots tout simples mais vrais qui rendent parfois la vie un peu meilleure.

– Moi aussi je t'aime, Anne.

Raymond avait parlé dans un gros soupir de bien-être. Que le bonheur pouvait être simple, parfois! Si discret et si complet en même temps.

S'appuyant l'un contre l'autre, ils se mirent à parler des vacances qui commençaient. Puis ils finirent par s'endormir, ballottés par le train qui filait rapidement dans la nuit naissante pour les mener chez Antoinette et Jason avec qui ils avaient hâte de célébrer Noël.

Pour Anne, cependant, ce petit voyage fut beaucoup plus qu'une simple escapade pour célébrer les fêtes de fin d'année.

Ce petit voyage fut la saison des découvertes.

Elle réalisa durant ces vacances au Connecticut que Raymond, son père, celui avec qui elle vivait depuis tant d'années, était en fait un parfait inconnu pour elle.

Du jour au lendemain, elle eut l'impression que Raymond Deblois avait changé.

Jamais elle n'aurait pu deviner que derrière l'homme sérieux, tranquille, taciturne même par moment, se cachait un être qui aimait jouer, s'amuser et taquiner.

Bien sûr, au fil des années, il avait souvent partagé ses jeux, mais jamais avec cette espèce de joie de vivre, de liberté qu'il affichait depuis qu'ils étaient arrivés chez Jason.

Anne sentait que son père était heureux, pleinement, sans restriction, comme jamais elle ne l'avait senti auparavant.

Qu'est-ce qui faisait qu'ici son père semblait tout léger alors qu'à la maison, il était replié sur lui-même? L'homme qui riait avec elle depuis le début des vacances n'était pas le même que celui qui demandait d'être patient, que celui qui n'osait répliquer à Blanche en disant que la confronter n'apporterait rien de bon.

Le changement intriguait Anne.

Mais à qui en parler? Sûrement pas au principal intéressé, Anne avait trop peur que ses questions ne ramènent le père qu'elle avait déjà connu.

Chose certaine, elle était en train de vivre les plus belles vacances de sa vie. «Des vacances à marquer d'une pierre blanche» pensait-elle souvent quand elle entendait son père s'esclaffer comme un enfant ou discuter joyeusement avec Antoinette.

Ce fut justement au cours d'une de ces discussions enflammées portant sur les arts qu'Anne pensa avoir compris ce qui rendait son père si joyeux.

Antoinette avait déteint sur lui.

Ce n'était pas d'hier qu'elle savait que la mère de Jason était une femme à l'humeur agréable, toujours égale, rieuse, espiègle même.

En fait, Antoinette était tellement gentille que cette gentillesse était contagieuse. Quoi d'autre? Depuis leur arrivée, il n'y avait eu ni dispute, ni réprimandes, ni interdits. Quand Jason ou elle avaient une requête à formuler, on prenait le temps de les écouter, d'en discuter. La vie était nettement plus agréable ainsi.

Anne souhaita alors que cette nouvelle attitude perdure jusqu'à la maison. Ce serait bien si papa continuait de faire la vaisselle en sifflotant comme il le faisait ici. Mais Antoinette n'étant plus là, la chose serait-elle possible?

Elle passa le reste de son séjour à espérer que le changement soit durable malgré l'absence d'Antoinette et profita avec gourmandise de chacun des petits plaisirs qui parsemaient ses journées.

Pourtant, ce fut au retour en classe qu'Anne eut la vraie réponse à ses interrogations, et cette réponse rejoignait ce qu'elle avait imaginé.

Du moins, le crut-elle.

Les cours avaient repris là où Anne les avait laissés: encore des tonnes de devoirs et de leçons à faire. Les professeurs avaient même eu l'audace de parler d'examens pour la semaine prochaine et en latin, il y aurait un test de vocabulaire dès le vendredi suivant.

Anne détestait le latin. Comment garder sa bonne humeur dans de telles conditions? Voyant que sa jeune protégée avait sa mine des mauvais jours, sœur Marie lui demanda de rester après les heures de classe.

Anne ne se fit pas tirer l'oreille. Les cours de piano ne reprenaient que dans quelques jours et tout valait mieux que d'avoir à étudier son latin.

Elle attendit que les autres filles aient quitté la classe et, comme elles en avaient pris l'habitude, Anne s'installa au premier pupitre en avant de la classe et sœur Marie vint la rejoindre. Depuis qu'elle connaissait un peu mieux la vie que menait Anne, sœur Marie se faisait un devoir de toujours l'écouter. Elle devinait que tout au fond d'elle-même, si la jeune fille avait de la difficulté à se faire confiance, c'était parce qu'elle n'avait jamais été vraiment écoutée. Quand elles discutaient ensemble, Anne était souvent hésitante, elle semblait craintive. Sachant sa mère malade, sœur Marie s'était souvent demandé à quelle sorte de vie Anne avait eu droit. Quand quelqu'un est hospitalisé aussi longtemps, c'est que la maladie était relativement grave. Anne craignait-elle pour la vie de sa mère? Ou au contraire, l'hospitalisation de sa mère avait-elle été un soulagement pour elle? Sœur Marie ne le savait pas et ne se sentait pas le droit d'interroger Anne sur le sujet.

Par contre, quand elle avait rencontré son père lors de la première remise des bulletins, son impression avait été bonne: c'était un homme honnête et sincère. Il avait vaguement mentionné que pour l'instant, il s'occupait seul de l'éducation de sa fille et sœur Marie n'en avait pas demandé plus. Pas plus qu'elle n'avait parlé de ses petites discussions avec Anne après les heures de classe. Anne lui faisait confiance, elle n'allait pas tout gâcher par une indiscrétion. Si Anne voulait en parler à son père, elle le ferait d'elle-même.

Et ce soir, elle devinait qu'Anne ressassait quelque problème ou questionnement. À plusieurs reprises durant la journée, elle avait surpris son élève en train de rêvasser, la tête tournée vers les fenêtres, et elle s'était demandé à quoi avaient ressemblé ses vacances. Bonnes ou mauvaises?

— Alors, jeune fille, vos vacances? À la hauteur de vos attentes?

Anne leva vers son professeur un sourire ravi.

— Et comment! On a fait un voyage, papa et moi. On a rendu visite à des amis qui habitent le Connecticut.

— Oh! chanceuse! J'aimais bien voyager moi aussi, tu sais.

Anne resta silencieuse un bref moment.

— Et maintenant, vous ne voyagez plus?

Sœur Marie éclata d'un rire juvénile.

— Malheureusement, quand on choisit de vivre dans un couvent, il faut accepter certains sacrifices.

Il n'y avait peut-être qu'avec sœur Marie et madame Mathilde qu'Anne osait poser des questions jusqu'à ce que la réponse la satisfasse. Même gênée, même hésitante, elle finissait toujours par aller jusqu'au bout de sa pensée parce que l'une comme l'autre, elles n'avaient jamais dit qu'elle était insignifiante ou dérangeante. Alors Anne poursuivit.

— Mais encore, sœur Marie. Comment peut-on accepter de choisir quelque chose tout en sachant qu'on va se priver d'une autre chose que l'on aime?

La religieuse posa un sourire attendri sur le visage sérieux de sa jeune élève.

— La vie n'est faite que de ça, ma belle: des choix.

— Mais comment peut-on savoir si notre choix est le bon? insista Anne. Qu'est-ce qui nous dit qu'on n'est pas en train de se tromper?

Sœur Marie resta silencieuse un moment. Elle savait que la réponse qu'elle donnerait à Anne pouvait avoir des conséquences qui la suivraient durant toute sa vie. Comme elle savait aussi qu'à l'âge où Anne était, l'influence de certains professeurs était encore plus grande que celle des parents.

— La seule façon de ne pas faire fausse route, commença-t-elle d'une voix douce, c'est d'agir selon son cœur. Quand on aime, même les sacrifices deviennent faciles.

Anne fronça les sourcils. Bien sûr, et c'était évident pour elle, quand on aimait quelqu'un, c'était facile de chercher à lui plaire. Elle se rappelait combien elle avait voulu faire plaisir à son père quand il lui avait offert son piano. Mais de là à choisir ce que l'on voulait faire pour le reste de sa vie juste en se basant sur son cœur… Et comment sœur Marie pouvait-elle parler d'amour en parlant de ce vieux couvent qui sentait le chou?

— Et… et c'est par amour que vous avez choisi de vivre ici?

Anne semblait si incrédule que sœur Marie ne put retenir le rire qui grelottait en elle.

— Tout à fait! C'est par amour pour le Seigneur que je suis ici. C'est à Lui que j'ai confié ma vie quand j'avais dix-neuf ans et pas une seule fois, je ne l'ai regretté. Quand Il m'a appelée, j'ai dit oui et c'est le plus beau choix que j'aie fait.

Si la réponse de sœur Marie laissait Anne un peu perplexe, car elle n'avait pas été élevée dans une famille où la pratique religieuse était importante, l'attitude de la religieuse, par contre, lui faisait comprendre bien des choses. Sœur Marie avait l'air toute légère quand elle parlait de son Seigneur et il y avait une lumière de joie qui brillait dans ses yeux.

Comme son père quand ils étaient chez Jason!

Maintenant, Anne comprenait ce qui s'était passé. Mais pour être bien certaine, elle demanda encore:

— Et quand on aime quelqu'un, est-ce que c'est la même chose?

La religieuse haussa les épaules.

— Je présume. Je n'ai pas d'homme dans ma vie, mais je crois pouvoir dire sans me tromper que l'amour que l'on ressent pour un homme doit ressembler à ce que je ressens pour le Seigneur.

– Je... Merci, sœur Marie. Ce que vous venez de me dire va beaucoup m'aider.

La religieuse éclata de rire.

– Ah oui? Je ne vois pas en quoi... Mais si tu le dis, je te crois. Et alors, ces vacances, qu'est-ce que tu as fait de bon au Connecticut? Y avait-il de la neige là-bas?

Et toutes les deux discutèrent joyeusement de ce que furent leurs vacances respectives. Surprise, Anne s'aperçut que même les religieuses avaient une famille et des amies.

Elle revint chez elle en sautant à cloche-pied comme lorsqu'elle était petite, une phrase dite par sœur Marie lui revenant sans cesse à l'esprit: la seule façon de ne pas faire fausse route, c'est d'agir selon son cœur.

C'était évident: son père était amoureux d'Antoinette. C'était pour cette raison qu'il semblait tout léger, qu'il y avait des lumières dans ses yeux et qu'il riait beaucoup.

Et ça, pour elle, c'était la meilleure nouvelle reçue depuis fort longtemps.

Que pouvait-il lui arriver de mieux pour l'instant? Tant pis pour le couvent et les devoirs, savoir que son père et Antoinette s'aimaient aidait à supporter bien des choses.

Tout au long du chemin qui la ramenait chez elle, Anne se surprit à échafauder mille et un projets de vie. Son père n'allait pas rester indéfiniment loin d'Antoinette. Ils allaient bien finir par vouloir vivre ensemble comme le font tous les amoureux du monde.

Et alors Jason deviendrait une sorte de frère pour elle.

La maison finirait bien par être vendue et alors ils choisiraient quelque chose au bord de l'eau pour y vivre tous les quatre.

Idéalement, il ne faudrait pas que ce soit trop loin, car Anne voulait continuer ses cours de piano avec madame Mathilde. Et aussi avoir l'occasion de revoir sœur Marie si jamais Antoinette réussissait à convaincre son père que l'école du quartier pouvait tout aussi bien faire l'affaire.

À moins que son père et elle ne déménagent au Connecticut?

Ce ne fut qu'en arrivant devant chez elle que son beau château en Espagne s'écroula. Il y avait encore loin entre ses rêves et la réalité. Anne avait oublié une donnée d'importance dans toutes les belles équations qu'elle enlignait depuis son départ de l'école.

Son père était toujours marié à Blanche.

Anne fit la moue.

Est-ce que ça pouvait changer quelque chose à ses projets? Après tout, cela faisait longtemps que sa mère n'habitait plus à la maison. Peut-être bien, dans ces conditions-là, que son père avait le droit de se marier avec une autre femme?

Elle n'y connaissait absolument rien.

Ce qu'elle savait, par contre, c'était qu'avec sa mère, son père ne riait presque jamais et qu'auprès d'Antoinette, il semblait vraiment heureux.

Et pour elle, c'était cela qui était important et rien d'autre.

* * *

Émilie avait vu venir le temps des fêtes avec une anxiété qui allait croissant, jour après jour.

Surtout quand elle avait appris que son père et Anne ne seraient pas des leurs à Montréal pour célébrer Noël et le jour de l'An. Elle aurait voulu leur demander si elle pouvait les accompagner. Cela l'aurait peut-être aidée à moins penser.

Mais elle n'avait pas osé.

Il y avait Marc qui ne pourrait quitter la métropole, car c'était lui qui gardait le phare en l'absence de Raymond; cette année, il y avait de nombreux contrats à terminer pour le début de l'année suivante. Jamais il ne pourrait prendre de vacances.

Comment aurait-elle pu passer ce 29 décembre si Marc n'avait été à ses côtés? Alors pas question d'accompagner son père et Anne.

Elle avait donc choisi de rester à Montréal. Ensemble tous les deux ils allaient parler de Rosalie qui aurait eu deux ans si Émilie avait mené sa grossesse à terme.

Chaque fois qu'elle y pensait, Émilie avait encore de grosses larmes qui lui montaient aux yeux.

Là encore, elle avait échoué.

Depuis deux ans, Émilie n'arrivait pas à oublier.

Par sa faute, tout avait été gâché. Par sa faute, Marc n'avait pas la famille qu'il rêvait d'avoir. Par sa faute, elle savait que son mari était malheureux. Elle n'était qu'une incapable. Une empêcheuse de tourner en rond, doublée d'une femme à la santé précaire. Avec elle, Marc ne pourrait jamais avoir de vie normale.

Comme ses sœurs n'avaient pas eu de vie familiale heureuse.

Combien de pique-niques annulés par sa faute, de sorties remises, de soupers gâchés? Pendant quelques mois, elle avait cru que cette période était révolue. Elle avait connu un certain succès dans sa carrière et cela lui avait permis de se sentir plus forte, d'avoir confiance en elle. Puis il y avait enfin eu cette grossesse qui semblait bien partie. Cette fois, le bébé s'accrochait. Six mois, elle avait connu six mois d'un beau bonheur tout rond. Cette période resterait pour elle la plus belle qu'il lui ait été donné de vivre.

Mais la vie avait fini par la ramener dans le chemin qui était le sien.

Depuis la mort de Rosalie, elle avait retrouvé l'inconfort de se sentir responsable de tout ce qui arrivait de malheureux autour d'elle.

Ses journées oscillaient entre une tristesse pure et dure et une culpabilité tout aussi intenable.

Elle n'osait plus sortir de son logement, car chaque fois qu'elle croisait une mère avec de jeunes enfants, elle détournait la tête pour que l'on ne puisse voir ses larmes et elle revenait chez elle complètement brisée.

Même le bonheur des autres lui était insoutenable. La vie pour elle se réduisait à une suite interminable d'injustices.

Pour la même raison, ses rencontres avec Charlotte se résumaient à des échanges de politesse quand elle ne pouvait les éviter. La petite Alicia était si jolie, si pleine de vie.

Elle était surtout la fille de Marc. S'il fallait que son mari change d'avis et se mette à s'occuper d'Alicia?

Émilie avait peur de voir Marc s'éloigner d'elle, mais elle avait encore plus peur d'essayer d'avoir un autre bébé.

Même la peinture ne l'attirait plus. Les couleurs pastel qui avaient toujours été les siennes lui rappelaient trop le monde de l'enfance. Et qui donc aurait pu vouloir acquérir des toiles sombres qui disaient la détresse de leur auteur?

L'atelier restait fermé en permanence. C'était désormais une pièce sans vocation définie. Le papier peint des murs était toujours à demi arraché, les chevalets gisaient en tas dans un coin. Et la berceuse, fidèle au poste devant la fenêtre, se demandait encore quand viendrait le bébé à endormir.

Mais Émilie savait qu'il n'y aurait pas de bébé. Elle ne voulait plus jamais revivre l'enfer qu'elle avait traversé. Tant pis si cela lui coûtait son bonheur avec Marc qui, lui, parlait régulièrement de faire une autre tentative.

Sans dire non ouvertement, elle esquivait la question en disant qu'elle était encore jeune, qu'ils avaient tout leur temps. Elle avait trop peur de souffrir à nouveau. S'il fallait qu'elle perde un autre bébé, elle en mourrait.

Seule sa mère, peut-être, aurait pu arriver à la raisonner, à la consoler. Comme elle l'avait si souvent fait quand elle était une toute petite fille. Combien de chagrins s'étaient envolés quand elle se blottissait dans les bras de sa mère? Elle ne saurait le dire tant ils étaient nombreux.

Aujourd'hui, elle avait l'impression de pleurer seule son bébé, car pour tous les autres, l'événement se perdait déjà dans la brume des souvenirs.

Quand elle était enfant, il n'y avait que sa mère qui avait accepté sa différence et l'avait aimée sans rien demander en retour. Émilie était à son image. Elle était fragile et son insécurité venait de là. Pourquoi lui demander d'être comme tout le monde? Elle n'était pas tout le monde. Cela, sa mère avait réussi à l'en convaincre. Mais celle-ci n'était plus là pour le lui rappeler, pour l'aider à refaire surface, pour reprendre confiance en elle et en la vie.

Depuis la mort de Rosalie, Émilie n'avait jamais plus reparlé à sa mère dans des conditions normales parce que Blanche n'était plus qu'un fantôme de mère. Pourtant, semaine après semaine, elle lui rendait visite avec l'espoir qu'un beau jour, elle retrouverait celle qu'elle avait tant aimée.

Malheureusement, semaine après semaine, elle se heurtait à une femme qu'elle avait peine à reconnaître. Le regard fuyant, la voix hésitante et les mains tremblantes, Blanche avait de la difficulté à soutenir une banale conversation et n'avait de son passé que de vagues souvenirs. Pour elle, la vie se résumait à ce qu'elle était présentement.

Alors, semaine après semaine, Émilie rentrait chez elle le cœur blessé et remisait ses espoirs pour la prochaine visite.

Mais pas aujourd'hui.

Ce soir, c'était la colère qui dictait ses pensées. Une colère froide et déterminée. Émilie avait hâte que Marc revienne pour lui en parler. Il ne pourrait rester insensible à ce qu'elle allait lui révéler.

Quand elle était arrivée à l'hôpital, que d'aucuns appelaient « asile », ce qu'elle se refusait catégoriquement à faire, sa mère n'était pas dans la salle commune où elle la retrouvait habituellement. On l'avait avisée qu'elle était plutôt faible et qu'elle avait gardé le lit. Inquiète, Émilie s'était précipitée vers la salle où sa mère logeait depuis maintenant deux ans.

Recroquevillée dans son lit, Blanche ne bougeait pas. Elle posait un regard absent sur la cime des arbres que le vent de janvier fouettait violemment. Quand Émilie l'avait interpellée, elle n'avait pas bougé. Et quand sa fille s'était approchée, Blanche ne l'avait pas reconnue.

Le cœur brisé et inquiet, Émilie s'était assise près d'elle et lui avait longuement parlé en lui tenant la main, comme elle l'aurait fait avec un enfant souffrant. Elle avait attendu que l'infirmière passe pour la distribution des médicaments, comme elle le faisait chaque fois qu'Émilie visitait sa mère. Peut-être y avait-il quelque chose à faire? Mais quand l'infirmière avait banalement haussé les épaules devant l'inquiétude d'Émilie et qu'elle avait tout simplement dit que le médecin testait une nouvelle médication, la jeune femme en avait été sidérée.

Mais que se passait-il ici?

Tester des médicaments? Sa mère n'était tout de même pas un rat de laboratoire. Elle avait tenté d'en savoir plus long, elle s'était heurtée à un refus poli : les dossiers médicaux étaient confidentiels.

Et c'était pour cela qu'elle était revenue chez elle en colère. Brusquement, il y avait des tas de questions sans réponse qui virevoltaient dans son esprit.

Et d'abord, comment se faisait-il qu'une simple crise d'angoisse ait pu dégénérer en cet état d'absence profonde? C'était comme si sa mère avait choisi délibérément de se retirer du monde des vivants.

«Impensable» ruminait-elle depuis qu'elle avait quitté l'hôpital.

Bien sûr, elle savait que sa mère avait certains problèmes d'alcool, mais jamais ceux-ci n'auraient pu la mener si bas. D'autant plus qu'elles en avaient parlé à quelques reprises après son accident et que sa mère avait fait amende honorable: elle reconnaissait ses torts et ne voulait surtout pas revivre la terrible épreuve qu'elle venait de traverser.

Devant la fenêtre de son salon, Émilie trépignait d'impatience. Quand donc Marc arriverait-il?

Enfin, elle entendit la porte extérieure se refermer et les pas qu'elle reconnaissait entre tous montaient l'escalier qui menait au palier.

Mais contrairement à ce qu'elle espérait, Marc ne sembla nullement surpris.

— Et alors, Milie? À quoi t'attendais-tu? C'est comme ça que ça se passe dans les asiles.

— S'il te plaît, n'emploie surtout pas ce mot, l'interrompit Émilie, impatiente. Tu sais que je le déteste.

— D'accord, je m'excuse. Mais ça ne change rien à la réalité. Ta mère est malade. Tu dois au moins en convenir, non?

— Justement, depuis cet après-midi, je ne sais plus.

— Bon sang, Émilie! Les médecins doivent bien savoir ce qu'ils font, non?

— Les médecins! Parlons-en des médecins! Une belle bande de charlatans, oui. Une clique d'incapables qui nous endorment avec de belles paroles!

— Là, je crois que tu exagères. Il y en a peut-être qui se prennent pour d'autres, mais de là à généraliser... Je crois que présente-ment, tu fais tout un plat avec pas grand-chose. Tant mieux si le médecin qui suit ta mère ne tient pas les choses pour acquises et qu'il tente de nouvelles approches.

– Il ne tente rien du tout. Il la gave de pilules !

À ces mots, Marc fut sur le point de répondre que ce n'était pas bien nouveau dans l'univers de sa mère. Depuis qu'il la connais-sait, elle se nourrissait aux pilules ! Mais il se retint à la dernière minute. De tels propos ne feraient que jeter de l'huile sur le feu et Émilie était déjà suffisamment en colère. Les pilules avaient toujours été un sujet de discorde entre eux. Marc eut cependant la présence d'esprit de se dire que pour une fois, c'était lui qui prenait la défense des pilules alors qu'habituellement, c'était Émilie qui tentait de le convaincre de leur bien-fondé. Il se contenta de soupirer.

– D'accord, fit-il, agacé. Tu as droit à ton opinion. Mais que peux-tu faire ? Tu l'as dit toi-même : le dossier de ta mère est confidentiel. Seul ton père pourrait peut-être intervenir.

– Alors, je vais lui en parler. Je vais lui dire, moi, que…

– Crois-tu sincèrement que c'est là la chose à faire ? l'inter-rompit Marc qui savait fort bien ce que son beau-père lui répon-drait. Je crois ton père suffisamment sensé pour ne pas laisser ta mère dans un hôpital sans raison. Et même si ces raisons t'échap-pent, tu dois au moins lui faire confiance.

Prise de court, Émilie ne sut que répondre. Marc n'avait pas tort. Mais en même temps, tout au fond de son cœur, elle sentait qu'elle avait mis le doigt sur quelque chose qu'elle n'avait pas le droit de négliger.

– On dirait qu'il y a un complot autour de toute cette histoire, murmura-t-elle, déçue de voir que Marc ne partageait pas sa vision. Et que tu en fais partie.

En prononçant ces mots, Émilie les regretta aussitôt. Mais le mal était fait. Marc se tourna vivement vers elle.

– Un complot? fulmina-t-il devant une accusation aussi fausse. Ton père, le médecin et moi, nous avons fomenté un complot pour faire enfermer ta mère? Mais tu es folle, ma foi! Si tu commençais par t'occuper de ce qui se passe dans ta propre maison, je crois que ce serait préférable pour tout le monde!

Marc avait fait un pas en direction d'Émilie. Puis il se ravisa. Il prit une profonde inspiration puis il articula clairement:

– Je ne sais pas si tu t'en es aperçue, mais chaque fois que nous avons une dispute, nous deux, c'est à propos ou à cause de ta mère. J'aimerais que tu y réfléchisses. Ça veut sûrement dire quelque chose. Moi, pour l'instant, je vais prendre une marche. J'ai besoin d'air. On étouffe, ici. Ça sent la maladie…

Émilie avait sursauté quand Marc avait claqué la porte derrière lui. Machinalement, elle était allée à la fenêtre. Contrairement à ce qu'il avait dit, Marc n'avait pas du tout l'intention de se promener puisqu'il s'était dirigé vers son auto qu'il avait fait démarrer aussitôt. Elle vit dans ce geste une forme de trahison. Ils en étaient aux mensonges, maintenant.

Émilie fixa longuement la chaussée mouillée qui brillait sous la lumière des réverbères. Puis lentement, elle leva la tête et se mit à contempler le ciel. C'était une nuit d'hiver glaciale et sans lune. Les étoiles, très visibles, piquaient l'opacité du firmament de milliers de petites gouttes lumineuses.

– Où donc te caches-tu, petite Rosalie? Quelle étoile est ta demeure? murmura-t-elle d'une voix enrouée.

Ce n'était pas la première fois qu'elle interrogeait le ciel ainsi. Pas plus que ses sœurs, Émilie n'était très croyante. Mais depuis la mort de Rosalie, elle s'adressait à Dieu. S'Il existait vraiment, elle espérait qu'un jour elle retrouverait son bébé. Alors chaque fois qu'elle était profondément malheureuse, elle regardait le ciel. Comme ce soir, où elle était déchirée entre sa mère et son mari. Entre une mère qui l'avait toujours aimée et un mari qui était de plus en plus impatient avec elle.

Un long sanglot monta dans sa gorge.

Elle sentait l'amour s'éteindre lentement entre eux. Comme si les choix et les valeurs qu'ils croyaient identiques ne suivaient plus le même chemin.

Elle voyait Marc s'éloigner d'elle de plus en plus. Cette année, il n'avait pas passé la journée du 29 décembre à ses côtés. Trop d'ouvrage, avait-il dit.

— Et je crois, Milie, que c'est plutôt malsain de toujours ressasser ce malheureux événement. Toujours y revenir ne changera pas le cours des choses. C'est devant que tu devrais regarder, pas derrière.

Voyant que le regard d'Émilie s'embuait de larmes, Marc l'avait prise dans ses bras et lui avait murmuré à l'oreille:

— Il suffirait de si peu pour oublier, ma chérie. Si tu voulais, nous pourrions avoir un autre enfant. Le médecin te l'a dit: le décès de Rosalie était un accident de parcours imprévisible et rien n'indique que ce serait pareil une autre fois. Penses-y, Milie. Et moi, promis, je rentre tôt aujourd'hui.

Et il avait tenu promesse. Marc était entré sur le coup de trois heures, quelques roses à la main.

Mais ce qu'elle avait retenu de cette journée, c'était le mot «oublier» que Marc avait osé prononcer. Comment pouvait-il oublier leur petite fille? Et comment avait-il pu la laisser toute seule, aujourd'hui? Depuis quelques mois, elle avait l'impression que le travail avait plus de prix et d'importance aux yeux de son mari que les liens qui les avaient déjà unis. Elle sentait qu'ils s'éloignaient l'un de l'autre à cause de Rosalie, à cause de sa mère.

Tout comme ce soir. Qu'avait-elle dit pour que Marc se mette en colère? Elle avait parlé de complot, mais ce n'était qu'un mot pour exprimer ce qu'elle ressentait. Si Marc avait porté une oreille attentive à ce qu'elle tentait d'expliquer, jamais elle n'aurait eu l'idée de l'inclure dans cette espèce d'intrigue qu'elle sentait flotter autour de l'hospitalisation de sa mère.

Émilie soupira.

Elle se sentait fiévreuse. Elle posa son front sur la fenêtre et la fraîcheur de la vitre lui fit du bien. Elle s'appliqua à prendre de longues respirations pour éloigner les larmes. Quand elle se recula, elle s'aperçut que son souffle avait dessiné un halo de buée sur la vitre. Du bout du doigt, elle y dessina un cœur. Mais au lieu d'y mettre ses initiales et celles de Marc, elle inscrivit le mot «Rosalie».

Puis elle se détourna de la fenêtre. Il n'était pas très tard, mais elle était fatiguée. La journée avait été dense en émotions.

Ce qu'elle espérait surtout, c'était d'arriver à s'endormir avant que Marc ne revienne.

Chapitre 8

– Petite misère! Quand est-ce que je vais finir par y arriver?

Alertée par le timbre de voix impatient de sa mère, Alicia venait de rappliquer à la cuisine. Debout au milieu de la pièce, Charlotte tenait un papier à la main. Mais curieusement, contredisant la voix, son visage était éclairé par un large sourire. Alicia fronça les sourcils et esquissa une drôle de petite grimace.

– Qu'est-ce qui se passe, maman? Je pensais que tu étais fâchée et je te trouve toute souriante? Ton papier, c'est une bonne ou une mauvaise nouvelle?

Charlotte leva vivement la tête et agita le papier au bout de ses doigts.

– C'est une bonne et une mauvaise nouvelle en même temps.

Alicia ne comprenait pas. Comment une nouvelle pouvait-elle être bonne et mauvaise en même temps? Mais sa mère avait l'air tellement contente, malgré le ton de sa voix, qu'il devait y avoir une explication facile à comprendre. Elle s'approcha pour voir le papier, toute fière de savoir lire.

Tout comme pour sa mère, la lecture avait été une révélation pour Alicia et malgré qu'elle soit en troisième année déjà, donc une vieille routière de la lecture, elle en était toujours aussi émerveillée. Souvent, les jours de congé, Charlotte et Alicia s'installaient au salon, l'une à côté de l'autre, et elles passaient des heures à lire. Pour Alicia, ces moments-là étaient des moments magiques car, disait-elle : « Pas besoin de sortir de notre maison pour aller partout dans le monde! »

Présentement, le papier que tenait sa mère piquait sa curiosité.

La petite fille reconnaissait bien le nom de Charlotte Deblois, inscrit sur une ligne, mais le reste lui semblait un peu obscur. Il y avait des chiffres et en haut, cela ressemblait au nom d'une compagnie. Un vrai papier de grande personne alors qu'Alicia s'attendait à y voir un dessin qui aurait expliqué le sourire de sa mère. Mais non! Rien de bien intéressant! De plus, en quoi un si petit papier, avec presque rien dessus, pouvait rendre sa mère aussi heureuse? Car Charlotte affichait toujours son grand sourire!

– C'est ça qui te rend si contente? demanda Alicia avec une petite pointe de dédain dans la voix. Un petit papier de rien du tout?

Charlotte éclata de rire.

– Apprenez, jeune fille, que ce n'est pas un petit papier de rien du tout, comme vous dites. C'est un chèque!

Alicia ouvrit tout grand les yeux.

– Un chèque? C'est quoi un chèque?

– C'est un peu comme des sous. Des sous qui m'appartiennent, car c'est mon nom qui est inscrit dessus.

Alicia était une enfant élevée avec la notion de l'argent. Charlotte ne gagnait pas une fortune comme auxiliaire à l'hôpital et souvent, elle devait refuser certaines gâteries à sa fille, car il n'y avait pas assez de sous. Si elle venait de recevoir des sous, pourquoi alors sa mère avait-elle semblé déçue, tout à l'heure, et pourquoi avait-elle dit: « Petite misère! »?

Alicia ne comprenait pas. Sa mère aurait dû être juste contente. Pas contente et navrée en même temps!

– Si c'est des sous, pourquoi ta voix était fâchée?

– Mais je ne suis pas fâchée. Je suis déçue.

Pour Alicia, cela ne précisait rien du tout.

– Ça, je m'en étais rendu compte ! Mais ça n'explique pas…

– Viens ici, tu vas tout comprendre.

S'installant à la table, Charlotte tenta de lui faire saisir ce qui la désappointait et lui faisait plaisir en même temps.

Son premier livre avait été, aux dires de son éditeur, un véritable succès de librairie. Paru au printemps 1949, il s'était vendu comme des petits pains chauds et on avait dû procéder à une deuxième, puis à une troisième impression. L'éditeur avait alors décidé de retarder de quelques mois la parution du second livre.

– Le premier roman est encore prisé des lecteurs et des libraires, avait-il expliqué. Nous allons donc attendre que l'histoire de Myriam se calme un peu, puis nous arriverons avec celle de Constance.

Et c'était ce qu'ils avaient fait.

L'histoire de Constance, parue au printemps 1950, avait été un succès plus grand encore et avait relancé les ventes du premier livre.

Entre-temps, elle avait reçu un premier chèque de droits d'auteur. Elle s'attendait à mieux et avait vite compris que ce n'était pas un livre, tout succès de librairie soit-il, qui allait lui permettre de quitter l'hôpital. Elle s'était dit alors que les droits générés par le deuxième roman, combinés avec ceux du premier, seraient peut-être suffisants et, tant pour satisfaire la demande de son éditeur que par pur plaisir, elle s'était mise à l'écriture d'un troisième livre.

La rédaction de ce roman, coincée entre son travail, sa fille et la maison, s'était avérée difficile. Charlotte avait rogné des heures à son sommeil, diminué ses moments de repos, raccourci ses heures de repas et empiété sur les quelques loisirs qu'elle se permettait pour arriver à mener à terme l'histoire de Jeanne.

Cette fois-ci, Charlotte racontait la vie difficile mais heureuse de Jeanne Manseau, célibataire dans la trentaine, qui avait choisi de recueillir chez elle des enfants laissés-pour-compte en raison de différents handicaps. C'était un roman chargé d'émotion qui avait touché son éditeur.

– Vous vous adressez au cœur des lecteurs, madame Deblois, et les gens aiment cela. Continuez, on ne se lasse pas de vous lire !

Et Charlotte en était là, ce matin. Elle venait de recevoir son deuxième chèque de droits d'auteur, le roman de Jeanne était en correction et elle s'apprêtait à écrire un quatrième livre qui, malheureusement, serait écrit comme le troisième, en dérobant au quotidien toutes les minutes possibles. Car même si le chèque était substantiel, jamais il ne pourrait lui permettre de vivre de sa plume. Près de mille dollars était pour elle une véritable fortune mais en soi, ce n'était qu'une partie de ce qu'elle gagnait annuellement à l'hôpital.

– … et voilà pourquoi je suis à la fois très contente et un peu déçue. J'aurais aimé que ce chèque soit suffisamment élevé pour ne plus avoir à travailler à l'hôpital. Mais ce n'est pas le cas. Ce qui veut dire que je vais devoir continuer à me lever très tôt tous les matins, revenir à la course le soir et parfois travailler la nuit. Ce n'est pas drôle, ni pour toi ni pour moi.

Alicia avait écouté Charlotte avec beaucoup de sérieux. Et finalement, elle avait compris ce qui motivait la joie et la déception de sa mère. Elle n'avait finalement qu'une seule crainte. Et c'était qu'elle finisse par se lasser. Aussi, quand elle comprit que sa mère avait fini de parler, elle demanda :

– Mais tu vas continuer d'écrire, n'est-ce pas maman ?

– Bien sûr ! Pourquoi ?

– Parce que je trouve que tes livres sont beaux. Je suis vraiment fière de toi, tu sais !

Charlotte sentit un picotement au bord de ses paupières. Elle savait qu'Alicia était fière d'elle et cette attitude était probablement la plus belle récompense pour les sacrifices qu'elle s'imposait afin d'arriver à tout mener de front. Elle ouvrit les bras pour recueillir contre elle la petite fille qui venait de sauter en bas de sa chaise.

– C'est certain que je vais continuer d'écrire. Tu sais, Alicia, quand on aime quelque chose, même si c'est difficile, on trouve toujours moyen de le faire. Et tu y es pour quelque chose ! Si je peux écrire autant, c'est parce que j'ai une petite fille merveilleuse qui me laisse parfois travailler alors qu'elle aurait envie que je joue avec elle, ajouta Charlotte en embrassant sa fille sur la joue. Si on tient bon, toutes les deux, peut-être bien qu'un jour je n'aurai plus à travailler à l'hôpital. Alors, ce sera beaucoup plus agréable pour tout le monde.

Sur ces mots, elle éloigna Alicia et, posant les mains sur ses épaules, elle lança joyeusement :

– Et maintenant, qu'est-ce que tu dirais de m'accompagner à la banque pour déposer ce chèque dans mon compte ? Ensuite, on pourrait peut-être s'offrir une petite gâterie, toutes les deux ?

Les yeux d'Alicia brillèrent de convoitise.

– Quelle sorte de gâterie ?

Charlotte s'amusa à minauder en faisant semblant de calculer sur ses doigts.

– Je ne sais pas… Ça peut être une gâterie qui se mange ou une gâterie que l'on porte ou une gâterie que l'on retrouve chez Eaton dans le rayon des jouets…

À ces mots, Alicia se mit à battre des mains.

– Chez Eaton ! Tu sais la poupée que j'ai vue l'autre jour ? Celle avec la jolie robe rose et de longs cheveux tout bouclés ? Tu m'avais dit que le jour où tu aurais assez de sous, je pourrais peut-être l'avoir…

Puis elle fronça les sourcils et regarda Charlotte avec beaucoup de sérieux.

— Ton chèque, est-ce que c'est assez de sous pour cette poupée-là?

— Je crois qu'on peut arranger ça… Et maintenant, au galop, ma puce! On a une grosse journée devant nous!

Le temps d'afficher un visage épanoui et Alicia fronçait encore une fois les sourcils.

— Comment ça? Ça ne prend pas toute une journée aller à la banque et au magasin.

— Mais j'espère bien que ça ne va pas nous prendre toute la journée! Aurais-tu oublié? Demain, c'est la partie de sucres et j'ai promis de faire des sandwiches pour tout le monde!

— C'est vrai! Hourra!

Alicia esquissa un petit pas de danse dans la cuisine. Puis elle s'arrêta brusquement, regarda Charlotte et déclara le plus sérieusement du monde:

— Cette fois-ci, ce n'est pas la journée qu'il faut marquer d'une pierre blanche, c'est toute la fin de semaine!

* * *

— Il n'en est pas question!

Assise à un bout de la table de cuisine, Émilie venait de répéter qu'elle n'irait pas à la partie de sucres prévue pour l'après-midi. Marc soupira de découragement.

— Mais pourquoi? Il fait si beau et tout le monde va être là! Mes parents, Charlotte et Alicia, ton père et Anne. Même Antoinette et Jason sont de la partie!

— Justement!

— Quoi justement? C'est Antoinette et son fils qui te dérangent?

— Pas toi? Je trouve qu'elle commence à prendre un peu trop de place dans notre vie, la belle Antoinette. Dans la vie de papa, devrais-je dire! Ça fait combien de voyages en l'espace d'un an? Pauvre maman! C'est comme si elle n'existait plus que pour moi. Et cette fois-ci, personne ne se gêne! Antoinette et Jason habitent même chez papa!

Marc comprit aussitôt l'allusion.

— Mais qu'est-ce que tu vas chercher là? Si je ne m'abuse, ton père connaissait Antoinette bien avant de rencontrer ta mère. C'est une amie d'enfance.

— N'empêche que ça m'agace de les voir si souvent ensemble.

— À t'entendre, ton père n'aurait plus le droit de s'amuser un peu sous prétexte que ta mère est hospitalisée!

— Ce n'est pas ce que j'ai dit. Ma parole, tu le fais exprès! Dès que je parle de maman, tu déformes toutes mes paroles.

— Et toi, on dirait que tu ne veux pas comprendre que ta mère est malade. Vraiment malade et qu'elle aura probablement besoin de soins pour le reste de sa vie.

— C'est sûr! Avec les pilules qu'on lui donne, jamais elle…

— Je t'en prie, ne remets pas ça. Une dispute à ce sujet, ça me suffit. Pense ce que tu veux, mais ça ne changera rien à l'opinion que j'ai de ton père. Je crois qu'il a bien fait de demander qu'on s'occupe de ta mère puisqu'elle n'arrivait plus à le faire elle-même. Pour moi, ça clôt le dossier. Et s'il a envie de s'offrir un peu de bon temps, ça ne m'empêchera pas de dormir, crois-moi. Ton père n'a pas à vivre cloîtré pour le reste de ses jours!

— Bien sûr! lança Émilie, sarcastique. Et de savoir sa femme malade, ça lui donne le droit de rencontrer une autre femme, peut-être? Antoinette par-ci, Antoinette par-là! Même Anne s'est entichée d'elle!

— Et pourquoi pas?

Marc commençait à en avoir assez de toutes ces discussions qui ne rimaient à rien. Depuis janvier, c'était devenu une manie : chaque fois qu'Émilie revenait de l'hôpital, elle en avait contre l'univers entier. Elle commençait par faire peser le poids de ses soupçons sur le personnel infirmier, puis passait adroitement à son père, avait trouvé moyen de l'écorcher au passage et voilà qu'elle venait d'inclure Antoinette dans la liste des suspects !

— J'espère seulement que tu auras assez de bon sens pour garder tes opinions pour toi. Ton père et Antoinette sont assez grands pour savoir ce qu'ils ont à faire.

Tout en parlant, Marc s'était levé de table.

— Bon ! Et pour aujourd'hui, ta décision est irrévocable ?

— Tout à fait.

— D'accord, c'est comme tu veux. Je regrette que tu ne viennes pas. J'aurais bien aimé t'avoir près de moi. Et si je comprends bien, il n'y a rien à dire qui pourrait te faire changer d'idée, n'est-ce pas ?

Émilie soutint le regard de son mari durant une courte minute. Puis elle répondit :

— Si tu peux me promettre qu'Antoinette n'y sera pas, je...

— Ridicule ! l'interrompit Marc en bousculant sa chaise. Tu sais bien que c'est impossible et quand bien même ce serait faisable, je ne vois pas en quoi ça me regarde, tout ça. Alors tant pis. Je vais donc y aller seul.

Émilie sentait bien que la colère de Marc cachait une forme de tristesse. Et elle aussi, elle était triste de ne pas l'accompagner. Mais c'était plus fort qu'elle : depuis le retour de son père aux fêtes, depuis qu'Anne parlait d'Antoinette sans arrêt et que son père y ajoutait son grain de sel en disant à quel point ils s'amusaient bien quand ils étaient tous les quatre, Émilie n'arrivait plus à voir la situation d'un regard indifférent. Si son père n'aimait plus sa mère, il n'avait qu'à le dire clairement. Mais pour pouvoir partir, il faudrait le dire à sa mère. Même si elle ne comprenait qu'à moitié, c'était la moindre des politesses à son égard. Mais voilà! Son père ne disait rien, mais donnait toutes les apparences d'un homme qui s'apprête à quitter sa femme. Émilie était consciente que le cas échéant, il ne serait pas le premier homme à le faire. Mais dans la situation présente, Émilie était convaincue qu'il y avait beaucoup plus que ce que les apparences laissaient croire. L'idée d'un complot visant à garder sa mère internée lui revenait de plus en plus souvent. Et dans ce cas, il lui était impossible de s'imaginer soutenant une conversation avec Antoinette pendant tout un après-midi et jouer à faire semblant de la trouver gentille. Antoinette n'avait pas le droit d'envahir la vie de son père comme elle le faisait présentement et il fallait bien que quelqu'un en tienne compte.

— Je regrette, Marc, mais je ne veux pas y aller. De toute façon, j'ai beaucoup d'ouvrage devant moi. Je vais en profiter pour faire quelques dessins.

Marc leva les yeux au plafond en haussant les épaules.

— C'est ça! Dessine. Tu as passé deux ans sans toucher un seul crayon et maintenant, tu ne fais rien d'autre. Équilibre, Émilie! Sais-tu ce que veut dire le mot «équilibre»?

Et sans attendre de réponse, Marc quitta la cuisine.

Émilie l'entendit fourrager dans leur chambre puis dans le garde-robe du vestibule. Elle avait le cœur gros. Elle aurait tant voulu que Marc partage ses inquiétudes face à sa mère. Mais peine perdue, chaque fois qu'elle tentait une discussion, elle se heurtait à une porte close. C'était dommage, car depuis qu'elle se consacrait un peu plus à sa mère, le souvenir de Rosalie s'était estompé.

Émilie soupira.

Peut-être avait-elle tout simplement besoin d'avoir quelqu'un à aider, à aimer?

Et à ses yeux, s'il y avait quelqu'un sur terre qui méritait que l'on s'occupe d'elle, c'était bien sa mère.

Quoi qu'en pense Marc, le résultat était tangible: depuis l'hiver, elle reprenait goût à la vie. Mais elle était bien la seule à voir les choses sous cet angle. Même le fait qu'elle ait recommencé à peindre, à la suite d'un appel d'Edgar Pelletier, le propriétaire de la galerie où elle avait déjà exposé, laissait Marc indifférent. Émilie savait bien ce qui les rapprocherait tous les deux. Mais elle n'était pas prête à essayer d'avoir un autre enfant. Pas maintenant. La douleur s'était peut-être émoussée, elle n'avait pas disparu au point de lui enlever la crainte de revivre ce qu'elle avait vécu.

Émilie sursauta quand elle entendit la porte d'entrée se refermer avec fracas. Marc était parti sans lui dire bonjour.

Émilie ferma les yeux une seconde, prise entre l'envie de pleurer et celle de se fâcher. Comment Marc pouvait-il se montrer si rancunier, si buté? Elle aussi avait droit à ses opinions.

Puis elle tenta de se raisonner. Leur discussion du matin avait pris un certain temps et Marc détestait être en retard. Il avait promis à Charlotte de passer les prendre vers midi et il serait à l'heure. C'était pour cela qu'il était parti en coup de vent.

Émilie se dirigea vers l'atelier, bien décidée à ne pas se laisser abattre. Elle n'allait toujours pas perdre la journée à se morfondre pour rien. Comme elle connaissait Marc, quand il reviendrait, plus tard en après-midi, il aurait probablement tout oublié.

Elle pénétra dans l'atelier. La pièce avait retrouvé ses lettres de noblesse.

Quand elle s'était enfin décidée à reprendre les pinceaux, Émilie avait fini d'arracher le papier peint, avait consciencieusement gratté les murs et posé une couche de blanc. Puis elle avait remis des clous sur les murs pour accrocher ses tableaux. Seule la berceuse repoussée dans un coin laissait supposer que la pièce aurait pu avoir une autre vocation.

Émilie regarda tout autour d'elle, puis s'approcha du chevalet. Elle avait promis quelques toiles nouvelles pour le mois prochain…

* * *

Marc consulta sa montre et vit qu'il ne serait pas en retard. Il n'avait pas pensé qu'il se présenterait seul chez Charlotte. La joie qu'il s'était faite en anticipant cette journée à la cabane à sucre venait de baisser d'un cran.

Alicia l'attendait impatiemment en sautillant sur le trottoir.

Depuis près de deux semaines, la neige fondait à vue d'œil et la petite fille en avait profité pour dessiner un jeu de marelle. Dès qu'elle aperçut l'auto de son oncle qui tournait le coin de la rue, elle se mit à crier pour appeler sa mère.

– Vite, maman, vite, oncle Marc et tante Émilie arrivent!

Charlotte sortit aussitôt de la maison, un lourd panier d'osier à la main.

– Me voilà!

Mais quelle ne fut pas sa surprise de voir qu'Émilie n'était pas là.

– Émilie n'est pas là? Elle est souffrante? demanda-t-elle en prenant place à l'avant à côté de Marc.

– Même pas, répliqua ce dernier avec humeur. Madame dessine.

Il n'osa dire que c'était à cause d'Antoinette qu'Émilie avait refusé de participer à la partie de sucres.

– Elle dessine? répéta Charlotte. Ma foi, je dirais que c'est là une bonne nouvelle. Émilie m'avait parlé de l'appel d'Edgar Pelletier. Mais sur le coup, elle ne savait pas encore si elle allait y donner suite.

– Pour y donner suite, crois-moi, elle y donne suite !

– Alors tant mieux.

Charlotte hésita un instant puis elle ajouta :

– C'est peut-être simplement ce qu'il lui fallait pour enfin passer à autre chose. Savoir qu'elle n'a pas été oubliée, que les gens réclament ses toiles a peut-être été le déclencheur pour qu'elle refasse surface. Alors tant mieux si elle a le goût de dessiner. C'est bon signe.

– Peut-être, admit Marc au bout d'un court silence. Tu as peut-être raison. C'est moi qui suis impatient. Mais depuis quelques semaines, ta sœur n'a que deux mots à la bouche : le dessin et sa mère. J'avoue que ça me met hors de moi.

– Pourquoi ? Émilie est faite comme ça : elle a besoin de temps. Et quand elle a trouvé quelque chose, il n'y a plus que cela qui compte. Ça explique son engouement présent pour le dessin. Ça va finir par se stabiliser. Quant à Blanche, il va falloir que tu sois très patient. Tout ce qui la touche bouleverse Émilie. De voir sa mère aussi perdue, aussi démunie doit être terrible pour elle.

– Si ce n'était que cela…

Marc s'interrogea un moment, se demandant s'il allait parler d'Antoinette. Puis il haussa les épaules. Pourquoi pas, après tout !

– Imagine-toi donc qu'elle s'est mise en tête que l'hospitalisation de ta mère était un complot pour éloigner Blanche et permettre à Antoinette de prendre sa place ! Rien de moins. Quand elle parle comme ça, quand elle attaque les médecins et ton père, ça me met tellement en colère.

– Je vois… Et si je lis entre les lignes, dois-je comprendre que la présence d'Antoinette, cet après-midi, a joué dans la décision d'Émilie ?

– Hé oui ! J'ai beau lui dire que ça ne la regarde pas, rien à faire.

– Laisse couler l'eau sous les ponts, Marc, conseilla alors

Charlotte tout en se promettant intérieurement de parler à son père. On ne changera pas Émilie du jour au lendemain. Donne-lui un peu de temps et tu vas voir : tout va rentrer dans l'ordre. Quand elle aura compris que Blanche ne sortira plus de cet institut, elle sera capable de voir la vie de notre père sous un autre angle. Dis-toi bien que ce n'est facile pour personne de penser que sa mère est malade à ce point. Dans le cas d'Émilie, c'est encore pire. C'est sûrement une raison suffisante pour qu'elle soit vraiment désespérée. Elle a toujours été très proche de maman.

– Trop, oui, marmonna Marc, le visage tourné vers la route.

Il ajouta d'une voix triste :

– Je ne reconnais plus ma femme. Je peux très bien comprendre qu'elle ait été malheureuse quand le bébé est mort. Moi aussi, ça m'a fait très mal. Mais la vie continue, n'est-ce pas ? Si tu savais comme je m'ennuie de la femme épanouie qui a été la mienne pendant quelques mois. Deux ans ! Ça lui a pris deux ans pour prendre conscience que la Terre continuait de tourner. Malheureusement, ce n'est pas avec moi qu'elle s'en est aperçue. C'est à peine si on se parle, si on se touche, maintenant, échappa-t-il, aussitôt confus de s'être laissé aller à de telles confidences avec Charlotte. Ce n'est pas comme ça qu'on aura la chance d'avoir un autre enfant. On dirait qu'on vit dans deux mondes différents.

Un long silence suivit les paroles de Marc. Charlotte comprenait ce qu'il tentait maladroitement de dire. Elle l'avait vécu avec Andrew, son mari. Combien de fois s'était-elle dit qu'ils n'étaient pas sur la même longueur d'ondes, qu'ils n'arrivaient pas à communiquer ?

Il avait fallu que son mari décède pour qu'elle comprenne que dans un couple, il y a deux êtres qui doivent faire chacun leur bout de chemin. Elle était aussi coupable que son mari de ce silence qui avait entouré leur union. Posant doucement la main sur l'avant-bras de Marc, elle lui dit:

— Je suis certaine que tout va finir par s'arranger parce que je sais qu'Émilie t'aime sincèrement. Ce n'est qu'une question de temps. Mais si toi tu es triste, si tu trouves que c'est trop long, il faut le dire. N'attends pas qu'il soit trop tard.

— Trop tard, répéta Marc, pensivement. Quand sera-t-il trop tard? demanda-t-il en tournant brièvement la tête vers Charlotte. Le jour où j'en aurai assez de toujours reporter la décision d'avoir un enfant? Le jour où nos carrières nous auront éloignés l'un de l'autre? Le jour où Blanche deviendra l'unique préoccupation d'Émilie? C'est fou! Émilie va la voir au moins trois fois par semaine depuis quelque temps. Elle dit qu'elle veut surveiller le personnel de l'hôpital. Elle ne leur fait pas confiance. Et moi, tout ça, ça me fait peur. Il y a trop de choses qui nous éloignent pour de bon. Trop de perceptions différentes. Jamais je n'aurais pu imaginer que le décès d'un si petit bébé pouvait bouleverser une vie à ce point. C'est depuis ce jour-là que je sens Émilie se détacher de plus en plus. Et dire que…

Marc se tut brusquement en rougissant. Puis, lentement, comme s'il parlait à contrecœur, il ajouta:

— J'aimerais te demander quelque chose… Depuis la mort de Rosalie que j'y pense… Crois-tu que ta mère puisse y être pour quelque chose? Je n'arrête pas de me dire que si Émilie n'était pas allée la voir, ce jour-là, rien de tout cela ne serait arrivé. Même si c'est épouvantable de penser ainsi, je n'arrive pas à me raisonner.

Charlotte avait l'impression que son cœur battait si fort que Marc devait l'entendre. Elle se tourna à demi pour regarder à l'arrière de l'auto. Il y avait certaines choses que sa fille n'avait pas à entendre. Voyant qu'Alicia s'était endormie, elle reporta son regard vers Marc et lui dit:

— Alors on est trois à penser la même chose. Quand nous sommes arrivés, papa et moi, la maison avait été saccagée, Blanche était ivre morte et dans sa main, elle tenait un vêtement de bébé... Comme tu m'avais dit qu'Émilie avait passé l'après-midi de la veille avec elle, j'en ai conclu qu'elle était responsable en partie de ce qui venait de vous arriver... La seule chose que je n'arrive pas à comprendre, encore aujourd'hui, c'est comment elle a su ce qui se passait.

Marc haussa les épaules.

— C'est moi qui le lui avais dit, avoua-t-il en soupirant. Curieusement, ta mère a appelé au moment précis où nous partions pour l'hôpital. Habituellement, jamais elle n'appelle le matin, car elle dit qu'elle ne vaut rien avant midi. Mais ce jour-là elle a appelé. Et elle voulait savoir si Émilie souffrait d'une indisposition. Je me rappellerai toujours ses mots: une indisposition! Elle m'a même confié qu'elle-même n'était pas bien. Sur le coup, je n'ai pas prêté attention, mais plus tard...

Marc ne compléta pas sa pensée. C'était inutile.

— Alors je n'ai plus aucun doute, murmura Charlotte.

Elle ajouta, plus fort:

— Il faudrait peut-être le dire à Émilie? Savoir ce que Blanche a fait changerait probablement sa perception des...

— Non, interrompit Marc en hochant la tête. Pas maintenant. Elle ne nous croirait pas. Je... Plus tard peut-être, mais pas maintenant, crois-moi.

Le reste du chemin se fit en silence.

Ce ne fut qu'au moment où ils arrivaient à la cabane à sucre que Marc prit conscience de la situation.

Ce ne fut qu'au moment où il se penchait pour retirer le panier d'osier de l'auto en même temps que Charlotte glissait la tête par la portière ouverte pour éveiller Alicia qu'il prit conscience de l'image qu'ils projetaient tous les trois.

C'était celle d'une famille unie. La famille qu'ils auraient pu former si Charlotte avait osé dire qu'elle était enceinte.

Marc ferma les yeux une seconde. Mais qu'est-ce qui lui prenait d'avoir de telles pensées ? Quand il les ouvrit, il ne put s'empêcher de dévisager Alicia qui se frottait le visage en bâillant, et son cœur se serra très fort. Comment avait-il pu déjà dire que cette enfant-là ne représentait rien pour lui ? Elle serait peut-être la seule à qui il aurait donné la vie. Marc leva la tête vivement et comprit que Charlotte pensait à la même chose que lui quand leurs regards se croisèrent. C'était la première fois depuis qu'il savait qu'Alicia était sa fille qu'il y avait un tel malaise entre eux. Charlotte soutint son regard un instant puis détourna la tête.

– Peux-tu apporter le panier, Marc ? Je crois que papa est arrivé, son auto est stationnée là-bas. Je vais le rejoindre.

Charlotte passa l'après-midi à éviter Marc.

Et les jours suivants à ressasser ce qu'avait été sa vie jusqu'à maintenant. Le bref instant d'embarras qu'elle avait ressenti devant Marc avait éveillé tous les regrets de sa courte existence.

De sa mère à Gabriel, de Marc à Andrew, elle avait l'impression de n'être jamais capable de relations stables et harmonieuses et qu'elle accumulait erreur sur erreur.

Pourquoi était-elle comme cela ? Qu'est-ce qui faisait que jamais elle n'arrivait à faire confiance ?

Il n'y avait eu que Gabriel avec qui elle s'était sentie à l'aise sans la moindre restriction. Pourquoi lui et pas un autre ? Elle n'avait jamais compris et jamais cherché à comprendre. Elle s'était fiée à son instinct, à l'attirance qui existait entre eux. Malgré cela, un beau matin, Gabriel était parti sans elle, poursuivant son grand rêve de devenir un peintre reconnu. L'avait-il aimée vraiment comme il l'avait répété ? Charlotte ne savait pas. Même les tableaux d'Antoinette n'étaient guère plus à ses yeux que des illusions qui entretenaient ses fantasmes. Pourquoi Gabriel penserait-il encore à elle après toutes ces années? Ce n'était que des chimères d'oser croire encore en lui, en eux.

Il y a deux ans, si elle avait eu les moyens de poursuivre son rêve jusqu'au bout, Charlotte l'impulsive serait tout de suite partie vers l'Europe quand elle avait découvert les toiles chez Antoinette. C'était dans sa nature d'agir vite, sans trop réfléchir. Et elle aurait eu sa réponse. Mais plus le temps passait, plus la crainte d'être blessée se faisait grande. Alors elle n'osait plus se décider à partir, même si aujourd'hui, elle en avait les moyens.

Charlotte n'arrêtait pas de se répéter qu'elle n'avait pas le droit de venir bouleverser la vie de Gabriel. Et pourquoi le ferait-elle? Sous le ridicule prétexte qu'elle l'aimait toujours? On ne débarque pas comme cela dans la vie des gens. C'était insensé. Et quand elle voulait être honnête avec elle-même, elle devait admettre qu'elle ne savait même pas si elle pourrait à nouveau aimer l'homme que Gabriel était devenu. Rien ne pouvait lui permettre de dire qu'ils reprendraient là où ils s'étaient laissés. Tant de jours et de nuits avaient passé, tant de gens rencontrés et d'émotions vécues depuis le matin où elle l'avait vu disparaître au coin de la rue de l'atelier que dorénavant, seule son intuition lui soufflait encore qu'elle avait raison d'attendre.

«Mon intuition ou des espoirs absurdes» songea-t-elle en donnant une chiquenaude à son crayon qui roula sur la table avant de rebondir sur le prélart de la cuisine en faisant une série de petits bruits secs.

En attendant, elle avait l'impression de vivre à moitié. Même l'écriture ne lui apportait plus le réconfort souhaité, l'évasion habituelle.

La présence d'un homme à ses côtés lui manquait toujours autant. Finirait-elle un jour par faire le pas qui lui permettrait peut-être enfin de s'élancer vers l'avenir?

Et le pire, c'était que les invitations ne manquaient pas!

Charlotte vivait dans un milieu où les hommes et les femmes se côtoyaient quotidiennement. Mais chaque fois qu'on lui faisait une proposition de sortie, elle s'inventait de faux prétextes pour refuser.

– Pourquoi? murmura-t-elle décontenancée. Comme si le fait d'aller au cinéma allait engager le reste de ma vie!

Mais elle savait bien que ce n'était pas cela.

Elle avait peur, tout simplement. Peur de se tromper, peur de regretter, peur de sa réaction si jamais elle se retrouvait dans les bras d'un homme. Confondrait-elle encore désir et amour?

Et depuis deux semaines, elle avait peur de l'émoi qu'elle avait ressenti en croisant le regard de Marc alors qu'ils étaient seuls avec Alicia. Tous les deux, Marc et elle, ils vivaient présentement une période où la solitude leur pesait lourd. Si Alicia n'avait pas été avec eux, si Marc l'avait prise dans ses bras, si...

Quand elle se mettait à penser ainsi, elle en tremblait. Et elle savait qu'elle aurait probablement la même réaction avec un autre homme. Le contact d'une autre peau sur la sienne lui manquait.

C'était dangereux...

Charlotte aurait tant voulu avoir quelqu'un à qui en parler. Quelqu'un à qui elle pourrait tout dire, de son enfance à maintenant. Faire le point, essayer de comprendre pourquoi elle se sentait si troublée, si ébranlée, si angoissée face à l'avenir, face à elle-même. Mais il n'y avait personne avec qui elle pourrait tout partager. Pas même Françoise, car son amie voyait la vie d'un œil différent du sien. Son amie était profondément croyante et pratiquante, alors que Charlotte affichait un mépris global face aux choses du culte. Elle avait vite compris que leur façon de percevoir la vie créait un fossé entre elles. Il ne restait plus que

Marc avec qui elle saurait trouver les mots. Mais jamais elle ne le ferait, car le risque de briser la vie d'Émilie était trop grand.

Ce fut au moment où elle allait refermer son cahier de notes pour son prochain livre que Charlotte se surprit à sourire.

Bien sûr qu'il y avait quelqu'un sur terre capable de l'écouter, de la comprendre sans juger et de l'aimer malgré les erreurs.

– Mary-Jane, murmura Charlotte. Comment se fait-il que je n'y aie pas pensé avant?

Brusquement, il lui tardait de respirer l'odeur des rosiers sauvages et de cueillir de pleines brassées de lavande dans le jardin en arrière de la maison des Winslow.

Charlotte s'étira longuement. Le soleil qui éclaboussait les murs de la cuisine lui sembla plus brillant, plus chaud.

– Mary-Jane, répéta-t-elle clairement en savourant le nom de celle qui avait été une mère pour elle lors de la naissance d'Alicia. Cet été, je vais en Angleterre. Nous allons en Angleterre! C'est à ça que vont servir mes livres!

Et délaissant cahier et crayon, Charlotte se précipita vers la fenêtre qui donnait sur la ruelle. Elle l'ouvrit toute grande et prit une profonde inspiration. Elle avait l'impression de s'éveiller après un long sommeil.

– Mary-Jane, redit-elle en souriant avec beaucoup de tendresse dans la voix.

Il faisait si beau, aujourd'hui! Le printemps était là, la ruelle fourmillait des enfants du quartier qui avaient ressorti les bicyclettes et les ballons, les cordes à sauter et les billes. Un peu plus loin, il y avait un petit groupe de filles qui semblaient discuter en rigolant et en pointant quelques garçons du doigt. Alicia était avec elles. Alors Charlotte leva un bras et, haussant le ton, elle s'écria:

– Alicia! Viens, ma chérie. Maman a une surprise pour toi!

* * *

Raymond referma doucement la porte et jeta un coup d'œil discret par la fenêtre. Quand les gens qui étaient venus lui rendre visite furent rendus au trottoir, il quitta son poste d'observation et esquissa une pirouette dans le hall d'entrée en claquant des doigts, comme une danseuse espagnole.

La maison était vendue !

Il avait hâte qu'Anne revienne de l'école pour lui annoncer la bonne nouvelle.

Dans deux mois, il donnerait les clés de la grande maison victorienne sur un plateau d'argent sans le moindre regret.

Dans deux mois, il partirait pour le Connecticut avec Anne.

Aujourd'hui, sa fille était en mesure d'accepter sa décision. La transition s'était faite en douceur comme il souhaitait que cela se fasse. Il n'aurait pas à éclabousser le passé de sa fille en lui révélant que, déjà à l'époque de sa naissance, il était amoureux d'une autre femme que sa mère. La relation entre Antoinette et lui avait pris sa place lentement et il savait qu'il pouvait maintenant parler avec Anne d'une vie nouvelle, différente. Quand Antoinette et son fils étaient venus au printemps, ils avaient habité avec eux et Anne n'avait pas soulevé la moindre objection. Pour elle, cela semblait aller de soi.

La dernière fois qu'ils avaient parlé de Blanche ensemble, Anne et lui, c'était lui qui en avait pris l'initiative, car Anne ne demandait plus jamais de nouvelles de sa mère. Lorsqu'il avait prononcé le nom de Blanche, sa fille avait tressailli et il avait compris qu'elle craignait un retour. Il l'avait rassurée.

Pour lui maintenant, tout était très clair, tout comme pour le docteur Clément qu'il avait rencontré quelques jours auparavant. Blanche souffrait d'un profond traumatisme dont la cause, à ce jour, demeurait inconnue. Mais ce traumatisme l'avait plongée dans un état dépressif et parfois même autodestructeur.

— Le fait d'avoir autant bu, le jour où vous l'avez trouvée comateuse, le prouve et le fait qu'elle ait brisé de nombreuses choses aussi. Selon moi, elle cherchait à se punir, avait affirmé le docteur Clément. Pour ce dernier, qui semblait sûr de son diagnostic, tenter de savoir n'apporterait que des souffrances à Blanche. Mais la chose était possible si Raymond le souhaitait. À ces mots, Raymond avait vite compris que le discours du médecin restait le même. Ou on tentait de sortir Blanche de sa léthargie en espaçant la médication et en essayant de l'aider à reprendre pied dans la réalité. Et dans ce cas, personne ne pouvait prédire les résultats. Ou on continuait ce qu'on avait entrepris deux ans auparavant aussi longtemps qu'on le voulait. Le médecin avait bien parlé d'une troisième solution, mais Raymond l'avait aussitôt repoussée. Pas plus aujourd'hui qu'au moment de l'hospitalisation de Blanche il n'était question pour lui d'une lobotomie.

Raymond avait donc tranché, une fois encore : on poursuivait la médication.

Et il avait remis une enveloppe au docteur Clément.

Il n'aimait pas ce qu'il faisait, mais il avait dépassé le seuil critique des indécisions et des remords qui l'avaient si longtemps paralysé. C'était cela ou tout reprendre au début, exactement là où ils avaient interrompu leur discussion, Blanche et lui : il pourrait partir mais sans Anne.

Et de cela, il n'était absolument pas question.

Il faisait taire les quelques scrupules qui pouvaient encore exister dans un recoin de son esprit en se répétant qu'une fois revenue à elle, il n'était pas dit que Blanche serait capable d'envisager ce qu'elle avait fait avec lucidité. Le choc pouvait être terrible quand elle comprendrait que c'était à cause d'elle qu'Émilie avait perdu son bébé. Il connaissait suffisamment la fragilité émotive de Blanche pour pouvoir prévoir le pire. Non, valait mieux s'en tenir à ce que l'on faisait depuis deux ans. C'était mieux ainsi pour tout le monde, Blanche y compris.

Et c'était ce qu'il avait dit à Anne dès son arrivée de l'école: la maison était enfin vendue et ils allaient déménager. Puis il avait enchaîné en disant que sa mère souffrait d'un déséquilibre affectif qui nécessiterait des soins pour très longtemps encore. Le temps avait passé et il avait compris qu'il était amoureux d'Antoinette.

Anne pouvait-elle comprendre qu'il n'avait pas envie de gâcher sa chance d'être heureux en attendant un retour à la santé qui ne viendrait peut-être jamais?

Anne répondit sans la moindre hésitation, comprenant à la façon de parler de son père que ses espoirs les plus fous étaient en train de se réaliser.

Quand il lui proposa d'emménager chez Jason au lieu de se chercher une maison à Montréal, Anne se contenta de sourire et lui sauta au cou.

Puis elle se calma et ajouta qu'elle n'avait aucune critique à faire sur ce projet. Bien au contraire! Elle avoua même à son père qu'elle se doutait bien qu'il y avait quelque chose entre Antoinette et lui.

Le fait de déménager au Connecticut n'apportait qu'un plus à sa joie de savoir leur maison vendue.

Et elle sauta de joie quand Raymond lui assura que le piano allait les suivre et que, dès leur arrivée là-bas, il lui trouverait un autre professeur de musique, si possible parlant français.

Le lendemain, Raymond faisait la liste des choses qu'il aurait à faire en quelques semaines à peine. La corvée serait immense. Pourtant, Raymond regardait autour de lui en souriant.

Cela avait pris du temps, mais ça y était!

Il allait enfin quitter les murs sombres et le minuscule jardin qui avait remplacé le bord de la rivière où il aimait tant se réfugier. Deux mois, encore deux mois et cette période de sa vie serait enfin derrière lui.

Dans quelques semaines, il aurait tout un océan à contempler aussi souvent qu'il en aurait envie.

Mais quelles semaines!

Il n'allait pas simplement changer de maison. Il quittait aussi son bureau et devait s'occuper de vendre une grande partie du mobilier. Mais d'abord, il y avait bien des gens autour de lui avec qui il devrait avoir de longues conversations: ses filles et son gendre, bien sûr; son avocat aussi, il n'avait pas le choix; mais avant tout, c'était à sa mère qu'il voulait parler.

Comment la vieille dame allait-elle prendre l'annonce de son départ? Voir son fils unique quitter la région, quand on a quatre-vingt-quatre ans, était une tristesse et peut-être une inquiétude que Raymond aurait préféré lui éviter. Mais rien ne pourrait l'empêcher de rejoindre Antoinette.

Demain, annonça-t-il à voix haute. J'irai la voir dès demain. Et on verra bien…

Quand Raymond arriva chez sa mère, il la trouva dans la cuisine. Assise à la table, elle avait la tête penchée et semblait contempler ses deux mains posées à plat devant elle. Elle sursauta quand elle entendit la porte s'ouvrir et tourna la tête vers son fils. Raymond remarqua aussitôt qu'elle avait le regard embué de larmes. Inquiet, il s'approcha d'elle.

– Qu'est-ce qui se passe, maman? Tu es malade?

– Pas du tout. Je ne suis pas malade, je suis en colère.

Malgré le passage du temps, la vieille dame n'avait rien perdu de sa verve habituelle. Toujours aussi vive et active, l'esprit aussi clair qu'une jeune fille, il n'y avait que l'arthrite qui déformait ses doigts qui la faisait souffrir.

– C'est encore ces satanées mains! Je voulais me faire une salade au poulet pour dîner, mais pas moyen d'ouvrir le pot de mayonnaise. Si tu savais comme ça m'embête. Ça me met en maudit!

Le mot était lâché! Maudit était l'ultime grossièreté que Raymond avait entendue dans la bouche de sa mère au fil des ans. Quand elle l'employait, c'était qu'elle avait atteint la limite de sa patience.

– Et qu'est-ce qu'on pourrait faire pour régler ce problème?

Madame Deblois haussa les épaules.

– Moi, je vois deux solutions. Ou j'engage quelqu'un qui me suit pas à pas comme un bébé. Ou je me cherche une place dans un foyer. Mais ni l'une ni l'autre de ces solutions ne me sourit. Si ce n'était de mes mains, je pourrais mener encore une vie très agréable. Je n'ai besoin de personne pour s'occuper de moi. Sauf pour ouvrir des pots, des boîtes, des bouteilles, des enveloppes, couper certaines choses... Tu vois, Raymond, la liste est suffisamment longue pour gâcher une journée entière. Quand ce n'est pas toute une semaine, ajouta-t-elle avec humeur.

– Et le médecin, qu'en pense-t-il?

– Que veux-tu qu'il dise, mon pauvre garçon? C'est ça vieillir! J'ai bien des pilules à prendre au besoin, mais ce n'est pas ce qu'il y a de plus efficace! Pour le reste, il me dit que je suis chanceuse d'être en si bonne santé à mon âge. Il dit même que je suis en très bonne santé, précisa-t-elle avec une certaine fierté dans la voix.

Raymond fronça les sourcils.

– C'est vraiment ce qu'il te dit? Que tu es en très bonne santé?

– Serais-tu en train de me traiter de menteuse, Raymond? Ça ne te ressemble pas du tout. Et je n'aime pas le ton que tu...

— Non, non, laisse-moi finir, maman. J'ai peut-être une idée.

Ce fut au tour de madame Deblois de froncer les sourcils en vrillant son fils de son regard perçant.

— Une idée? Quelle sorte d'idée?

Raymond était tout sourire.

— Crois-tu que ton médecin t'autoriserait à partir en voyage?

Madame Deblois leva les yeux au plafond.

— Ce n'est pas au médecin à décider une chose pareille. C'est à moi! Mais pourquoi me parles-tu d'un…

— Que dirais-tu d'aller à la mer, maman? demanda Raymond, la voix vibrante de plaisir. Le soleil, l'air salin, la plage… Ça devrait te faire du bien, non? Je sais où tu pourrais être confortable et heureuse. Et tu y resterais le temps qu'il te plairait. Je connais quelqu'un qui serait très contente de te recevoir, j'en suis certain.

Raymond s'écoutait parler et il ne se reconnaissait plus. D'où lui venait cette assurance, cet enthousiasme? L'idée lui était venue sans préavis, comme une évidence qui s'était glissée dans la conversation. Et que dirait Antoinette? Mais brusquement, cela n'avait pas d'importance. Il avait l'impression d'avoir rajeuni de vingt, de trente ans! Il se revoyait dans cette même cuisine, confiant ses espoirs, parlant de projets d'avenir avec sa mère et ses sœurs. À cette époque aussi, il était confiant, sûr de lui. Puis il comprit. C'était sa nature profonde qui refaisait surface après toutes ces années où il n'avait pas osé brusquer Blanche, où, malgré ce qu'elle en disait, il l'avait respectée dans sa différence, dans sa fragilité.

Et sa mère ressentit la même chose. Ce qu'il avait proposé lui importait peu, elle y reviendrait plus tard. C'était le ton qu'avait employé son fils qui faisait battre son vieux cœur un peu plus fort. Elle posa lentement sa main aux doigts tordus sur son bras et lui dit:

– Je te reconnais bien là, mon grand garçon ! Toujours prêt à aider les autres, à vouloir leur bonheur. Je suis heureuse de constater que le temps ne t'a pas trop changé.

Raymond sentit quelques larmes lui monter aux yeux. Pas besoin d'élaborer : égale à elle-même, sa mère avait, en quelques mots, dit exactement ce qu'il espérait entendre. Elle aussi prenait la mesure du long chemin qu'il avait parcouru. Il aurait pu s'y perdre, mais il avait fini par s'y retrouver.

À son tour, il posa délicatement sa main sur celle de sa mère et, plongeant son regard dans le sien, il prononça tout doucement :

– Justement, en parlant de changement, il y a plein de choses qui se passent dans ma vie. Laisse-moi te raconter…

Quand Raymond repartit de chez sa mère, deux heures plus tard, ils avaient mangé la fameuse salade au poulet et ils avaient longuement parlé d'avenir.

– Si tu savais comme ça me tente d'accepter ta proposition ! J'ai toujours rêvé de voir la mer. Et tu as raison, le soleil me fait du bien.

Et comme la mère et le fils étaient faits de la même pâte…

Quelques minutes de réflexion et madame Deblois avait accepté la proposition de Raymond et pris les dispositions nécessaires pour sa maison. Elle avait appelé sa fille Bernadette pour lui demander d'y voir en son absence.

– Je t'expliquerai tout ça, plus tard. Pour l'instant je n'ai pas le temps, Raymond est là.

Et elle avait raccroché le téléphone sans autre forme d'explication. Puis, une fois revenue dans la cuisine, regardant Raymond droit dans les yeux, elle lui avait dit :

– Je te suis pour quelques semaines. On verra bien ce que ça va donner. Le soleil ne peut me faire de tort et avec tous ces gens autour de moi, les pots et les bouteilles n'ont qu'à bien se tenir.

Mais tu vas me promettre de conduire lentement, d'accord? Et d'arrêter chaque fois que je vais le demander… Et si je ne suis pas bien là-bas, tu vas me ramener ici, n'est-ce pas? Quant à toi, si tu vois que l'adaptation est difficile, pour toi comme pour Anne, ma maison te sera toujours ouverte, le temps que tu te retournes. Tu sais, à cinquante ans, la vie au quotidien n'est pas la même qu'à vingt ans! On tient plus à ses vieilles habitudes qu'on peut se l'imaginer, et rien ne peut te garantir que la vie sera facile aux côtés de cette Antoinette. Alors si tu as besoin de moi, je serai là. Une mère, c'est pour la vie.

Ils s'étaient laissés sur ces mots, sa mère disant qu'elle avait mille et une choses auxquelles penser.

– On ne rit pas! Je pars en voyage.

Sa joie évidente, bruyante comme celle d'une enfant, faisait plaisir à Raymond.

Il tourna sur le trottoir et s'y engagea en sifflotant pour s'arrêter un instant au coin de la rue. Depuis le temps qu'il faisait le chemin entre son bureau et la maison de son enfance, il aurait pu le faire les yeux fermés. Même s'il était grandement en retard, il prit le temps de regarder tout autour de lui. Il reconnaissait les maisons, les rues, se souvenait de certains amis d'enfance. Il avait passé toute sa jeunesse dans ce quartier. Il l'aimait encore tout autant et il savait que c'était d'ici qu'il allait le plus s'ennuyer.

D'ici et de ses deux filles qu'il laisserait derrière lui.

Pour le reste, il n'avait aucun regret. Même le bureau ne lui manquerait pas vraiment. Il y avait passé trop d'heures à ruminer sa vie, à espérer des changements qui n'étaient jamais venus, à réfléchir aux solutions qu'il devrait apporter pour que ses filles soient heureuses. Maintenant que cette période était derrière, même le bureau ne voulait plus dire grand-chose.

Et il savait que son étude serait entre bonnes mains avec Marc.

Dans les premiers temps, il y viendrait régulièrement, peut-être même chaque mois. Puis petit à petit, Marc deviendrait l'unique décideur. Quand il l'avait engagé, cela faisait partie du scénario. Les deux hommes élaboreraient des stratégies dès qu'il aurait parlé à Émilie.

« Et même pour elle, la vie s'est chargée de trouver une solution, songea-t-il en tournant à sa droite pour regagner la rue de son étude. Avec maman qui vient avec moi, là aussi, la transition se fera tout en douceur ! Je n'attaque pas sa mère, mais je m'occupe de la mienne. C'est un langage qu'Émilie va comprendre. »

Chapitre 9

É milie raccrocha le téléphone, perplexe. Elle claqua la langue contre son palais en repoussant une mèche de cheveux d'un geste sec. Brusquement, les choses allaient beaucoup trop vite à son goût. Elle se sentait bousculée et elle n'aimait pas cela.

Elle revint lentement jusqu'à l'atelier.

Sur le chevalet, une grande toile attendait. On y voyait une scène de ville sous un ciel brumeux.

C'était nouveau pour elle de peindre autre chose que des fleurs, et l'idée s'était imposée sans qu'elle sache vraiment d'où elle venait. Un beau matin, alors qu'elle se sentait désœuvrée et qu'elle n'avait envie de rien, Émilie avait griffonné une place publique avec quelques maisons sur un bout de papier. Le résultat lui avait plu.

C'était ainsi que, depuis quelques mois, elle peignait des scènes de ville. Des rues, des carrefours, des lieux publics, des petits quartiers, tous habités d'une multitude de personnages.

Si ses premiers tableaux représentant des jardins ruisselaient de lumière, ses nouvelles toiles explosaient de vie, d'une vie insaisissable et mystérieuse, envoûtante, car les personnages n'avaient pas de visage.

Émilie n'avait peint des figures qu'une seule fois, quand elle attendait Rosalie, et ce tableau était resté inachevé…

Mais le nouveau genre de toile qu'elle peignait plaisait. Monsieur Edgar, comme elle l'appelait, avait été emballé. Les acheteurs aussi. D'où l'appel qu'elle venait de recevoir. Edgar

Pelletier lui proposait un voyage à Paris dans le cadre d'une exposition sur les jeunes peintres francophones.

– L'exposition s'appelle « La jeune peinture d'ici et d'ailleurs », avait-il expliqué. Vous ne pouvez refuser, Émilie ! Quand mon bon ami Gérard m'a appelé, c'est à vous que j'ai pensé tout de suite, sans la moindre hésitation. C'est une occasion en or de vous faire connaître outre-mer. Qui sait jusqu'où cela pourrait vous mener ! Tous les jeunes peintres rêvent de débarquer à Paris !

Il n'osa dire que c'était une chance qu'elle avait déjà ratée une fois, et que si elle refusait encore, cette possibilité ne repasserait peut-être plus jamais.

Émilie avait raccroché en promettant une réponse pour le lendemain.

Tous les jeunes peintres rêvaient peut-être d'aller à Paris, mais elle, Émilie Deblois, en avait-elle envie ?

Elle ne savait trop.

L'inconnu l'avait toujours effarouchée. À force de se faire dire de toujours faire attention, elle ne se sentait à l'aise que chez elle, entourée d'un univers prévisible et sécurisant.

Elle traîna la chaise berçante jusqu'au milieu de la pièce et s'y installa, les jambes recroquevillées sous elle en fixant la toile qui était presque finie.

Sans vouloir être prétentieuse, elle était suffisamment lucide pour constater qu'elle faisait de belles peintures. Sous le ciel brumeux, on devinait l'intensité d'un soleil qui ne tarderait pas à paraître et devant la vitrine de quelques magasins, les gens ressortaient les étalages. La rue, faite de pavés, luisait d'une récente pluie tombée. Une scène banale de la vie quotidienne comme elle les aimait. Des choses simples, des gens humbles, un petit bonheur à la portée de tout le monde.

Un petit bonheur comme elle les aimait tant et dont il ne restait plus qu'une poignée de poussière au creux de ses mains.

Émilie regarda ses mains comme si elle avait réellement pu contempler les vestiges de son bonheur passé.

Depuis le décès de Rosalie, elle avait l'impression que toutes ses balises avaient fondu et qu'elle n'avait plus devant elle qu'un avenir incertain. Sa triste maternité, son mariage, la situation de sa mère se confondaient en elle pour ne laisser qu'une sensation globale de désolation, présage des années à venir. Elle n'avait pu mener sa grossesse à terme, elle n'arrivait pas à se décider d'avoir un autre enfant, ce qui sauverait probablement son mariage, et elle ne savait que faire pour aider sa mère à sortir de cet endroit sinistre. Jusqu'à maintenant, tout ce qu'elle avait entrepris, elle l'avait raté.

Tout, sauf la peinture…

Émilie revint à la toile sur le chevalet et la fixa d'un œil critique.

Et si c'était là son destin? Peindre. Ne vivre que pour l'art.

Émilie soupira.

Ce talent qu'on lui reconnaissait venait peut-être de cette douleur de n'être rien d'autre? Peut-être…

Elle ne s'était jamais vraiment posé la question. Dans ce domaine, tout avait été facile. Toute petite, elle avait découvert que le dessin était la seule activité qu'elle pouvait faire sans restriction et elle aimait cela. Comme sa mère l'avait encouragée à poursuivre, elle n'avait pas cherché plus loin. Pour le reste, tout le reste, Blanche avait toujours veillé sur elle et elle n'avait jamais vraiment eu à se préoccuper de quoi que ce soit.

Sauf depuis deux ans.

Aujourd'hui, elle se sentait démunie, abandonnée. Le pire cauchemar qu'elle avait vécu, la perte de sa petite fille, elle avait dû le vivre seule. Sa mère n'était plus là pour la consoler et Marc voyait la situation d'un regard tellement différent du sien.

Alors, que lui restait-il à part la peinture?

Pas grand-chose. Même son père était parti. Elle n'avait jamais été très proche de lui comme pouvait l'être Charlotte et pendant de longues années elle en avait été jalouse. Elle aurait tant voulu que son père lui accorde autant d'attention qu'à sa grande sœur. Puis, tout doucement, le temps faisant son œuvre, elle avait compris que son père avait de la difficulté à accepter les gens malades. Quand elle en avait parlé à sa mère, celle-ci n'avait pu qu'approuver.

– C'est vrai, ma chérie. Ton père préfère bouger. Comme Charlotte! Il a de la difficulté à comprendre que certaines personnes ne soient pas comme lui. Mais pourquoi t'en faire pour si peu? Je suis là, moi!

De ce jour, Émilie n'avait plus jamais attendu que son père change d'idée et se mette à la trouver intéressante. Cet intérêt n'était apparu que beaucoup plus tard, alors qu'elle était déjà mariée. Ce fut le jour où il avait découvert que sa cadette avait du talent et que celui-ci était reconnu. Mais leur relation n'avait jamais débordé de ce cadre. Aujourd'hui, son père habitait loin de Montréal et quand bien même elle aurait voulu essayer de lui parler, c'était impossible. Quand il était venu lui annoncer son départ, elle avait senti dans sa voix une détermination qui lui avait fait peur. Comme lorsqu'elle se disputait avec Marc! Elle s'était donc réjouie pour mamie qui allait profiter de ce changement, sachant que ce n'était qu'un prétexte au départ de son père. Elle avait gardé pour elle la colère qu'elle ressentait devant l'abandon de sa mère et elle était retournée à ses pinceaux. Elle savait que parler de Blanche pour tenter de le retenir n'aurait rien apporté de plus. De toute façon, si elle avait vu juste et qu'il y avait vraiment une collusion entre le médecin et son père, lui en parler risquait même de nuire à sa mère. Elle avait donc tu ses interrogations et la tristesse qu'elle avait à le voir s'éloigner de Montréal. Car, tout au fond de son cœur, l'espoir d'être aimée de lui comme l'était Charlotte était resté gravé.

Et pour oublier que tout dégringolait autour d'elle, elle s'était jetée corps et âme dans la peinture. Depuis un mois, les tableaux se succédaient à un rythme soutenu et il y en avait suffisamment pour penser à un nouveau vernissage.

– Ou une exposition à Paris, murmura-t-elle indécise. Ne reste plus qu'à en parler à Marc.

Émilie y pensa tout au long de la journée, soupesant le pour et le contre, pour finalement en arriver à se dire que ce voyage était peut-être l'occasion de se rapprocher de son mari.

Quoi de mieux qu'une escapade sentimentale à Paris?

Quoi de mieux que de le plonger, lui aussi, dans le milieu des arts et des artistes?

À côtoyer d'autres peintres, peut-être comprendrait-il mieux le feu qui l'habitait quand elle peignait? Peut-être accepterait-il qu'elle puisse envisager l'avenir d'un point de vue strictement professionnel, un peu comme lui, et qu'ils pourraient être heureux ensemble même sans famille?

Autant la perspective de partir pour Paris ne l'emballait pas en début de journée, autant maintenant elle voyait ce voyage comme une planche de salut pour son couple.

Émilie était débordante d'enthousiasme!

Elle éclata de rire.

C'était bien elle! Passer de la léthargie à la frénésie en quelques heures à peine! Mais cet état d'excitation lui faisait du bien. Elle avait l'impression de reprendre un certain contrôle sur une vie qui lui échappait depuis quelque temps. Quoi de mieux que la peinture pour avoir envie d'agir sans l'habituelle hantise de se tromper? C'était son monde, la seule assurance qu'elle connaisse et elle allait s'en servir pour y raccrocher tout ce qui battait de l'aile entre Marc et elle.

Après, quand tout irait mieux avec son mari, elle s'occuperait de sa mère. Il devait bien y avoir une solution, là aussi!

Émilie sortit son livre de recettes et chercha ce qui serait susceptible de plaire à Marc. Il était particulièrement friand de plats en sauce et... de tarte au sucre!

Quand Marc revint enfin du bureau, le logement embaumait le bœuf aux légumes et une belle tarte trônait au milieu de la table. Émilie s'était changée et avait revêtu la robe couleur émeraude que Marc affectionnait particulièrement. Il disait que ses yeux ressemblaient à des pierres précieuses quand Émilie la portait.

Mais avant qu'il n'ouvre la bouche, Émilie comprit qu'il était fatigué. Le pas lourd et les cheveux hirsutes, Marc avait les yeux rouges et les épaules voûtées.

– Bonsoir. Dure journée?

– Plutôt oui.

Malgré cela, elle vint à lui et, entourant son cou de ses deux bras, elle l'embrassa avec ferveur.

Marc répondit à peine à l'ardeur d'Émilie. Après quelques instants, il la repoussa gentiment et se dirigea vers le réfrigérateur.

– Ça sent très bon ici! Mais si tu ne vois pas d'inconvénient, j'aimerais bien prendre une bonne bière froide avant de manger. Le repas peut-il attendre?

Désappointée de voir que Marc n'avait même pas remarqué sa robe, Émilie détourna la tête pour qu'il ne puisse lire sa déception. Depuis quelque temps, il supportait difficilement que sa femme ait l'air découragé. D'autant plus qu'elle savait fort bien ce qui causait sa fatigue: depuis le départ de Raymond, Marc travaillait comme un forcené pour arriver à tout faire. «Raison de plus, se dit-elle en sortant un verre de l'armoire, pour qu'il accepte de m'accompagner. Il va avoir besoin de vacances!»

Marc se réfugia seul sur le balcon avant de la maison pour profiter de l'ombre qui y régnait. La journée avait été chaude et humide. Émilie n'osa le suivre. Elle savait que si elle rejoignait Marc, elle aurait envie de lui parler tout de suite. Car, finalement, à force d'y penser, elle admettait enfin que cette nouvelle était excellente, que ce voyage à Paris était une occasion à ne pas rater. Mais comme Marc avait l'air éreinté, elle jugea que ce n'était pas une bonne idée de tout déballer précipitamment. Elle attendrait plutôt après le souper.

«Dommage, pensa-t-elle en vérifiant une dernière fois l'assaisonnement du repas. Ça ne devrait pas être comme ça, mais depuis que Marc est arrivé, j'ai l'impression que l'enthousiasme ressenti au long de l'après-midi s'est volatilisé.»

Brusquement, elle se sentait intimidée devant son mari. Il lui faisait trop penser à son propre père quand il revenait du bureau et que la journée avait été dure.

Ils passèrent à table dès que Marc eut fini de boire sa bière. La fenêtre ouverte sur la cour résonnait des cris des enfants du quartier. C'était l'été, un très bel été, et chacun en profitait comme il l'entendait. Il y aurait des bruits et des rires jusque tard dans la nuit, car il faisait très beau et Émilie souhaita que leurs voix se mêlent à toutes celles qu'elle entendait. Quand Marc aurait appris l'heureuse nouvelle, ils en parleraient ensemble jusqu'à ce que la nuit soit tombée, assis dehors, en mangeant une glace comme ils l'avaient si souvent fait par les années passées. Malheureusement, cet été, Marc était souvent pris par son travail et ils n'avaient pas vraiment profité du beau temps.

Marc mangeait en silence, affamé, l'esprit ailleurs. Il repassait mentalement les dossiers qu'il aurait à compléter d'ici la fin de la semaine et il n'était pas certain d'y arriver. C'était la saison des mariages et il ne pouvait pas se permettre le moindre retard. Seul pour s'occuper de tout, il avait devant lui une tâche immense. Heureusement que Carmen, la secrétaire de Raymond, l'avait assuré de sa précieuse présence pour au moins deux ans encore. N'empêche qu'il trouvait difficile de se retrouver seul. Les conseils de son beau-père lui manquaient et devaient être remplacés parfois par des heures de recherche, ce qui n'aidait en rien un horaire surchargé.

Il sursauta quand il entendit la voix d'Émilie qui l'interpellait.

— Marc ! Ça fait deux fois que j'essaie de te parler !

— Je… Excuse-moi, j'avais la tête ailleurs.

— C'est le moins qu'on puisse dire.

Marc leva les yeux vers Émilie, et ce fut à ce moment qu'il constata combien elle était jolie, ce soir. Il lui sourit.

— Vous êtes en beauté, madame Lavoie ! Y aurait-il une occasion spéciale qui m'échappe ?

— Une occasion, non. Une bonne nouvelle peut-être.

Le sourire de Marc s'élargit. Se pourrait-il qu'Émilie soit enceinte ?

— Allez ! Quelle est donc cette bonne nouvelle ?

Marc avait repoussé son assiette et, les coudes sur la table, il attendait. Émilie prit une profonde inspiration puis elle se lança.

— Monsieur Edgar m'a appelée et m'a proposé de partir pour Paris avec quelques toiles dans le cadre d'une exposition regroupant des artistes francophones d'un peu partout. C'est moi qui représenterais le Canada français.

Marc dut faire un gros effort pour ne pas montrer sa déception. Le bébé, ce serait pour une autre fois. Mais en même temps, il comprenait fort bien ce que ce voyage représentait pour Émilie. Alors il garda son sourire et, appuyant son menton sur ses poings, il l'invita à poursuivre.

— Raconte-moi tout! C'est pour quand? As-tu choisi tes toiles? Qui va avec toi?

Émilie était rose de plaisir, de fierté.

— L'exposition a lieu au début de septembre, à Paris. Où dans Paris, je l'ignore pour l'instant, mais ça n'a pas d'importance. Elle dure deux mois mais moi, je n'y serais que pour les deux premières semaines. Le temps de rencontrer des propriétaires de galeries. Comme dit monsieur Edgar, j'y resterais le temps de me faire connaître un peu. Pour les toiles, il pense envoyer un peu de tout. Mes dernières œuvres, bien sûr, mais aussi quelques jardins.

Émilie s'arrêta le temps de reprendre son souffle, puis elle enchaîna en regardant Marc droit dans les yeux:

— Et pour m'accompagner, qui de mieux que mon mari? Les tableaux que j'ai vendus récemment devraient nous permettre cette dépense! Qu'en penses-tu? Ce serait merveilleux d'être ensemble à Paris!

Ce fut à cet instant que le sourire de Marc se mit à pâlir. Émilie avait raison de dire que cela serait merveilleux de partir ensemble, mais Marc ne voyait pas comment il pourrait combler ce désir. Il y avait tant à faire au bureau! Malgré tout, cherchant à étirer le temps, espérant peut-être un miracle, il demanda:

— Et c'est pour quand, encore?

— Début septembre. Deux semaines, ce n'est pas très long et tu as vraiment besoin de vacances!

— Je le sais très bien que j'aurais besoin d'un peu de repos. Et je rêve d'aller à Paris depuis des années. Ce n'est pas ce qui m'embête.

Marc hésitait. Il savait que jamais il ne pourrait se libérer pour accompagner Émilie même s'il en avait terriblement envie. Sans qu'ils en aient parlé, il pensait la même chose qu'elle: une évasion à deux leur ferait le plus grand bien. Mais comment y arriver? Il renvoya un regard navré.

— Je ne sais pas trop, Milie ! Avec tout le travail que j'ai… Ce n'est pas l'envie qui manque, comprends-moi bien, c'est le temps !

Émilie sentait sa gorge se serrer. Elle avait pressenti qu'il lui répondrait cela. Marc était un homme de devoir. Mais ce trait de caractère qu'elle avait toujours considéré comme une qualité lui apparaissait, pour l'instant, comme un terrible défaut. Elle fit une dernière tentative.

— Et si je demandais à papa de revenir pour le temps du voyage ? Il me semble qu'il pourrait facilement te…

— Pas question ! trancha Marc d'une voix catégorique. Ton père m'a fait confiance en me cédant sa place, je ne vais sûrement pas jouer les enfants gâtés. Je prendrai des vacances quand je serai en mesure de m'absenter sans avoir à lui demander de l'aide. Je suis désolé.

Émilie n'avait pu retenir ses larmes et Marc, sincèrement navré, se leva de table pour venir la rejoindre.

— Je t'en prie, ne pleure pas. Ce n'est pas de gaieté de cœur que je refuse ton invitation. C'est juste que je n'ai pas le choix. C'est fou tout ce qu'il y a à faire dans un bureau ! Il y a les contrats, bien sûr, mais il y a aussi la comptabilité que je dois tenir, les gens que je dois rencontrer pour qu'ils sachent que dorénavant c'est à moi qu'ils devront s'adresser. Ce n'est pas facile d'avoir l'air d'un homme d'affaires aguerri et sûr de lui quand on est d'abord et avant tout un clerc ! Ce que j'aime dans mon métier, c'est la paperasse ! Mais j'ai l'impression d'être devenu un homme de cirque ! Le jour où j'aurai appris à jongler facilement avec toutes les obligations qui m'incombent, ça sera beaucoup plus facile. Ce n'est qu'une question de temps et d'organisation. Mais je vais y arriver.

Marc prit les mains d'Émilie entre les siennes.

— Je suis tellement désolé, répéta-t-il. Mais pour l'instant, je ne serais pas un très bon compagnon de voyage. J'ai l'esprit à trop d'endroits en même temps. Toute cette responsabilité m'effraie un peu. Je n'ai pas le droit d'échouer, Milie. C'est notre avenir que je tiens entre mes mains. Notre avenir et celui de ton père aussi.

La voix de Marc se fit câline.

— Et si on se donnait rendez-vous pour l'an prochain? D'accord?

Incapable de prononcer le moindre mot, Émilie hocha la tête. Elle était déçue même si elle comprenait fort bien tout ce que Marc essayait d'expliquer. Mais pour une fois, juste une toute petite fois, elle aurait aimé qu'il soit capable d'un brin de folie.

Marc s'était relevé et commençait à empiler la vaisselle sale. Il s'arrêta brusquement et se tourna vers Émilie.

— Mais je sais qui pourrait t'accompagner à Paris!

— Qui? demanda Émilie en reniflant.

— Mais Charlotte, voyons! Elle nous a dit qu'elle serait en Angleterre à partir de la mi-août. Je suis certain qu'elle accepterait de passer quelques jours à Paris avec toi! Qu'en penses-tu?

Émilie resta silencieuse un instant. Charlotte, ce n'était pas Marc, bien sûr, mais c'était tout de même quelqu'un en qui elle avait confiance. Valait mieux être avec Charlotte que toute seule, c'était évident.

— Peut-être, oui, admit-elle enfin. Mais ce n'est pas pareil.

À ces mots, Marc revint à la table, obligea Émilie à se lever, la prit dans ses bras et la serra très fort contre lui.

— Je le sais. Moi aussi j'aurais préféré être capable de venir avec toi. Et je te jure que je vais tout faire pour qu'on retrouve une vie qui a un certain sens. Je suis conscient que ça ne doit pas être facile pour toi non plus ces journées de fou que je m'impose.

Marc prit le visage d'Émilie entre ses mains et plongea son regard dans le sien.

— Je t'aime, Émilie. Ne l'oublie jamais. Quel que soit l'avenir qui nous est réservé, je t'aimerai toujours.

Puis il ferma les yeux en l'embrassant. Tout au fond de lui, il voulait tellement croire en ces quelques mots qu'il venait de prononcer. Croire en l'amour entre eux, intact, sans faille alors que si souvent, il avait l'impression qu'il craquait de partout…

* * *

Dès qu'elle mit un pied sur le tarmac de l'aéroport, Charlotte reconnut l'odeur de Londres. Ce mélange de fumée, d'humidité et de fleurs était resté très présent dans sa mémoire.

Elle prit une profonde inspiration en levant la tête. Pour une fois, le ciel anglais était bleu sans compromis, de ce demi-ton délavé qui lui était exclusif comme si le ciel, ici, avait été déteint par de trop nombreuses pluies. Ce bleu très doux lui fit penser à Émilie qu'elle irait rejoindre dans deux semaines. Puis elle se pencha vers Alicia qui avait glissé sa main dans la sienne et regardait tout autour d'elle. La petite fille avait les sourcils froncés et donnait l'impression de humer l'air autour d'elle. Charlotte comprit que sa fille renouait avec certains souvenirs qui lui revenaient probablement par bribes, comme des images isolées les unes des autres. Elle intensifia sa pression sur la main d'Alicia et toutes les deux, elles se fondirent à la foule des voyageurs qui se dirigeaient vers l'aérogare en s'agrippant l'une à l'autre. Charlotte aussi retrouvait des souvenirs qui avaient marqué sa vie à tout jamais et elle était émue.

Fidèle à elle-même, Mary-Jane Winslow avait pris la situation en main. Perdue dans la foule des gens venus attendre parents ou amis, elle tenait au-dessus de sa tête, bien en évidence, un carton où elle avait écrit les noms de Charlotte et Alicia.

Le geste arracha un sourire à Charlotte dès qu'elle l'aperçut. En trois ans, sa belle-mère semblait ne pas avoir trop changé. Elle leva le bras pour la saluer avant de se détourner pour attendre les valises.

– Regarde derrière toi, Alicia. Tu vas voir un carton avec ton nom inscrit dessus. C'est *grand-ma* qui l'a fait exprès pour nous !

Dès qu'elle l'eut repéré, Alicia dessina un large sourire. Elle se mit à sauter sur place pour tenter de voir le visage de sa grand-mère et quand elle l'aperçut enfin, elle poussa un cri de joie. Mary-Jane faisait partie des souvenirs qu'elle avait entretenus au fil des semaines vécues à Montréal et d'être ici était, à ses yeux, le plus merveilleux des cadeaux.

Monsieur Winslow les attendait à la maison où son traditionnel *kidney pie* embaumait la demeure. Le temps de déposer ses valises et Charlotte détailla la pièce autour d'elle. Les fauteuils recouverts de jetés à carreaux, les tables de bois verni, l'âtre où, dans quelques mois, une bonne flambée viendrait chauffer la maison… Rien n'avait changé. Les fenêtres étaient ouvertes sur l'été et la brise faisait onduler les rideaux de toile fine. Charlotte ferma les yeux en respirant profondément. Et tout doucement, se mêlant à ses souvenirs les plus chers, le parfum des roses et de la lavande se glissa à travers les effluves du pâté de monsieur Winslow.

Elle esquissa un sourire ému.

Plus que jamais, elle avait vraiment l'impression de rentrer chez elle.

Elle passa les jours suivants à renouer avec les années qu'elle avait vécues ici en se promenant un peu partout. Plusieurs marchands la reconnurent, lui firent la fête, ce qui intensifia cette impression de rentrer au bercail. La petite maison qu'elle avait habitée avec Andrew était libre. Elle était même inoccupée depuis un certain temps, car les herbes folles avaient envahi le jardin.

Charlotte sentit son cœur se mettre à battre un peu plus vite.

Et si elle la louait ? Si elle revenait s'installer ici ?

Tout en sachant la chose impossible, elle en fit tout de même le tour, passa par le potager où elle arracha quelques mauvaises herbes, puis montant sur le balcon, elle essaya de voir par les fenêtres poussiéreuses si l'intérieur était fidèle à ses souvenirs.

Quelques jours plus tard, elle demanda à Mary-Jane de l'accompagner pour aller marcher dans la lande. Alicia étant partie jouer avec son ancienne petite voisine, *grand-ma* accepta de bon cœur. Toujours aussi intuitive, Mary-Jane se doutait bien que Charlotte avait envie de parler. Ses promenades à travers la campagne anglaise, depuis qu'elle était arrivée, ressemblaient trop à un pèlerinage pour n'être que de la détente.

Elles traversèrent le champ puis montèrent jusque derrière les collines, là où l'horizon était sans frontière et où le ciel se joignait à la terre pour offrir un monde infini. Charlotte avait toujours aimé cet endroit. C'était là qu'elle avait crié sa rage et sa colère face à la vie, mais c'était là aussi qu'elle s'était réconciliée avec son destin. Elle l'appelait son bout du monde et elle fut heureuse de voir que la grosse pierre où elle aimait tant s'asseoir n'avait pas bougé.

Mary-Jane avait emporté un thermos de thé et des petits sablés qu'elles partagèrent silencieusement, se contentant de contempler le paysage, de se fondre à lui.

Le ciel était gris, mais la pluie ne menaçait pas.

Quand les vestiges de la collation furent rangés, Mary-Jane porta le regard au loin et demanda de sa voix douce qui contrastait avec son caractère entier :

– *And now, how is your life, Charlie ?*

Charlotte tressaillit. « Et maintenant, comment va ta vie, Charlie ? »

C'était la première fois que Mary-Jane employait un diminutif affectueux en s'adressant à elle.

Charlotte l'avait déjà entendue le faire avec Andrew, mais en de très rares occasions. Quand Mary-Jane disait Andy, c'était que l'instant était à la tendresse. C'était la façon des Winslow de dire « Je t'aime ».

Incapable de résister, Charlotte se rapprocha de Mary-Jane et posa la tête sur son épaule. Elle venait de se rappeler que cette femme avait été une mère pour elle et qu'elle le serait probablement toujours. Les liens qui les unissaient étaient aussi forts qu'à l'époque où Mary-Jane s'occupait d'Alicia parce que Charlotte devait travailler. Ils étaient peut-être même plus forts depuis le décès d'Andrew. Pour Mary-Jane, Charlotte restait un lien tangible avec son fils unique.

Mary-Jane leva la main et se mit à caresser la joue de la jeune femme du bout du doigt, comme elle l'avait si souvent fait au moment de la naissance d'Alicia alors qu'elle sentait la jeune mère désemparée. Ce fut à ce geste que Charlotte comprit qu'Antoinette ne pourrait jamais remplacer Mary-Jane malgré tout ce qu'elle avait cru. Avec Antoinette, ce serait toujours une relation d'amitié, car cette femme était d'abord et avant tout la maîtresse de son père, la rivale de sa mère. Même si Blanche n'avait jamais été la mère qu'elle aurait souhaité avoir, l'aura de sensualité qui entourait la relation d'Antoinette et de son père serait toujours une barrière entre elles, alors que Mary-Jane ne serait toujours qu'une mère. Celle que Charlotte aurait tant voulu avoir.

– Comment va ma vie ? répéta-t-elle songeuse. Je ne le sais pas vraiment. À certains égards, elle fonce droit devant, c'est indéniable. Les livres, Alicia… Mais pour le reste, j'ai la sensation de ne pas avoir bougé depuis le décès d'Andrew.

Charlotte parlait lentement, cherchant ses mots. Son anglais n'était plus aussi coulant, aussi spontané qu'au moment où elle avait quitté l'Angleterre, mais ce débit plus lent lui permettait de réfléchir tout en parlant. Il lui semblait que c'était plus facile de faire le point ainsi, au lieu d'être emportée par son impulsivité naturelle.

– J'ai la sensation de ne pas avoir bougé depuis le décès d'Andrew. Comme si j'attendais encore son retour! Mais ce n'est pas nouveau pour moi. J'ai souvent eu cette sensation d'être en attente. Depuis que je suis toute petite, j'ai l'impression d'attendre quelque chose.

Et petit à petit, les mots se transformant en phrases, Charlotte se mit à raconter sa vie. Toute sa vie. Celle que Mary-Jane connaissait déjà et celle qu'elle n'avait que devinée. Charlotte parla de son enfance. Elle parla de Gabriel à qui elle pensait toujours et de Marc, qui était le père d'Alicia. Elle parla aussi du temps présent. De Raymond qui avait enfin trouvé la sérénité auprès d'Antoinette, d'Émilie qui semblait n'avoir aucun talent pour le bonheur, d'Anne qui s'épanouissait enfin depuis l'hospitalisation de sa mère. Puis elle revint à Andrew, comme si la boucle de sa vie partait de lui et revenait à lui.

– Si j'avais porté plus attention à Andrew, je l'aurais mieux compris. Et ma vie, notre vie aurait été différente. Peut-être ne serait-il jamais parti et serait-il encore vivant.

À ces mots, Mary-Jane tressaillit.

– Ne pense jamais ça. C'était le destin. Son destin. Tu n'y es pour rien dans ce tragique accident.

Mary-Jane avait écouté Charlotte sans l'interrompre. Mais les derniers mots que la jeune femme avait prononcés étaient si lourds de détresse, de regrets qu'elle n'avait pu s'empêcher de lui couper la parole.

– Ma pauvre enfant! Mais qu'est-ce que c'est que toutes ces idées sombres? Pourquoi aurais-tu à te sentir coupable? Comment aurais-tu pu être à l'écoute d'un autre quand la vie te bousculait au point de ne plus savoir où tu en étais? Il te fallait du temps pour tout remettre en place. Malheureusement, ce temps vous a été refusé. Mais je connaissais bien mon fils. Je sais qu'il t'aimait sincèrement, profondément. Et toi tu avais de l'attachement pour lui. Ça se sentait, ça se voyait. Si la vie l'avait voulu autrement, je crois qu'aujourd'hui vous formeriez une famille heureuse.

— Je le crois aussi, murmura Charlotte.

Au bout de quelques minutes de silence, Charlotte ajouta d'une voix pensive:

— Mais pourquoi ne suis-je plus capable d'aimer? On dirait que j'ai peur de m'engager, peur de l'avenir avec un homme et en même temps, je voudrais tellement avoir quelqu'un à mes côtés.

Mary-Jane resta silencieuse un long moment. Elle comprenait que Charlotte ait peur. La vie ne lui avait fait aucun quartier. Depuis toujours, comme tous les êtres sur terre, elle avait voulu être aimée. Mais chaque fois qu'elle faisait confiance à quelqu'un, la vie lui demandait un lourd tribut. Le prix à payer pour être heureuse avait peut-être été trop élevé et aujourd'hui, Charlotte avait peur. Comment parler d'espoir dans de telles conditions?

— Rien n'est acquis, rien n'est facile, finit par répondre Mary-Jane en pesant chacun de ses mots. Je n'ai ni formule magique ni potion surnaturelle pour changer le cours des choses. Mais j'aimerais tant que tu gardes la foi. La foi en toi. Avant de faire confiance à d'autres, peut-être as-tu besoin d'apprendre à te faire confiance à toi.

Charlotte leva les yeux vers Mary-Jane. C'était la première fois que quelqu'un lui parlait ainsi, qu'on lui disait de regarder à l'intérieur d'elle-même. Ce n'était pas ce qu'elle attendait comme réponse mais curieusement, Charlotte se sentait rassurée. C'était comme si Mary-Jane avait ouvert une brèche dans un avenir qui lui semblait tellement sombre. Une brèche réelle et accessible puisqu'elle se trouvait à l'intérieur d'elle-même.

– Vous croyez vraiment que la réponse se trouve en moi ?

– Où veux-tu qu'elle soit ? Il n'y a que toi qui puisses détruire ta peur. Et pour le faire, tu dois croire en ta réussite. Tu dois te faire confiance.

Quand les deux femmes décidèrent de retourner à la maison, le soleil avait réussi à percer les nuages avant de disparaître jusqu'au lendemain. L'horizon était rouge feu et la lande semblait striée par l'ombre des longs foins. Il n'y avait pas un souffle de vent. Arrivée au sommet de la colline, Charlotte se retourna pour contempler le paysage une dernière fois.

Elle ne savait d'où lui venait cette certitude, mais elle était convaincue que plus jamais elle ne reviendrait ici.

Mary-Jane avait déjà pris le petit sentier qui menait au champ derrière sa maison, tandis que Charlotte n'arrivait pas à s'arracher à sa contemplation. Elle resta longtemps debout face au soleil couchant puis, après une longue inspiration, elle s'en détourna. Se mettant à courir, elle dévala la pente pour rejoindre Mary-Jane. Ce ne fut qu'en arrivant tout près de la maison, comme si elle avait eu besoin d'une très longue réflexion pour conclure ce qu'elle avait à dire, que Mary-Jane ajouta :

– Regarde ta petite Alicia. Regarde comme elle est belle. Et je ne parle pas de son visage. Je parle de son âme. Elle est belle parce que tu l'aimes et qu'elle le sait. Elle est belle parce qu'elle a confiance dans l'amour qui vous unit et de ce fait, elle a confiance en ses propres capacités. Ne cherche pas plus loin, Charlotte. La réponse est là. À travers ton passé, le temps présent et celui à venir. Maintenant, va ! Va chercher ta fille. Nous nous mettrons à table dès votre retour.

Les jours précédant son départ pour retrouver Émilie, Charlotte s'appliqua à observer Alicia.

Elle avait l'impression de redécouvrir sa fille.

Mary-Jane avait raison de dire qu'Alicia était une enfant resplendissante, sûre d'elle. Depuis sa naissance, Alicia était entourée d'amour, de respect, d'écoute.

Charlotte n'avait pu s'empêcher de faire un parallèle entre son enfance et celle de sa fille. Les différences étaient si nombreuses qu'elle n'eut aucune difficulté à comprendre ce que Mary-Jane avait voulu dire.

Aucune des sœurs Deblois n'avait eu droit à une enfance heureuse.

Chez elle, on n'écoutait pas, on critiquait. On ne guidait pas, on ordonnait. On n'encourageait pas, on exigeait encore plus. Et c'était en prenant conscience de toutes ces choses que Charlotte commençait à comprendre pourquoi, finalement, aucune des sœurs n'était heureuse.

Elles avaient été élevées par des parents malheureux.

Aujourd'hui, Charlotte était en route pour la France. Plusieurs années plus tard, elle refaisait le chemin qui l'avait conduite à Paris où elle avait essuyé un refus pour ses manuscrits, mais où elle avait découvert qu'Andrew, son mari, était un homme tendre et sensible sous des apparences froides et distantes.

Accoudée au bastingage du traversier, elle laissait le vent jouer dans ses cheveux et offrait son visage à la caresse du soleil. Elle s'en allait rejoindre Émilie qui était arrivée plus tôt ce matin. Elles s'étaient donné rendez-vous à l'hôtel pour prendre le dîner ensemble.

– Le déjeuner, Émilie, avait précisé Charlotte en riant. Il va falloir que tu t'habitues ! Nous parlons peut-être la même langue, mais tu vas voir : parfois quand les Parisiens nous parlent, c'est à n'y rien comprendre !

Ce matin, elle faisait la route qui la séparait de sa sœur. C'était un geste concret, une simple traversée entre l'Angleterre et la France. Deux sœurs, sensiblement du même âge, allaient profiter de quelques jours d'escapade à Paris. Mais en même temps, elle pressentait que ce geste en apparence banal pourrait être tellement plus que cela…

* * *

Trop énervée par le voyage, Émilie n'avait pu dormir et elle attendait Charlotte dans le lobby de l'hôtel.

Le peu qu'elle avait vu de la ville, en venant de l'aéroport, l'avait séduite et il lui tardait de retrouver sa sœur pour sortir explorer le quartier où était situé l'hôtel. Elle entendait bien profiter de tous les instants qu'elle pourrait voler à l'horaire plutôt serré que monsieur Edgar lui avait préparé.

— Il faut tout voir, Émilie, avait-il conseillé. Et surtout rencontrer le plus de gens possible !

Avec son ami Gérard, ce propriétaire de galerie parisien qui avait été à la source du projet amenant Émilie à Paris, monsieur Edgar lui avait établi un horaire rigoureux qu'elle devait observer à la lettre.

— Et vous acceptez tous les soupers, toutes les visites de galeries que l'on pourra vous proposer. Vous êtes à Paris pour vous faire connaître et faire apprécier vos œuvres. Ne ratez pas les occasions qui vous seront offertes !

Finalement, Émilie avait compris que c'était peut-être une bonne chose que Marc soit resté à Montréal. Ils auraient eu fort peu de temps à consacrer à une escapade amoureuse et Marc aurait probablement rongé son frein en pensant à la montagne de travail qu'il avait laissée derrière lui pour accompagner une épouse aussi insaisissable qu'un courant d'air.

Cela ne réglait en rien le problème immédiat d'Émilie.

Seule dans une ville inconnue, elle n'était pas à l'aise. C'est pourquoi elle avait hâte de voir Charlotte. Un simple vol en avion, même si Émilie avait trouvé l'expérience excitante, ne pouvait changer une personne aussi radicalement. Elle mourait d'envie de sortir explorer la ville, mais elle mourait de peur de le faire toute seule.

Quand elle aperçut enfin Charlotte, Émilie se précipita vers elle:

– Enfin te voilà! Si tu savais comme j'avais hâte que tu arrives! C'est immense, ici!

Charlotte éclata de rire. Émilie semblait vraiment heureuse de la voir et elle aussi était contente d'être à Paris avec elle.

Le temps d'un battement de cœur et d'une accolade, elle eut l'impression que c'était une parcelle de leur enfance qui leur était redonnée.

Elles passèrent l'après-midi à se promener dans le quartier où foisonnaient boutiques et petits cafés. À plusieurs endroits, elles rencontrèrent des peintres qui, insensibles à la foule des badauds qui les observaient, croquaient sur le vif des scènes de la vie parisienne.

– Si tu savais à quel point je les envie, murmura Émilie à l'oreille de sa sœur. Mais jamais je n'oserais. Je serais tellement gênée de me savoir observée comme ça!

Épuisées, elles rentrèrent à l'hôtel en se disant qu'elles se contenteraient d'un léger repas avant de monter se coucher.

– Demain, je n'ai que l'avant-midi à moi. Le reste de la journée, je dois être présente à l'exposition, expliqua Émilie, le nez plongé dans le menu.

Puis elle leva un regard implorant au-dessus de la grande feuille déployée devant elle.

– Tu viens avec moi, n'est-ce pas? Je suis morte de trouille. Et si les gens, ici, n'avaient pas apprécié mes toiles ? Ça fait déjà plus d'une semaine qu'ils ont tout reçu ! Ils ont eu amplement le temps de se faire une opinion. S'il fallait que…

— Arrête de t'en faire, Émilie, coupa Charlotte. Je suis certaine qu'ils sont sous le charme comme tous les gens qui ont vu tes peintures.

— Tu crois ?

— J'en suis certaine. Edgar Pelletier et tous ceux qui ont déjà acheté de tes toiles ne sont quand même pas une bande d'imbéciles !

— Non, c'est sûr…

Émilie fit une drôle de mimique.

— Mais j'ai peur quand même. Une chance que tu es là, sinon je crois que je resterais enfermée dans ma chambre.

— Allons ! Ce ne sera pas si pire que ça ! Et en parlant de chambre, dépêchons-nous de commander pour aller nous coucher. Je tombe de sommeil !

Quand elles arrivèrent le lendemain midi à l'exposition, il y avait déjà foule. Gérard, qui faisait le pied de grue en attendant la jeune protégée de son ami Edgar, la reconnut aussitôt. La photo qu'Edgar lui avait envoyée était fidèle au modèle : Émilie était une femme superbe. Il se précipita au-devant d'elle.

— Madame Lavoie ! Heureux de vous rencontrer enfin. Vos toiles sont splendides. L'opinion d'Edgar n'était pas surfaite. Venez, je vais vous montrer où on les a installées.

À peine le temps de présenter sa sœur et Émilie était happée par un Gérard visiblement fier d'avoir à ses côtés une si belle femme. Amusée, Charlotte regarda Émilie qui s'éloignait déjà. Pour une fille qui disait avoir la trouille, elle semblait plutôt sûre d'elle !

Charlotte passa l'heure suivante à parcourir l'immense salle où étaient exposées des dizaines de toiles venant d'un peu partout à travers le monde. Certaines lui plaisaient, d'autres, pas du tout. Mais elle aurait été bien en peine d'expliquer ses choix. En matière de peinture, elle n'y connaissait rien et son appréciation dépendait de l'émotion que chaque œuvre faisait naître en elle. Habituée aux toiles de sa sœur, la lumière dégagée par un tableau était peut-être le seul critère artistique qu'elle pouvait distinguer. Et les jeux d'ombre utilisés par Gabriel, qui était passé maître en la matière.

Elle se lassa toutefois d'aller d'une toile à l'autre. La foule était dense et bruyante. Repérant une table où étaient déposés des verres de vin, Charlotte s'y dirigea. Le temps d'avaler quelques petits fours puis elle tenterait d'attirer l'attention d'Émilie pour l'aviser qu'elle quittait. Charlotte n'avait pas l'intention de perdre un après-midi à attendre que sa sœur puisse se libérer. Elles se retrouveraient plus tard à l'hôtel.

Elle prit un verre de vin blanc, empila deux canapés sur une serviette et se retourna pour regarder la foule. Elle n'avait pas perdu cette habitude de dévisager les gens, d'observer les passants comme elle le faisait adolescente, perchée sur le rebord de sa fenêtre. C'était pour elle une source d'inspiration inépuisable. Les visages, les attitudes, les démarches, les regards, les petits travers étaient à ses yeux autant de personnages et de situations qu'elle pourrait mettre en scène un jour. Tout en sirotant son vin, elle examinait la foule bigarrée qui se pressait devant elle avec un petit sourire sur le visage.

Ce fut à ce moment qu'elle l'aperçut.

Il se tenait à l'autre bout de la salle et semblait contempler une toile.

Charlotte détourna la tête, revint à sa position, plissa les paupières. Non, pas d'erreur possible.

Gabriel… Gabriel était là.

Brusquement, le brouhaha des voix se posa entre eux comme

un immense silence qui peu à peu se transforma en un bourdon-nement indistinct qui l'isolait de la foule.

Charlotte était paralysée, incapable de savoir si elle allait se précipiter vers lui ou s'éclipser pour éviter des retrouvailles im-personnelles sur fond de bienséance. Elle avait toujours imaginé que si un jour ils se retrouvaient, ce serait sur une plage au Portugal et qu'ils seraient seuls. Présentement, ils étaient à Paris au beau milieu d'un vernissage où le gratin de la ville s'était donné rendez-vous.

Charlotte se détourna un instant pour déposer son verre sur la table. Ses mains tremblaient comme les feuilles d'un arbre à l'automne. Elle allait tout renverser ! Quand elle revint face à la salle, elle comprit que Gabriel l'avait remarquée, lui aussi. Il la fixait intensément et comme il était très grand, Charlotte vit qu'il tentait de se frayer un passage pour la rejoindre. Il n'avait pas vraiment changé. Ses cheveux n'avaient pas trop grisonné et il les portait toujours attachés sur la nuque. Seules les rides étaient plus profondes, comme sculptées à même son visage qui avait pris des couleurs de terre cuite.

Quand Gabriel arriva enfin à sa hauteur, sans dire un mot, il la prit tout contre lui et la serra à lui faire mal.

Mais cette douleur dégageait en même temps une grande dou-ceur. Elle était l'expression de cet espoir insensé qu'elle avait toujours entretenu secrètement.

Une des nombreuses attentes de la vie de Charlotte avait enfin un sens.

Elle s'abandonna à son étreinte en fermant les yeux pour que personne ne puisse voir les larmes qui brillaient. Elle détestait toujours autant pleurer en public. Puis Gabriel recula d'un pas.

– Charlotte, fit-il d'une voix enrouée par l'émotion. Je m'atten-dais à trouver ta sœur, pas toi.

Pendant un instant, Charlotte oublia l'émotion qui la portait. Elle ouvrit de grands yeux surpris.

— Tu t'attendais à voir Émilie? Tu es ici pour Émilie?

— Oui. Si on veut. Je reçois tous les mois une revue d'art et l'exposition était annoncée avec le nom des peintres invités. Émilie Deblois... Pour moi, il n'y avait aucun doute. Alors je suis venu dans l'espoir de la rencontrer. Pour parler de toi, savoir ce que tu étais devenue, avoir peut-être une adresse.

Le cœur de Charlotte battait comme un fou, ses mains se remirent à trembler.

Gabriel était-il en train de lui dire qu'il était libre?

Incapable de résister, Charlotte glissa une main sous son bras et, sachant que l'endroit ne se prêtait ni aux confidences ni aux propos intimes, elle proposa:

— Viens, nous allons retrouver Émilie. Je veux te montrer ses toiles. C'est très beau ce qu'elle fait.

Ce fut au tour d'Émilie d'ouvrir de grands yeux curieux quand elle vit Charlotte avancer vers elle au bras d'un homme qu'elle jugea très beau.

— Tu connaissais quelqu'un ici, toi? demanda-t-elle avant même que Charlotte ait pu faire les présentations. Ça alors! Tu aurais pu m'en parler.

— En arrivant ici, je ne savais pas que... Émilie, laisse-moi te présenter Gabriel Lavigne. C'est un peintre que j'ai connu, il y a longtemps, à Montréal. Si je ne m'abuse, aujourd'hui, il est établi au Portugal.

Ce fut au tour de Gabriel de froncer les sourcils. Comment Charlotte savait-elle qu'il vivait au Portugal? Il dut faire un gros effort pour diriger son attention vers Émilie qui lui tendait la main avec une mine surprise.

— Émilie Deblois, dit-elle évasivement. En fait, depuis quelques années, je m'appelle Émilie Lavoie, mais je signe mes toiles de mon nom de fille.

Émilie regardait franchement Gabriel.

– Il me semble que votre nom ne m'est pas inconnu. Pourtant, votre visage ne me dit rien. Habituellement, je n'oublie jamais un visage. Mais je n'arrive pas à…

– J'ai déjà eu un atelier à Montréal, interrompit Gabriel. C'est peut-être pour cette raison que vous avez entendu mon nom. J'expose aussi aux États-Unis.

À ces mots, le visage d'Émilie s'éclaira aussitôt.

– Non, non. C'est bien l'atelier. Je m'en souviens maintenant. J'ai rencontré un groupe de peintres au parc La Fontaine. C'est par eux que j'ai eu votre nom. Je me suis même présentée à l'atelier, mais vous aviez déjà quitté la ville.

Après avoir dessiné une moue d'indécision, elle osa déclarer :

– Il me semble qu'on m'avait dit que je serais la seule Canadienne ici !

– Mais je n'expose pas.

Gabriel laissa couler un petit rire.

– Je ne fais plus partie de la jeunesse. Ni en peinture, ni autrement. Je suis ici uniquement comme observateur. Un curieux parmi tant d'autres. J'ai toujours aimé voir ce que font les autres peintres. Alors, vos toiles ? Je peux les voir ?

Charlotte passa au moins une heure à les écouter discuter peinture. Elle était surprise de voir à quel point Émilie s'y connaissait, elle qui n'avait jamais vraiment étudié l'art. Elle était forcée de reconnaître que sa sœur avait une opinion sur tout et que cette opinion était bien étoffée. Puis Gérard vint chercher sa protégée pour lui présenter quelques amis, propriétaires de galeries, qui avaient manifesté leur désir de l'inviter à leur table pour le dîner. Émilie s'excusa auprès de Gabriel et de Charlotte.

– Tu ne m'en veux pas trop? demanda-t-elle à Charlotte. On avait parlé de manger ensemble et…

– Ne t'inquiète pas pour moi. Je crois que Gabriel et moi, on a bien des choses à se raconter. Ça fait plus de dix ans qu'on ne s'est pas vus.

– Alors profitez-en! On se retrouve à l'hôtel ce soir.

Puis elle tendit la main à Gabriel.

– Heureuse de vous avoir rencontré. On pourrait peut-être se revoir?

– Peut-être.

Et là-dessus, Émilie emboîta le pas à Gérard et se perdit dans la foule encore une fois. Gabriel passa un bras autour des épaules de Charlotte.

– Où va-t-on?

Charlotte leva les yeux vers Gabriel qui la regardait avec la même expression qu'autrefois. Ce fut alors que le temps cessa d'exister. Tout comme avant, un regard et un sourire suffirent pour qu'elle comprenne. Gabriel avait envie d'être seul avec elle.

– Je te suis. J'irai où tu voudras.

Ils avaient tant de choses à se raconter.

Ils avaient presque toute une vie à dire et à écouter.

Gabriel la mena à sa chambre. Il lui semblait que ce qu'ils avaient à confier ne pouvait souffrir la présence d'aucun étranger.

La chambre que Gabriel avait choisie se cachait sous les combles d'une vieille maison. Elle donnait sur les toits de Paris. Charlotte vint à la fenêtre. La vue ressemblait à la carte que Gabriel avait envoyée à l'atelier et où il avait ajouté en post-scriptum: «Dites à Charlotte que je l'aime.»

C'était presque dix ans plus tôt. Mais présentement, Charlotte avait l'impression que c'était hier.

Alors, brusquement, elle voulut tout savoir.

Les silences et l'absence. Les toiles où elle croyait se reconnaître, le pays où il vivait…

Se tournant vers Gabriel, elle le regarda longuement alors qu'il leur versait un verre de vin. Lorsqu'il s'approcha d'elle en lui tendant le verre, elle emprunta les mots de Mary-Jane et lui demanda :

— Et maintenant, comment va ta vie, Gabriel ?

— Et la tienne ?

Ils parlèrent durant des heures. Le soleil brillant de l'après-midi avait baissé et jeté ses derniers feux, plongeant la chambre dans la pénombre. Une à une, les étoiles commencèrent à briller et ils parlaient encore. Charlotte avait pris une main de Gabriel et la tenait bien serrée entre les siennes pour se convaincre qu'il était là, que ce n'était pas un rêve.

Charlotte parla de son désespoir quand il était parti, de la longue attente silencieuse, de Marc, d'Alicia et de l'armée. Elle parla aussi d'Andrew qu'elle avait aimé trop tard puis perdu trop vite. Elle parla de son retour à Montréal et de ses livres enfin édités.

Puis ce fut Gabriel qui prit la parole en parlant de Paris en temps de guerre, du maquis et des copains qui meurent sous le feu ennemi. Il raconta son voyage sur un bateau de pêcheur qui l'avait ramené à Montréal où il espérait la retrouver. Puis sa déception quand il avait appris qu'elle était en Europe. Il parla du Portugal et de Maria-Rosa, sa compagne, sa complice et la mère de son fils, Miguel. Maria-Rosa qui était de plus en plus malade. Les médecins disaient que sa maternité avait accéléré le processus qui détruisait ses muscles lentement.

Quand ils eurent épuisé les confidences et les souvenirs, ils restèrent un long moment silencieux, appuyés l'un contre l'autre. Puis Gabriel reprit la parole.

– Quand je m'ennuie trop de toi, je reprends mes vieux croquis et je fais un tableau.

– Je sais.

– Comment ça, tu sais?

– J'ai vu deux de tes tableaux chez une amie qui habite aux États-Unis. Je me demandais si c'était vraiment moi qu'on voyait sur tes toiles.

– C'est toi, tu es la seule que je peins. Je fais aussi des paysages, des marines. Mais la seule femme que je veux peindre, c'est toi.

– Mais ta femme? Elle ne dit rien?

– Maria-Rosa est ma compagne. Nous ne sommes pas mariés. Et elle sait que je t'aime toujours. Je n'ai pas de secret pour elle.

Durant une courte seconde, Charlotte envia cette Maria-Rosa qui avait partagé toutes ces années avec Gabriel. Ce n'était pas vraiment de la jalousie mais plutôt de l'envie. Elle leva alors les yeux vers Gabriel. Les mots qu'ils avaient dits, les confidences qu'ils avaient échangées avaient annulé ces années de silence. En ce moment, Charlotte avait encore seize ans et elle était amoureuse de l'homme qui la regardait avec une lueur de passion au fond des yeux. Ce regard l'avait toujours bouleversée. Elle savait que si Gabriel faisait le moindre geste vers elle, elle ne pourrait se refuser à lui.

Ils restèrent ainsi, silencieux, songeurs, appuyés l'un contre l'autre, durant de longues minutes.

Quand Gabriel la prit dans ses bras, Charlotte ferma les yeux comme la première fois où elle s'était donnée à lui.

Son corps frémissait, son cœur battait la chamade. Elle aurait voulu suspendre le temps pour que cet instant ne finisse jamais.

Quand Gabriel enfouit son visage dans le cou de Charlotte, il reconnut aussitôt l'odeur de sa peau et elle lui monta à la tête comme un bon vin enivre.

Il oublia qu'au Portugal il y avait une femme appelée Maria-Rosa et qu'elle l'attendait.

Il n'y avait plus ni temps ni espace.

Seule la femme qu'il tenait dans ses bras était réelle. Il l'embrassa passionnément en pensant au passé, en goûtant le présent et en oubliant qu'il y aurait un lendemain. Seul le goût des lèvres de Charlotte sur les siennes avait de l'importance.

Gabriel dévêtit le corps qu'il avait peint si souvent de mémoire à gestes lents et sensuels.

— Tu es plus belle que dans mes souvenirs. J'aimerais pouvoir te peindre à nouveau, m'enivrer de toi chaque fois que j'en aurais envie…

Charlotte avait toujours les yeux fermés. Quand Gabriel se coucha sur elle, Charlotte cambra les reins pour que son ventre vienne à la rencontre du sexe de l'homme qu'elle n'avait jamais cessé d'aimer. Avec lui, elle retrouvait cette impudeur qui avait marqué ses dix-sept ans et elle aimait cela. Sans la moindre gêne, elle offrit son intimité au regard et à la bouche de son amant, priant le ciel, elle qui ne priait jamais, que cette nuit se répète à l'infini.

Le plaisir fut intense. Puis les gestes se firent plus lents, les caresses plus langoureuses et ils restèrent longtemps blottis dans les bras l'un de l'autre sans oser parler, de peur de briser la magie du moment.

La nuit était là, chaude et bonne. Charlotte roula sa tête contre la poitrine de Gabriel et soupira.

— Je dois partir.

— Reste, reste encore.

— Non, Gabriel. Je ne peux pas. Émilie s'inquiéterait. Et puis, je n'ai pas envie de lui donner d'explications. Cette nuit, elle est à nous, pas à elle.

– D'accord. Je comprends.

Ils s'habillèrent en silence et quittèrent la chambre enlacés. Aucun n'osa parler du lendemain jusqu'à ce qu'ils arrivent devant l'hôtel où Émilie devait attendre.

Gabriel se pencha alors vers Charlotte et plongea son regard dans le sien.

– Je prends le train demain à midi, dit-il simplement.

– Donne-moi le nom de la gare et j'y serai.

Les adieux ne furent pas vraiment déchirants.

Au réveil, ce matin, Charlotte avait compris ce que Mary-Jane avait essayé de lui expliquer. La paix tant recherchée, avec elle-même comme avec les autres, elle était bien à l'intérieur de son cœur. Dès qu'elle avait aperçu Gabriel, elle avait su que c'était lui et nul autre qu'elle voulait. Elle attendrait le temps qu'il faudrait.

– Je vais t'écrire. Je vais…

Charlotte posa un doigt sur les lèvres de Gabriel pour l'obliger à se taire.

– Non. Je t'ai donné mon adresse pour que le jour où l'avenir aura un sens pour nous deux, tu puisses me le faire savoir. En attendant, je ne veux rien. Ni lettres ni appels. Maintenant, aujourd'hui, tu as ta vie et j'ai compris quand tu m'as dis devoir la vivre jusqu'au bout. De toute façon, je ne pourrais pas bâtir mon bonheur sur le désespoir d'une autre. Alors je vais t'attendre. Et le jour où j'aurai enfin de tes nouvelles, ce sera à mon tour d'être heureuse auprès de l'homme que j'aime. Parce que je t'aime, Gabriel. Je t'ai toujours aimé.

Ils s'embrassèrent avec passion, puis Gabriel grimpa dans le train qui démarra à l'instant où il s'installait à la fenêtre. Il y resta tant que Charlotte fut encore visible.

Quand les gens et les choses se confondirent à l'horizon, il s'assit, ouvrit un cahier de croquis et se mit à dessiner fébrilement avant que l'image de la femme qu'il aimait ne s'estompe dans le monde des souvenirs…

Charlotte vécut les jours suivants avec une sérénité toute nouvelle. Elle accompagna Émilie un peu partout, prit plaisir à visiter les différentes galeries. Puis l'ennui d'Alicia refit surface et elle se mit à compter les jours, puis les heures.

Il lui tardait de retrouver sa fille qui l'attendait auprès de Mary-Jane. Il lui tardait de rentrer à Montréal. Même ses petits patients lui manquaient, elle qui avait toujours cru qu'elle détestait l'hôpital.

Charlotte avait envie de retrouver sa vie, celle qu'elle s'était bâtie à force de travail et de larmes, d'espoirs et de déceptions.

Charlotte avait envie de reprendre son attente, mais cette fois-ci, il n'y avait plus de questions dans son cœur.

Charlotte savait que Gabriel l'aimait toujours et l'attente serait douce.

Charlotte avait désormais l'assurance d'une femme qui se sait aimée.

CHAPITRE 10

Anne délaissa la copie et redressa la tête.

Une main levée, elle tenait un crayon pointant le ciel et de l'autre, elle retenait mollement les feuilles posées sur ses genoux, qui se soulevaient doucement au rythme de la brise balayant la plage. Devant elle, le paysage se déclinait dans tous les tons de bleu, bordé par l'or du sable. Un peu plus loin, de jeunes enfants s'amusaient à faire voler un cerf-volant multicolore en poussant des cris de joie.

Depuis la rentrée des classes, c'était ici, installée sur une grosse roche plate, qu'Anne venait faire ses devoirs avant de tout revoir le soir avec Jason.

Elle trouvait difficile d'avoir à s'exprimer en anglais, même si les professeurs se montraient compréhensifs et patients envers elle. Elle avait l'impression de se retrouver en première année et de tout reprendre au début. La tâche serait immense d'ici le mois de juin, sans savoir si elle allait réussir.

La seule perspective de redoubler son année lui donnait des sueurs froides dans le dos.

Que deviendrait-elle si Jason n'était plus à ses côtés en classe pour expliquer ce qu'elle n'arrivait pas à comprendre?

Non, vraiment, elle n'avait pas le choix: elle travaillerait d'arrache-pied pour arriver à suivre son groupe.

Coûte que coûte, il fallait qu'elle réussisse même si elle manquait d'assurance, même s'il lui arrivait d'entendre résonner dans sa tête la voix méprisante de sa mère lorsqu'elle se trompait.

Par chance, Antoinette lui avait trouvé un professeur de piano qui parlait un français approximatif. Pour Anne, c'était un réel soulagement d'entendre sa langue maternelle ailleurs qu'à la maison.

Matthew Harrison était un vieil homme au sourire charmant et à l'autorité enveloppée de douceur. Tous les deux, mêlant allègrement anglais et français, riant et se corrigeant mutuellement, ils finissaient toujours par se comprendre. Et avec mamie qui avait une oreille parfaite, Anne perfectionnait ce qu'elle avait appris à son cours.

Son piano arrivé depuis peu avait été installé dans un coin du salon pour que tout le monde puisse en profiter.

Quel changement, après s'être heurtée à la porte du salon fermée à clé pour ne pas déranger Blanche quand «elle piochait sur le clavier»! La jeune fille n'avait pu retenir la remarque qui lui était montée aux lèvres quand Antoinette avait déclaré qu'un peu de musique était un ravissement pour les oreilles et pour l'âme.

– Enfin! Quelqu'un qui comprend. Blanche, elle, n'appréciait pas du tout la musique.

Raymond n'avait pas relevé l'insinuation mais avait tout de même constaté que depuis qu'ils étaient arrivés au Connecticut, Anne avait repris l'habitude de Charlotte et ne disait plus jamais «maman» les rares fois où elle parlait de Blanche. Pourquoi la reprendre puisque, de toute façon, les chances de la revoir étaient très faibles? Raymond n'accepterait pas les impertinences, mais pouvait tolérer le détachement.

Dès qu'elle avait pu se remettre régulièrement à la musique, Anne avait rapidement retrouvé tout le plaisir qu'elle ressentait devant son piano. Les heures qu'elle passait à pratiquer étaient la récompense qu'elle s'offrait après le travail scolaire.

Avant de replonger le nez dans ses devoirs, Anne se permit de perdre encore quelques minutes de son temps pour regarder devant elle. La mer reprenait le bleu du ciel en y ajoutant une pointe de mauve et l'ourlet des vagues venait mourir paresseusement sur la plage presque déserte. La perfection du paysage qu'elle avait devant les yeux lui fit penser à Émilie. Elle avait appris par son père que sa sœur avait fait un très beau voyage à Paris et que certains propriétaires de galeries européennes avaient gardé les quelques toiles non vendues pour les exposer. Émilie était donc retournée à Montréal avec un carnet de commandes bien rempli et il semblait évident qu'elle en était fort aise. Émilie prévoyait même un autre voyage en Europe pour l'été prochain.

Pour ce qui était de Charlotte et Alicia, le courrier remplaçait les visites et les appels téléphoniques. Les trois filles s'écrivaient régulièrement et l'ennui qu'Anne avait eu peur de ressentir n'était pas aussi vif qu'escompté.

Elle écrivait aussi à sœur Marie et à madame Mathilde pour les tenir au courant de sa progression en musique.

Derrière elle, il ne restait plus que sa mère.

Anne y pensait de moins en moins souvent. La jeune fille n'avait plus vraiment l'impression qu'elle faisait partie de sa vie. Par contre, les rares fois où le nom de Blanche lui traversait l'esprit, Anne ressentait toujours un curieux malaise s'infiltrer en elle. Comme si le nom de sa mère suffisait à lui seul à faire planer un danger au-dessus de sa tête. Ce faisant, il ombrageait le bonheur présent, le transformant subtilement en une sensation fragile, presque friable. Chaque fois que cela lui arrivait, elle fermait les yeux très fort pour faire mourir l'image de Blanche en se disant que si l'image venait à disparaître pour de bon, plus rien ne pourrait menacer la vie qu'elle menait aux côtés de son père, mamie, Antoinette et Jason.

Anne ne se rappelait pas avoir été aussi heureuse de toute sa vie.

Par chance, ces instants où le passé refaisait surface étaient plutôt rares. Ses journées étaient tellement débordantes d'activités que c'est à peine si elle avait le temps de penser à autre chose que l'école, la musique et les gens qui l'entouraient.

La jeune fille poussa un long soupir de contentement, prenant conscience de la chance qu'elle avait de pouvoir faire ses devoirs dans un décor aussi idyllique. Il faisait encore chaud et elle avait de la difficulté à concevoir que le mois d'octobre était à deux pas. Au Québec, les vestes et les manteaux avaient sûrement repris leur faction dans les garde-robes d'entrée et les parapluies étaient de garde, probablement plusieurs jours par semaine.

Au moment où elle penchait la tête vers la feuille de mathématiques qui aurait dû être terminée depuis un bon moment déjà, elle entendit la voix de son père qui l'appelait.

Anne tourna les yeux vers lui.

Sur sa gauche, Raymond avançait à longues enjambées, le bord de son pantalon relevé sur ses pieds nus. Il avait roulé les manches de sa chemise et détaché le premier bouton du haut. Ses cheveux gris, qu'il portait un peu plus longs depuis qu'ils habitaient ici, flottaient au vent au rythme de ses pas.

Anne ébaucha un sourire.

Depuis qu'ils étaient arrivés au Connecticut, son père semblait avoir rajeuni de dix ans.

Elle leva le bras pour le saluer.

Quand Raymond arriva à ses côtés, il se laissa tomber sur le sable et tout comme sa fille l'avait fait quelques instants auparavant, il porta les yeux sur l'horizon.

– Il fait presque toujours beau, ici, constata-t-il en souriant. Je ne me fatigue pas de regarder la mer. Chaque jour, j'ai l'impression que c'est la première fois.

Puis il tourna la tête vers Anne.

– Alors, ma grande? Ça va? Pas trop de difficultés avec tes devoirs?

Anne fit la grimace.

– Pas trop… Mais c'est bien parce que c'est le devoir de mathématiques. Quand je passe aux autres matières, c'est là que ça se complique.

– C'est vrai que ça ne doit pas être facile. Mais je sais que tu es capable d'y arriver. Si tu continues tes efforts, tu vas voir, dans quelques mois, l'anglais te semblera aussi familier que le français.

Anne gonfla ses joues avant d'expirer bruyamment.

– Tu crois vraiment que ça va prendre seulement quelques mois? Parfois j'ai l'impression que j'en ai pour toute ma vie à ne rien comprendre la majeure partie du temps. Je saisis des mots, plusieurs même et parfois toute une phrase, mais ça ne va pas beaucoup plus loin. Une chance que Jason est là pour traduire sinon je…

– Ne te fie pas uniquement à Jason, interrompit Raymond. Il ne sera pas toujours à tes côtés pour te faciliter la tâche. Si tu ne comprends pas, lève la main, demande de répéter lentement plutôt que de t'en remettre à Jason.

– Ça me gêne!

Ces quelques mots ramenèrent Raymond à l'époque où Anne ne parlait pas beaucoup. À leur arrivée ici, il avait vu sa fille s'épanouir comme une fleur au soleil. Il savait qu'Antoinette et sa mère y étaient pour beaucoup. Il ne fallait surtout pas que la barrière du langage devienne un embarras pour elle au point de lui faire perdre cette belle confiance qu'elle commençait à acquérir.

– Et pourquoi te sentir gênée? demanda-t-il gentiment. Ce n'est pas une tare que d'oser dire qu'on ne comprend pas. Apprendre une nouvelle langue, c'est un apprentissage comme un autre. Poser des questions, c'est une preuve d'intérêt. Chercher à comprendre, c'est une preuve d'intelligence, tu sais.

Anne resta silencieuse un moment, perdue dans ses pensées. Elle comprenait ce que son père cherchait à dire, mais c'était tellement plus facile, plus sécurisant d'avoir quelqu'un pour tout traduire… Elle sursauta lorsque Raymond posa un bras autour de ses épaules.

– Fais-toi confiance, ma grande ! Je sais que tu es capable.

Puis la voix de Raymond se fit taquine.

– Si tu veux devenir une pianiste de concert, tu vas devoir apprendre à vivre avec la gêne et passer par-dessus ! Dis-toi que d'apprendre l'anglais dans les conditions où tu le fais, te battre pour réussir tes études malgré ce léger handicap temporaire, c'est une bonne pratique pour plus tard. Si tu réussis à vaincre ta timidité aujourd'hui, cela te servira pour toute la vie.

À ces mots, la jeune fille se mit à rougir de plaisir et d'embarras en même temps.

– Tu crois vraiment que j'ai assez de talent pour devenir une grande pianiste ? demanda-t-elle, oubliant momentanément l'anglais et ses caprices et s'imaginant devenue grande pianiste, vêtue d'une magnifique robe de taffetas bleu, elle qui habituellement ne jurait que par les pantalons !

Raymond afficha un large sourire.

– Petite rusée, va ! Tu veux m'entendre dire que tu es bonne, n'est-ce pas ? Oui, tu as du talent et tu le sais.

Tout en parlant, Raymond avait glissé un doigt sous le menton d'Anne, et ce geste lui rappela le temps où Charlotte était encore petite. Refusant de se laisser envahir par la mélancolie, Raymond prit une profonde inspiration et poursuivit en regardant sa benjamine droit dans les yeux.

– Mais encore plus que le talent, tu es persévérante. Tu travailles bien, sans relâche. Je t'admire d'avoir autant de détermination, de volonté. Pourquoi ne pas appliquer la même méthode pour l'anglais? Si tu décides d'être sérieuse, en quelques mois, la gêne sera derrière toi. Et dis-toi bien que tu n'es pas la seule à avoir de la difficulté avec la langue de Shakespeare! Pour moi aussi, ce charabia est encore obscur. J'en connais les rudiments mais guère plus! À cinquante ans passés, j'ai l'impression de tout recommencer à neuf quand j'accompagne Antoinette à son ouvrage. Mais ça me plaît bien d'apprendre quelque chose de nouveau. Je vais peut-être me découvrir un nouveau métier, qu'est-ce que tu en penses? Raymond Deblois, imprimeur! Mais j'avoue que c'est d'autant plus difficile que moi non plus, je ne comprends pas toujours ce que l'on essaie de me dire. Mais tant pis! Quand je me trompe, je préfère rire de mes erreurs plutôt que me renfermer dans la gêne.

Anne buvait les paroles de son père. C'était tellement nouveau pour elle que d'être traitée en adulte capable de comprendre, de partager ses idées.

C'était tellement agréable de se sentir appréciée, valorisée pour ce qu'elle était, à travers ses qualités, et d'être encouragée à améliorer ses défauts plutôt que d'être critiquée. Impulsivement, Anne s'approcha de son père et posa un baiser sur sa joue.

– Merci papa de me parler comme tu le fais. Promis, je vais faire des efforts pour arriver à parler cette foutue langue qui va à l'envers.

Raymond éclata de rire.

– C'est vrai qu'ils ont la manie de placer les mots au mauvais endroit dans la phrase, n'est-ce pas? Mais tu vas voir, on est capable, tous les deux. On va finir par y arriver.

Et sur ce, après avoir accentué la pression de sa main sur le bras d'Anne, Raymond se releva et s'étira longuement.

– Je vais retourner à la maison pour donner un coup de main

à mamie qui prépare le souper. Antoinette a été retenue à son travail.

Mais à peine avait-il fait quelques pas que Raymond se retournait vivement en se tapant le front du plat de la main.

— J'allais oublier ! Je n'étais pas venu te voir pour discuter de l'apprentissage de l'anglais, mais pour te dire de terminer tes devoirs avant le souper. Ce soir, on va magasiner tous ensemble.

Une lueur d'intérêt passa dans le regard d'Anne.

— Magasiner ?

— Oui, c'est aujourd'hui que l'on va se choisir un petit chien.

— Ah oui ? Youpi ! Promis, je vais finir mes devoirs !

Après une légère hésitation, Anne ajouta :

— C'est toi qui as raison, papa. Je suis un peu paresseuse pour mon travail à l'école. Je vais essayer de ne plus compter sur Jason. Pas trop en tout cas ! Je vous rejoins dès que j'ai terminé.

Quand Raymond entra dans la cuisine, sa mère était penchée au-dessus du fourneau d'où s'échappait une bonne senteur de pommes et de cannelle. Il eut un sourire attendri. Malgré le passage du temps, sa mère ne vieillissait pas. Toujours aussi vive et active, elle lui semblait éternelle. Difficile d'imaginer qu'elle était déjà une très vieille dame alors qu'elle trottinait du matin au soir et n'était jamais malade.

Il toussa discrètement pour attirer son attention sans la faire sursauter. L'ouïe toujours aussi fine, madame Deblois se retourna vivement.

— Ah ! T'es là, toi. Et Anne, ça va comme elle veut ?

— Presque… Elle trouve difficile l'apprentissage de l'anglais mais pour le reste, ça va assez bien. Et toi ? La langue ne te cause pas trop de problème ?

Madame Deblois éclata de rire.

— Moi ? Tu sais, à mon âge, on ne s'embarrasse pas avec les

détails. On n'a plus le temps. J'ai opté pour le langage des gestes. Il est universel et je t'assure que j'arrive toujours à me faire comprendre.

Pendant un instant, Raymond envia cette faculté qu'avait sa mère de toujours trouver une solution à tout. Peut-être aurait-il dû lui parler plus souvent quand sa vie s'enlisait pitoyablement avec Blanche ? Il soupira avant de secouer vigoureusement la tête. Pourquoi revenir en arrière alors que l'avenir était si clair, si prometteur ? Sans dire un mot, il s'approcha du poêle pour voir ce que sa mère avait mis à mijoter et souleva le couvercle du plus gros chaudron. Madame Deblois riposta d'une petite tape sèche sur sa main.

— Laisse mes chaudrons tranquilles !

Ils pouffèrent de rire en même temps, le geste leur ayant rappelé l'époque où Raymond, encore gamin, trouvait toujours prétexte à surveiller les chaudrons pour y dérober quelques bouchées. Puis madame Deblois s'essuya les mains sur un torchon.

— Et voilà ! Le souper est prêt. Il ne reste qu'à mettre la table. Dès qu'Antoinette sera arrivée, nous pourrons manger.

Déjà Raymond avait ouvert le tiroir des couverts.

— Je vais t'aider. Et comme Antoinette en a encore pour un moment à l'imprimerie, on va en profiter pour prendre l'apéro ensemble sur la galerie. La chaleur ne durera pas éternellement. Dans quelques semaines, ici aussi, il va faire froid.

Madame Deblois dessina une petite grimace.

— Je sais tout ça ! Et dire que mes mains ne me font presque plus mal. J'ai même réussi à accompagner Anne au piano hier ! J'espère que l'humidité de l'hiver ne viendra pas tout gâcher.

À ces mots, Raymond regarda sa mère en souriant.

— Dois-je comprendre que tu as décidé de rester avec nous ?

La dernière fois où ils en avaient parlé, madame Deblois ne savait pas encore ce qu'elle allait faire. Bien sûr, le soleil et le climat avaient grandement amélioré l'état de ses doigts raidis par l'arthrite. Mais ici comme au Québec, il y avait un hiver. Alors, tant qu'à avoir froid, elle avait laissé entendre que, peut-être, elle retournerait chez elle pour quelques mois. Ce à quoi Raymond avait répliqué en riant qu'elle fonctionnait à l'envers du bon sens.

— Habituellement, à Montréal, les gens qui en ont les moyens vont vers le sud pour les mois d'hiver.

— Tu peux bien rire de moi ! Disons qu'il y a sud et sud, n'est-ce pas ? Ici, ce n'est tout de même pas le Brésil.

— Je le sais bien ! Mais quand même, il fait moins froid qu'à Montréal. Et puis, il y a quelques États plus au sud qui sont assez chauds, même en hiver. On pourrait peut-être s'offrir un petit voyage au mois de janvier. Qu'est-ce que tu en dis ?

Sur cette proposition, madame Deblois avait longuement regardé Raymond avant de dire sur un ton moqueur :

— Si tu me prends par les sentiments… Je vais y penser.

Depuis ce jour du mois d'août, ils n'en avaient jamais reparlé. Raymond voyait passer les jours et les semaines et il se réjouissait de voir que sa mère ne parlait pas d'un éventuel départ. Et voilà qu'aujourd'hui…

— Alors, maman ? Ta décision est prise ?

— Si on veut.

Sa mère semblait hésitante et Raymond en ressentit un léger malaise. N'était-elle pas heureuse ici avec eux ? Elle lui avait même dit qu'avec la visite de ses filles durant l'été, elle ne s'ennuyait pas vraiment. À tour de rôle, Bernadette, Muriel et Janine, trois des sœurs de Raymond, étaient venues passer quelque temps au bord de la mer, au grand plaisir d'Antoinette qui adorait recevoir. Alors que se passait-il pour que sa mère soit si réticente? Voyant que Raymond semblait perplexe, madame Deblois lui tapota gentiment la main.

— Pourquoi cet air morose? Tu t'en fais toujours trop! Finissons de mettre la table et on en reparlera après.

Quand ils s'installèrent sur la galerie face à la mer, madame Deblois resta silencieuse un long moment. Ce qu'elle voulait dire et demander réclamait un certain doigté et elle ne voulait pas voir Raymond se refermer comme une huître, chose qu'il faisait volontiers lorsqu'il était jeune et qu'un sujet l'embarrassait. Sa décision était prise depuis longtemps déjà. Mais cette même décision tenait à ce que Raymond allait faire. Ou pourrait faire. Femme peu scrupuleuse, elle ne se formalisait pas vraiment de voir son fils avec une femme qui n'était pas la sienne. Témoin silencieux de toutes ces années où elle savait Raymond malheureux, elle ne pouvait que se réjouir de le voir enfin épanoui. Mais Blanche était toujours vivante et personne, pas plus elle que Raymond ou les autres, ne pouvaient l'oublier complètement. Et c'était de cela qu'elle voulait entretenir son fils. Mais comment y parvenir sans ouvrir de vieilles blessures? Elle se décida enfin à parler quand elle vit Anne qui les saluait de loin. C'était aussi pour sa petite-fille qu'elle allait mettre les choses au clair.

— Tu m'as demandé si ma décision était prise? Je te répondrai que malheureusement, je ne suis pas seule juge. Je sais ce que j'aimerais faire, mais il reste encore trop d'inconnu pour que je puisse te donner une réponse définitive.

Raymond tourna vivement la tête vers elle.

— Si tu penses à Antoinette en parlant de la sorte, je peux t'assurer qu'elle…

— Je ne pense pas à Antoinette.

À son tour, madame Deblois se tourna franchement vers Raymond avant de poursuivre.

– Je pense plutôt à Blanche.

Raymond se sentit rougir comme un adolescent.

– Blanche?

– Oui, Blanche, ta femme. Je me rappelle fort bien tout ce que tu m'as dit avant de partir de Montréal. Ses maladies, ses crises, son besoin de soins, l'alcool. Mais encore? Va-t-elle rester internée pour le reste de ses jours? J'ai l'impression que tout le monde essaie de ne pas y penser mais moi, vois-tu, je n'y arrive pas. Que va-t-il se passer si jamais elle guérissait? Vas-tu demander une séparation? Je sais bien que ça existe, mais dans quelle mesure? Pour quelles raisons? Et Anne dans tout ça? Qu'adviendrait-il d'Anne si jamais Blanche guérissait et que tu te séparais? Je n'y connais pas grand-chose, mais je vois mal un juge permettre à une jeune fille de quatorze ans de rester avec son père. Et si tu veux mon avis, ce ne serait pas la meilleure chose pour ta fille que de retourner vivre avec Blanche. Sans vouloir lancer de pierres à personne, j'ai déjà connu de meilleure mère que ta femme. C'est pourquoi je te dis que je sais ce que j'aimerais faire, mais je m'interroge encore. Si tu étais un homme libre, sans hésitation, je dirais que je veux rester ici. J'aime la place, les gens et le climat. Et vois-tu, à mon âge, se sentir encore utile à quelque chose, ça n'a pas de prix. Mais voilà! Est-ce que ça va durer? Si jamais tu devais partir et qu'entre-temps j'avais vendu ma maison pour rester ici, je me retrouverais le bec à l'eau et ça ne me tente pas d'avoir à me trouver un autre logis.

Raymond soupira bruyamment. D'un côté, sa mère n'avait pas tort. Le peu qu'elle savait des conditions qui l'avaient amené à faire hospitaliser sa femme n'était pas suffisant pour qu'elle puisse avoir une image claire de la situation. Mais d'un autre côté, les risques de voir Blanche sortir de l'institut où elle se trouvait étaient fort minces. Chaque mois, il parlait au médecin et ce dernier était formel : avec les électrochocs qu'elle recevait régulièrement et la médication quotidienne, Blanche ne souffrait plus. C'était là l'expression qu'il employait régulièrement : votre femme ne souffre plus. C'étaient les mots que Raymond avait besoin d'entendre. Ils détruisaient toute forme de culpabilité qui aurait pu encore exister. Quand il repensait à toutes les crises que Blanche avait faites, à tous ces jours où elle buvait pour oublier qu'elle était malheureuse, et c'étaient ses propres mots, aux décisions insensées et dangereuses qu'elle avait prises face aux filles, Raymond arrivait à se convaincre que tout ce qu'il avait fait et décidé était pour le mieux. Et ce, pour tout le monde, y compris Blanche.

Il soupira de nouveau et se frotta longuement le visage avec les deux mains. Il sentait bien que sa mère attendait une réponse de sa part, mais il n'arrivait pas à dire toute la vérité. Pourtant, cette vérité saurait la rassurer. Mais comment avouer que c'était à sa demande que Blanche avait été internée et que c'était encore lui qui avait réclamé au médecin de faire en sorte qu'elle y reste ? Toute cette histoire était tellement ambiguë, difficile à cerner. Finalement, ce qu'il avait fait, il l'avait fait pour le bien de tous. Alors pourquoi ne pas aller jusqu'au bout et tout dire à sa mère ? Parler sans équivoque, depuis les tout débuts. Commencer par les médicaments administrés à Émilie et le brandy donné à Anne pour la faire dormir. Raconter comment il trouvait la maison complètement à l'envers quand Blanche avait trop bu et dire enfin dans quelles circonstances elle avait déboulé l'escalier. Tout dire pour que sa mère comprenne pourquoi il avait agi ainsi et pourquoi il n'avait pas vraiment de craintes de voir Blanche sortir de l'institut.

Raymond se leva alors de sa chaise et, comme lorsqu'il était enfant, il vint s'asseoir à même le plancher et posa une main sur les genoux de sa mère. Curieusement, il sentait le besoin d'être rassuré.

– Je comprends très bien d'où vient ta crainte, maman. À première vue, elle est tout à fait justifiée. Tu as raison de dire que si Blanche guérissait, notre vie serait complètement bouleversée. Mais ne crains rien, ça n'arrivera pas. Et voici pourquoi.

Lentement, Raymond tenta de remettre les choses en perspective à partir de la naissance de Charlotte jusqu'à maintenant. Il parla des crises d'angoisse de Blanche, de ses paniques devant la santé d'Émilie qu'elle disait fragile. Il parla des médicaments qu'elle lui avait administrés de façon irrationnelle jusqu'à la rendre véritablement malade puis de son penchant pour l'alcool qui n'avait fait qu'empirer avec les années. Il parla des exigences qu'elle avait eues face à Charlotte en oubliant trop souvent qu'elle n'était encore qu'une enfant. Et sur ce point, il avoua franchement qu'il n'avait guère été mieux que Blanche.

– Elle était si raisonnable qu'on oubliait facilement qu'elle n'était encore qu'une enfant.

Puis il arriva à Anne. Cette petite fille dont Blanche n'avait jamais voulu. Il parla de la longue dépression qui avait suivi sa naissance puis de Charlotte qui s'en était occupée comme une mère.

– Oui, approuva madame Deblois, songeuse. Je me souviens fort bien de cet épisode. Et tu as raison de dire que Charlotte a été une vraie petite maman pour sa sœur.

Puis elle tourna la tête vers Raymond, confuse.

– Excuse-moi, je t'ai interrompu. Continue.

Raymond reprit en expliquant comment Charlotte avait été injustement écartée au profit de Blanche quand elle était revenue à la maison et avait réclamé sa fille. Puis il ajouta qu'il y avait eu un matin où Émilie avait trouvé sa mère ivre morte dans son lit alors qu'Anne, qui n'était encore qu'un bébé, pleurait toute seule dans sa chambre. Et Anne sentait l'alcool. Finalement, il parla des dernières années où Anne était plus souvent qu'autrement traitée comme une indésirable. Il raconta toutes ces années où la petite fille avait peur de rentrer chez elle, ne sachant jamais ce qu'elle allait y trouver. Puis il parla du docteur Clément et de l'entente tacite passée entre eux. La seule chose qu'il ne mentionna pas, ce furent les enveloppes contenant un chèque qu'il remettait deux fois l'an au médecin. Sur ce point, il se sentait toujours très mal à l'aise.

Mais en gros, ce fut ainsi que Raymond raconta sa vie.

Une vie que sa mère avait observée de l'extérieur, se contentant souvent des explications un peu obscures qu'il lui donnait. Elle savait que son fils était malheureux, mais elle savait aussi qu'elle n'avait pas à intervenir à moins qu'il n'en fasse la demande. Et comme Raymond n'avait jamais rien demandé ou si peu... Cependant, jamais elle n'avait soupçonné que sa vie avait été un tel calvaire.

Quand il eut fini de parler, madame Deblois posa sa main aux doigts tout tordus sur celle de son fils. Peu importe qu'il fût aujourd'hui un homme d'âge mûr, Raymond restait son enfant, son petit garçon. Elle l'aimait avec la même tendresse que lorsqu'il était enfant. Et elle lui faisait confiance.

– D'accord. Je vais me fier à ton intuition, même si je trouve risqué de se baser sur la seule parole d'un médecin. Tant de choses peuvent arriver qu'on n'avait pas prévues.

Sur ce, madame Deblois observa un moment de silence. Elle ne savait pas beaucoup plus où elle en était mais qu'importe? Elle sentait que Raymond avait besoin de sa présence, qu'il avait besoin de se sentir approuvé. Alors elle resterait près de lui. Et tant pis pour le reste. Après tout, elle s'entendait fort bien avec Antoinette, ses filles avaient promis de venir la voir régulièrement et le climat, même en hiver, ne pouvait être pire que chez elle.

Madame Deblois prit une profonde inspiration. Si quelqu'un lui avait dit qu'à son âge elle aurait encore à prendre des décisions d'importance qui pouvaient changer sa vie, elle ne l'aurait pas cru. C'était pourtant ce qui était en train de se produire.

Avait-elle peur ?

Pas vraiment. Elle était juste un peu troublée. S'il fallait qu'elle commette une erreur !

Si elle restait ici, cela voulait dire qu'elle allait devoir vendre sa maison. Elle y avait vécu plus de soixante ans. Alors ce n'était pas de gaieté de cœur qu'elle allait s'en défaire. Mais que faire d'autre ? On ne laisse pas une maison inoccupée comme l'était la sienne depuis des mois. Elle n'aurait pas le choix.

Raymond était toujours assis devant elle et malgré le fait qu'elle avait dit qu'elle resterait, madame Deblois le sentait crispé.

– Arrête de t'en faire. Je te sens tendu comme les cordes d'un violon. J'ai bien senti au son de ta voix que tu avais encore de la difficulté à accepter les décisions que tu as prises. Et tu ne devrais pas. Je te connais suffisamment pour savoir que tu as agi en toute honnêteté. En intervenant comme tu l'as fait, tu as rejoint ce que j'ai toujours dit : quand on accepte d'avoir un enfant, on accepte aussi de tout mettre en œuvre pour le rendre heureux. Et je crois que c'est ce que tu as fait. Regarde Anne. Jamais je ne l'ai vue aussi sereine, aussi joyeuse. Juste pour cela, tu as bien fait d'agir comme tu l'as fait. Pour le reste, seul l'avenir pourra répondre aux interrogations qui peuvent rester dans ton esprit.

Pour madame Deblois, tout ce qui avait à être dit l'avait été. Ne restait qu'à trouver une solution pour sa maison. Alors, elle bouscula Raymond en agitant les jambes.

– Maintenant, relève-toi. Ça me tanne de te voir à mes pieds comme un soupirant. Je vais avoir besoin de toi.

— Pour quoi faire ?

Raymond s'était relevé et époussetait les jambes de son pantalon.

— Pour ma maison. Il va falloir que je retourne à Montréal pour y voir. Je ne peux pas vendre tout meublé. Et puis il y a la vaisselle, les souvenirs, la literie. T'as pas idée de tout ce que j'ai pu accumuler en soixante ans, mon garçon ! Je veux que tes sœurs puissent choisir ce qu'elles veulent garder. Toi aussi.

Raymond avait repris sa place sur la chaise de bois à côté de sa mère. Il comprenait ce qu'elle tentait d'expliquer. Les corvées seraient titanesques avant que la maison ne soit prête à être livrée à un éventuel acheteur. Ce fut à ce moment qu'il eut une idée. Il tourna un large sourire vers sa mère.

— Et si dans un premier temps, tu louais ? Ça t'éviterait de devoir tout…

— Pas question !

La réponse de madame Deblois avait fusé comme une flèche. Elle regardait Raymond avec un air furibond.

— Pas question que des étrangers fourrent leur nez dans mes affaires ! fulmina-t-elle, outrée que Raymond ait pu avoir une telle idée.

Mais aussitôt, ses traits se détendirent.

— Par contre… murmura-t-elle en regardant au loin.

Durant un moment elle resta silencieuse, le regard fixé sur l'océan. Puis lentement, elle s'en détourna pour venir fixer son fils d'un regard qui lançait des étincelles de plaisir.

— Par contre, tu viens de me donner une sucrée de bonne idée !

— Et on peut savoir ? demanda Raymond, qui avait énormément de difficulté à voir une certaine logique dans les propos de sa mère.

— Nenni, mon garçon !

Madame Deblois était déjà debout et s'apprêtait à regagner la maison.

– Tu sauras ce que tu as à savoir en temps et lieu. Mais ton idée de louer n'est peut-être pas si folle que cela! Ne reste plus qu'à…

Le reste de la phrase se perdit dans le claquement de la porte tandis que Raymond, perplexe, reportait les yeux sur l'horizon. Qu'est-ce que sa mère était en train de mijoter?

* * *

Émilie était revenue de voyage emballée. Ses toiles avaient été remarquées.

Un journaliste l'avait même approchée pour écrire un article sur l'art au Canada et il voulait l'illustrer avec des tableaux d'Émilie.

Quoi de mieux pour se faire connaître?

On lui avait proposé de laisser quelques toiles en France et on lui avait demandé si elle était prête à travailler sur commande, au besoin.

Un propriétaire de galerie ayant pignon sur rue à Bruxelles voulait organiser un vernissage pour le printemps suivant. Émilie pourrait-elle avoir suffisamment d'œuvres à exposer?

Sa réponse avait été spontanée:

– N'ayez crainte! J'ai tout mon temps pour peindre.

En plus d'être emballant, ce projet était vraiment concret et permettrait de mettre en veilleuse les discussions sur la famille que Marc rêvait de fonder.

Émilie s'y était accrochée comme un naufragé s'accroche à sa bouée. Elle n'avait pas le temps d'être enceinte pour le moment, elle préparait un vernissage. Il leur faudrait donc attendre encore.

Et elle y croyait! Pourquoi tant se presser? Marc et elle étaient encore jeunes, ils s'en occuperaient plus tard.

Pourtant, Marc ne voyait pas la situation du même œil. Émilie n'avait que vingt-six ans, d'accord, mais lui allait en avoir trente bientôt. Il était donc revenu à la charge dès le début d'octobre et avait suggéré qu'il serait peut-être temps de penser à avoir un bébé, malgré tous les beaux projets de son épouse. La réponse d'Émilie avait été formelle : après l'exposition, ils en reparleraient. Malgré ce que le médecin en disait, elle n'était pas encore prête à mener famille et carrière de front. C'était surtout reporter la discussion à dix mois plus tard. Une éternité à ses yeux. Il pouvait se passer tant de choses en un an. Comme une autre proposition d'exposition, peut-être ? De toute façon, Marc n'avait pas insisté et elle s'était dépêchée d'oublier ce projet d'avoir un bébé.

Novembre venait à peine de commencer que déjà quatre toiles étaient prêtes. Aux fêtes, elle enverrait des photos en Belgique, accompagnées des vœux d'usage pour se rappeler au bon souvenir du propriétaire de galerie.

Ce projet occupait toutes ses pensées.

Après l'effervescence de Paris, elle avait retrouvé son logement avec plaisir. Dans le fond, Émilie n'était vraiment bien que chez elle.

Et cette belle sensation de plénitude avait duré quelque temps.

Pourtant, après quelques semaines de travail intense, elle avait commencé à ressentir de l'ennui. Elle avait l'impression d'un manque à combler dans sa vie sans qu'elle sache d'où venait ce vague à l'âme. Pourtant, elle était chez elle, dans son univers, elle faisait ce qu'elle aimait le plus au monde, Marc était gentil et leur relation allait assez bien. Alors ?

Que se passait-il pour qu'elle ressente cette espèce de vide en elle et autour d'elle ?

Ce matin, il pleuvait des trombes d'eau. Un café à la main, Émilie avait regardé Marc partir pour le bureau puis elle était restée un long moment à la fenêtre du salon contemplant, navrée, le paysage détrempé. D'où elle était placée, Émilie ne voyait que le dessus des parapluies, qui, ce matin, se suivaient et s'accouplaient dans les tons de noir et de gris, en accord avec les nuages qui se bousculaient à peine plus hauts que le toit des immeubles.

– Assez pour se sentir neurasthénique murmura-t-elle découragée.

Toutefois, elle savait bien que le temps n'avait rien à voir avec son état d'esprit. Cela faisait des jours et des jours qu'elle devait se faire violence pour s'installer devant le chevalet. À croire que la passion lui était passée. Pourtant, aussi déprimant fût-il, le paysage qu'elle avait devant les yeux aurait dû l'inspirer. Tous ces gens marchant à pas pressés, cette valse de parapluies qu'elle aurait pu habiller de couleurs vives dans un décor sombre...

Mais le cœur n'y était pas.

Malgré tout, comme souvent depuis quelques semaines, elle s'obligea à revêtir sa vieille blouse de travail, elle sortit sa palette de couleurs qu'elle gardait au froid pour l'empêcher de sécher et elle fit de la clarté dans l'atelier. La branche du gros érable fouettait le carreau avec fureur. Sur le chevalet, la toile qu'elle avait commencée hier attendait en séchant.

C'était une scène de quartier comme elle les aimait, avec un gros érable orangé qui ombrageait la façade d'une boutique de fleurs.

Les Européens semblaient friands de ces couleurs chaudes d'automne. La toile éclatait de soleil et cela aussi aurait dû l'inspirer à côté de la grisaille extérieure. Mais plutôt que de se laisser envoûter par la lumière de son tableau, Émilie s'en approcha pour le retirer du chevalet et l'appuyer contre le mur. Elle avait l'impression que ce trop-plein de clarté l'agressait. S'emparant d'une toile vierge, elle la posa à son tour sur le chevalet. Armée d'un fusain, elle se mit à dessiner. Une maison, puis une autre. Insatisfaite, elle attrapa un chiffon et se mit à tout effacer.

Puis elle éclata en sanglots.

Mais que se passait-il donc? Elle était pourtant revenue de voyage gonflée à bloc, enthousiaste et pleine d'énergie. Et tout d'un coup, plus rien!

Émilie lança son fusain qui alla buter contre le mur avec un petit bruit sec. Puis elle s'enroula dans le châle de laine qu'elle laissait en permanence sur la chaise berçante et s'y installa, les jambes repliées sous elle. Si au moins elle avait eu quelqu'un avec qui partager son désarroi. Mais il n'y avait personne. Si elle en parlait à Marc, elle était certaine qu'il lui dirait qu'avoir un bébé réglerait son problème. Et ce n'était surtout pas cette réponse qu'elle espérait. Bien sûr, il y avait Charlotte avec qui elle avait passé un vrai bon moment à Paris. Mais depuis qu'elle avait appris que Marc était le père d'Alicia, elle n'avait plus jamais eu le réflexe de se confier à elle. Alicia dressait une invisible barrière entre les deux sœurs et Émilie n'avait pas le courage ou l'envie de l'abattre. D'autant plus qu'elle-même n'avait même pas su mener sa grossesse à terme…

Alors à qui parler? Il n'y avait personne d'autre dans sa vie. Personne d'assez proche pour qu'elle puisse ouvrir son cœur comme elle en aurait eu envie.

Ce fut en se répétant qu'elle n'avait jamais eu d'amis qu'Émilie cessa de se bercer. C'était vrai, jamais de toute sa vie elle n'avait eu de véritable amie. Pendant son enfance, sa famille avait tenu tous les rôles. Puis il y avait eu Marc. Mais c'était tout.

Sauf à Paris où elle avait été entourée, sollicitée.

Émilie fronça les sourcils, savourant cette idée pendant un long moment. Puis quelques souvenirs de son voyage refirent surface et elle dessina un sourire.

Voilà ce qui lui manquait tant depuis quelque temps. Il n'y avait plus personne avec qui elle pouvait discuter, partager, analyser.

Pendant des années, elle avait cru qu'elle pourrait se satisfaire de sa famille. Elle venait de comprendre qu'il n'en était rien. Ce qu'elle avait connu d'amitié et de partage lui manquait terriblement.

L'enthousiasme qu'elle avait ressenti à Paris avait été alimenté par les échanges avec des gens qui parlaient le même langage qu'elle. Et cela lui avait fait un bien salutaire. Alors qu'ici, elle était seule. Désespérément seule depuis que Marc avait repris le bureau. Ils ne se voyaient plus que tard le soir et encore…

– Si au moins maman était là, murmura-t-elle pour elle-même.

L'ennui de sa mère fut tellement fort qu'elle décida d'aller la voir.

De toute façon, elle avait si peu la tête à dessiner que tout ce qu'elle ferait ne la satisferait pas. Et tant pis pour le mauvais temps, ce n'était pas quelques gouttes de pluie qui allaient l'empêcher de sortir. Elle avait besoin de voir quelqu'un. Même si cette personne n'écouterait probablement qu'à moitié et ne comprendrait pas grand-chose à ses propos. Au moins, elle pourrait parler.

Quand elle arriva à l'étage où était hospitalisée sa mère, il faisait si sombre que tous les plafonniers étaient allumés. La grande salle où Émilie retrouvait habituellement sa mère était presque vide. Elle sentit un vent de colère la soulever. Influencées par le temps exécrable, les infirmières devaient être de mauvaise humeur et ne s'étaient pas donné la peine d'aider les patients à s'installer dans la salle. Elle fit demi-tour et regagna l'autre bout de l'étage où était la chambre de sa mère.

Blanche dormait.

Émilie sentit son cœur se serrer. Sa mère était si petite, recroquevillée sous les couvertures. À peine plus grosse qu'une enfant. Elle avança silencieusement vers elle.

Les autres patients de la chambre étaient calmes, le regard fixe, à l'exception du vieil homme aux cheveux hirsutes qui passait son temps à s'entretenir avec un invisible interlocuteur. Aujourd'hui, il semblait bien qu'il soliloquait à propos d'un voyage qu'il projetait faire à l'hiver.

Émilie tira une chaise pour s'installer près de Blanche. Ce n'était pas la première fois qu'une de ses visites se solderait par un échec. Elle avait souvent passé de longs après-midi aux côtés de sa mère qui dormait. Mais peu lui importait. Depuis que son père avait quitté le pays, elle était la seule à venir voir sa mère de façon régulière. Elle trouvait que c'était important.

Émilie avait déposé tout doucement son manteau sur le lit. Puis elle approcha une chaise en bois grisâtre pour être à la hauteur de Blanche et, impulsivement, elle posa délicatement sa main sur celle de sa mère qui reposait sur le drap. La peau de Blanche était diaphane et Émilie voyait battre une petite veine bleutée sur sa main. Ses ongles qu'elle avait toujours soignés et vernis étaient coupés courts. Ses cheveux pendaient en mèches désordonnées sur son front alors que la nuque avait été rasée. Émilie augmenta la pression de sa main, le cœur dans l'eau. Si elle s'était écoutée, elle aurait habillé sa mère et l'aurait prise dans ses bras pour l'emmener chez elle. Elle aurait tant voulu s'en occuper comme Blanche l'avait fait pour elle quand elle n'était qu'une toute petite fille. Mais ici, tout lui était interdit. Elle avait proposé de coiffer Blanche, de l'habiller autrement qu'avec cette horrible jaquette verte, de l'aider à se maquiller un peu. Mais elle se débattait en pure perte: c'était une fin de non-recevoir à chaque nouvelle tentative.

— Et puis quoi encore? lui avait rétorqué une infirmière

visiblement offusquée. Ce n'est pas un hôtel, ici. Et qui va devoir laver tout ce barbouillage-là, le soir ? Hein ? Allez-vous revenir la démaquiller et la remettre en jaquette ? Une robe de chambre, c'est bien assez pour se promener dans un corridor.

Puis elle avait haussé les épaules avant de tourner les talons en lançant derrière elle :

— De toute façon, elle ne se rend compte de rien.

Ce jour-là fut un de ceux où Émilie était rentrée chez elle bouillante d'une colère incontrôlable que Marc avait dû calmer du mieux qu'il pouvait.

Aujourd'hui, ce n'était pas de la colère qu'elle ressentait. C'était de la tristesse. L'état pitoyable de sa mère, le mauvais temps, l'ennui d'une vie sociale satisfaisante se mêlaient en elle et formaient une grosse boule de chagrin qui lui encombrait la gorge. Alors, elle posa la tête sur l'oreiller tout près de celle de Blanche et elle se mit à lui parler à voix basse. Elle lui raconta son voyage, les gens qu'elle avait rencontrés, la fierté qu'elle éprouvait à se savoir appréciée. Elle lui parla ensuite de son ennui, de Marc qui travaillait tout le temps, du logement qu'elle trouvait parfois bien vide, trop silencieux. Elle lui répéta qu'elle l'aimait et s'ennuyait d'elle, de leurs discussions.

Du bout du doigt, tout en parlant, Émilie caressait le front de sa mère, indifférente aux gens qui l'entouraient. C'est pourquoi, quand une infirmière approcha avec le plateau des médicaments, elle ne l'entendit pas venir. Elle sursauta quand la toute jeune femme déposa le gobelet de métal sur la table roulante qui surmontait le pied du lit.

— C'est l'heure des pilules.

Contrairement à ce qu'Émilie était habituée d'entendre, la femme avait parlé d'une voix douce.

Émilie se releva.

C'était la première fois qu'elle voyait cette infirmière et elle trouva qu'elle avait l'air gentil. Les deux femmes échangèrent un sourire.

— Est-ce que ça peut attendre? demanda Émilie en montrant le gobelet qui contenait deux petits comprimés blancs.

L'infirmière fit la moue.

— Pas vraiment. Déjà, ce midi, elle ne les a pas pris parce qu'on n'a pas réussi à la réveiller.

— Et si je vous promets de les lui donner dès qu'elle va se réveiller? insista Émilie. Ce serait dommage de la déranger. Si elle dort si bien, ce doit être qu'elle en avait besoin.

L'infirmière hésita. Elle savait combien il était important, surtout dans le cas de madame Deblois, de donner les médicaments à l'heure. C'était inscrit en lettres rouges dans son dossier. Ce midi, sans le dire à personne, elle avait passé outre, incapable de la réveiller. Mais là...

La jeune infirmière soupira, jeta un coup d'œil sur la patiente. Il était vrai que la patiente dormait profondément...

— D'accord, fit-elle finalement. Mais il faut à tout prix que la patiente prenne son médicament dès qu'elle va se réveiller. Et si dans vingt minutes, elle dort toujours, ce serait préférable de la réveiller.

— Promis.

— De toute façon, je vais repasser avant la fin des visites.

Machinalement, Émilie porta les yeux à sa montre. Déjà trois heures dix. Dans moins de cinquante minutes, effectivement, l'heure des visites serait terminée. Elle soupira. Cela ne l'emballait pas du tout de retourner chez elle pour retrouver un logement vide et sombre. Habituellement, Marc ne rentrait pas avant sept heures.

Émilie se recula sur la chaise, essayant de trouver une position confortable. Dans une demi-heure, elle réveillerait sa mère pour lui donner ses médicaments et pour avoir le plaisir d'entendre sa voix avant de partir. Puis, fermant les yeux, elle laissa vagabonder ses pensées, essayant de trouver un peu d'énergie en elle pour affronter la pluie et se demandant ce qu'elle allait faire pour souper. De coutume, elle aimait bien cuisiner. Mais aujourd'hui, elle n'avait le cœur à rien.

— Émilie, c'est bien toi?

Durant un instant, Émilie retint son souffle. Avait-elle bien entendu?

Tout doucement, elle entrouvrit les paupières. Cela faisait si longtemps que sa mère ne l'avait reconnue au premier regard. Habituellement, Émilie devait prendre tout son temps pour aider Blanche à rassembler ses pensées avant que la mémoire ne lui revienne lentement et très superficiellement.

— Oui, maman, c'est moi. Émilie.

Un bref éclat de vivacité traversa le regard de Blanche et bouleversa Émilie. Depuis que sa mère était hospitalisée, Émilie avait habituellement l'impression de rendre visite à une étrangère.

Les larmes lui montèrent aux yeux.

Se pouvait-il que sa mère aille mieux?

Ce fut à cet instant qu'elle repensa aux médicaments et aussitôt elle tendit la main pour s'emparer du gobelet. Mais plutôt que d'aider sa mère à se redresser, elle resta immobile en regardant les deux comprimés. Depuis le temps qu'elle disait que sa mère était léthargique à cause des médicaments…

Émilie était paralysée, incapable de se décider à poser un geste qu'elle disait nuisible.

Et si elle en subtilisait un pour le montrer au pharmacien? Peut-être pourrait-il lui dire ce que c'était?

Puis elle repensa au petit éclat de vie qui avait traversé les yeux de sa mère et vivement, elle fit glisser les deux pilules dans sa main avant de les cacher au fond d'une poche.

Alors, souriante, elle se releva pour aider Blanche à s'asseoir.

– Bonjour, maman. Comment vas-tu aujourd'hui? Je suis contente que tu te sois réveillée avant que je parte…

* * *

Quand Émilie ferma la porte du logement derrière elle, le souffle commençait à lui manquer. Elle avait couru une bonne partie du chemin. Non seulement parce qu'il faisait mauvais, mais aussi parce qu'elle avait peur qu'on la suive. Quand l'infirmière était venue vérifier si Blanche avait pris ses médicaments, Émilie s'était mise à trembler comme une feuille tout en essayant de paraître sincère en disant que sa mère avait tout avalé sans dire un mot.

Elle était partie quelques minutes plus tard, persuadée que l'infirmière allait découvrir son mensonge.

Mais personne n'avait rien dit.

Et maintenant, elle était dans son salon et fixait les deux pilules qui reposaient dans le creux de sa main, le cœur battant la chamade.

Mais qu'est-ce qui lui avait pris?

Elle ne le savait pas.

Le geste qu'elle venait de poser était si peu conforme à ce qu'elle était qu'elle n'en revenait pas.

Était-ce l'éclat qu'elle avait aperçu dans le regard de sa mère qui avait précipité son geste sans qu'elle ait eu l'impression de décider quoi que ce soit? Peut-être bien, après tout.

Et peut-être bien qu'elle avait eu raison d'agir ainsi. Si c'était vraiment les médicaments qui abrutissaient sa mère, en prendre un peu moins ne devrait pas nuire.

Émilie marcha lentement vers le divan où elle se laissa tomber, les jambes encore flageolantes.

Demain, à la première heure, elle irait voir un pharmacien. Dans un autre quartier pour ne pas soulever de questions inutiles.

Puis elle aviserait.

Au besoin, elle était prête à se présenter à l'hôpital tous les après-midi. Si ces fichues pilules étaient bien ce qu'elle pensait, elle trouverait sûrement moyen de les subtiliser encore. Elle improviserait. Sur le coup de quinze heures, elle irait se promener avec sa mère dans le couloir ou elle l'emmènerait à la salle de bain. Ou encore avec un peu de chance, Blanche dormirait encore et elle pourrait tenter sa chance en répétant ce qui s'était passé aujourd'hui. Pourquoi pas?

Dans le fond, elle n'avait rien à perdre et sa mère avait peut-être tout à gagner.

Brusquement, Émilie ne se sentait plus du tout abattue. Elle allait mettre en branle le processus qui aiderait peut-être Blanche Deblois à regagner sa place dans la société et dans sa famille.

Ce fut au moment où elle allumait le plafonnier de la cuisine qu'Émilie pensa à son père et à Anne.

Elle resta immobile un instant puis elle haussa les épaules.

— Tant pis, murmura-t-elle en approchant du réfrigérateur.

Puis elle sortit les œufs et le lait.

Ce fut le mot « complot » qui lui trotta dans la tête tout le temps qu'elle battit les œufs pour faire une omelette.

Troisième partie

Printemps - Automne 1952

*« Une mauvaise herbe est une plante
dont on n'a pas encore trouvé les vertus. »*

Ralph Waldo Emerson

CHAPITRE 11

Françoise tendit sa main gauche. À l'annulaire, brillaient les feux d'un petit diamant. Charlotte leva les yeux vers son amie et lui tendit les bras en souriant.

– Bernard s'est enfin décidé?

– Oui! Hier, il a fait la grande demande à mes parents! Il tenait à ce que les choses se fassent selon les traditions. J'ai l'impression d'avoir encore dix-neuf ans!

Françoise était resplendissante. Elle se jeta dans les bras de Charlotte, lui fit une longue accolade puis se dégagea.

– Si tu savais comme je suis heureuse!

Françoise esquissa un petit pas de danse puis revint face à Charlotte. Ses yeux brillaient autant que la pierre qu'elle avait à son doigt. Mais son sourire avait disparu. Elle prit une main de Charlotte et la serra très fort dans les siennes.

– Quand Jacques est décédé à la guerre, je croyais sincèrement que plus jamais je ne pourrais tomber amoureuse. Je me suis jetée à corps perdu dans mon travail, j'ai aimé mes petits patients comme s'ils étaient les enfants que je n'aurais jamais et… j'ai prié. Tu vois, le Seigneur m'a exaucée!

Dégageant une main, elle tança Charlotte avec son index.

– Si tu voulais m'écouter aussi!

La foi était un des rares sujets de discorde entre Françoise et Charlotte. Pour cette dernière, la question était réglée depuis fort longtemps: si Dieu avait vraiment existé, les femmes comme Blanche n'existeraient pas. Et malgré une éducation au couvent où les religieuses lui avaient rebattu les oreilles avec la grande bonté du Seigneur, l'opinion de Charlotte n'avait pas bougé d'un iota. Françoise avait bien tenté de l'amener à l'église avec elle, lui conseillant de prier quand tout allait mal, rien à faire! Charlotte ne voulait pas entendre parler de religion même si Françoise lui disait qu'à défaut de mieux, elle y puiserait un grand réconfort. Chaque fois, Charlotte se moquait gentiment d'elle ou se fâchait carrément. C'est pourquoi, cette fois-ci encore, elle répondit à Françoise avec une pointe de taquinerie dans la voix:

— Le Seigneur? Voyez-vous ça! Moi je crois plutôt que c'est ton sourire qui a fait pencher la balance. Ton sourire ou... le balancement de tes hanches?

Françoise se mit à rougir avant de hocher la tête en levant les yeux au plafond.

— Tête de pioche, va!

Puis elle redessina un grand sourire.

— L'important, c'est que Bernard se soit décidé! Peu importe les raisons. On n'est toujours pas pour se disputer à cause de ça!

— Tu as tout à fait raison. Je suis vraiment contente pour toi.

Malicieuse, Charlotte demanda:

— Comptes-tu avoir autant d'enfants que ta mère? Parce que si c'est le cas, ma vieille, va falloir que tu t'y mettes tout de suite. Après tout, tu as déjà trente ans.

Françoise éclata de rire. Elle était la benjamine, l'unique fille d'une famille de huit enfants!

Les deux amies passèrent leur après-midi de congé à parler mariage, cérémonie et réception. Françoise et Bernard voulaient faire les choses en toute simplicité.

— On n'a pas beaucoup de sous. Tant que Bernard est encore aux études, il va falloir faire attention. C'est pourquoi on va s'installer ici. Dans un an, quand il aura terminé sa résidence, on avisera.

Puis Françoise ajouta précipitamment, en voyant passer une ombre sur le visage de Charlotte :

– Mais ne crains rien. Tu peux rester avec Alicia. On en a parlé, Bernard et moi, et ça ne nous dérange pas du tout.

Mais Charlotte était loin d'en être convaincue. Un couple de jeunes mariés a besoin de son intimité. « Qu'importe l'âge, pensait-elle, deux personnes qui commencent à vivre ensemble ont besoin de solitude pour arriver à s'adapter à la vie à deux. »

Charlotte se rappelait trop bien ce qu'elle avait vécu lorsqu'elle avait épousé Andrew et qu'ils avaient habité la maison des Winslow. Sa relation avec son mari avait battu de l'aile tant qu'ils ne s'étaient pas trouvé un nid bien à eux. Elle n'allait tout de même pas servir de chaperon à son amie Françoise !

Elle pensait à cela depuis plus d'une heure en se tournant et se retournant dans son lit.

Elle était sincèrement heureuse pour Françoise mais en même temps elle était terriblement déçue.

Incapable de trouver le sommeil, Charlotte se releva et vint s'installer sur un petit tabouret devant la fenêtre.

La soirée était belle. Depuis le début du mois de mai, les journées étaient ensoleillées et même si l'air était encore frisquet, Charlotte gardait la fenêtre de sa chambre grande ouverte pour débarrasser la pièce de sa senteur de renfermé. Elle aimait peut-être les sports d'hiver, mais elle détestait les grands froids et l'air confiné des maisons quand venait l'hiver.

Charlotte posa les bras sur le rebord de la fenêtre et y appuya son menton pour regarder la rue qu'elle apercevait en diagonale. Quelques passants déambulaient encore.

C'était le quartier de son enfance et elle l'aimait. Quand elle avait cru que la vie n'avait plus grand-chose à lui apporter, quand elle était revenue au Québec après le décès d'Andrew, le cœur en berne, et que l'avenir n'avait de sens qu'à travers Alicia, c'était ici qu'elle avait trouvé une forme de bonheur, de sérénité, grâce à Françoise.

Oui, elle avait été sincèrement heureuse ici en compagnie de son amie et de sa fille.

Et voilà qu'elle allait devoir s'en aller. Françoise avait droit à sa vie. Et seule, Charlotte n'aurait pas les moyens de s'offrir un loyer dans ce quartier de la ville.

À cette pensée, Charlotte poussa un profond soupir de déception. Le mariage de Françoise l'obligeait à repartir à zéro.

Et dire qu'elle avait prévu quitter l'hôpital à l'automne pour se consacrer entièrement à l'écriture!

Depuis février, alors qu'elle avait reçu un troisième chèque de son éditeur, Charlotte calculait et réfléchissait. Ensemble, Françoise et elle, à deux pour s'occuper des obligations domestiques, ses droits d'auteur auraient suffi pour qu'elle puisse envisager l'avenir autrement. Mais seule, elle n'y arriverait pas, surtout si elle voulait continuer à mettre de l'argent de côté pour les études d'Alicia.

Pendant une fraction de seconde, elle envia Françoise avec tant de ferveur qu'elle en ferma les yeux, le cœur dans l'eau. Elle aussi aurait bien aimé avoir un compagnon, quelqu'un avec qui partager son quotidien et toutes ces obligations incontournables. Mais celui qu'elle avait choisi, celui qu'elle aimait depuis tant d'années, vivait au loin, aux côtés d'une autre.

Gabriel.

Chaque fois qu'elle pensait à lui, Charlotte sentait une grande chaleur qui irradiait dans tout son corps. Elle revoyait son visage amaigri. Elle sentait l'odeur de ses cheveux qui avaient balayé son visage quand il s'était couché sur elle.

Elle s'ennuyait de lui comme jamais auparavant.

Pendant trois semaines, à son retour d'Europe, elle avait espéré qu'elle était enceinte. Si la vie était bonne envers elle, Charlotte serait enceinte et Gabriel, tout heureux, viendrait la rejoindre. Pendant quelques semaines, Charlotte avait édifié sa vie comme elle écrivait les scénarios de ses romans. Quand elle avait compris qu'il n'en serait rien, elle avait admis que cela aurait été une terrible erreur. Gabriel lui avait dit que même s'il l'aimait toujours, jamais il ne pourrait abandonner Maria-Rosa. Et Charlotte avait compris. Même si pour l'instant c'était elle qui en souffrait, elle savait reconnaître que l'honnêteté de Gabriel était à son honneur. Et c'était pour cela qu'elle lui avait demandé de ne pas écrire. Même une lettre lui aurait paru être une trahison à l'égard de cette femme qu'elle ne connaissait pas. Si Gabriel l'avait choisie pour compagne, c'était sûrement quelqu'un de bien.

Cela faisait maintenant huit longs mois que Gabriel avait repris sa place dans le monde de ses souvenirs.

Quand ils s'étaient quittés sur le quai de la gare à Paris, Charlotte n'avait pas pleuré, car elle avait cru que l'attente serait douce maintenant qu'elle savait que son cœur ne l'avait pas trompée.

Il n'en était rien.

Avoir fait l'amour avec Gabriel, lui avoir longuement parlé, s'être confiée à lui, avait réveillé en elle l'envie d'être aimée, caressée, comprise. Le besoin d'avoir quelqu'un à ses côtés allait croissant. Et il n'y avait personne à qui elle aurait pu confier son secret. Seuls Mary-Jane, Antoinette et son père connaissaient l'existence de Gabriel et ils étaient loin, si loin…

Chaque soir en entrant du travail, elle vérifiait fébrilement le courrier, sachant pertinemment que si une lettre de Gabriel lui était parvenue, ce serait signe que Maria-Rosa était décédée. Elle se trouvait odieuse de vouloir bâtir son bonheur sur la mort de quelqu'un, mais c'était plus fort qu'elle. Charlotte souhaitait ardemment recevoir cette lettre.

Puis, devant le silence persistant de Gabriel, elle s'était dit qu'au moins, à l'automne, elle pourrait se donner corps et âme à l'écriture. Quand elle écrivait, plus rien n'avait d'importance. Elle oubliait le jour et l'heure. Sa vie reculait dans l'ombre et ses émotions passaient dans celles de ses personnages à qui elle inventait un univers auquel elle croyait, qu'elle regardait en périphérie, oubliant qu'elle-même existait.

Mais cette liberté-là aussi lui serait refusée.

Elle finit par s'endormir en se disant qu'elle profiterait de l'occasion pour se rapprocher davantage d'Alicia, pour la préparer à la venue éventuelle d'un autre homme dans leur vie. D'un homme qui arriverait avec un petit garçon qui s'appelait Miguel…

Quand elle croisa Françoise au déjeuner, quelques matins plus tard, Charlotte ne lui avait pas encore dit qu'elle se chercherait un autre logement dès ses prochaines journées de congé. Elle se doutait que son amie insisterait pour qu'elle reste et c'était pour cela qu'elle attendait d'avoir trouvé autre chose avant de parler.

Comme souvent le matin alors qu'elles étaient à moitié éveillées, les deux jeunes femmes mangeaient en silence, chacune perdue dans ses pensées. Dès qu'elle aurait terminé, Charlotte irait réveiller Alicia. Maintenant, elle n'avait plus vraiment besoin de s'en occuper le matin. La petite fille, qui allait avoir bientôt neuf ans, était plutôt débrouillarde et elle se préparait seule pour aller à l'école. Toujours aussi délicate, la ressemblance avec Émilie était de plus en plus frappante. Charlotte voyait bien que sa sœur en souffrait. Mais qu'aurait-elle pu changer aux caprices de l'hérédité? Dans le fond, il était probablement mieux qu'Alicia ressemble à Émilie plutôt qu'à Marc!

– Charlotte? J'aurais quelque chose à te demander.

L'interpellée sursauta et se dépêcha d'avaler la gorgée de café qu'elle venait de prendre.

– Oui. Des courses à faire en rentrant?

– Non. Pas de courses cette fois. Ce serait plutôt une faveur.

Charlotte fronça les sourcils. À part les commissions, il était rare que Françoise lui demande quoi que ce soit.

– Alors? C'est quoi cette faveur?

Charlotte fit mine de chercher.

– Je sais! lança-t-elle. Vous avez changé d'idée! Vous faites un grand mariage et tu veux que je sois ta demoiselle d'honneur?

Françoise fit une petite grimace amusée.

– Pas exactement. Pour ce qui est du mariage, il n'y a pas de changement. Petite cérémonie, petite réception chez mes parents. Mais effectivement, j'aimerais que tu m'accompagnes… ce soir.

Charlotte comprenait de moins en moins.

– Ce soir?

– Oui… Bernard et moi, sans vouloir organiser une vraie soirée, on aimerait quand même souligner nos fiançailles. Et nous avons pensé partager ce moment avec des gens qui nous sont chers.

Charlotte leva une épaule et accentua le froncement de ses sourcils, ne comprenant toujours pas pourquoi Françoise faisait tout un plat d'une simple invitation à partager une soirée avec Bernard et elle.

– Oui, et alors?

– Est-ce que tu nous accompagnerais au restaurant, ce soir? Alicia pourrait passer la soirée chez mes parents et…

Françoise avait parlé avec précipitation.

– Qu'est-ce que tu essaies de me cacher? l'interrompit Charlotte ne sachant si elle devait se fâcher ou prendre cela avec un grain de sel. Pourquoi tant de cérémonies pour finalement me demander tout simplement d'aller souper au restaurant?

– C'est que…

Visiblement, Françoise était mal à l'aise.

– C'est que Bernard, lui, a choisi d'inviter Jean-Louis.

La bombe était lâchée! Charlotte leva les yeux au plafond et préféra en rire plutôt que de se choquer comme il lui arrivait parfois quand Françoise essayait de lui faire comprendre qu'il n'y avait aucun mal à accepter une invitation.

– Je te vois venir avec tes gros sabots! Quel merveilleux prétexte pour que je me retrouve assise aux côtés du beau docteur Leclerc, n'est-ce pas?

Françoise cachait mal son jeu. Elle était rouge de confusion. Pourtant, elle insista en déniant toute tentative de rapprochement.

– Pas du tout! Jean-Louis est le meilleur ami de Bernard comme toi tu es ma meilleure amie. Ça s'arrête là.

– Bien sûr, fit Charlotte goguenarde. Tout d'un coup, Bernard et toi décidez qu'il faut fêter des fiançailles qui ont déjà eu lieu puisque tu portes ta bague. Et comme par hasard, vous décidez d'inviter vos meilleurs amis. Allons, Françoise, sois honnête! Ton astuce est cousue de fil blanc.

Charlotte prit une gorgée de café alors que Françoise piquait du nez dans son assiette.

– Je vais y aller quand même, à ton souper, ajouta Charlotte un brin sarcastique. Mais c'est bien parce que je t'aime beaucoup et que je sais que tu vis des moments importants. C'est pour toi que je le fais, juste pour toi.

À ces mots, Françoise leva les yeux et regarda fixement Charlotte sans répondre. D'où lui venait cette attitude de défense chaque fois qu'elle proposait une sortie ou une rencontre entre amis? Pourquoi Charlotte refusait-elle systématiquement les occasions de s'amuser? Le deuil n'était plus une raison, cela faisait maintenant trop longtemps qu'Andrew était décédé. Alors pourquoi?

– Et si pour une fois, tu le faisais pour toi, Charlotte? demanda-t-elle d'une voix très douce. Et si pour une fois tu acceptais de prendre du bon temps. Juste pour toi, pour te faire plaisir. Après tout, tu es encore jeune et il n'y a rien de mal à s'amuser un peu.

Charlotte détourna la tête en rougissant.

– Il y a Alicia et…

– C'est à ton tour de coudre tes excuses de fil blanc, Charlotte, s'emporta Françoise. Ça ne prend plus avec moi. Alicia est tout ce que tu voudras sauf un prétexte. Qu'est-ce qui se passe? Il y a quelqu'un dans ta vie et tu ne veux pas le dire?

Charlotte se doutait depuis longtemps qu'une telle conversation finirait par avoir lieu. D'excuses en prétextes, elle avait, jusqu'à ce jour, évité de se retrouver dans des situations qu'elle disait dangereuses. Charlotte se connaissait trop bien. Si un jeune homme lui plaisait, Dieu sait où cela pourrait la mener. Elle savait qu'il y avait en elle un besoin d'affection qui risquait de lui faire perdre la tête si quelqu'un s'intéressait à elle.

Mais en ce moment, Charlotte sentait bien qu'elle ne pouvait plus se défiler: aux yeux de Françoise, c'était devenu évident qu'elle cherchait à éviter les sorties en tous genres et celle-ci venait de lui signifier qu'elle ne marchait plus dans sa petite combine. Incapable d'articuler le moindre mot, Charlotte se contenta d'approuver de la tête. Le nom de Gabriel s'entortilla à son silence et elle sentit les larmes lui monter aux yeux, elle qui détestait tant montrer ses émotions en public. Même devant une amie comme Françoise.

Voyant l'embarras de Charlotte, Françoise se releva et s'approcha d'elle. Se postant derrière la chaise de Charlotte, elle posa les mains sur ses épaules. Elle sentait que son amie était tendue, crispée. Machinalement, elle se mit à lui masser les épaules.

– Mais qu'est-ce qui se passe? répéta-t-elle. Pourquoi tant de mystère?

Mystère...

Charlotte esquissa un sourire sans joie. Françoise avait employé le bon mot. Et elle y tenait, à ce mystère qui entourait sa relation avec Gabriel. Elle avait l'impression que, ce faisant, elle s'empêchait de tomber dans la banalité. Car dans le fond, elle n'était qu'une femme parmi tant d'autres qui attendait que l'homme qu'elle aime soit libre.

À cette pensée, Charlotte étouffa un sanglot. De son grand amour, il ne restait que des images, que des souvenirs, remplacés aujourd'hui par une relation interdite. Charlotte avait été, l'espace d'une nuit, la maîtresse d'un homme qui, s'il n'était pas marié, avait quand même bâti sa vie aux côtés d'une autre femme. Pour Charlotte, cela voulait dire la même chose. Les larmes débordèrent de ses paupières et coulèrent lentement le long de ses joues. Françoise se mit à caresser ses cheveux.

– Il est marié, n'est-ce pas?

Cette question n'en était pas vraiment une. Quoi d'autre aurait pu justifier le silence de Charlotte? Quand elle vit son amie approuver une seconde fois en hochant la tête, elle sentit son cœur se serrer pour elle. Qu'aurait-elle pu ajouter? Françoise intensifia la pression de ses mains sur les épaules de Charlotte.

– Si tu as envie d'en parler, tu sais que je suis là. C'est à ça que les amies peuvent servir, tu sais.

Puis elle se retira silencieusement. Mais au moment où elle allait passer la porte, Françoise se retourna et ajouta:

– Tu sais, Charlotte, on peut aimer plus d'un homme dans une vie. Celui qui semble prendre toute la place aujourd'hui n'est peut-être pas le bon. Pour l'instant, il semble bien que tout ce qu'il a à t'offrir, ce ne sont que des promesses. Il ne faudrait pas que tu perdes toutes ces belles années à courir après un rêve qui ne se réalisera peut-être jamais. Et dans ta vie, il y a Alicia. Elle aussi a droit à une famille. Tu ne devrais jamais l'oublier.

Puis elle referma doucement la porte sur elle.

Dans la cuisine, incapable de se retenir, Charlotte éclata en sanglots qu'elle tentait d'étouffer la tête enfouie dans le repli de son bras. Françoise venait de toucher un point sensible. Charlotte était consciente que si elle s'appliquait à cultiver l'ennui de Gabriel, l'entourant de silence et de mystère justement, c'était pour ne pas céder à l'envie de côtoyer des jeunes de son âge. Elle voulait éviter des rencontres qui auraient peut-être apporté une dimension sociale à sa vie mais qui, en même temps, auraient peut-être éloigné Gabriel de ses pensées.

Malheureusement, Françoise avait raison : depuis qu'elle avait revu Gabriel, Charlotte se nourrissait de promesses qui ne se réaliseraient peut-être jamais. Ou trop tard pour offrir une vie familiale normale à Alicia.

Elle savait ce que son cœur disait, mais elle comprenait aussi ce que son corps et son amour pour Alicia suggéraient.

L'attente était longue, si longue…

D'autant plus que Charlotte savait fort bien qu'on peut aimer plus d'un homme dans une vie. Il y avait eu Andrew…

* * *

Émilie avait passé un hiver éprouvant.

En prenant la décision d'essayer d'aider sa mère, elle ne se doutait pas qu'elle ouvrirait une boîte de Pandore.

Mais c'était exactement ce qui s'était produit.

Plus le temps passait, plus elle avait la conviction que ses soupçons finiraient par être confirmés et qu'elle découvrirait une connivence entre son père et le personnel de l'hôpital. En elle s'alliaient une déception sans borne et une colère inébranlable.

Sans en parler à qui que ce soit, dès novembre dernier, Émilie avait pris l'habitude de se rendre à l'hôpital tous les jours.

Chaque fois que l'occasion se présentait, elle subtilisait les pilules de sa mère et s'empressait de les jeter dans la toilette, car le pharmacien qu'elle avait consulté avait été formel : les médicaments analysés faisaient partie de la famille des somnifères. Sans entrer dans les détails, il avait expliqué que pris régulièrement, ces médicaments pouvaient rendre une personne complètement différente de ce qu'elle était habituellement.

– Normal que le patient dont vous me parlez soit apathique. Mais dans certains cas d'agitation extrême, les médecins n'ont pas le choix. C'est la médication ou l'intervention chirurgicale qui ne donne pas toujours de bons résultats. Vous avez sûrement entendu parler de la lobotomie ?

Agitation ? Lobotomie ?

Le pharmacien en parlait avec une telle impassibilité !

Émilie avait vu rouge.

Étaient-ce là des expressions appartenant au vocabulaire échangé entre son père et le médecin ? Parlait-on d'intervention pour sa mère ?

Bien sûr, Blanche avait toujours été une femme nerveuse, anxieuse, dépressive.

Et puis après ?

Cela ne l'avait pas empêchée de vivre normalement. Qu'on appelle l'état de sa mère agitation ou nervosité, pour Émilie, ce n'était pas une raison pour l'interner et l'abrutir avec des médicaments qui lui enlevaient toute volonté. À la rigueur, Émilie aurait été la première à parler de calmants dans certaines occasions. Mais sûrement pas à des doses massives qui détruisaient la personnalité de sa mère.

Quand arriva l'époque des fêtes, alors que les visites étaient permises plus souvent, Émilie en profita pour subtiliser le plus de pilules possible. Marc étant retenu à son travail du matin au soir, même en cette période de festivités, Émilie n'avait eu aucune difficulté à être régulièrement présente auprès de sa mère. Elle s'était liée d'amitié avec la jeune infirmière qui, de son côté, profitait de la présence d'Émilie pour alléger sa tâche. En moins de deux semaines, Émilie avait vu un réel changement dans l'attitude de Blanche. Elle était plus attentive aux propos de sa fille et certains souvenirs semblaient vouloir refaire surface. Bien sûr, il y avait encore des journées où sa mère était somnolente et incapable de discussion sensée. Mais Émilie tenait bon.

Elle s'était juré de sortir sa mère de cet institut sombre et infect. Elle y parviendrait coûte que coûte.

Ce fut un événement survenu en mars qui acheva de la convaincre du bien-fondé de sa méfiance.

Devant l'amélioration sensible de l'état de santé de Blanche, Émilie avait demandé à rencontrer le médecin qui la traitait. Il devait bien y avoir quelque chose d'autrement plus efficace pour faire évoluer la situation dans le bon sens. Sa requête était restée sans réponse. Elle avait insisté, laissant message sur message au poste de l'étage, jusqu'au jour où, probablement las d'être constamment relancé, le médecin avait enfin consenti à la recevoir. Il avait laissé une note à son intention : il l'attendrait le lendemain après-midi, à quatorze heures précises, dans un bureau du rez-de-chaussée. Un numéro de porte suivait.

Enfin ! Émilie avait eu beaucoup de difficulté à cacher son exubérance à Marc, ce soir-là au souper.

D'emblée, le docteur Clément lui avait déplu. Homme imposant, sans âge défini, le médecin avait posé un regard suffisant sur Émilie dès qu'elle avait franchi le seuil de la minuscule pièce qui faisait office de cabinet.

– Que puis-je pour vous, madame ?

Le docteur Clément avait une voix étrange, à la fois autoritaire et doucereuse. Émilie avait dû faire un effort terrible pour ne pas tourner les talons et s'enfuir. Elle détestait ces gens trop grands qui la faisaient se sentir minuscule. Pourtant, pour le bien de sa mère, elle avait pris sur elle et s'était obligée à regarder le médecin droit dans les yeux en lui souriant. Elle comptait sur son charme pour faire fléchir le médecin. Peine perdue ! Le regard du docteur Clément était resté de glace. Alors, Émilie s'était dépêchée de s'asseoir pour cacher sa nervosité.

Et sans rien avouer de ses interventions auprès de Blanche – elle était tout à fait consciente qu'elle marchait sur des œufs –, Émilie avait tenté néanmoins de faire comprendre qu'à ses yeux, sa mère allait de mieux en mieux et elle avait demandé, d'un même souffle, s'il ne serait pas approprié de diminuer sa médication.

– On ne sait jamais ! Tout est peut-être rentré dans l'ordre ! Ses conversations sont de plus en plus cohérentes et maintenant, elle me reconnaît sans effort dès que j'arrive. De toute façon, ma mère ne va tout de même pas rester ici jusqu'à la fin des temps, avait-elle dit en concluant.

Ce à quoi le médecin n'avait pas répondu. Pendant un long moment, il avait contemplé ses ongles avec attention pour finalement lever un regard perçant accompagné d'un sourire qui se voulait chaleureux.

– Si vous le dites… À vous entendre, j'ai l'impression que vous la voyez plus souvent que moi ! Peut-être, en effet, votre mère prend-elle du mieux. Je vais voir ce que je peux faire en ce sens…

Je vous tiendrai au courant de l'évolution du dossier.

Mais de ce jour, Émilie n'avait plus jamais revu le docteur Clément. À la fin de la même semaine, quand elle était venue voir sa mère, on lui avait appris que celle-ci était en salle de réveil. Devant la grande agitation de la patiente, lui avait-on dit, le médecin avait demandé un traitement aux électrochocs.

Émilie avait compris alors qu'elle était de plus en plus seule dans sa bataille et que tout serait à recommencer, en autant qu'on veuille bien la laisser suffisamment libre avec Blanche pour réussir à subtiliser les pilules.

Elle avait surtout compris qu'elle avait vu juste : sa mère n'était pas agitée, elle était enfin éveillée !

Mais il semblait bien que quelqu'un ne voulait pas qu'il en soit ainsi.

Le médecin ? Son père ?

Finalement, c'était le nom de son père qui était resté gravé en lettres rouges dans son esprit et sur son cœur.

Raymond Deblois.

Celui qui vivait maintenant avec une autre femme, loin, très loin d'ici.

Lentement, Émilie avait repris la lutte, inquiète, surveillant les allées et venues du personnel infirmier, inventant mille stratagèmes pour ne jamais être dans la chambre à l'heure des médicaments jusqu'au jour où elle avait constaté que les infirmières se fichaient totalement de sa présence.

Sauf peut-être le médecin, ce docteur Clément, personne ne semblait avoir fait de lien entre Émilie, les pilules et Blanche.

Fin avril, Blanche avait recommencé à avoir des périodes d'éveil de plus en plus fréquentes et même parfois des moments de lucidité suffisamment longs pour qu'Émilie puisse soutenir une vraie conversation avec elle.

Et hier, quand Émilie était arrivée, Blanche lui avait dit qu'elle trouvait que sa robe était jolie mais bien différente de ce qu'elle portait habituellement.

En soi, ce détail était insignifiant, mais aux yeux d'Émilie, c'était une victoire.

Sa mère devenait de plus en plus éveillée, consciente du monde qui l'entourait.

Cependant, Émilie n'avait pas osé lui révéler que sa robe était à la dernière mode. Une mode qui avait passablement changé en trois ans.

Comment dit-on à sa mère que cela fait déjà trente-six longs mois qu'elle est internée mais qu'elle ne s'en est pas aperçue?

Elle anticipait le moment où Blanche lui demanderait des nouvelles de Raymond.

Malgré cela, elle se faisait un devoir d'aller à l'hôpital chaque jour. Elle se levait très tôt pour peindre, disant à Marc qu'elle avait les idées plus claires et la main plus sûre à l'aube. Dans moins d'un mois, ils partaient tous les deux pour la Belgique et pour l'un comme pour l'autre, ce voyage apportait son lot d'obligations avant le départ. Ce qui, dans un sens, arrangeait Émilie, car Marc aussi partait à l'aube et ne rentrait que tard le soir. Aujourd'hui, lorsque quelqu'un appelait au bureau, il ne demandait plus à parler à Me Deblois mais bien à Me Lavoie. La transition s'était effectuée dans la sueur pour Marc, mais en douceur face aux confrères et aux clients. Et heureusement, depuis l'hiver, un jeune notaire s'était joint à lui et enfin, Marc voyait poindre un peu de lumière au bout du tunnel.

Marc était très fier de ce qu'il avait accompli depuis le départ de Raymond. Non seulement l'étude n'avait pas perdu sa clientèle, mais celle-ci allait croissant grâce aux efforts qu'il avait faits.

De son côté, si Émilie avait trouvé fort pénible de voir son mari tant travailler quand son père était parti pour le Connecticut, elle appréciait maintenant d'avoir de longues journées à sa disposition. Elle avait pu s'occuper de sa mère à sa convenance sans avoir à expliquer ses allées et venues tout en menant à terme l'engagement qu'elle avait pris : de nombreuses toiles avaient été livrées à monsieur Edgar qui s'était chargé de les emballer soigneusement avant de les confier à un bateau en partance pour l'Europe.

Ce qui voulait dire que dans un mois, elle aussi devrait partir pour l'Europe. Qu'adviendrait-il de sa mère ? Qui pourrait la remplacer pour les visites et les pilules ? Émilie avait bien tenté de lui expliquer de ne pas avaler les comprimés et de les recracher dès que l'infirmière serait partie, elle n'était pas du tout certaine que sa mère ait compris.

C'était à cela qu'elle pensait, assise devant le miroir de la coiffeuse, dans sa chambre. Sachant que Blanche avait remarqué sa robe, hier, Émilie apporta un soin particulier à son maquillage. Elle savait que ces petits détails avaient toujours semblé importants aux yeux de sa mère.

Et au même moment, installée devant une fenêtre grillagée de la grande salle, Blanche surveillait les gens qui empruntaient la longue allée menant à l'hôpital.

Elle avait hâte d'y voir Émilie. Elle avait hâte de lui montrer ce qu'elle cachait dans la poche de sa robe de chambre.

Ce matin, elle s'était éveillée l'esprit clair comme jamais auparavant. Mais elle ne l'avait pas montré à l'infirmière venue lui porter son déjeuner. La dernière fois où elle avait dit qu'elle se sentait mieux, on l'avait emmenée pour un traitement aux électrochocs. C'était vague dans l'esprit de Blanche, mais elle était persuadée qu'il y avait un lien direct entre une grande souffrance et le fait de dire qu'elle était bien.

Et Blanche ne voulait plus jamais revivre ce cauchemar. Plus jamais.

Quand enfin elle aperçut sa fille qui avançait dans l'allée, sa jolie robe dansant autour de ses jambes comme une corolle de fleur rose et verte, Blanche sentit son cœur tressaillir dans sa poitrine. Sa tête lui faisait l'effet d'être une passoire qui ne gardait que quelques souvenirs. Émilie, sa fille Émilie, était le souvenir le plus vrai, le plus concret qu'elle conservait de toutes ces années qui étaient derrière elle. À force de réfléchir, Blanche pensait avoir deux autres filles, mais elle ne se rappelait pas leurs noms. Et c'était plutôt curieux, celles-ci ne venaient jamais la voir. Peut-être se trompait-elle, après tout, et qu'Émilie était son seul enfant. Elle savait aussi qu'elle était fort probablement mariée, car elle voyait parfois dans sa tête l'image d'un homme assez grand. Mais le seul souvenir qu'elle gardait de Raymond, hormis son nom, c'était qu'il lui disait qu'il la quittait.

Blanche en avait même rêvé la nuit dernière.

Mais elle ignorait pour quelle raison il voulait la quitter. Était-ce pour cela qu'elle était ici ? Blanche n'en savait rien.

Essayer de comprendre, chercher à se souvenir étaient encore des exercices difficiles pour elle et surtout très fatigants. Quand elle tentait de faire des efforts, elle se retrouvait couverte de sueurs et se sentait fébrile. Les infirmières disaient alors qu'elle était agitée. Oui, c'était le mot que l'on employait généralement en parlant d'elle. Agitée…

Et Blanche avait compris confusément qu'il était préférable de ne pas être agitée dans cet hôpital.

Quand Émilie parut enfin dans l'embrasure de la grande porte de bois, vitrée de larges carreaux, Blanche eut l'impression qu'un rayon de soleil venait d'embraser toute la pièce. Elle lui fit signe de la main comme un enfant apprend à dire bonjour.

Émilie approcha à pas rapides et se pencha pour l'embrasser. Mais alors qu'elle se retournait pour saisir une chaise par le dossier, Blanche la retint par la manche de sa robe.

– Regarde !

Blanche avait plongé la main dans une poche de sa robe de chambre et elle était en train de la ressortir en montrant la paume.

– Regarde, répéta-t-elle en souriant.

Dans le creux de sa main, Émilie vit deux pilules.

– Ce matin, expliqua Blanche, j'ai fait comme tu m'as dit. J'ai fait semblant d'avaler et l'infirmière n'a rien vu. C'est bien ça que tu m'avais dit de faire, n'est-ce pas ?

Blanche avait l'air d'une enfant qui vient de jouer un bon tour à quelqu'un. Elle avait parlé d'une voix haut perchée. Inquiète, Émilie se retourna pour voir s'il y avait quelqu'un qui aurait pu entendre. Mais derrière, il n'y avait que des patients. La salle bourdonnait de l'habituelle cacophonie des voix qui ne s'adressaient à personne. Alors, la jeune femme tira la chaise vers elle et s'installa près de sa mère.

Dehors, il faisait une journée d'été et Émilie le vit comme un heureux présage.

– C'est très bien, maman, approuva-t-elle en retirant les comprimés de la main de Blanche pour les cacher dans son sac à main. C'est exactement ce que je t'avais demandé d'essayer de faire.

Blanche battit des mains.

– Maintenant que tu sais, je vais pouvoir le dire à l'infirmière, n'est-ce pas ? Si tu dis que c'est bien, elle n'aura qu'à ne plus m'en donner.

Émilie ferma les yeux une fraction de seconde. Si sa mère était de plus en plus consciente, la guérison totale était encore loin.

Son jugement était celui d'un enfant, primaire et grossier. Il lui faudrait du temps pour remettre de l'ordre dans l'esprit de Blanche.

Mais pour ce faire, il fallait absolument que Blanche prenne le moins de médicaments possible.

Alors Émilie prit l'après-midi à expliquer à sa mère qu'il valait mieux ne rien dire pour le moment. Elle lui parla comme elle l'aurait fait avec un enfant, décrivant la situation comme un jeu qu'il fallait gagner, car si Blanche perdait, si quelqu'un s'apercevait qu'elle ne prenait pas ses pilules, on dirait qu'elle trichait et la punition serait terrible : le médecin affirmerait qu'elle était encore agitée et il prescrirait des traitements.

Blanche la regardait en fronçant les sourcils, comme si elle avait beaucoup de difficulté à comprendre ce que sa fille tentait de lui expliquer. Pourtant, au moment où Émilie s'apprêtait à partir, elle l'attrapa encore une fois par la manche de sa robe pour l'obliger à se pencher vers elle.

— Promis, je vais cacher les pilules et je ne dirai rien.

Émilie souhaitait seulement que sa mère entre suffisamment dans le jeu et soit discrète. S'il fallait que quelqu'un s'aperçoive qu'elle faisait semblant d'avaler ses médicaments, Émilie était certaine qu'il n'y aurait plus jamais d'autres occasions de sortir sa mère d'ici.

Mais elle s'en faisait pour rien.

De jour en jour, le discernement de sa mère gagnait en subtilité. Sans médication pour l'engourdir, l'esprit de Blanche était de plus en plus vif. Seule sa mémoire était encore défaillante.

— J'ai l'impression d'avoir des tas de trous noirs dans la tête, avait-elle dit à Émilie alors qu'elle tentait de se rappeler l'enfance de sa fille. Comme un fromage gruyère !

Mais son jugement, lui, devenait de plus en plus sûr. Émilie le comprit le jour où, demandant à Blanche de lui donner les pilules qu'elle n'avait pas prises, celle-ci lui répondit :

– Ne t'en fais pas. Je les ai jetées dans la toilette.

Émilie dessina un sourire victorieux. Plus besoin de parler de jeu, sa mère avait fort bien compris ce qui l'attendait si jamais on venait à prendre connaissance du stratagème. Il n'y avait qu'avec Émilie que Blanche laissait entrevoir l'état réel où elle se trouvait. Les progrès étaient soumis au rythme de la prise des médicaments, ceux qu'elle évitait et ceux qu'elle n'avait pas le choix de prendre, car certaines infirmières allaient jusqu'à vérifier la bouche de Blanche pour être bien certaines qu'elle avait réellement avalé ses comprimés. D'un jour à l'autre, Émilie ne savait trop ce qui l'attendait à l'hôpital.

Mais les progrès, bien que lents, étaient constants.

Puis, lentement, les souvenirs de Blanche commencèrent à s'assembler de façon cohérente même s'ils étaient très sélectifs. Elle revoyait des bribes de son enfance, suivies aussitôt de l'enfance d'Émilie, comme s'il y avait un parallèle entre elles, une dimension commune qu'elle n'arrivait pas encore à percevoir. Maintenant, elle savait qu'elle avait bien trois filles, car Émilie le lui avait confirmé. Charlotte et Anne… Cependant, Blanche n'avait pas osé demander pourquoi elles ne venaient jamais la voir. Pas plus qu'elle n'avait demandé de nouvelles de Raymond.

Puis, un matin, elle s'éveilla avec un nom en tête.

Roger Labonté.

Blanche eut beau essayer, rien à faire, elle ne se souvenait pas du tout à qui appartenait ce nom. Elle avait vaguement l'impression qu'il se rattachait à sa jeunesse. Elle aurait bien voulu en parler à Émilie, mais comme celle-ci partait en voyage le lendemain, elle n'en fit pas mention.

Elle aurait quelques longues semaines pour réfléchir. Des

semaines pour gratter toute la crasse accumulée sur ses souvenirs, pour dépoussiérer sa vie. Si elle ne trouvait pas, il serait toujours temps d'en discuter au retour d'Émilie. Elle la regarda partir le cœur dans l'eau. Près d'un mois sans elle, c'était l'éternité.

Mais elle fit comme elle avait dit et s'appliqua à épurer les souvenirs qui lui revenaient en vagues lentes comme des images disparates sans lien entre elles. Blanche passa ses journées les yeux dans le vague, assise dans la salle commune au milieu de ceux qu'elle appelait maintenant les fous. Quand d'entendre les cris et les lamentations lui était trop pénible, Blanche jouait les abruties et restait recroquevillée dans son lit.

Et elle finit par trouver. Elle savait maintenant qui était Roger Labonté.

Quand Émilie revint de son voyage, radieuse, Blanche la laissa raconter ses vacances. Puis, au moment où sa fille se préparait à partir, elle la prit par la main et, se levant à demi, elle lui dit:

— Roger Labonté. C'était l'avoué de mon père et c'est lui qui s'occupe de mon héritage. Trouve-le et demande-lui de venir. S'il y en a un qui peut m'aider, c'est lui. Son numéro de téléphone doit bien apparaître dans le…

Mais alors qu'elle parlait, Émilie vit un éclat de panique traverser le regard de sa mère qui interrompit sa phrase et se laissa retomber dans le fauteuil.

Émilie se retourna vivement et se mit à rougir. Derrière elle, une infirmière les regardait avec un regard soupçonneux.

Dès qu'elle quitta l'hôpital, Émilie ne perdit pas de temps. Le regard hostile que l'infirmière lui avait servi avait précipité les choses. Elle courut tout au long de l'allée comme si elle était en train de fuir un sinistre avec l'intention d'y revenir mieux équipée pour faire face à la situation.

Elle s'engouffra dans la première cabine téléphonique venue.

Émilie eut de la difficulté à retrouver Roger Labonté. Il ne pratiquait plus vraiment et n'avait gardé que quelques clients dont il s'occupait à temps partiel. Il accepta de la rencontrer immédiatement, chez lui.

C'était un homme âgé, au crâne dégarni et à l'ouïe déficiente. Quand elle l'aperçut, maigre, tassé dans le fauteuil qui semblait immense autour de lui, Émilie eut de la difficulté à concevoir que cet homme saurait aider sa mère.

Malgré tout, elle lui confia ses soupçons et donna un compte rendu précis des mois qu'elle venait de vivre. Elle raconta tout jusque dans les moindres détails.

Me Labonté l'écouta avec attention, les yeux mi-clos, tant pour saisir chacun des mots que la jeune femme prononçait que pour réfléchir. Lorsqu'elle finit de parler, il resta silencieux un long moment. Puis il leva la tête.

— Je savais que votre mère était internée. Votre père m'en avait informé. Mais je croyais…

Émilie ne saurait jamais ce qu'il croyait, car monsieur Labonté s'était aussitôt replongé dans ses réflexions. Elle s'était bien gardée de l'interrompre. Quand il se décida enfin à relever la tête une seconde fois, Émilie comprit que sa mère avait raison de croire en lui. Le regard que Roger Labonté posa sur elle n'avait rien de celui d'un homme sur le déclin. Elle eut l'impression qu'il lançait des éclairs.

Elle sut aussitôt et sans la moindre hésitation qu'il allait s'en mêler.

— Demain, promit-il en la regardant droit dans les yeux. Je m'en occupe dès demain. Nous allons tout tenter pour la sortir de là.

Tel qu'il l'avait promis, dès le lendemain après-midi, il se présenta à l'hôpital. Émilie lui avait donné tous les renseignements pour qu'il puisse se rendre au bon département sans difficulté.

Une infirmière le conduisit à la grande salle.

Monsieur Labonté s'arrêta à quelques pas de la femme qu'on lui avait désignée comme étant madame Deblois.

Il était mal à l'aise.

La salle grouillait de voix, d'appels, d'invectives. Certains se berçaient avec une vigueur capable de renverser leur chaise, d'autres s'amusaient avec leurs doigts comme des enfants. « La cour des horreurs » songea-t-il en fermant les yeux. Puis il revint à la femme qui était assise devant la fenêtre sans bouger. Elle fixait le paysage devant elle, mais Roger Labonté aurait parié qu'elle ne le voyait pas. Elle avait l'air hagard et un mince filet de salive coulait depuis sa bouche pour se perdre dans les plis d'une robe de chambre aux couleurs délavées. Ce ne pouvait être Blanche Gagnon. Il se rappelait la dernière fois qu'il l'avait rencontrée à son bureau. C'était une belle grande femme, fière, bien mise, au sourire dédaigneux mais éblouissant. « Il doit y avoir erreur sur la personne » pensa-t-il en se retournant pour voir s'il n'y avait pas une infirmière pour le renseigner.

Mais hormis les patients, il n'y avait personne…

Roger Labonté revint à la femme immobile et, d'une voix douce, il l'interpella :

– Madame Deblois ?

Blanche entendit la voix et reconnut son nom. Mais elle ne réagit pas. Pas le moindre tressaillement. Elle était si fatiguée. À peine le déjeuner fini, elle aurait retrouvé la tiédeur de ses draps pour se rendormir si ce n'était de l'infirmière qui l'avait obligée à venir s'installer ici, car elle disait vouloir changer son lit.

Depuis le matin, Blanche avait les idées confuses. Elle se rappelait qu'elle avait demandé à Émilie de faire quelque chose pour elle, mais elle ne savait plus quoi. Au coucher et au réveil, on l'avait contrainte à prendre ses médicaments même si elle savait qu'elle ne devait pas le faire. Mais depuis hier, Blanche n'avait pas eu le choix. La grosse infirmière qui était responsable de l'étage la nuit avait même mis ses doigts dans sa bouche pour vérifier si la patiente avait bien avalé les deux petits comprimés blancs.

À ce souvenir, Blanche eut un haut-le-cœur qui fit reculer Roger Labonté de quelques pas. Dans quel guêpier avait-il mis les pieds? De toute évidence, madame Émilie avait pris des vessies pour des lanternes. Si la patiente qu'il avait devant les yeux était bien madame Deblois, il comprenait pourquoi son mari avait demandé qu'elle soit soignée.

Tout ce qu'il avait envie de faire, c'était de tourner les talons et de s'enfuir. Il n'avait rien à faire ici et l'endroit était sinistre.

Mais Roger Labonté était un homme rigoureux, conscien-cieux. C'était grâce à cela qu'il avait bien gagné sa vie. Alors, par sens du devoir accompli, il avança encore de quelques pas. Si cette fois-ci la dame ne bougeait pas, il s'en irait pour ne plus jamais revenir. D'une voix claire pour être bien certain qu'elle l'entende, il demanda donc une seconde fois:

– Madame? Êtes-vous Blanche Gagnon?

Blanche tressaillit. Gagnon. Ce nom lui disait quelque chose. Elle fronça les sourcils, détourna la tête et regarda l'homme qui se tenait à deux pas, triturant un chapeau entre ses doigts. Qui donc était-il?

Cet homme l'avait appelée Gagnon alors qu'ici on disait Deblois.

Blanche serra les paupières très fort, s'obligeant à répéter le mot Gagnon à plusieurs reprises.

Gagnon, Gagnon, Gagnon…

Le souvenir surgit comme un éclair. C'était son nom. Elle s'appelait Gagnon. Blanche Gagnon.

Blanche ouvrit les yeux précipitamment et fixa l'homme qui venait de l'appeler ainsi. Son visage ne lui était pas inconnu, mais elle eut l'impression qu'il appartenait à une autre vie tant il était confus, perdu dans les méandres de sa mémoire capricieuse. Puis son regard fut attiré par la tête entièrement chauve qui luisait dans un rayon de soleil se faufilant entre les barreaux de la fenêtre.

Où donc avait-elle déjà vu cette tête chauve et luisante ?

Une fois encore, le souvenir jaillit de l'ombre, clair, lumineux. Cet homme était assis dans un salon et elle le regardait. Elle était fascinée par cette tête qui ressemblait à une boule de billard ou plutôt à un œuf.

Blanche avait fermé les yeux sur l'image qui s'était imposée à elle. Un salon un peu sombre et deux hommes qui parlent sans s'occuper d'elle. Et s'ils ne s'occupent pas d'elle, c'est qu'elle n'est qu'une enfant.

« L'avoué de papa ! »

Blanche sursauta tellement le souvenir était précis. Cet homme était l'avoué de son père, son conseiller financier, et l'autre homme qu'elle voyait sur l'écran de sa mémoire, c'était son père. Maintenant, Blanche en était certaine.

Ouvrant les yeux, elle fit un signe discret du doigt pour que l'homme s'approche d'elle. Puis quand il fut à portée de voix, elle murmura :

— Vous connaissez mon père, n'est-ce pas ?

— Bien sûr. J'étais son conseiller et ami.

Blanche dessina un sourire fugace. Un sourire si fragile que Roger Labonté se demanda s'il ne l'avait pas inventé. Il tendit la main à Blanche en se présentant.

— Me Labonté, madame. À votre service.

Cette femme n'était peut-être que l'ombre de celle qu'il avait connue, mais il était maintenant certain d'avoir affaire à la bonne personne.

Blanche saisit la main qui lui était tendue et s'y agrippa. Puis, après avoir promené un regard craintif autour d'elle, Blanche murmura en regardant l'avoué:

– Je vous en prie, aidez-moi. Faites-moi sortir d'ici!

Chapitre 12

Charlotte était descendue de l'autobus deux arrêts avant chez elle pour marcher un peu et profiter du temps qui était merveilleux. Les lilas étaient fleuris, les plants de pivoines ployaient sous le poids de leurs immenses boutons qui ne tarderaient plus à éclore et la brise lui offrait ces deux parfums mélangés.

Dans quelques jours, juin serait là, prometteur de beau temps et de vacances bien méritées. Cette année encore, Charlotte avait demandé un mois de repos pour pouvoir profiter de la belle saison avec Alicia. Sa demande était à l'étude.

Et samedi dans quinze jours, Françoise se mariait!

Charlotte accéléra le pas en y pensant. Tout un événement que ce mariage! Du moins, sous le toit de Charlotte et Françoise. Alicia en parlait sans arrêt depuis que Françoise lui avait demandé d'être sa bouquetière. Malgré ses neufs ans, sa taille menue ferait d'elle une escorte superbe.

– Pourquoi pas? avait rétorqué Françoise quand Charlotte avait souligné, en boutade, que pour un petit mariage, elle n'y allait pas avec le dos de la cuillère. Après tout, ce n'est qu'une robe à acheter et regarde-la! Ça lui fait tellement plaisir.

Il était vrai qu'Alicia était tout excitée à l'idée de faire partie du cortège.

Et pour l'occasion, Charlotte serait non seulement accompagnée d'Alicia, mais aussi du beau docteur Jean-Louis Leclerc.

Le souper de fiançailles où Françoise lui avait demandé de l'accompagner avait été finalement un franc succès.

Jean-Louis Leclerc n'était pas un bel homme comme les autres, se fiant à sa seule apparence pour plaire et conquérir les cœurs. S'il n'était toujours pas marié à trente-deux ans, c'était qu'il n'avait pas eu le temps de s'y consacrer! Sa profession accaparait son corps, son esprit et une grande partie de son cœur. Quand il parlait de ses petits patients, Charlotte avait remarqué que ses yeux brillaient d'un éclat particulier. C'était un homme très intelligent, sérieux, doublé d'un pince-sans-rire à l'humour caustique et cru.

— Je parle un langage *médecin*, avait-il expliqué quand Charlotte s'était mise à rougir d'une blague un peu salée. Je n'y peux rien, c'est devenu une seconde nature chez moi. Le corps humain et ses attributs font partie de ma vie! Avis aux non-initiés!

Le docteur Leclerc était pédiatre et pratiquait à la maternité de l'hôpital.

— C'est tellement gratifiant quand on arrive à sauver un bébé que tout condamnait à la naissance. J'aime bien me battre contre la nature et réussir à la déjouer. En un mot, j'aime gagner. Rien ne me fait plus plaisir que de revoir un de ces bébés, quelques années plus tard, et de découvrir un petit garnement plein de vie!

Tout au long de ce repas, ils avaient, tous les quatre, parlé hôpital et patients. Charlotte, pour qui ce n'était qu'un métier en attendant de pouvoir réaliser son grand rêve d'écrire à plein temps, avait découvert une passion vibrante dans les propos de Jean-Louis. Une passion qui se rapprochait de celle qu'elle ressentait devant une page blanche qu'elle devait couvrir de mots. La poignée de main franche qu'ils avaient échangée lorsqu'il l'avait raccompagnée à sa porte était ferme et amicale, sans le moindre doute possible. Charlotte l'avait apprécié. Jean-Louis avait tout ce qu'il fallait pour devenir un bon camarade. C'était un batailleur et en ce sens, elle se sentait certaines affinités avec lui.

Ce soir-là, en se couchant, Charlotte avait admis que Françoise n'avait peut-être pas tort en affirmant qu'il n'y avait pas de mal à s'amuser un peu en agréable compagnie.

– Mais encore faudrait-il que je trouve du temps pour m'amuser, murmura Charlotte pour elle-même alors qu'elle arrivait près de chez elle et qu'elle repensait à cet événement. Entre l'hôpital, l'écriture et ma fille, il ne reste pas beaucoup de loisirs !

Et comme depuis quelque temps tous ses loisirs étaient consacrés à la course au logis, aussi bien dire qu'il ne restait rien pour elle.

À cette pensée, Charlotte ralentit le pas, tout enthousiasme disparu.

La maison qui abritait le logement qu'elle partageait avec Françoise n'était plus qu'à un coin de rue. Ce quartier de Montréal qu'elle se plaisait à baptiser *chez elle* ne le serait plus pour très longtemps. Même si elle n'avait encore rien trouvé d'acceptable, sa décision était irrévocable : elle allait déménager. Mais jusqu'à maintenant, ou c'était trop grand, ou c'était trop petit, ou c'était franchement trop délabré. Devant cet état des choses, voyant la date du mariage approcher de plus en plus vite, Charlotte s'était résignée à parler à Françoise avant même d'avoir signé un nouveau bail.

– Mais pourquoi veux-tu partir ? avait demandé son amie un peu surprise. Je te l'ai dit : Bernard et moi, nous…

– Pas question ! avait alors tranché Charlotte. Vous avez droit à votre intimité. Et laisse-moi te dire que je sais de quoi je parle.

La pression de la main de Françoise sur son bras lui avait donné raison. Son amie appréciait cette délicatesse.

C'était pourquoi, depuis quelques jours, l'écriture avait été mise de côté au profit d'une course effrénée à travers la ville. Jean-

Louis s'était même joint à elle à titre de chauffeur pour la promener aux quatre coins de la ville. Mais peine perdue, Charlotte n'avait toujours rien trouvé.

Une chose lui était apparue clairement : elle avait eu raison de se dire que jamais elle n'aurait les moyens de rester dans le quartier. Pas plus que dans celui de l'hôpital où elle travaillait. Sans aucun doute, il lui faudrait descendre un peu plus au sud et bifurquer vers l'est. Cela l'éloignerait encore un peu plus de son travail.

Charlotte soupira alors qu'elle arrivait devant son logement. Puis elle secoua la tête. Pas de pensées moroses aujourd'hui, il faisait trop beau. Et après tout, Françoise avait raison : Alicia et elle ne se retrouveraient pas à la rue au lendemain des noces.

Elle continuerait donc de chercher jusqu'à ce qu'elle trouve la perle rare qui devait bien se cacher quelque part.

Quand elle ouvrit la porte, elle s'accrocha les pieds dans les lettres qui gisaient nombreuses dans le vestibule. Charlotte en fit un tas qu'elle commença à feuilleter tout en se dirigeant vers la cuisine. Comme Françoise travaillait ce soir-là, elle avait l'intention de préparer un pique-nique qu'elle partagerait avec Alicia au parc près de la rivière. Tant qu'à vivre encore ici, autant en profiter pleinement.

Une lettre liserée de bleu attira son regard. C'était une enveloppe spéciale portant la mention *par avion*.

Le cœur de Charlotte se mit aussitôt à battre comme un fou.

Se pourrait-il que…

Sans perdre de temps à analyser l'écriture pour tenter de deviner qui était l'expéditeur, Charlotte lança le reste des lettres sur la table et s'empressa de déchirer l'enveloppe.

Dans un premier temps, elle lut rapidement, sautant des mots, survolant les phrases. Aussitôt, une ombre traversa son regard.

Suivie d'un pâle sourire. Ce n'était peut-être pas ce qu'elle espérait trouver, mais c'était quand même une bonne nouvelle.

Charlotte s'installa à la table et reprit la lettre pour la relire posément afin de bien comprendre ce que lui proposait mamie. Ce fut au moment où elle terminait sa lecture, un large sourire éclairant son visage, que Charlotte entendit le bruit de la clé dans la serrure précédant le claquement de porte caractéristique de sa fille. Charlotte ferma les yeux en soupirant. Quand donc Alicia apprendrait-elle à fermer les portes doucement?

– Maman? Tu es là?

– Dans la cuisine, ma puce.

Une course dans le couloir et Alicia paraissait dans l'embrasure de la porte, ébouriffée, déjà bronzée pour avoir souvent joué dehors après les heures de classe. La petite fille jeta un coup d'œil à sa mère puis fronça les sourcils.

– Tu as l'air de trèèès bonne humeur, analysa-t-elle sans préambule.

Montrant la lettre que Charlotte avait toujours à la main, elle demanda, sur un ton un peu blasé:

– Encore des bonnes nouvelles de ton éditeur? Tu as encore plus d'argent?

Le sourire de Charlotte s'accentua, teinté d'une petite moquerie. Depuis l'épisode de la poupée, c'était devenu une blague entre elles. Quand Charlotte recevait une lettre personnelle et qu'Alicia était présente, la petite fille ne pouvait s'empêcher de demander si, par un heureux hasard, il ne s'agissait pas de sous. Elle avait peut-être passé l'âge des poupées mais pas celui des gâteries.

– Bonjour quand même, Alicia. Et, non, ce ne sont pas des nouvelles de mon éditeur. Donc, pas plus de sous pour l'instant.

– Alors c'est quoi?

Charlotte essaya d'être sérieuse.

– Te souviens-tu de m'avoir dit que ça ne te tentait pas de changer d'école?

Alicia ouvrit les yeux tout grands en même temps qu'elle haussait les épaules.

– C'est sûr que je m'en souviens. J'ai dû t'en parler au moins une bonne dizaine de fois… Qu'est-ce que ça a à voir avec ta lettre?

Maintenant, Charlotte avait l'air malicieux.

– Si je te disais que tu n'auras pas à changer d'école, ça te plairait?

Alicia ne voyait pas où sa mère voulait en venir. Si elle ne changeait pas d'école, c'était parce qu'elles n'allaient pas déménager et pourtant, sur le sujet, sa mère avait été formelle: après le mariage de Françoise, il faudrait partir. Alors elle ne comprenait plus. La patience n'étant pas sa vertu dominante, Alicia s'impatienta.

– Bien sûr que ça me plairait! Et tu le sais. Alors? C'est quoi la lettre?

– Lis! fit Charlotte en lui tendant la feuille. Tu vas voir.

Alicia fit comme sa mère et se dépêcha de survoler tous les mots. Puis elle leva un regard scrutateur, n'étant pas bien certaine d'avoir compris.

– Est-ce que ça veut dire qu'on va habiter avec ta grand-maman? demanda-t-elle hésitante.

– Presque! Il ne faut pas oublier que depuis un an, mamie a passé la majeure partie du temps avec ton grand-père et Anne au bord de la mer.

– Ah oui! C'est vrai…

– C'est justement pour cela qu'elle nous offre d'habiter chez elle. Pour ne pas laisser la maison inoccupée quand elle s'absente longtemps. Est-ce que ça te plairait d'y aller pour quelque temps?

Bien sûr, mamie nous demande de garder une chambre pour elle quand elle sera de passage à Montréal mais pour le reste, elle écrit : « Vous ferez comme chez vous ! » Alors, qu'est-ce que tu en penses ?

— C'est bien la maison blanche avec du bleu, n'est-ce pas ? vérifia Alicia sans répondre à sa mère.

— Exactement. Et savais-tu que c'est là que grand-papa Raymond habitait quand il était un petit garçon comme toi ?

— Ah oui ? Bizarre…

Charlotte n'eut pas le temps de demander ce qu'il pouvait bien y avoir de bizarre dans ce qu'elle venait de dire, car la sonnette de la porte d'entrée se faisait entendre. Alicia leva vivement la tête, lança le papier sur la table et partit en courant.

— Laisse maman, je vais ouvrir.

De nouveau, bruit de course dans le corridor, suivi cette fois d'un cri de joie.

— Jean-Louis !

Charlotte ne put s'empêcher de sourire. Sans qu'elle sache d'où venait cet engouement, elle était obligée d'admettre que sa fille avait eu le coup de foudre pour le jeune médecin qu'elle avait d'abord connu lors d'une des nombreuses visites que Bernard faisait à Françoise en compagnie de son ami Jean-Louis. Alicia s'était occupée à peaufiner cette relation quand ils avaient ratissé la ville à la recherche d'un logement.

Il était vrai que, sans y regarder de trop près, Jean-Louis pouvait avoir une certaine ressemblance avec Andrew.

Les deux hommes présentaient une même carrure athlétique. Ils avaient la voix grave et une chevelure coupée court à la mode militaire.

Mais pour Charlotte, la ressemblance s'arrêtait là. Jean-Louis avait en humour et en aménité ce qu'Andrew avait en réserve et en efficacité.

Quand Charlotte arriva dans le couloir à son tour, Alicia était pendue aux basques d'un Jean-Louis qui avait les bras chargés de deux caisses empilées.

– Des livres pour Bernard, expliqua-t-il devant le regard curieux de Charlotte.

Ce fut à cet instant que Charlotte repensa à la lettre qu'elle venait de recevoir.

– Alicia! Laisse Jean-Louis tranquille! Tu vois bien qu'il est chargé comme un mulet.

Puis elle s'approcha au moment où Jean-Louis déposait ses lourds colis sur le plancher. Quand il se redressa, Charlotte était à ses côtés. Elle le regardait avec une lueur pétillante au fond des yeux.

– Fini la course au logement! lança-t-elle joyeusement. J'ai toute une maison qui m'attend!

Jean-Louis ouvrit les yeux, esquissa un sourire et, spontanément, il souleva Charlotte dans ses bras et lui fit faire une pirouette avant de la déposer sur le sol.

– Toute une… Wow! Aurais-tu une marraine bonne fée, par hasard?

Charlotte éclata de rire. Prenant Jean-Louis par la main, elle l'entraîna à sa suite vers la cuisine en disant:

– Une marraine, non. Mais j'ai une grand-maman au cœur d'or. Viens! Je vais te montrer la lettre que j'ai reçue!

Charlotte avait l'air d'une petite fille qui venait de recevoir le plus beau cadeau du monde et Jean-Louis afficha un sourire attendri alors qu'il lui emboîtait le pas.

* * *

Depuis trois semaines, Charlotte et Alicia faisaient des boîtes chaque fois qu'elles avaient un moment de libre. Mamie devait venir à Montréal au début du mois d'août et le déménagement aurait lieu dès qu'elle aurait fini de trier ses affaires en compagnie de ses filles.

Le mariage de Françoise avait ému Charlotte au-delà de tout ce qu'elle avait anticipé. La cérémonie lui avait rappelé ce qu'elle avait déjà vécu auprès d'Andrew, faisant naître une certaine nostalgie qui lui avait tiré quelques larmes.

Que serait sa vie aujourd'hui s'il n'était pas décédé?

À s'imaginer vivant dans la jolie petite maison entourée d'un jardin, quelques enfants courant autour d'elle, les larmes avaient coulé de plus belle. Puis elle avait pensé à Gabriel et, curieusement les larmes s'étaient taries. Il faut dire qu'au même instant, se méprenant sur le sens de cette émotion, Jean-Louis avait passé un bras autour de ses épaules. Charlotte avait tressailli puis, après quelques minutes qui lui avaient paru durer une éternité, elle s'était dégagée doucement.

Ce soir-là, le sommeil avait été long à venir. Charlotte essayait de comprendre ce que disait son cœur en émoi.

Puis, l'imminence du déménagement avait presque tout effacé. Les rares fois où Charlotte repensait à ce court moment où Jean-Louis avait glissé son bras autour de ses épaules, il y avait bien un drôle de petit spasme dans son estomac, mais elle l'obligeait à se retirer. Elle n'avait pas de temps à consacrer à ses états d'âme. Mamie serait là dans moins d'un mois. Elle s'analyserait plus tard.

Le temps avait donc filé jusqu'aux vacances d'Alicia sans que Charlotte s'en aperçoive. Dans trois semaines, ce serait son tour de prendre des vacances et elle serait sur le point de déménager pour s'installer dans la maison de sa grand-mère. C'était une jolie maison avec un jardin dans la cour comme en Angleterre.

Françoise et Bernard étaient revenus de leur voyage de noces et la vie à quatre était somme toute agréable même si Charlotte et Alicia s'efforçaient d'être le plus discrètes possible.

Et ce soir, elles étaient invitées à souper chez Émilie.

Cela faisait des mois et des mois que Charlotte n'avait pas vu sa sœur. Tout au long de l'hiver, chaque fois qu'elle essayait de la rejoindre au téléphone, Émilie n'était jamais là. Charlotte avait trouvé cela curieux puis elle avait fini par ne plus appeler. La vie parfois pousse les gens à aller si vite qu'ils en oublient l'essentiel. C'était ce qu'elle se disait en se préparant pour le souper. Alicia, tout heureuse d'aller chez sa tante, car elle aimait bien quand on lui permettait de s'installer devant un chevalet, avait revêtu une vieille chemise et son pantalon troué aux genoux. Une tenue que Charlotte avait aussitôt désapprouvée.

– Tu ne vas quand même pas te présenter chez ta tante accoutrée comme un petit singe de foire?

Alicia avait envie de trépigner devant tant d'incompréhension.

– Mais maman! Si Émilie le veut, je vais pouvoir dessiner et…

– Pas de *mais maman*! Habille-toi comme une jeune fille qui sait vivre et apporte ce dont tu as besoin pour dessiner dans un sac.

Elles étaient donc parties toutes les deux, un sac à la main. Alicia emportait son attirail d'artiste et Charlotte avait préparé quelques gâteaux pour le dessert. La journée était triste et sombre, mais il faisait très chaud. L'orage menaçait.

Tout en marchant le long de l'avenue qui menait chez Émilie, Charlotte repensait à l'appel qu'elle avait reçu quelques jours auparavant. Émilie lui avait semblé tendue ou fatiguée. Habituellement, sa sœur avait une voix enjouée alors que cette fois-ci, sa voix avait l'air crispé. Peut-être sa sœur était-elle gênée d'avoir mis tant de temps avant de donner de ses nouvelles?

Exactement comme elle qui se trouvait un peu négligente de ne pas avoir insisté quand elle avait tenté de la rejoindre l'hiver dernier.

Sa sœur ne savait même pas qu'elle allait emménager chez mamie !

En attaquant l'escalier qui menait au logement des Lavoie, Charlotte se fit encore une fois la promesse de ne plus jamais rester si longtemps sans avoir de nouvelles d'Émilie. Pour deux sœurs, c'était inacceptable. Maintenant qu'elle allait être dans *sa* maison, Charlotte pourrait multiplier les invitations. Et à l'occasion, Jean-Louis pourrait même se joindre à eux. Charlotte était persuadée que Marc et lui allaient s'entendre à merveille.

Mais dès qu'elle mit un pied dans le salon, Charlotte oublia tous ses beaux projets.

L'impression que lui avait laissée l'appel d'Émilie avait été la bonne : la jeune femme était visiblement nerveuse. À peine Charlotte et Alicia étaient-elles entrées qu'Émilie lançait en guise de salutation :

— Marc ne devrait pas tarder.

Puis se tournant vers Alicia, elle ajouta au grand ravissement de la petite fille :

— Viens avec moi, je t'ai préparé quelque chose dans l'atelier.

Charlotte se retrouva seule au salon. Le temps de regarder autour d'elle pour voir où elle pourrait déposer les gâteaux, elle remarqua la toile suspendue au-dessus de la cheminée. La scène urbaine que la peinture représentait était très réussie. Mais ce n'était pas la qualité du dessin qui lui fit froncer les sourcils et s'approcher. Près d'une fontaine, il y avait une femme et une petite fille.

Charlotte sentit son cœur se serrer.

Même sans visage, la ressemblance était frappante. C'était

Émilie qui donnait la main à Alicia… ou à Rosalie, selon l'image qu'Émilie s'en faisait.

Charlotte poussa un soupir tremblant. La plaie n'était donc pas encore fermée? Il semblait bien que non. Émilie pleurait encore et toujours sa petite fille…

Puis Émilie revint, portant devant elle un plateau où elle avait posé un pot de citronnade bien fraîche.

– J'ai pensé que ça nous ferait du bien. Il fait tellement chaud aujourd'hui!

Émilie s'affairait sans regarder Charlotte. Elle la remercia pour le dessert qu'elle se dépêcha d'aller porter dans la cuisine. Puis, quand elle revint, elle remplit le verre que Charlotte avait à peine entamé. Le temps de poser les fesses sur le bord du canapé, elle se relevait pour ouvrir la porte qui donnait sur le balcon.

– Quelle chaleur!

Émilie s'affairait comme un papillon s'entête autour d'une lampe le soir.

– Et si tu me disais ce qui ne va pas, Émilie?

La voix de Charlotte s'était élevée, calme et tranquille, posant un instant d'immobilité sur le salon. Émilie se retourna lentement et fixa sa sœur.

– Pourquoi dis-tu que…

Charlotte haussa les épaules.

– Parce que tu es ma sœur et que je te connais bien. Quand tu t'affoles, c'est qu'il y a quelque chose qui ne va pas. Je me trompe?

Émilie se mit à rougir.

– Non, murmura-t-elle. Tu as raison, il faut que je te parle.

Émilie prit place sur le bord du fauteuil qui faisait face à Charlotte. Toute la journée, elle avait tenté d'imaginer l'instant qu'elle était en train de vivre, disant à mi-voix et répétant ce qu'elle devrait enfin annoncer. Seule, n'ayant qu'elle-même pour se répondre, Émilie avait trouvé les mots qui savaient expliquer et convaincre. Mais dès qu'elle avait aperçu Charlotte, ils s'étaient envolés. Présentement, Émilie avait la tête vide et rien de ce qu'elle avait préparé et ressassé tout au long de la journée ne lui revenait à l'esprit. Mais elle n'avait plus le choix. Il lui fallait parler. Le secret était devenu trop lourd à porter et elle aurait probablement besoin d'aide.

– C'est, commença-t-elle hésitante. C'est à propos de maman. Je... Il faut que tu saches que la situation a... comment dire ? Que la situation a évolué, c'est ça, qu'elle a beaucoup changé.

Charlotte avait froncé les sourcils dès qu'elle avait entendu le mot *maman*.

– Oui. Et alors ?

Émilie prit une profonde inspiration avant de poursuivre.

– Alors, dans quelques jours maman va sortir de l'hôpital et je...

À ces mots, Charlotte s'était redressée les yeux brillants d'inquiétude.

– Quoi ? lança-t-elle précipitamment sans laisser à Émilie la chance de s'expliquer. Mais qu'est-ce que c'est que cette histoire ? Papa est-il au courant ? Et si oui, comment se fait-il qu'il ne m'en ait pas...

– Laisse-moi finir, implora Émilie, coupant la parole à sa sœur. Laisse-moi finir et tu diras tout ce que tu veux après. D'accord ?

Charlotte retint son impatience et acquiesça.

– D'accord.

Alors Émilie raconta l'hiver qu'elle venait de passer, les découvertes qu'elle avait faites. Au fur et à mesure qu'elle parlait, Émilie gagnait en assurance et Charlotte regrettait infiniment de ne pas avoir rendu visite à Blanche plus souvent. Depuis décembre, devant l'état de sa mère, Charlotte ne s'était plus donné la peine de se déplacer.

— Te rends-tu compte, Charlotte? Maman était gardée dans cet asile sans raison! C'étaient les médicaments qui la rendaient apathique, imperméable aux émotions, indifférente à tout. Si tu avais vu son médecin! Un arrogant, un incompétent qui a vite changé d'attitude quand Me Labonté a demandé que maman soit vue par un autre médecin. Il est devenu coulant comme du miel, promettant d'ajuster la médication, essayant d'expliquer…

Émilie s'interrompit un instant en haussant les épaules.

— Il n'y avait rien à expliquer, de toute façon, conclut-elle en levant la tête. J'ai vite compris le stratagème. Le nouveau médecin qui a rencontré maman est catégorique: maman est une femme fragile, sujette aux dépressions, mais elle n'est pas une patiente qui nécessite une hospitalisation. Voilà… Tu en sais autant que moi. Maintenant, il faut trouver un endroit pour loger maman puisque papa a vendu la maison. Peux-tu m'aider? Je…

Émilie avala sa salive avant de poursuivre.

— J'ai encore de la difficulté à concevoir que papa ait pu demander une telle chose. Parce que c'est évident qu'il est en arrière de tout ça! Tu comprendras que je n'ai pu m'en remettre à lui. C'est pourquoi je demande ton aide. Seule, je n'y arriverai pas.

Émilie leva un regard confiant vers Charlotte. Elle se disait que sa sœur ne pourrait rester indifférente devant une injustice aussi flagrante et qu'ensemble, elles allaient trouver une solution pour aider leur mère.

Pourtant, au même instant, Charlotte ne pensait pas injustice, mais elle se demandait plutôt ce qu'il faudrait dire pour qu'Émilie comprenne qu'il était préférable pour tous de tenir Blanche à l'écart de sa famille. Son père avait passé des années à essayer de trouver une solution. Et le seul moyen possible de s'en sortir était justement son internement. C'était extrême comme solution, Charlotte en convenait, mais tant que Blanche ne souffrait pas, où était le mal ? Charlotte se souvenait trop bien des hésitations de son père, de ses scrupules à poser un tel geste. Il avait vraiment fallu que Blanche dépasse les bornes pour que son père se décide enfin à agir comme il l'avait fait.

Mais cela, Émilie ne le savait pas.

Charlotte regarda longuement sa sœur, se demandant s'il n'était pas temps, justement, de tout dévoiler.

Mais était-ce à elle de dire tous les secrets qu'ignorait sa sœur ?

Jusqu'où Émilie avait-elle poussé ses interventions pour faire sortir Blanche de l'asile ? Était-il encore temps de faire marche arrière ?

Et Raymond, celui qui en principe était le premier concerné, n'était même pas au courant…

Il y avait tellement d'interrogations que Charlotte ferma les yeux, tout étourdie. Par où commencer ? Jusqu'où avait-elle le droit d'aller, que pouvait-elle dire pour qu'Émilie admette qu'elle s'était trompée ?

Quand elle ouvrit les yeux, Charlotte se heurta au regard d'Émilie qui s'était durci. Devant le silence persistant de Charlotte, elle avait compris que celle-ci ne partageait pas son soulagement à savoir Blanche moins malade que ce que l'on avait prétendu. Brusquement, Émilie eut la conviction que ses pressentiments étaient fondés : il y avait eu conspiration pour faire interner sa mère. Et du même souffle, elle venait de comprendre que le complot englobait beaucoup plus de gens qu'elle ne l'avait cru.

— Alors, Charlotte, veux-tu m'aider ? demanda-t-elle d'une voix froide, incisive, brisant ainsi un silence qui était de plus en plus inconfortable.

— Je ne peux pas.

La voix de Charlotte était hésitante et catégorique en même temps. Elle savait très bien qu'elle ne lèverait pas le petit doigt pour

Blanche mais par contre, cela la contrariait de décevoir Émilie.

— Je ne peux pas parce que je suis persuadée que tu commets une grave erreur. Malgré tout ce que tu sembles penser, Blanche a besoin de soins. Rappelle-toi ce que tu as vécu, enfant. Les crampes et les…

— Laisse mon enfance en dehors de cela, veux-tu?

Émilie n'aimait pas la tournure que prenait la conversation. C'était trop facile de toujours tout ramener à leur enfance.

— Ça ne te regarde pas, ce que j'ai vécu, Charlotte. Il me semble qu'on en avait déjà parlé et que le dossier était clos. Tu as peut-être le droit d'en penser ce que tu veux mais pour l'essentiel, cet épisode de ma vie n'appartient qu'à moi. Malgré tout, maman s'est bien occupée de moi et si j'admets qu'elle a fait des erreurs, je suis certaine que ce n'était pas par malveillance.

Charlotte soupira.

— Je n'ai jamais dit que Blanche était malveillante. Par contre, ce qu'elle a fait quand tu étais petite, c'était pour elle qu'elle le faisait, d'abord et avant tout. Te veiller, te soigner, c'était dans la lignée de sa propre maladie. Ce n'était pas uniquement pour toi.

Quand elle entendit ces mots, Émilie fut incapable de rester en place. Elle se leva, vibrante de colère, de déception.

— Mais tu es jalouse, ma parole. Jamais je n'aurais pensé ça de toi!

— Jalouse?

Le mot atteignit Charlotte en plein cœur. Jamais elle n'aurait cru qu'Émilie pouvait lui faire mal à ce point. Non, elle n'était pas jalouse. Petite, oui, elle avait envié Émilie d'avoir autant d'attention de la part de leur mère. Comme n'importe quelle autre petite fille, Charlotte aurait bien voulu être aimée de sa mère au lieu d'être sa fierté, comme un objet qu'on exhibe. Mais elle n'était pas jalouse. Elle avait eu tellement peur pour sa petite sœur que jamais elle n'aurait pu se montrer jalouse. Et cela valait encore pour aujourd'hui.

Émilie était toujours debout face à elle. Charlotte leva les yeux et tout en soutenant son regard, elle répéta:

– Jalouse? Moi? Jamais. Tu as trop souffert pour que je sois jalouse de toi. Par contre, j'ai toujours su que notre mère était différente des autres. Même quand j'étais toute petite. Et cette différence, elle existe toujours, Émilie. Blanche n'a pas changé.

– Et pourquoi aurait-elle à changer? Quand elle dit que personne ne l'a jamais comprise, je commence à saisir ce que maman veut dire. Elle est fragile, malade…

– Malade! Tu viens de le dire. Blanche est malade et a besoin de soins. Bien plus que tu ne le crois.

– Tu appelles ça des soins, toi, abrutir quelqu'un de médicaments?

– Si c'est pour l'empêcher de souffrir.

– L'empêcher de… Allons donc! J'ai l'impression que l'on s'amuse à mélanger les mots. Tu parles comme le docteur Clément! Maman n'a pas besoin de ça. Elle est comme moi. Toutes les deux, ça fait longtemps qu'on a appris à vivre avec nos douleurs et nos crampes.

Charlotte s'était levée pour être à la hauteur d'Émilie. La discussion avait un goût de réchauffé, désagréable, amer.

– Là, c'est toi qui mélanges les mots ou leur donnes le sens qui te convient. Je ne parle pas de votre endurance à la douleur. Je parle de la cause de la douleur, Émilie. La cause! Et cette cause s'appelle Blanche Deblois. Quand est-ce que tu vas te décider à ouvrir les yeux? Pourquoi as-tu été si malade? Pourquoi Blanche s'est-elle mise à boire? Pourquoi donnait-elle du brandy à Anne quand elle était un bébé? Si notre mère avait été normale, elle n'aurait pas agi comme ça.

Émilie haussa les épaules comme si les propos de Charlotte n'avaient pas d'importance. Ou la laissaient indifférente.

– Peut-être, admit-elle du bout des lèvres. Mais nous ne sommes plus des bébés. Ce n'est donc plus une raison pour faire enfermer notre mère.

– Blanche est encore dangereuse, Émilie.

– Dangereuse? Comment une femme si fragile, si menue peut-elle être dangereuse? Vous êtes pareils, papa et toi. Vous ne voyez que ce que vous voulez bien voir. Maman a des problèmes, je ne le nie pas. Et elle a besoin d'aide, c'est certain. Mais ce n'est pas en la faisant interner qu'on va régler ses problèmes. Vous vous êtes servis, papa et toi, de ce prétexte pour vous en débarrasser. Pour laisser le champ libre à cette Antoinette qui…

– Émilie!

C'était au tour de Charlotte d'être bouillonnante de colère. Comment Émilie pouvait-elle être à ce point aveugle? Comment pouvait-elle prêter des intentions aussi mesquines à leur père, lui qui leur avait donné les plus belles années de sa vie?

– Comment peux-tu dire de telles choses, Émilie? Pense ce que tu veux de moi, ça m'est égal, mais ne viens jamais accuser papa d'être injuste. Tu ne sais pas de quoi tu parles quand tu l'attaques ainsi. S'il y a un homme sur terre qui a tout tenté pour arranger les choses, c'est bien lui. Au détriment de son propre bonheur. Le problème, ce n'est pas lui ou Antoinette, c'est notre mère. Encore aujourd'hui, alors que nous sommes des adultes, elle intervient dans nos vies parce qu'elle est malade. Mentalement malade.

– Tu exagères. Comment veux-tu que maman puisse intervenir? On la verrait agir, on pourrait contrecarrer ses…

– Pas nécessairement, coupa Charlotte. Tu n'as jamais voulu l'admettre, mais Blanche sait très bien ce qu'elle fait. Et sa maladie la porte à tout faire en cachette en disant que personne ne la comprend.

– Ce n'est pas vrai. Pas avec moi. On n'a pas de secrets, l'une pour l'autre. Je la comprends, moi, et elle le sait.

– Et si je te disais que c'est à cause d'elle que tu as perdu ton bébé?

Les mots de Charlotte tombèrent dans la discussion comme par distraction. Aussitôt prononcés, Charlotte les regretta. Mais il était trop tard. Émilie avait éclaté d'un rire aigu, presque hystérique. Puis sa voix avait cassé quand elle avait dit:

– Tu es méchante, Charlotte. Tu touches au souvenir le plus précieux que j'ai. Tu n'as pas le droit de le salir comme tu viens de le faire. Pas le droit, tu m'entends? Maman n'aurait jamais pu me faire cela. Tu mens pour protéger papa et...

– Non, Émilie. Charlotte ne ment pas. On a toutes les raisons de croire que c'est effectivement à cause de ta mère si Rosalie est arrivée trop tôt.

Arrivé depuis quelques instants, Marc avait entendu une bonne partie de la conversation.

S'il n'était pas intervenu auparavant, c'était qu'il considérait que ce dialogue ne le concernait pas.

Charlotte et Émilie parlaient de leur mère, pas de la sienne.

Mais maintenant que le nom de Rosalie avait été mentionné, c'était différent. En agissant comme elle l'avait fait, Blanche avait détruit une partie de sa vie à lui aussi. Et il donnait raison à Charlotte: il était temps qu'Émilie ouvre enfin les yeux.

Alertée par le timbre colérique des voix, Alicia arriva à cet instant et resta à l'écart, à peine visible dans le corridor. Émilie fut la seule à la remarquer. Elle porta le regard sur la petite fille, sur Charlotte puis sur Marc.

Alicia qui était la fille de Marc et de Charlotte...

Puis Émilie regarda ses deux mains qui s'étaient tendues involontairement devant elle. Vides, ses mains étaient vides...

Le visage d'Émilie ruisselait de larmes, son cœur avait de la difficulté à battre tant il faisait mal. Elle regarda Marc droit dans les yeux et dut s'y reprendre à deux fois avant de réussir à articuler :

— Tu oses me dire que tu savais toi aussi et tu ne m'en as pas parlé ? Pourquoi ? Ça n'a aucun sens. C'est que vous mentez ou alors l'amour ne signifie rien pour toi.

Marc pouvait comprendre ce qu'Émilie ressentait. Il fit un pas en avant pour tenter d'expliquer, mais il s'arrêta net quand Émilie s'écria :

— Non… Ne t'approche pas. N'essaie surtout pas de me toucher, Marc Lavoie.

Puis elle revint à Charlotte.

— Dire que je t'admirais. La grande, la forte Charlotte à qui tout réussissait… Pourquoi faut-il que tu t'amuses toujours à salir maman ? C'est la seule personne sur terre qui ne m'ait jamais abandonnée. La seule qui m'a vraiment aimée sans tricher.

Émilie respirait bruyamment.

— Y en a-t-il encore beaucoup de secrets que tu partages avec Marc ? demanda-t-elle. Après tout, c'est le père de ta fille. Ça donne peut-être des droits… Malgré cela, vous n'aviez pas le droit de vous taire. C'est injuste, ce que vous avez fait là…

Pendant qu'elle parlait, Émilie promenait son regard de Marc à Charlotte, évitant systématiquement de s'attarder sur Alicia qui, en entendant les derniers mots de sa tante, avait froncé les sourcils. Puis Émilie dessina un sourire amer à travers ses larmes. Marc qui rêvait d'avoir une famille…

Pourquoi chercher, pourquoi vouloir à tout prix faire un autre bébé ? Elle était là sa famille. Alicia et Charlotte…

Émilie sentait que son esprit divaguait, loin, très loin de Blanche. Mais elle n'y pouvait rien. Ce secret autour de la nais-sance de sa petite Rosalie rejoignait sa mère et c'était à cause d'eux si elle faisait un lien entre Blanche, Rosalie et Alicia. S'ils disaient la vérité, ils auraient dû la prévenir. Leur silence lui torturait le cœur. Si ce n'était que mensonge, cette histoire lui faisait tout aussi mal. Savoir que tous ceux à qui elle faisait confiance s'étaient ligués contre sa mère en la tenant à l'écart lui était tout aussi insupportable.

Brusquement, Émilie se sentait terriblement fatiguée.

Désespérément seule.

Personne n'osait parler.

Émilie sentait bien que c'était à elle de le faire, mais elle n'en avait pas envie. Pour dire quoi? Qu'elle leur pardonnait? Et pardonner quoi? D'avoir gardé un secret qui ne leur appartenait pas ou d'avoir inventé une histoire horrible pour justifier l'internement de sa mère? Dans les deux cas, c'était Émilie qui perdait.

Quand Charlotte fit un pas pour s'approcher d'elle, Émilie recula précipitamment et tomba assise sur le canapé. Aussitôt elle se sentit petite face à sa sœur, inférieure, ridicule. Elle redressa les épaules.

– N'approche pas. Toi non plus, je ne veux pas que tu me touches. Laissez-moi tranquille. Vous m'avez menti et…

Marc intervint, bouleversé devant tant de chagrin, mais en même temps impatient devant l'entêtement d'Émilie.

– Non, Émilie! Personne ne t'a menti.

– Il y a plusieurs façons de mentir, Marc. Le silence en est une.

– Voyons, Émilie!

Marc et Charlotte avaient crié d'une seule voix alors que Marc avançait lentement. Il voulait tant prendre Émilie dans ses bras, la consoler. Il regrettait de ne pas avoir parlé avant. Pourtant, tout ce qu'il avait voulu, c'était la protéger. Mais quand Émilie le vit approcher, quand elle vit la main de Charlotte qui se tendait vers elle malgré l'avertissement de ne pas la toucher, Émilie eut l'impression qu'un piège se refermait sur elle. Ils allaient la rendre folle et l'enfermer à son tour. Alors elle se boucha les oreilles et leur cria:

— Allez-vous-en. Je vous déteste tous les deux. Vous n'aviez pas le droit d'accuser maman. Pas le droit, vous m'entendez!

La dernière image qu'Émilie eut avant de fermer les yeux parce qu'elle pleurait trop, ce fut Marc qui tendait la main à Charlotte pour l'inviter à quitter le salon et Alicia qui sortait de l'ombre pour leur emboîter le pas.

Puis elle entendit le claquement de la porte d'entrée qui donnait sur l'escalier menant à l'extérieur, suivi du moteur d'une auto qui démarrait.

Alors Émilie fondit en larmes bruyantes. Ses hoquets déchiraient le silence du salon alors qu'au loin les premiers coups de tonnerre se faisaient entendre. Et si elle pleurait autant, c'était qu'elle savait que Charlotte et Marc avaient dit la vérité.

Car depuis que sa mère avait retrouvé ses souvenirs, depuis qu'elle lui parlait de son passé avec une vivacité de plus en plus grande, pas une fois elle n'avait demandé des nouvelles de l'enfant qu'Émilie portait au moment de la crise qui avait amené son internement. Si ce que son père lui avait dit avait été vrai, que la crise avait été provoquée par l'annonce du décès de Rosalie, Blanche en aurait parlé. Émilie connaissait suffisamment sa mère pour en être convaincue. Si elle n'avait rien dit, c'était que Blanche se sentait coupable…

Tout au long de la route, Marc et Charlotte ne parlèrent pas.

Le front appuyé contre la vitre de la portière, Charlotte laissait couler ses larmes silencieusement. Sur la banquette arrière, Alicia s'était faite toute petite. Elle n'aimait pas voir sa mère pleurer.

Le ciel était de plus en plus sombre et quelques éclairs zébraient l'obscurité des nuages. Le tonnerre grondait, de plus en plus proche.

Quand ils arrivèrent devant l'immeuble de Charlotte, la pluie commençait à tomber en grosses gouttes qui s'écrasaient avec un bruit mat sur le pare-brise de l'auto.

Charlotte renifla et essuya son visage du revers de la main.

– Merci d'être venu nous reconduire, Marc.

– De rien. Je voudrais…

Marc avait l'air mal à l'aise.

– Tu sais, Émilie ne voulait pas être méchante. C'était plutôt un cri de désespoir qu'elle a poussé.

– Je sais.

Puis Marc prit la main de Charlotte et la serra dans la sienne.

– Je regrette.

Charlotte n'osa demander ce qu'il regrettait. Elle sentait que Marc tremblait et elle se demanda s'il parlait de ce soir ou d'un autre soir, il y avait de cela presque dix ans… Elle se contenta de répondre :

– Il n'y a rien à regretter, Marc. Rien du tout. C'est la vie qui est comme ça.

Puis elle se retourna vers l'arrière.

– Allons, Alicia, un petit coup de cœur. On fait la course jusqu'à la maison si on ne veut pas être détrempées toutes les deux.

Et, main dans la main, la mère et la fille piquèrent une course jusqu'au balcon. Puis Charlotte se retourna pour saluer Marc de la main. Il attendit qu'elles soient rentrées et que la lumière soit allumée dans le vestibule pour embrayer le moteur. Charlotte avait raison : il n'y avait rien à regretter.

Chez lui, une femme déçue, blessée attendait d'être consolée. Une femme à qui il avait promis amour et fidélité.

– Pour le meilleur et pour le pire, murmura-t-il en jetant un dernier coup d'œil à la façade de la maison.

Puis il embraya. De nouveau, ses pensées étaient tournées vers Émilie. La femme qu'il aimait. Sa femme.

* * *

Ce fut au moment où elle finissait de manger un sandwich à la cuisine qu'Alicia se décida enfin à parler. Il y avait eu tant de mots, ce soir, tant de colère qu'elle n'avait pas compris.

– Pourquoi elle criait, tante Émilie?

Alicia avait parlé en s'essuyant la bouche. Charlotte dessina un petit sourire sans joie.

– Oh! Tu sais, les grandes personnes sont parfois comme des enfants. Elles disent des tas de choses qui dépassent leur pensée. Comme toi avec Louise, l'autre jour. Je vous ai entendues crier depuis le perron. D'après ce que j'avais compris, il semblait bien que vous ne vous reparleriez plus jamais. Pourtant, le lendemain, si je me souviens bien, c'est avec elle que tu es revenue de l'école, non?

Alicia resta silencieuse un moment puis elle approuva.

– D'accord. Je vois.

Ce fut tout. Elle ne comprenait pas pourquoi sa tante avait crié, mais elle comprenait que ça n'avait pas tellement d'importance. Dans quelque temps, plus personne n'en parlerait. Elle sembla réfléchir un moment puis elle secoua la tête. Elle n'était pas encore prête à poser sa seconde question.

– Est-ce que ça te dérange si je vais lire dans ma chambre?

– Non, ma puce, vas-y. Et je crois que je vais faire la même chose que toi. J'ai besoin de me changer les idées.

– Bonne nuit, maman.

– Bonne nuit, Alicia.

Puis après un bref instant, alors que la petite fille était déjà rendue à la porte, Charlotte ajouta:

– Je t'aime, tu sais.

Alicia lui offrit le plus beau des sourires.

– Moi aussi, maman. Gros, gros.

Puis Charlotte entendit la course des pieds nus sur le bois du corridor et la porte de sa fille qui se refermait doucement.

Le temps de ranger la cuisine et Charlotte s'installait dans son lit. La pluie tombait toujours. Poussée par les bourrasques de vent, elle giflait bruyamment la fenêtre. Charlotte aimait la sensation d'être bien à l'abri quand la tempête sévissait.

Lentement, du regard, elle fit le tour de la chambre. Cela faisait maintenant quatre ans qu'elle habitait ici. C'était suffisamment long pour se sentir vraiment chez elle. Et elle allait devoir quitter tout cela.

Bien sûr, elle était excitée d'avoir une grande maison à sa disposition, mais Françoise allait lui manquer.

Et dire qu'Émilie ne savait toujours pas qu'elle irait habiter chez mamie.

Charlotte avait pris le livre qui traînait sur sa table de nuit, mais elle ne l'avait pas ouvert. Elle aussi, elle entendait tous les mots de la soirée qui chahutaient dans sa tête, lui ravissant l'envie de lire. Puis elle revit le visage de Marc, le profil qu'elle avait brièvement aperçu dans l'auto juste avant de débarquer.

Marc qui avait dit qu'il regrettait. À cette pensée, elle sentit son cœur se serrer. Parfois, il lui arrivait à elle aussi de regretter certains choix. Mais à quoi bon y revenir ? Quoi que l'on dise, quoi que l'on fasse, le passé resterait le même. On ne pouvait rien y changer. Les regrets étaient donc inutiles. C'était ce qu'elle avait voulu dire à Marc en parlant de la vie, de leur vie. Marc qui en ce moment devait essayer d'apaiser Émilie. Réussirait-il à lui faire comprendre ce qui s'était réellement passé ?

Mais eux-mêmes, savaient-ils ce qui s'était réellement passé ?

Charlotte ferma les yeux. Elle revoyait le salon mis sens dessus dessous. Elle crut même percevoir l'odeur de vomissure où sa mère dormait, vautrée. Puis elle sentit sous ses doigts la douceur du satin d'un ruban ornant une camisole de bébé.

Non, ils ne s'étaient pas trompés. Pour son père, Marc et elle, ce petit vêtement d'enfant avait été la signature de Blanche.

La seule erreur, peut-être, avait été de ne pas le dire à Émilie.

Elle pensa ensuite à son père. Qui le préviendrait ? Qu'allait-il faire ? Charlotte se dit qu'elle pigerait dans ses économies pour payer un appel au Connecticut. Son père avait le droit de savoir ce qui se tramait ici. À moins qu'il ne sache déjà et n'ait pas voulu en parler.

— Maman ?

Charlotte sursauta. Sur le pas de la porte de sa chambre, Alicia la regardait, toute menue dans sa robe de nuit fleurie.

— Tu ne dors pas, ma puce ?

— Non. Je n'ai pas sommeil. On entend le tonnerre au loin. Je crois qu'il va y avoir un autre orage.

— Tu veux quelque chose ?

Alicia hésita.

— Est-ce que c'est vrai ce que tante Émilie a dit ?

Charlotte fronça les sourcils. De quoi Alicia voulait-elle parler ? Il s'était dit tant de choses, ce soir.

— Et qu'est-ce qu'elle a dit, Émilie ? demanda-t-elle en penchant la tête.

— Que Marc était mon papa !

Charlotte sentit le sang se retirer de son visage. Émilie avait dit cela ? Ces mots-là lui avaient échappé. Mais puisque Alicia le disait… La petite fille la regardait avec des yeux immenses de chagrin, d'inquiétude, de questionnement.

Alors Charlotte oublia tout ce qui n'était pas sa fille et elle ouvrit tout grand les couvertures de son lit.

— Viens ici, toi. Je crois qu'on a besoin d'un gros câlin, toutes les deux.

Alicia se glissa tout contre sa mère sans se faire prier. Elle avait tant besoin de comprendre. Pourquoi Émilie avait-elle dit que Marc était son père puisque son papa s'appelait Andrew Winslow et qu'il était mort tout là-bas, en Angleterre ? Alicia se blottit dans les bras de Charlotte. Elle entendait le cœur de sa mère qui battait à son oreille et elle ferma les yeux. Près de maman, elle n'avait jamais peur.

Charlotte avait enfoui le visage dans les cheveux de sa fille qui sentaient bon le shampoing aux violettes. Malgré ses neuf ans, elle était encore son bébé, sa seule raison d'être. Elle ne lui avait jamais menti. Alors comment expliquer à une si petite fille les mystères d'un cœur de femme blessée et qui a peur ? Comment lui parler de ce qu'elle avait connu au moment de sa grossesse sans lui mentir ? Charlotte respira longuement avant de se mettre à parler.

— Tu sais, ma puce, un papa c'est quelqu'un de très important dans notre vie. C'est celui qui protège toute la famille. C'est pour cela qu'une maman doit toujours très bien choisir celui qui sera le papa de ses enfants. Et moi, vois-tu, j'avais choisi Andrew pour être le papa de mes enfants. Malheureusement, on n'a pas eu le temps d'avoir une famille nombreuse, mais s'il avait vécu, c'est ce qui serait arrivé.

En disant cela, Charlotte savait qu'elle ne mentait pas.

— Mais ce que tante Émi…

— Chut, fit Charlotte en posant un doigt tout léger sur les lèvres d'Alicia et en plongeant son regard dans le sien. Laisse faire ce qu'Émilie a dit. Il y a certaines choses qui sont encore trop difficiles à comprendre pour toi. Retiens seulement ce que je viens de te dire : pour mon bébé, pour ma toute petite Alicia, j'avais choisi Andrew pour être son papa. C'est la seule chose qui est importante. Et il t'a aimée comme j'espérais qu'un papa aimerait ma petite fille.

Alicia soutint le regard de Charlotte durant un long moment puis elle lui offrit un grand sourire sans répondre. Il n'y avait rien à dire. Elle savait bien que sa maman aurait une explication. Elle avait toujours réponse à tout.

Et Alicia aimait particulièrement l'idée que sa maman avait choisi Andrew expressément pour elle.

Au même instant, un éclair aveuglant éclaira la chambre, suivi de peu d'un roulement de tonnerre qui fit tressaillir la petite fille. Charlotte referma l'écrin de ses bras autour du corps d'Alicia et se fit glisser sous les couvertures en éteignant la lampe de chevet, posée sur la petite table à côté de son lit. Puis d'une voix douce, remontant dans le temps, elle se mit à raconter l'histoire d'un papa qui aimait tendrement sa petite Alicia.

– Te souviens-tu Alicia ? Tu devais avoir à peu près quatre ans et tu avais énormément peur des orages. Un jour, alors qu'il faisait très chaud et qu'on entendait le tonnerre au loin, ton papa a décidé qu'il était temps que tu apprennes à voir toute la beauté qu'il y avait dans un orage. T'en souviens-tu ?

Alicia fit signe que oui avec la tête. Alors Charlotte continua.

– Moi aussi, je m'en souviens très bien. C'était l'après-midi et de gros nuages noirs assombrissaient la maison et même toute la lande. La vois-tu, Alicia, la lande avec ses longs foins rabattus par le vent chaud ? De la galerie de notre maison, on voyait venir l'orage de très loin…

Et Alicia s'endormit bercée par la voix de sa mère, les yeux fermés sur l'image d'une petite fille en salopette rose, agrippée au cou de son papa et admirant le roulement des nuages sur l'horizon. À chaque éclair, ils s'illuminaient comme un feu d'artifice et quand venait le grondement du tonnerre, le papa serrait très fort la petite fille dans ses bras. Avec lui, Alicia n'avait jamais eu peur.

Cette nuit-là, Charlotte resta longtemps éveillée, écoutant

l'orage qui frappait à sa fenêtre, l'orage qui grondait dans son cœur. Jamais elle ne pourrait pardonner à Émilie d'avoir dit cela devant Alicia.

Quand elle s'endormit enfin, blottie contre le corps chaud de sa fille, Charlotte avait oublié qu'elle s'était promis d'appeler son père. Ce fut l'image d'Alicia pendue au cou de Jean-Louis qui l'emporta vers le sommeil.

CHAPITRE 13

Blanche referma doucement la porte sur Émilie qui venait de la quitter puis regagna le salon où le soleil entrait à flots. Par la fenêtre ouverte, elle entendait les bruits de la circulation, tout en bas dans la rue. Les klaxons et le crissement des pneus sur la chaussée tout comme les voix qui s'apostrophaient d'un trottoir à l'autre chantaient à ses oreilles.

Jamais elle n'aurait pu imaginer qu'un jour elle apprécierait les bruits cacophoniques d'une ville.

Pourtant, depuis le tout premier instant où elle avait enfin passé les portes de l'hôpital, Blanche s'en repaissait et la première chose qu'elle avait faite en arrivant ici avait été d'ouvrir la fenêtre du salon.

Elle revenait de l'enfer et avait un besoin viscéral d'entendre la vie s'ébattre autour d'elle et prendre toute la place.

Émilie lui avait déniché un petit quatre pièces, meublé sobrement, rue Saint-Denis, dans un quartier populaire où elle n'avait jamais mis les pieds auparavant.

Mais peu lui importait. Désormais, tout avait un goût nouveau, un parfum de liberté et elle s'était juré de ne jamais oublier cette sensation de plénitude qui l'habitait présentement: Blanche Gagnon avait enfin le droit de respirer librement, de penser, de bouger, de dire ce qu'elle voulait.

Blanche Gagnon était enfin consciente d'être en vie.

Non qu'elle eut été malheureuse au cours des dernières années. Elle ne s'était aperçue de rien. À l'exception des derniers mois où, petit à petit, elle avait pris conscience de l'endroit où elle était et des gens qui l'entouraient, Blanche ne se souvenait d'absolument rien des mois et des années qu'elle venait de vivre. Dans son esprit, il ne restait que l'image ou plutôt la sensation d'avoir flotté dans un espace sans émotions, sans problèmes, sans joie non plus.

La vie lui offrait une seconde chance, à elle de la saisir. Blanche savait que cela ne repasserait pas deux fois. Un mauvais pas et elle risquait de se retrouver internée et cette fois-là, ce serait pour de bon. Me Labonté le lui avait clairement indiqué au cours de sa dernière visite, hier en fin d'après-midi, alors qu'elle était hospitalisée pour quelques heures encore :

– Et surtout plus une goutte ! J'ai longuement discuté avec votre médecin et s'il a accepté de signer votre avis de départ, c'est uniquement à ce prix. Quand il a pris connaissance de votre dossier, même s'il est d'avis que vous ne devriez pas être ici, il a montré quelques réticences. Le jour où l'on vous a admise ici, la demande d'internement était tout à fait justifiée. Donc, vous vous engagez à ne plus boire, mademoiselle Blanche, vous rencontrez le médecin une fois par semaine et moi, je m'occupe du reste.

En entendant ces mots, Blanche avait baissé la tête. Elle savait qu'elle devait se montrer docile. Et dans un sens, ils n'avaient pas tort : l'alcool avait failli lui coûter la vie quand elle avait déboulé l'escalier. Elle avait donc approuvé de la tête, sans lever les yeux. Pour aussitôt passer à des choses nettement plus terre à terre, mais qui avaient une grande importance pour elle. Quand elle avait relevé les yeux, Blanche avait donc affiché une moue contrite avant de décrocher un grand sourire à l'avoué. Elle avait l'impression que Me Labonté ne comprenait pas vraiment tout ce qu'impliquait son retour à la vie normale.

– Oui, je comprends fort bien ce que vous me dites. Et je vous ai promis que je ne prendrais plus jamais rien. Ne vous en faites donc pas, je tiendrai promesse. Mais ce n'est pas tout ! Avec quoi vais-je vivre ? Où sont mes meubles, mes vêtements, mes…

– Je vous l'ai dit, avait interrompu Mᵉ Labonté. Vos effets sont dans un petit local situé dans le sud de la ville. C'est là que votre mari a entreposé ce dont il n'avait plus besoin. Mais ne vous en faites pas. J'ai pris les dispositions nécessaires. Ce n'est qu'une question de jours, mademoiselle Blanche.

Depuis quelque temps, il avait repris l'habitude de l'appeler mademoiselle Blanche, comme lorsqu'elle était jeune fille, et Blanche aimait cela.

Et ce matin, après un déjeuner qu'elle avait mangé du bout des lèvres, Émilie était venue la chercher en taxi pour l'emmener à son nouveau logement.

– En attendant de trouver mieux, avait-elle précisé en ouvrant la porte qui donnait directement sur un long couloir séparant le logis en deux. À droite, tu vas voir qu'il y a une cuisine, une petite chambre et la salle de bain, à gauche, le salon et la chambre principale. C'est simple mais c'est propre. De toute façon, Mᵉ Labonté a dit que ça serait temporaire. Le temps de…

– Je sais, avait interrompu Blanche. Le temps que Mᵉ Labonté puisse consulter le comptable et je pourrai enfin toucher aux placements que papa m'a laissés. Selon lui, je n'ai aucun souci à me faire.

Cela faisait partie, entre autres choses, de ce reste dont Mᵉ Labonté avait dit qu'il s'occuperait. Blanche ne savait trop ce que l'avoué comptait faire pour lui rendre la vie agréable, mais elle lui faisait entièrement confiance. Cet homme avait été un ami de son père. À ses yeux, c'était la meilleure référence. Probablement avait-il l'intention d'exiger que Raymond revienne pour lui remettre ce qui lui appartenait depuis toujours et voie à ce qu'elle ne manque de rien. Après tout, elle était toujours son épouse. Il ne pouvait la laisser tomber sans autre forme de procès.

Le mot «procès» flotta un instant dans son esprit.

Peut-être en viendraient-ils là? Au besoin, Blanche le ferait si Raymond ne se montrait pas coopératif. Il n'avait pas le droit de la remplacer par Antoinette en la faisant interner, prétextant qu'elle était folle.

Blanche Gagnon était peut-être malade aux yeux de certains, mais elle n'était pas folle.

Apprendre que son mari vivait depuis un an au Connecticut n'avait ni surpris ni peiné Blanche. Quand elle avait compris qu'elle-même vivait en marge de la société depuis trois longues années, elle se doutait que quelqu'un lui annoncerait que Raymond ne l'avait pas attendue. Seule l'idée qu'Anne l'avait accompagné et vivait, elle aussi, sous le même toit qu'Antoinette lui déplaisait souverainement. Une fille de cet âge n'avait pas à partager les secrets d'alcôve de son père. Elle s'en était ouverte à M\e Labonté qui avait aisément accepté son point de vue. Il avait répondu que cela faisait partie des obligations qu'il s'était fixées. Sur ce point aussi, Blanche avait décidé de lui laisser entière liberté. Il connaissait les lois et saurait les utiliser au besoin pour faire valoir les droits de sa cliente.

De fil en aiguille, au cours des semaines qui avaient précédé sa sortie de l'hôpital, Blanche avait réussi à récupérer ses souvenirs. Lentement, d'une chose à l'autre, sa mémoire s'était éveillée et elle avait pu établir une certaine logique entre toutes ces images qui lui revenaient parfois isolées, parfois regroupées. Il n'y avait que les tout derniers jours avant son hospitalisation qu'elle n'arrivait pas à replacer, hormis ce rêve qu'elle avait fait où Raymond lui signifiait son intention de la quitter et qui semblait correspondre à une certaine réalité.

Pour le reste, le dernier souvenir qu'elle avait gardé était une soirée de Noël en compagnie de toute la famille.

Cela l'inquiétait, ce trou noir dans sa mémoire, mais pas au point d'en parler au médecin. S'il fallait que, pour cette raison, il décide de la garder à l'hôpital?

Il y avait aussi une autre chose qui manquait dans le carnet de sa vie. Et cela concernait Émilie. La dernière image qu'elle avait de sa fille était très précise. Elle était assise, en face d'elle, sur le canapé fleuri du salon dans son ancienne maison.

Et sur cette image, Émilie était enceinte.

Pourtant, jamais elle ne parlait de ce bébé. Que s'était-il passé? Pourquoi ce silence? Blanche n'avait pas encore osé aborder le sujet. Probablement que sa fille l'avait perdu comme tous les autres auparavant. Elle se souvenait fort bien d'avoir souvent consolé Émilie quand, après quelques semaines de retard, celle-ci devait se rendre à l'évidence: elle faisait encore une fausse couche en début de grossesse.

— Pauvre chérie, murmura-t-elle en regagnant la cuisine. Mais je l'ai toujours dit: Émilie est comme moi. Elle est trop fragile pour avoir un bébé. Elle devrait faire attention. Moi, j'y ai laissé une grande partie de ma santé. Si j'avais su...

Puis Blanche oublia Émilie et son bébé. Quelle importance cela pouvait-il y avoir après toutes ces années? Si Émilie n'en parlait pas, c'était qu'elle n'y pensait plus. D'après ce que Blanche avait compris, la carrière de sa fille allait bon train. Émilie avait donc choisi de s'y consacrer.

— Sage décision, lança Blanche en allumant le plafonnier, car la cuisine était une pièce sombre, la fenêtre donnant dans l'arrière-cour, sur le mur d'un hangar. Et maintenant, qu'est-ce qu'il me faut pour survivre? Il n'y a rien dans ces armoires...

S'emparant d'un papier et d'un crayon, Blanche se mit à faire l'inventaire des ustensiles et denrées qu'Émilie avait apportés à son intention. La liste des courses à faire serait longue et à la simple perspective d'avoir à courir les magasins, Blanche en eut des sueurs dans le dos. La liberté n'avait pas que des avantages, d'autant plus que pour l'instant elle était seule pour s'occuper de tout.

Cette idée l'amena à penser à Anne.

Me Labonté avait dit qu'il verrait à ce que sa fille revienne à Montréal. Il était d'accord avec Blanche : une jeune fille de cet âge se devait d'être élevée par sa mère. Ce à quoi Blanche ajoutait intérieurement que ce serait une bonne chose pour elle aussi que d'avoir quelqu'un à ses côtés avec la santé fragile qui était la sienne.

Blanche essaya d'imaginer à quoi Anne devait ressembler aujourd'hui.

Sa fille devait avoir beaucoup changé en trois ans. Elle se souvenait d'une enfant, elle retrouverait probablement une jeune fille. Était-elle toujours aussi renfermée, distante ?

Blanche se rappelait que les relations entre elles avaient toujours été difficiles. Et dans un certain sens, elle le regrettait. Là aussi, la vie lui offrait peut-être une seconde chance qu'elle ne devait pas négliger. Mais encore faudrait-il qu'Anne y mette du sien et selon toute vraisemblance, à travers les souvenirs qu'elle avait d'elle, Blanche se rappelait que sa fille était têtue, renfrognée.

Et tout naturellement, en pensant à Anne, l'esprit de Blanche bifurqua vers Charlotte qui ne s'était toujours pas manifestée. Cette constatation acheva de la déprimer.

Blanche soupira.

– Tu donnes la vie à trois filles, observa-t-elle à haute voix, et ce, au détriment de ta santé. Tu te fends en quatre pour elles, tu passes des nuits blanches à les bercer, tu te prives de tout loisir pour leur apprendre à marcher, à manger et même à lire dans le cas de Charlotte, tu te fais du sang de punaise quand elles sont malades, tu les soignes, tu fais de ton mieux pour leur donner le meilleur et voilà ce que ça donne! Belle reconnaissance! Une chance que j'ai Émilie.

Blanche eut une bouffée de tendresse pour Émilie, la seule qui n'était pas ingrate. Elle l'aimait, certes, plus que tout autre être vivant sur cette terre. Pourtant, elle ne ressentait pas la moindre reconnaissance pour tout ce qu'Émilie avait fait au cours de la dernière année. Émilie avait agi en bonne fille qu'elle était. Blanche se disait que c'était un juste retour des choses.

Puis elle reprit le crayon et se pencha sur la feuille de papier, essayant de penser à tout ce qui était nécessaire dans une maison…

Au même moment, Émilie venait de regagner son logement. Elle aussi eut le réflexe d'ouvrir les fenêtres. La journée était idyllique : belle et chaude sans cette habituelle humidité qui caractérise trop souvent nos étés.

Puis elle passa sur le balcon et s'installa sur la chaise longue que Marc y avait installée.

– Mission accomplie, murmura-t-elle en fermant les yeux.

Le soleil caressait sa peau et la brise jouait dans ses boucles acajou. Elle se sentait bien. Malgré l'orage qui avait grondé entre Marc et elle, l'autre soir, elle ne regrettait rien de ce qu'elle avait fait pour sa mère. Même si Marc l'avait prévenue qu'elle avait ouvert un panier de crabes en agissant ainsi et qu'elle risquait de s'en mordre les doigts un jour, Émilie ne voulait pas le croire. D'accord, cela amènerait des complications dans la vie de son père, elle en était consciente. Et puis après? Il n'avait qu'à assumer les choix qu'il avait faits, les décisions qu'il avait prises. Il n'était ni le premier ni le dernier homme à laisser son épouse pour une maîtresse. Tant pis pour lui. Et quand Marc avait abordé le sujet du bébé, là aussi, Émilie avait haussé les épaules. Une fois remise du choc d'apprendre ce que tout le monde savait, ou croyait savoir, Émilie avait éliminé cette hypothèse. Comment avait-elle pu penser que sa mère était responsable de la mort de Rosalie? Il y avait entre sa mère et elle des liens trop forts, trop vrais pour que Blanche ait fait quoi que ce soit. Pour Émilie, c'était tout simplement impensable. Non, sa mère n'avait joué aucun rôle dans la mort de la petite Rosalie et si elle n'en parlait pas, c'était par délicatesse envers elle.

Ils avaient eu une longue discussion sur le sujet, Marc et elle. Et si son mari restait convaincu que Blanche n'était pas étrangère aux crampes que la future mère avait eues cette nuit-là, Émilie, elle, n'y croyait pas. Marc était allé jusqu'à lui dire, avec une certaine retenue, dans quel état ils avaient retrouvé Blanche; Émilie n'y voyait toujours rien qui puisse inculper sa mère.

– Et c'est tout? avait-elle rétorqué. Vous avez retrouvé ma mère ivre et c'est sur ça que vous vous basez pour dire qu'elle est coupable de quelque chose? Dans le fond, vous spéculez, vous n'avez que des présomptions. Moi, ça ne me suffit pas pour accuser ma mère.

D'un commun accord, Marc et elle avaient décidé de ne plus jamais en reparler. Par contre, Marc lui avait souligné qu'elle ne devrait pas compter sur lui pour aider Blanche.

– J'espère que tu es consciente dans quelle situation tu me mets? D'un côté, il y a ton père qui me fait confiance et de l'autre il y a ta mère à qui, justement, ton père ne fait plus confiance. J'ai l'impression d'avoir le doigt coincé entre l'arbre et l'écorce. Et je t'avoue que je trouve cela très inconfortable. Alors ne m'en veux pas si je préfère ne pas en entendre parler. Tu fais comme tu veux, mais moi, je ne veux rien savoir.

Émilie avait compris ce qu'il voulait dire et elle avait promis de parler à son père.

– Je ne sais plus trop quel genre d'homme il est. J'ai toujours cru en son sens de la justice, mais devant les derniers événements, je ne sais plus. Je vais quand même lui parler si tu crois que c'est nécessaire. Et ce ne sera pas difficile. Je n'aurai qu'à dire la stricte vérité : tu n'as rien à voir dans les décisions que j'ai prises.

La discussion entre eux en était restée là.

Ne restait plus que Charlotte…

Si l'échange avec Marc avait pu se dérouler sur un ton civilisé, c'était qu'il était neutre dans la situation. Il en allait tout autrement avec sa sœur. Charlotte était très proche de leur père et les inconvénients qu'Émilie venait de faire apparaître en aidant sa mère à quitter l'asile pèseraient lourd dans leur discussion. Le dialogue risquait de tourner au vinaigre, car Émilie savait par expérience que Charlotte trouvait toujours de bons arguments pour faire valoir ses points de vue. Par contre, avait-elle le choix ? Émilie savait fort bien qu'elle avait dépassé les bornes. Il lui fallait s'excuser.

Sur un coup de tête, elle se releva. Elle allait appeler tout de suite. Elle allait régler cette histoire une fois pour toutes. Charlotte avait droit à ses opinions mais elle aussi avait droit aux siennes. Elle s'excuserait, dirait que les propos avaient dépassé sa pensée et que malgré une divergence d'opinion, elle souhaitait de tout cœur que les relations entre elles allaient rester celles de deux sœurs. Au-delà des liens qu'elles partageaient avec leurs parents, il y avait aussi des liens entre elles qui avaient beaucoup d'importance à ses yeux. Elle souhaitait seulement que Charlotte comprenne ce qu'elle voulait dire, car dès que venait le temps d'exprimer ses émotions, elle avait l'esprit tout embrouillé et les mots venaient difficilement.

Charlotte décrocha à la seconde sonnerie.

– Bonjour, c'est Émilie… As-tu une minute?

– Deux si tu veux.

La voix de Charlotte était froide, cassante.

– Je… Je ne serai pas longue… Je voulais m'excuser pour l'autre soir.

Il y eut un long moment de silence. Émilie entendait la respiration de Charlotte qui lui semblait rapide, comme si elle réfléchissait profondément ou était en colère. Quand Charlotte se décida enfin à répondre, Émilie sursauta tant sa sœur semblait distante.

– Tu crois que tu n'as qu'à t'excuser pour tout effacer?

– Non, c'est certain… Mais quand même! Je ne vois pas ce qui…

– Tu ne vois pas?

– Non, je ne vois pas. Qu'est-ce que tu veux que je te dise d'autre? Je me suis emportée et je regrette. Je croyais que tu serais heureuse d'apprendre que maman allait mieux et quand j'ai compris que ce n'était pas le cas, j'ai vu rouge. Les mots ont peut-être…

– Oh! Ça? Tu n'as pas à t'excuser pour ça, Émilie, coupa Charlotte d'une voix suave qui sonnait faux. C'est bien plus à papa et à Anne que tu devras des excuses, pas à moi. Tu as droit à ta vision des choses, même si je ne la partage pas.

Émilie écoutait sans comprendre. Elle serrait le combiné si fort que le bout de ses doigts était tout blanc. Elle ne voyait pas où Charlotte voulait en venir.

– Je ne te suis plus, Charlotte.

De nouveau, il y eut un bref silence au bout de la ligne avant que la voix glaciale ne reprenne.

– Tu ne me suis pas? Bien sûr, pour toi, il n'y a que Blanche, n'est-ce pas? C'est une fixation depuis que tu es toute petite et je suis certaine qu'un jour cela te perdra. Tu voulais défendre ta pauvre petite maman et tous les moyens étaient bons. Même les plus bas.

Émilie retenait son souffle. Qu'avait-elle dit qui puisse mettre Charlotte dans un tel état? À des lieux de toute forme de compréhension, Charlotte poursuivait.

– Et ça, je ne pourrai jamais te le pardonner, tu m'entends? Que tu veuilles protéger Blanche, je peux l'accepter, ça t'appartient. Je dirais même tant pis pour toi. Mais te servir d'Alicia pour te défendre, ça je ne pourrai jamais le tolérer. Jamais.

– Alicia? Mais que vient faire Alicia dans tout ça?

– Ce serait plutôt à moi de le demander, tu ne crois pas? Je me suis posé cette question au moins cent fois. Et tu aurais dû faire la même chose avant de dire devant elle que Marc était son père.

Émilie devint cramoisie en un instant.

– Je... J'ai dit ça?

Émilie ne s'en souvenait pas. Ce soir-là, elle était tellement en colère, elle se sentait tellement seule que les mots coulaient sans même y penser. Maintenant, au bout du fil, la voix de Charlotte était chargée de colère.

– Oui, tu as dit ça. Et pour moi, c'est impardonnable. On ne se sert pas d'une enfant pour se défendre. Malheureusement, c'est ce que tu as fait. Je le voyais bien que tu te sentais acculée et que l'idée de savoir que Marc et moi partagions un même secret t'était intolérable. Mais ce n'était pas une raison pour te servir d'une enfant comme bouclier. Et comme en plus cette enfant est ma fille...

Charlotte laissa volontairement planer un doute. Émilie se hâta de répondre. Il fallait effacer tout soupçon. Jamais elle n'avait voulu être méchante. Jamais elle n'avait voulu que la petite Alicia entende ces mots.

– Je suis désolée, Charlotte! Jamais je n'ai voulu faire de peine à Alicia et tu le sais. Je ne me suis même pas rendu compte que je disais ça.

– Dommage pour toi, mais ça ne change rien. Ce qui est dit reste dit. J'ai réparé les pots cassés du mieux que j'ai pu. Une petite fille de neuf ans, c'est fragile, Émilie. Même Marc…

– Ne mêle pas Marc à ça. Ce n'est pas lui qui a parlé, c'est moi.

Émilie avait crié pour interrompre sa sœur. Charlotte n'avait pas le droit de prendre Marc à témoin. Marc était peut-être le père d'Alicia, mais tout ça c'était du passé. Aujourd'hui, il était son mari.

– Je le sais que c'est toi qui as parlé. Mais admets au moins qu'il est concerné. C'est probablement pour cela qu'il m'a dit qu'il regrettait. Sur le coup je n'avais pas compris, mais plus tard…

– Marc? interrompit Émilie qui avait l'impression que le sol se dérobait sous ses pieds. Marc t'a dit qu'il regrettait? Et qu'est-ce qu'il peut bien regretter comme ça?

– Peut-être le sais-tu mieux que moi? D'après toi, qu'est-ce que Marc pourrait regretter quand on parle d'Alicia?

Charlotte était consciente d'être mesquine en disant cela, que ses propos étaient perfides mais dans un sens, ne rejoignaient-ils pas la vérité? Il était peut-être temps d'aller jusqu'au bout de cette histoire pour qu'Émilie s'ouvre enfin les yeux. Marc rêvait d'avoir une famille qu'elle lui refusait. En parlant comme elle l'avait fait, Émilie avait fait lever un nuage de poussière sur un passé que Charlotte s'était efforcée d'oublier et peut-être Marc vivait-il la même chose qu'elle.

Les mots de Charlotte, ses questions insidieuses avaient traversé le cœur d'Émilie. Elle sentait les pointes acérées de la jalousie le percer de part en part. Elle ferma les yeux pour reprendre sur elle. Mais ce fut l'image de Marc et Charlotte, enlacés, qui apparut sur l'écran de sa pensée. Marc qui avait déjà aimé sa sœur. Charlotte qui avait su lui donner cet enfant qu'Émilie refusait de faire parce qu'elle avait trop peur. Quand elle rouvrit les yeux, Émilie comprit qu'elle n'avait pas voulu faire de peine à Alicia mais que les mots, eux, étaient sincères. Oui, cela lui faisait mal quand elle pensait que Marc était le père d'Alicia. Et oui, elle continuait d'avoir peur qu'il ne la quitte un jour pour sa sœur. Surtout que Charlotte n'avait pas encore refait sa vie. Tout était toujours possible.

Pourtant, Marc lui répétait que c'était elle qu'il aimait…

Émilie prit une profonde inspiration pour reprendre ses esprits. Il ne fallait jamais qu'elle l'oublie aujourd'hui, c'était elle que Marc aimait et Charlotte allait devoir l'admettre une bonne fois pour toutes. Alors elle articula clairement, la voix curieusement assurée:

— Je le répète, laisse Marc en dehors de cela. Il est beaucoup moins concerné que tu sembles le croire. Pour lui, Alicia est ta fille, uniquement ta fille, puisque c'est ainsi que tu l'as souhaité. Il la voit comme une gentille nièce, rien de plus. Il m'a dit que les seuls enfants qu'il veut avoir, ce seront les nôtres parce qu'alors il aura le droit de les aimer et de les vouloir. Toi, Charlotte, tu lui as refusé ce droit. Je regrette d'avoir parlé devant Alicia, mais je ne regrette pas les mots. Il est temps que tu tournes la page, Charlotte, que tu cesses de penser à Marc comme le père de ta fille. Marc ne t'aime plus et ne ressent rien de particulier pour Alicia.

Charlotte dut faire un effort surhumain pour que sa voix ne laisse transpirer toute la douleur que ces quelques mots avaient fait naître en elle. Elle tremblait de la tête aux pieds et tenait le téléphone à deux mains.

— Si c'est vraiment ainsi que tu vois les choses, Émilie, je crois qu'on n'a plus rien à se dire.

Puis elle ajouta dans un souffle avant de raccrocher:

– Je ne te savais pas si méchante.

Ultime flèche, dernière attaque qui disaient la détresse. Un cri inutile parce que Charlotte savait qu'Émilie n'était pas méchante. Elle n'avait dit que la vérité: Marc ne s'était jamais soucié d'Alicia.

Et cette vérité-là, Charlotte l'admettait enfin, elle lui faisait mal à crier.

* * *

Le soleil était encore relativement haut dans le ciel et la brise, venue de l'océan, était encore tiède. Antoinette avait glissé son bras sous celui de Raymond et tous les deux marchaient lentement, les pieds nus dans les derniers remous de la vague.

Devant eux, Jason et Anne couraient avec leur jeune chien en lui lançant un bâton. Mais Browny refusait de coopérer. Il s'amusait à les narguer en gambadant autour d'eux. C'était un labrador chocolat, d'où son nom.

Les vacanciers avaient déserté la plage et il ne restait plus que des promeneurs isolés, comme eux.

Tous les soirs, quand la température le permettait, ils venaient faire leur promenade sur la plage après le souper. Pour Raymond, ces instants avaient une saveur intemporelle et lui offraient l'illusion qu'il en avait toujours été ainsi.

Une vie calme, sans remous, agréable.

Une vie de partage où les deux enfants avaient la place dominante, comme il avait tant souhaité le faire pour Charlotte et Émilie.

Aujourd'hui, il avait la sensation que la vie lui rendait au centuple ce qu'il avait déjà donné. Il partageait son temps entre une femme merveilleuse, deux enfants épanouis, une mère vieillissante mais combien attentive à tous et un travail qui lui plaisait de plus en plus. Alors qu'Antoinette ne jurait plus que par l'édition, il s'était découvert un véritable engouement pour l'imprimerie. Après toutes ces années de labeur intellectuel, il se surprenait à aimer avoir les mains tachées d'encre. Quand il rentrait à la maison, les cheveux hirsutes, les ongles et le bout du nez sales, et que sa mère le tançait comme un gamin, il aimait cela.

Raymond mordait dans chacune des journées qui passaient avec une gourmandise exacerbée par de trop longues années d'attente. Il voyait Anne devenir une jeune fille épanouie, sûre d'elle, et il regrettait de ne pas avoir pu offrir la même chose à ses aînées. Malgré cela, malgré la présence d'une mère qui accaparait l'attention de tous, souvent au détriment de ses propres enfants, Charlotte et Émilie s'en étaient, somme toute, bien tirées.

Et dans un mois, il serait à Montréal et aurait la chance de les revoir toutes les deux! Si Charlotte donnait de ses nouvelles régulièrement, il en allait tout autrement avec Émilie. Il s'était bien promis de clarifier la situation avec elle dès son prochain voyage à Montréal. Il savait à quel point elle était attachée à Blanche et la vie qu'il avait choisie devait lui déplaire. Mais Raymond pensait avoir trouvé une solution pour lui faire comprendre qu'en vivant ici, il n'enlevait rien à personne, surtout pas à Blanche qui était internée. Raymond allait inviter Émilie et Marc à venir passer quelques jours à la mer. Une semaine au contact d'Antoinette devrait suffire pour qu'Émilie admette que son père avait eu raison.

C'était un peu pour cela qu'ils allaient tous partir pour Montréal. Sa mère devait quitter Bridgeport à la fin de la semaine suivante pour s'occuper de sa maison. Raymond, Antoinette et les jeunes iraient la rejoindre plus tard pour quelques jours de vacances à Montréal et ainsi, ils pourraient la ramener avec eux, accompagnés peut-être d'Émilie et Marc.

Depuis que la mère de Raymond avait pris la décision d'offrir sa maison à Charlotte, il n'y avait plus aucun doute dans son esprit : elle voulait finir ses vieux jours auprès de son fils et de sa petite-fille dans un pays où le climat était moins rigoureux.

– Et aussi de mon petit-fils d'emprunt s'empressait-elle d'ajouter en faisant un clin d'œil à Jason, chaque fois qu'ils tombaient sur le sujet. Et chaque fois, Raymond avait l'impression de rougir comme un gamin pris en faute quand il entendait sa mère s'exprimer ainsi. Sans le savoir, madame Deblois mettait le doigt sur une vérité dont Raymond ne voulait toujours pas parler aux deux jeunes.

– Plus tard, rien ne presse, avait-il dit quand Antoinette avait abordé la question, dans les jours qui avaient suivi son arrivée à Bridgeport. Je vois bien que tu entretiens la mémoire d'Humphrey face à Jason et c'est probablement très bien comme ça.

Ils n'en avaient jamais reparlé.

Les deux jeunes s'étaient éloignés et Raymond entendait leurs cris de joie quand Browny acceptait de leur laisser reprendre le bâton pour le lancer plus loin. Il sentait la chaleur de la main d'Antoinette posée sur son bras, le mouvement de sa hanche contre la sienne à chaque pas qu'ils faisaient et cela l'emplissait d'une sérénité, d'une plénitude qu'il aurait eue de la difficulté à mettre en mots.

Le soleil surplombait le clocher de l'église anglicane et découpait les arbres et le toit des maisons de Bridgeport en une dentelle noire sur le ciel orangé. Derrière eux, il entendait les bruits du port où quelques bateaux vidaient leurs cales remplies de poissons frais. Toutes ces images, tous ces bruits lui étaient devenus familiers et il y tenait, comme un jour il avait déjà tenu à sa petite maison au bord de la rivière.

Il arrêta de marcher et attira Antoinette vers lui. Le vent

Anne
Anne

soulevait sa jupe et rabattait ses cheveux. Raymond la trouva jolie. Il prit son visage dans ses mains placées en coupe et plongea son regard dans celui de la femme qu'il aimait depuis tant d'années.

Il resta ainsi, silencieux, durant un long moment. Le soleil jouait dans la chevelure grisonnante d'Antoinette et accentuait le creux des rides qui commençaient à apparaître. Mais le regard était toujours le même, constellé de pépites de lumière comme lorsqu'ils avaient vingt ans. Raymond dessina l'ébauche d'un sourire. Auprès d'Antoinette il avait toujours vingt ans. Alors, lentement, il se pencha et embrassa les lèvres de celle qu'il appelait désormais sa femme dans le secret de son cœur et dans l'intimité. Puis il se redressa et, du bout du pouce, il suivit le contour de ce visage qu'il ne se lassait pas de regarder tandis que de l'autre main il retenait ses cheveux.

— Je t'aime, Antoinette, avoua-t-il la voix enrouée par l'émotion. J'aime la lumière de ton regard qui met du soleil dans ma vie. J'aime travailler avec toi, me reposer avec toi, dormir contre toi. Et j'ai envie de te dire merci. Merci de nous avoir accueillis chez toi. Merci d'aimer Anne comme si elle était ta fille. Merci de ta patience envers ma mère qui n'est plus très jeune et pas toujours facile. Merci de m'aimer moi, avec mes incertitudes et mes maladresses. Merci d'avoir permis que je donne un nouveau sens à ma vie.

Antoinette avait les yeux pleins d'eau. Se hissant légèrement sur la pointe des pieds pour être à la hauteur de Raymond, à son tour elle posa les lèvres sur sa bouche et l'embrassa tout doucement.

— Merci d'être là, murmura-t-elle tout simplement.

Ils se regardèrent intensément durant un moment encore puis Antoinette glissa une main dans celle de Raymond et ils reprirent leur promenade.

Jason et Anne les avaient distancés et leurs silhouettes se

395

découpaient contre le bleu du ciel qui virait lentement au mauve. Tout là-haut, dans l'immensité de l'espace, l'étoile du berger commençait à briller et les oiseaux faisaient un dernier vol de reconnaissance au-dessus de la mer avant de se trouver un perchoir pour la nuit.

Au même instant, Raymond entendit le rire d'Anne qui montait, cristallin, dans la nuit naissante et il accentua la pression de sa main sur celle d'Antoinette. C'était en partie grâce à elle si sa fille riait de plus en plus souvent et osait exprimer ses opinions. Et il y avait sa mère qui semblait avoir rajeuni depuis qu'elle habitait ici. Comme si Antoinette avait deviné ses pensées, elle se tourna vers lui et demanda :

— Que dirais-tu de rejoindre ta mère ? Elle doit commencer à trouver le temps long, toute seule à la maison.

— C'est gentil de le proposer, remarqua Raymond toujours surpris de voir combien il semblait naturel à Antoinette de penser aux autres.

— C'est naturel de penser à ta mère ! Elle ressemble tellement à la mienne. Même caractère entier, un peu bougon, autoritaire. Mais en même temps, ce sont probablement les deux femmes les plus généreuses que j'aie connues.

— Moi, j'en connais une autre de la même trempe.

Antoinette se mit à rougir, sachant très bien à qui Raymond faisait allusion. Et cela la gênait. Alors, avant qu'il n'en dise plus, elle dégagea sa main et se mit à courir.

— Qui m'aime me suive ! lança-t-elle par-dessus son épaule. Rendez-vous sur la galerie devant un bon verre de jus !

Raymond la regarda en souriant. Antoinette avait l'air d'une jeune fille courant pieds nus sur le sable. Plaçant ses mains en porte-voix, il cria aux enfants qu'ils rentraient puis se lança à la poursuite d'Antoinette.

Ils arrivèrent à la maison, essoufflés mais heureux. La course leur avait fait du bien. Madame Deblois, qui les avait vus venir depuis la galerie où elle se berçait, les semonça du doigt.

– Voir si ça a du bon sens de courir comme deux jeunes fous!

– Mais c'est comme ça que je me sens, maman! Je suis un jeune homme qui a encore toute la vie devant lui.

S'approchant de sa mère, Raymond lui plaqua un baiser sonore sur la joue.

– Ouf! lança-t-il ensuite en se laissant tomber sur une chaise. Ça m'a fait un bien énorme, cette petite course sur la plage. Ça dérouille les vieux muscles.

– Prends garde que ça ne dérouille ton vieux cœur!

Madame Deblois regardait son fils avec une mine faussement sévère à laquelle Raymond répondit par une petite grimace.

– Ris tant que tu voudras, mon garçon, moi je te dis de faire attention. Tu n'as plus vingt ans. Ni même trente.

– Je sais. Ne t'en fais pas. Je peux reconnaître mes limites. Et une course sur la plage fait encore partie des exercices que je peux me permettre.

– Si tu le dis.

Sur ce, sa mère détourna la tête pour admirer la lune qui montait sur l'horizon. Elle était immense, de la couleur d'une orange bien mûre. Cette grosse boule de feu semblait glisser hors de l'eau, jetant sur la mer des milliers de paillettes qui ondulaient avec le roulis des vagues.

– Regarde comme c'est beau, Raymond! Pour une femme qui n'avait jamais quitté sa ville, être ici c'est un avant-goût du paradis. Merci d'avoir eu l'audace et le courage d'emmener ta vieille mère avec toi. Je me sens inspirée par tant de belles choses! Si j'étais plus jeune, je crois que j'essaierais de peindre, tout comme Émilie.

Sur ces entrefaites, Antoinette parut sur la galerie précédée d'un plateau garni de verres, d'un gros pot de jus et d'une assiette de biscuits.

– Pourquoi vouloir être plus jeune? Rien ne vous empêche d'essayer. Nous irons ensemble vous choisir du papier et quelques crayons.

Madame Deblois jeta un regard sur ses mains aux doigts difformes puis elle haussa les épaules.

– On verra.

Antoinette avait déposé le cabaret sur une table en osier et elle regardait autour d'elle.

– Les enfants ne sont pas encore là?

– Non. Regarde.

Raymond lui montrait la mer, le bras tendu devant lui. Deux ombres se profilaient contre la lune et une autre continuait de gambader autour d'elles. Anne et Jason semblaient apprécier le paysage tout comme eux.

– On les appelle? demanda Antoinette tout en servant des verres de jus. Il commence à être un peu tard.

– Pourquoi? La soirée est chaude et belle. Après tout, ils sont en vacances. Ils n'ont pas besoin de se coucher tout de suite.

– D'accord. Encore une petite demi-heure.

Après un dernier coup d'œil sur la plage, Antoinette se pencha pour prendre l'assiette de biscuits. À cet instant, le tintement de la sonnette d'entrée se fit entendre. Raymond fronça les sourcils et Antoinette suspendit son geste.

– Mais qui est-ce qui peut bien venir chez nous aussi tard? demanda Raymond, curieux. Il est quand même tout près de neuf heures et demie.

Puis il ajouta en se relevant:

– Non, reste ici, Antoinette. Je vais y aller.

Curieusement, il prit un assez long moment avant de revenir. Dès qu'elle l'aperçut, madame Deblois sentit que quelque chose n'allait pas. Joignant les mains sur son cœur, elle demanda aussitôt :

– Mais qu'est-ce qui ne va pas, Raymond ? Tu es blanc comme un drap. Quelqu'un qui est mort ?

À son âge, après avoir vu mourir la majorité de ses parents, presque tous les amis de sa génération, une mauvaise nouvelle ne pouvait être qu'un décès. Elle ressentit un réel soulagement quand Raymond lui répondit d'abord par un signe de tête négatif.

Il tenait une lettre à la main et cette main tremblait. Il regarda intensément sa mère et Antoinette puis revint à sa mère.

– Blanche est sortie de l'hôpital.

Puis détournant la tête, il plongea son regard dans celui d'Antoinette avant d'ajouter :

– C'était le voisin. Cette lettre était glissée à travers son courrier... Je... J'ai quarante-huit heures pour ramener Anne à sa mère. Ce... C'est une lettre d'avocat. Si je ne me conforme pas aux exigences de Blanche, elle pourrait me poursuivre pour enlèvement.

Antoinette avait bondi sur ses pieds.

– Mais qu'est-ce que c'est que cette histoire de fou ? Enlèvement ? C'est ridicule. Un père ne peut enlever sa fille.

– Regarde ! C'est écrit noir sur blanc.

Raymond lui tendait le papier. Antoinette s'en empara au moment où Raymond tournait le regard vers sa mère. Celle-ci se contenta de le fixer longuement avant de baisser les yeux. Elle n'avait pas eu besoin de parler. Ce regard, Raymond le connaissait bien. C'était celui qu'elle employait jadis quand elle voulait lui dire : « Tu vois, mon garçon, j'avais raison ! »

Ce fut au tour de Raymond de baisser les yeux.

– Et qu'est-ce que tu vas faire?

La voix d'Antoinette était chargée de colère et d'inquiétude.

– Je ne sais pas, avoua-t-il en tendant la main pour reprendre la lettre afin de la relire.

Puis, dans un geste de colère, il la secoua comme pour y effacer les mots puis la prit par un coin comme s'il s'apprêtait à la déchirer.

– Ne fais pas ça!

La voix de sa mère avait claqué dans le lourd silence qui pesait sur la pièce.

– Je ne suis qu'une vieille femme, mais je crois que tu ferais une erreur.

Raymond laissa son geste en suspens. Il savait que sa mère avait raison. S'il voulait gagner quelque chose dans cette histoire, c'était en se montrant conciliant qu'il pourrait y arriver. Lentement, ses deux bras retombèrent le long de son corps. La seule chose qui pouvait encore avoir de l'importance à ses yeux, c'était de garder Anne avec lui.

Ce fut à cet instant, comme si elle avait lu dans ses pensées, qu'Antoinette demanda:

– Comment vas-tu l'annoncer à Anne?

Raymond haussa les épaules avec défaitisme.

– Comment veux-tu que je m'y prenne? Je vais dire la vérité, tout simplement. Mais je vais ajouter que je vais me battre pour faire entendre raison à ce…

Raymond jeta un coup d'œil à la lettre.

– À ce Roger Labonté, ajouta-t-il en ramenant les yeux sur Antoinette. C'est insensé, toute cette histoire.

Après avoir pris une profonde inspiration, il ajouta:

– Je pars demain avec Anne. Mais avant je vais appeler André, mon avocat, pour qu'il se prépare.

— Alors, je pars avec toi, Raymond.

Madame Deblois s'était avancée sur le bord de sa chaise.

— Pourquoi attendre encore une semaine? Je vais me faire un sang d'encre si je reste ici. Aussi bien partir avec toi. Vous me comprenez, n'est-ce pas, Antoinette? ajouta-t-elle en se tournant vers celle qu'elle appréciait et aimait comme une belle-fille.

Antoinette trouva la force de sourire à la vieille dame qui se tordait les mains d'inquiétude.

— Bien sûr. Vous faites bien d'accompagner Raymond. Anne va sûrement avoir besoin de quelqu'un qui l'aime auprès d'elle.

— Ça, ma fille, pour l'aimer, je l'aime. C'est ma petite musicienne, mon rayon de soleil.

Elle s'arrêta brusquement de parler, sembla réfléchir un moment et ajouta en regardant son fils:

— Moi, si j'étais toi, j'attendrais à demain pour tout déballer à Anne. Rien de pire qu'une longue nuit, seule dans le noir, pour ruminer des pensées sombres.

Raymond consulta Antoinette du regard avant d'approuver.

— D'accord. Je parlerai demain au déjeuner. Aussi bien que ce soit moi qui passe une mauvaise nuit, tu as bien raison.

Ce fut à cet instant que les enfants entrèrent en compagnie de Browny. Ils étaient affamés tous les trois. Le chien courut vers la cuisine où était son bol et les deux jeunes se jetèrent sur l'assiette de biscuits.

Raymond passa la pire soirée de sa vie.

Comment Antoinette et sa mère arrivaient-elles à soutenir la conversation sans que rien n'y paraisse? Raymond ne le savait pas. Il tentait de donner le change, mais s'apercevait bien qu'Anne n'était pas dupe. À quelques reprises, elle se tourna vers lui en fronçant les sourcils. Ce fut au moment où elle le regardait fixement qu'il annonça qu'il était fatigué et montait se coucher.

– Déjà? lança Anne surprise. D'habitude tu veilles plus que…

– J'ai mal à la tête!

Raymond avait entendu cette réplique tellement souvent au cours de sa vie qu'elle lui était venue spontanément. Il se trouva pitoyable mais n'en poursuivit pas moins sa fuite vers sa chambre.

Demain…

Demain, il devrait annoncer à Anne qu'elle retournait à Montréal parce que sa mère l'attendait…

Quand Antoinette monta le rejoindre, il n'avait pas trouvé le sommeil. Elle se glissa entre les draps et se coula étroitement contre son dos. Elle le sentait tendu, épuisé. Alors elle commença à masser ses épaules.

Ce fut comme un signal pour Raymond qui se mit à parler.

– Comment se fait-il que le docteur Clément ne m'ait pas appelé? Je ne comprends pas. Je sais très bien qu'il m'avait dit que si la situation tournait au vinaigre, il se retirerait immédiatement du dossier. Mais jamais je n'aurais pu imaginer que…

– Il était peut-être en vacances, interrompit Antoinette sans trop y croire.

– Allons donc! Ça n'a pas dû se faire en quelques jours, tout ça. Et Charlotte? Charlotte devait bien être au courant.

Il y eut un moment de silence puis il reprit.

– Je parierais ma dernière chemise qu'Émilie est derrière tout ça. C'est la seule explication logique. Elle seule pouvait faire des pressions en faveur de sa mère. Mais pourquoi? Pourtant, il me semblait qu'elle avait compris le bien-fondé de…

Raymond ne compléta pas sa pensée. Il se contenta de soupirer profondément.

– Tu vas voir, Raymond, la situation n'est que temporaire. Je suis certaine que tu vas pouvoir faire quelque chose. Dans le fond, ce n'est qu'une lettre d'avocat. Je suis d'accord avec ta mère pour ne pas la prendre à la légère, mais ce n'est tout de même pas un ordre de la cour, un jugement.

– Peut-être…

Le silence envahit de nouveau la chambre. Puis après quelques instants, Raymond se retourna et prit Antoinette dans ses bras pour la serrer tout contre lui.

– Je t'aime, Antoinette. Je ne sais pas combien de temps cela va prendre, mais je te jure que je vais revenir avec Anne et que ce jour-là, on dira aux enfants qu'ils sont frère et sœur. Plus rien ne pourra nous séparer. Plus rien ni personne.

Chapitre 14

Quand Raymond avait parlé à Anne, celle-ci n'avait eu aucune réaction. Elle avait baissé la tête, avait écouté son père sans l'interrompre, l'avait regardé un court moment puis avait quitté la pièce sans dire le moindre mot.

Comme certains patients en rémission qui apprennent stoïquement que la maladie a recommencé ses ravages, elle avait encaissé la désagréable nouvelle sans sourciller.

Raymond aurait préféré qu'elle crie sa colère. Car Anne était en colère, il l'avait vu dans son regard. Mais elle n'avait rien dit.

Le lendemain, ils avaient pris la route. En auto, cette fois-ci, pour que Raymond puisse se déplacer librement une fois arrivé à Montréal.

Anne avait décidé de faire la route seule à l'arrière de la voiture même si mamie lui avait offert de s'asseoir à l'avant. Ainsi, elle avait eu neuf longues heures pour faire le deuil d'une vie qu'elle avait aimée et se préparer à celle qu'elle devinait aisément.

Blanche sembla heureuse de la revoir. Mais Anne n'en avait pas tenu compte. Elle connaissait trop bien les sautes d'humeur de sa mère pour vouloir s'y fier. Une lettre, écrite par un avocat, donc qui devait être importante, lui avait ordonné de se présenter chez Blanche Deblois pour y habiter. Anne s'y était conformée, car elle n'avait pas le choix. À quinze ans, on ne défie pas les ordres, surtout ceux qui viennent d'un avocat.

Mais c'était en attendant…

Ce qu'elle était en train de vivre était une formidable leçon.

Anne venait d'apprendre que, dans la vie, la seule personne en qui on pouvait avoir une confiance absolue, c'était soi-même. Alors elle s'était jurée de trouver une solution pour que l'avocat comprenne qu'elle ne voulait pas vivre avec Blanche. Et le jour où la chose serait rendue possible, Anne se jurait de ne plus jamais revoir celle qui se disait sa mère. Mais en attendant ce jour-là, elle ne se fierait plus sur les autres pour faire son bonheur. Même si son père lui avait dit qu'il resterait à Montréal tant et aussi longtemps qu'il n'aurait pas réussi à obtenir un vrai jugement en sa faveur, elle n'attendrait pas après lui non plus.

Blanche l'avait installée dans la petite chambre près de la cuisine, celle qui donnait sur le hangar des voisins. Il y faisait chaud et l'odeur de cuisson semblait imprégner ses draps. Mais Anne ne s'en plaignit pas.

Le soir, quand elle se retirait pour la nuit, elle écrivait de longues lettres à Jason. En anglais. Elle était persuadée qu'elle ne le regretterait pas car un jour, elle retournerait au Connecticut. Elle ne savait ni quand, ni comment, mais elle y retournerait.

Dès le lendemain de son arrivée, Blanche lui avait appris que pour cette année, Anne devrait fréquenter l'école du quartier, car elle n'avait pas les moyens de l'envoyer au couvent.

Anne avait été déçue : elle espérait revoir sœur Marie. Mais elle n'en avait rien laissé voir.

Elle avait ruminé sa déception durant toute une journée. Puis elle avait changé d'avis.

Pourquoi s'attrister longuement sur quelque chose qu'elle ne pouvait changer ?

Dans le fond, mieux valait ne plus revoir cette religieuse qu'elle aimait bien. C'était encore s'en remettre à quelqu'un d'autre pour faire son bonheur et c'était contraire à ce qu'elle s'était juré de faire.

De toute façon, elle savait maintenant que le bonheur était une notion fragile, très friable et qu'il ne fallait pas s'y accrocher solidement. Le perdre faisait trop mal.

Anne avait donc choisi de laisser couler le temps, les événements et les émotions sans se laisser toucher par eux. Elle n'avait pas les moyens de souffrir. Elle devait conserver ses énergies à survivre dans un milieu hostile. De sa mère au quartier qu'elles habitaient, tout l'agressait. Après avoir connu la tranquillité de la plage, l'écoute attentive d'Antoinette et la joie d'avoir un ami à ses côtés, les bruits de la rue et les babillages superficiels de sa mère lui étaient insoutenables.

Le matin, elle quittait l'appartement très tôt, avant le réveil de Blanche, et elle allait se réfugier au parc La Fontaine. C'était la faim qui la ramenait au logement pour le souper. Blanche aurait bien aimé savoir ce qu'elle faisait de ses journées, mais Anne restait évasive :

– Je me promène. Je refais connaissance avec ma ville.

Si Blanche insistait, Anne devenait muette comme une carpe.

Ce qu'elle faisait de ses journées ne regardait qu'elle.

Si Blanche menaçait, Anne quittait la pièce.

Alors Blanche se mettait à crier qu'elle n'était qu'une désagréable incapable de vivre en société :

– Je ne te demande pas la lune ! Je demande seulement ce que tu fais de tes journées. Je suis ta mère, Anne, et j'ai le droit de savoir. Si tu continues, je vais devoir t'enfermer !

Mais Anne considérait que plus personne n'avait de droits sur elle. Même le juge ou les avocats ou même les médecins devraient l'admettre un jour.

Alors quand Blanche se mettait à crier, Anne claquait la porte. Tant pis pour d'éventuelles représailles, aujourd'hui, Blanche ne lui faisait plus peur. Elle espérait même la retrouver couchée sur le plancher en train de cuver son vin. À ce moment, Anne appellerait quelqu'un qui pourrait dire au juge qu'elle était beaucoup mieux avec son père. C'est ce qu'elle s'imaginait, car sur la question, elle ne savait pas grand-chose.

De son côté, devant la tournure des événements, Blanche regrettait d'avoir voulu que sa fille revienne. Elle espérait trouver une forme de sécurité auprès d'Anne, elle n'avait rencontré que des tracas et des inquiétudes. De plus en plus de lavage, de nourriture à préparer, de rangement et l'omniprésence de l'anxiété quand Anne passait ses journées elle ne savait trop où.

Une fois encore, elle avait fait passer le bien d'une de ses filles avant le sien.

Mais avait-elle le choix?

C'était son devoir de mère de soustraire sa fille à l'influence de la maîtresse de son père. Quand elle y pensait, Blanche fermait les yeux sur les images indécentes que le mot «adultère» faisait naître dans son esprit.

Pauvre Anne.

Ces jours-là, Blanche se montrait plus conciliante. Anne avait peut-être besoin d'être seule pour oublier tout ce qu'elle avait dû voir et entendre.

Un jour, Blanche en était convaincue, Anne la remercierait pour tout ce qu'elle avait fait pour elle. Plus tard, quand elle serait en âge de comprendre ce que voulaient dire les mots «fidélité», «devoir» et «fornication». C'était le mot employé par son père quand il parlait des amours illicites ou coupables et elle l'avait toujours trouvé très laid. Il exprimait bien ce qu'elle ressentait devant l'attitude de Raymond. Son mari était un être immonde.

À peine une semaine qu'elle était revenue à Montréal, à peine le mois d'août entamé et Anne commençait à compter les jours qui la séparaient de la rentrée scolaire. À ce moment-là, au moins, sa mère saurait où elle était et elle lui ficherait la paix. Même si elle n'avait pas du tout envie de retourner en classe. L'absence de Jason à ses côtés serait cruelle. Elle s'ennuyait de lui, de leurs courses folles sur la plage, de Browny qui jappait tout le temps après eux. Elle s'ennuyait aussi d'Antoinette qui avait toujours du temps à leur consacrer. Si Anne avait pu se choisir une mère, c'était Antoinette qu'elle aurait choisie.

Et c'était à cela qu'elle réfléchissait, le dos appuyé contre le tronc d'un gros chêne, les genoux relevés entre ses bras. Antoinette, Jason, son petit chien, la plage, la mer...

Elle soupira d'ennui. Les journées étaient tellement longues. Et pas question de renouer avec ses anciennes amies, elle n'avait pas envie de leur raconter sa vie.

Ce fut alors qu'elle pensa à mamie.

Anne dessina un sourire fugace.

Demain, elle irait passer la journée chez mamie.

Puis elle fit une petite grimace.

Comment se faisait-il qu'elle n'y avait pas pensé avant? Ce serait mieux que de tourner en rond dans la ville ou de tuer le temps à regarder les passants au parc. C'était assez loin d'ici, mais qu'importe. Elle marcherait aussi longtemps qu'il le faudrait, puisque Blanche refusait de lui donner de l'argent de poche comme elle était habituée d'en avoir chez Antoinette.

— Tu auras un peu d'argent le jour où je saurai ce que tu fais de tes journées, avait répliqué Blanche, du tac au tac, quand Anne avait demandé si elle pouvait avoir un peu de monnaie.

Si Blanche croyait l'avoir par du chantage, elle s'était bien trompée.

Anne avait redressé les épaules sans répondre. Quand elle avait vu une lueur de colère traverser le regard de Blanche, Anne s'était détournée pour sourire.

Depuis qu'elle était arrivée chez sa mère, Anne prenait un malin plaisir à savoir que Blanche s'inquiétait.

On verrait bien qui, de l'une ou de l'autre, lâcherait prise en premier. À défaut d'autre chose, Anne s'en amusait.

Son père lui avait déjà dit que sa mère avait une santé mentale fragile, et sa longue hospitalisation en faisait foi. Anne se disait qu'à la pousser à bout, elle réussirait peut-être à la faire craquer. C'était tout ce qu'elle attendait. Au moindre signe de faiblesse de la part de Blanche, elle appellerait Charlotte ou son père ou la police si le cas le justifiait, pour qu'ils puissent constater que sa mère n'était pas en mesure de la garder. Pour l'instant, elle ne voyait pas ce qu'elle pouvait faire d'autre.

Sauf peut-être dire clairement à Blanche qu'elle voulait s'en aller.

L'idée surprit Anne. Elle regarda autour d'elle comme si quelqu'un avait pu entendre ses pensées puis elle reprit la pose, le menton appuyé sur ses genoux.

Elle reformula l'idée, la soupesa, la rejeta, y revint.

Pourquoi pas?

Elle voyait bien que Blanche s'énervait et se fatiguait à cause d'elle. Pas plus qu'elle-même, Blanche ne semblait apprécier leur cohabitation. Mais en même temps, elle savait fort bien que jamais Blanche n'admettrait avoir fait une erreur.

Par contre, que dirait-elle si l'idée venait d'Anne?

Sa mère serait peut-être bien soulagée de se débarrasser d'elle.

Anne y réfléchit durant une bonne partie de l'après-midi. Si elle n'avait plus peur de trouver sa mère ivre ou malade, l'idée de se faire crier par la tête ne lui plaisait pas.

Mais après tout, pourquoi pas? Elle n'avait rien à perdre et tout à gagner.

Si sa mère n'appréciait pas la suggestion d'Anne, elle la

traiterait probablement d'insignifiante ou d'indésirable ou de désagréable, ou les trois à la fois, et on passerait à autre chose. Anne n'en était pas à une insulte près avec Blanche.

Elle revint donc jusque sur la rue Saint-Denis en marchant à pas lents, se demandant comment aborder sa mère. Lui dire de but en blanc qu'elle voulait repartir? Ou passer par l'absurde pour qu'elle admette que toutes les deux, elles n'étaient pas faites pour s'entendre? L'idéal aurait été de consulter Émilie. Sa sœur n'avait pas son pareil pour amener leur mère à dire comme elle. Mais depuis qu'elle était arrivée, Anne n'avait pas entendu parler de ses sœurs. Ni de l'une ni de l'autre. À croire qu'elles s'étaient passé le mot pour l'ignorer.

La jeune fille donna un coup de pied sur un papier qui traînait sur le trottoir.

Elle avait beau dire que plus rien ne la touchait, le silence de ses sœurs la peinait quand même un peu. Qu'était donc devenu le beau serment de fidélité qu'elles avaient passé toutes les trois dans la cuisine de l'ancienne maison? Était-il mort en même temps que la petite Rosalie?

Le temps d'un regret, puis Anne repensa à ce qu'elle allait dire à Blanche.

Elle attaqua le long escalier extérieur qui menait à un palier sombre, qui lui, permettait d'accéder au logement. Elle se doutait que d'ici peu, sa mère se plaindrait que cet escalier la fatiguait et lui demanderait de faire les courses à sa place.

Anne serra les dents d'impatience. Vivement qu'elle soit partie avant cela!

Quand elle ouvrit la porte, elle entendit des échos de voix.

Se pourrait-il qu'Émilie soit là?

Anne afficha un grand sourire. Cela faisait plus d'un an qu'elle n'avait pas vu sa sœur et Émilie n'était pas du genre à envoyer des lettres. À peine avait-elle reçu une carte pour Noël et une autre à sa fête. Anne fit un pas dans le couloir en direction de la cuisine pour finalement se rendre compte que sa mère parlait toute seule.

Déçue, Anne tendit l'oreille, mais elle n'entendait pas ce que Blanche disait. Seule l'intonation de la voix laisser supposer qu'elle était agacée.

Ce fut en arrivant à la cuisine qu'Anne comprit les derniers mots.

— …Si j'étais seule aussi!

Anne se tenait dans l'embrasure de la porte.

— Alors pourquoi as-tu fait ça?

La voix d'Anne résonna en écho à celle de Blanche. Cette dernière sursauta, sembla hésiter puis se retourna en souriant.

— Mais fait quoi, ma chérie?

Anne ferma les yeux d'agacement une fraction de seconde puis souleva les paupières pour soutenir le regard de Blanche.

— Laisse tomber le *ma chérie* avec moi, d'accord? Garde ça pour Émilie.

Blanche haussa les épaules.

— Comme tu veux. Qu'est-ce que tu veux savoir?

— Pourquoi m'as-tu obligée à revenir? D'après ce que je viens d'entendre…

— Oh ça? Un peu de fatigue, sans plus.

Blanche revint face au comptoir de cuisine. Elle fourragea dans les couverts qu'elle venait de sortir pour mettre la table, soupira et revint enfin face à Anne.

— Tu veux savoir pourquoi tu es ici, c'est bien ça?

Anne opina.

— C'est très simple, Anne. Une jeune fille de bonne famille ne vit pas sous le même toit que la maîtresse de son père. Il était de mon devoir de te ramener ici.

Devoir… Le mot heurta le cœur d'Anne avant qu'elle n'entende la voix d'Antoinette qui disait souvent à Jason combien elle l'aimait. Amour et devoir, la différence entre deux mères. Elle haussa les épaules.

— Et c'est tout?

— C'est bien suffisant! La preuve, c'est que ton père l'a compris, lui aussi. Une lettre de mon avocat lui a rappelé le principe de la chose et il t'a ramenée sans rouspéter.

— Et alors? C'est juste qu'il n'avait pas le choix. Mais ça ne veut pas dire qu'il était d'accord. Et puis, Antoinette est une vieille amie de papa. Où est le mal s'ils sont tombés amoureux l'un de l'autre? Toi, tu n'étais pas là.

— Ce n'était pas une raison. Ton père et moi nous sommes encore mariés. Il ne faudrait pas l'oublier.

— Et qu'est-ce que ça change? demanda Anne avec une pointe de mépris dans la voix. Je ne me souviens pas que papa et toi vous vous soyez aimés. Tu passais ton temps à dire qu'il t'agaçait. Tu devrais être contente qu'il soit parti.

Blanche se redressa, le regard chargé de colère.

— Ça, ma fille, ça ne te regarde pas! Ce qui s'est passé entre Raymond et moi, ce n'est pas de tes affaires. Tu viens de me donner la plus belle preuve que j'ai eu raison de te sortir de là. Tu deviens impertinente, Anne.

— Et si moi je ne veux pas rester?

Le ton avait monté. Aussi grande que Blanche, Anne la toisait avec dureté.

— Je regrette, ma fille, mais ce n'est pas à toi de décider.

Anne resta silencieuse un moment, se contentant de fixer sa mère droit dans les yeux, espérant qu'elle serait la première à baisser la tête. Comprenant qu'elle ne gagnerait pas à ce petit jeu, elle demanda en articulant exagérément:

— Comme ça, tu veux que je reste ?

— Tout à fait.

— Alors, quand est-ce que tu fais venir mon piano ?

À ces mots, Blanche laissa filer un rire moqueur qui se planta dans le cœur d'Anne comme une pointe acérée et brûlante. Un rire qui la blessa et lui fit baisser le front. Un rire qui la projeta dans le passé, à une époque où Blanche avait tous les droits sur elle.

— Ton piano ? Tu vois bien que le salon est trop petit. De toute façon, ça fait assez longtemps que tu suis des cours. C'est très bien pour une jeune fille de savoir toucher le clavier. Il ne faut quand même pas exagérer.

Anne sentait qu'elle perdait pied. Pas son piano… Blanche n'avait pas le droit de lui enlever la musique. Sa voix n'était qu'un murmure quand elle osa enfin demander :

— Ce qui veut dire ?

Blanche lui tournait le dos. Elle avait ouvert une armoire pour prendre quelques assiettes et deux verres.

— Il me semble que c'est clair, non ? Pas de piano, ici. Et pas de cours non plus.

Malgré une volonté farouche de ne rien laisser voir de son désespoir, Anne n'arriva pas à retenir ses larmes. Elle baissa la tête, renifla puis revint à Blanche. Sa mère la regardait, une pile d'assiettes dans une main et les verres dans l'autre. Anne respira bruyamment. Elle avait l'impression qu'il flottait un vague sourire sur le visage de Blanche.

Jamais elle n'avait détesté quelqu'un comme elle détestait sa mère en cet instant.

Rejeter la musique, c'était pire que de la rejeter, elle. C'était renier l'essence même de sa vie. C'était lui dire en pleine face qu'elle ne l'aimait pas. À son tour, Anne eut envie de faire mal à sa mère.

— J'ai déjà entendu dire, commença-t-elle en fixant toujours sa mère, j'ai déjà entendu dire que tu avais failli mourir à ma naissance. Et tu vois, présentement, je voudrais que ce soit vrai. J'aurais peut-être grandi avec de la tristesse dans mon cœur en y pensant mais au moins, je t'aurais aimée. Alors que maintenant, je te déteste.

Blanche ne parut pas surprise d'entendre ses mots. Elle resta silencieuse un bref moment, déposa ce qu'elle avait dans les mains sur un coin de la table, puis, se retournant vers la fenêtre, elle répliqua :

— Alors on est deux à avoir le même regret. Moi aussi, j'aurais voulu mourir. De toute façon, je n'ai jamais voulu que tu naisses. Si tu es là, c'est une erreur et ton père en porte tout le blâme.

Les derniers mots de Blanche se perdirent dans le bruit de la course d'Anne qui fuyait le logement.

Blanche avait gagné. Anne était à nouveau une petite fille qui sentait peser en elle le poids immense d'un chagrin inconsolable.

Elle dégringola l'escalier, heurta un passant sur le trottoir et s'engouffra dans la rue sans regarder. Il y eut un coup de klaxon, un bruit de freins et une voix qui l'apostrophait. Mais Anne n'entendait rien.

Elle courut jusqu'à ce qu'elle soit hors d'haleine. Elle courut jusqu'à ce que la douleur à son côté gauche soit aussi grande que celle qu'elle avait au cœur et que le bourdonnement de ses oreilles remplace la voix de Blanche qui la poursuivait.

Anne se laissa tomber sur un banc du parc La Fontaine et releva les jambes contre sa poitrine.

Si elle ne pleurait plus, c'était qu'elle n'avait plus de larmes à verser.

Entourant ses genoux avec ses bras, elle se mit à se balancer comme elle le faisait quand elle était toute petite et qu'elle se sentait malheureuse.

Puis lentement, ses jambes se détendirent et ses deux mains commencèrent à pianoter sur ses cuisses. Dans sa tête maintenant, elle entendait une balade, puis une fugue, puis une sonate pour piano.

Anne s'arrêta brusquement et regarda tout autour d'elle.

Il lui fallait un piano. Il fallait qu'elle joue. Là, maintenant.

Ce fut à cet instant qu'elle pensa à madame Mathilde qui lui avait dit que sa porte lui serait toujours ouverte. Madame Mathilde qui n'habitait pas très loin. Sans perdre une seconde, Anne se leva et prit à sa gauche. Dans quelques minutes, elle serait chez elle. Dans quelques minutes, elle pourrait laisser le piano consoler sa peine.

Madame Mathilde répondit à son deuxième coup de sonnette. Elle fronça les sourcils une seconde pour aussitôt laisser s'épanouir un large sourire.

– Anne! Mon doux que tu as changé! En visite à Montréal? Et tu n'as pas oublié ton vieux profess… Mais qu'est-ce qui se passe?

Sans répondre Anne se jeta dans les bras de madame Mathilde en pleurant.

– Oh là! Tout doux ma belle. Entre, entre. Tu sais que tu es toujours la bienvenue. Tu veux parler?

Anne fit oui de la tête.

– Viens! Suis-moi.

Mais alors que madame Mathilde la précédait dans le couloir menant à la cuisine, Anne demanda:

– Mais d'abord, est-ce que je pourrais jouer un moment? Ça fait plus d'une semaine que je n'ai pas touché à un piano.

Madame Mathilde se retourna.

– Bien sûr. Tu n'as qu'à prendre la petite salle où tu faisais tes pratiques autrefois. Quand tu auras fini, viens me rejoindre à la cuisine. Je prépare le souper.

Sur ce, madame Mathilde s'éclipsa discrètement. Elle sentait qu'un drame se jouait dans la vie de son ancienne élève et qu'elle avait besoin de solitude. Elle s'attaqua aux carottes qu'elle avait commencé à peler, mais dès qu'elle entendit les premières mesures de la sonate qu'Anne avait choisie, elle arrêta aussitôt de travailler. S'essuyant les mains sur le tablier qu'elle avait à la taille, elle s'approcha doucement de la porte, émue. Ses yeux étaient embués de larmes. Elle ne s'était pas trompée, jadis, quand elle avait dit qu'Anne avait du talent à revendre.

Seule une virtuose pouvait jouer avec autant de passion…

Quand elle revint de chez madame Mathilde, Anne se sentait un peu moins seule. Sans entrer dans les détails, elle avait expliqué qu'une lettre d'avocat proférant des menaces à l'égard de son père l'avait obligée à venir habiter chez sa mère et que celle-ci ne voulait pas entendre parler de leçons de piano.

– Elle dit que c'est amplement suffisant tout ce que j'ai appris.

Le professeur avait écouté sans questionner. Elle savait que la mère d'Anne avait été internée et que son père était parti vivre aux États-Unis. Elle n'en savait pas plus et n'avait pas besoin de savoir autre chose. Seule l'envie d'aider son ancienne élève primait dans son esprit. Un talent pareil se devait d'être encouragé.

– Laisse-moi parler à ta mère. Je crois que je peux arranger tout ça.

Madame Mathilde n'avait pas rencontré madame Deblois très souvent. Mais son opinion était faite et elle se trompait rarement quand elle évaluait quelqu'un. La mère d'Anne était de ces femmes pour qui l'amour qu'elles portent à leurs enfants passe par la fierté. Il suffisait de l'entendre parler du talent de sa fille Émilie pour le comprendre. Elle utiliserait le même atout pour l'amener à revoir sa position. Ce serait un crime que de museler le talent d'Anne, et madame Mathilde ferait comprendre à

Blanche Deblois tout l'honneur qui retomberait sur elle, le jour où sa fille serait reconnue comme pianiste de talent.

Anne était repartie sans rester à souper. La menace de sa mère avait porté fruit. La peur de ne plus pouvoir jouer du piano avait ramené ses hésitations et ses incertitudes.

Anne était prête à toutes les concessions, sans le moindre compromis, pourvu qu'elle puisse encore faire de la musique.

En attendant...

En attendant que son père réussisse à convaincre un juge.

En attendant que les nerfs de sa mère flanchent à nouveau et qu'elle doive être internée pour une seconde fois.

En attendant qu'Anne soit assez vieille pour pouvoir vivre seule.

Anne était à formuler ce dernier espoir lorsqu'elle passa devant la boutique d'un fleuriste. Le commerce était encore ouvert et sur le trottoir, il y avait des pots et des vases remplis de fleurs de toutes les couleurs qui sentaient bon jusque dans la rue.

Anne ralentit le pas en humant l'air autour d'elle et ce fut ainsi qu'elle vit le petit écriteau. Elle s'approcha de la vitrine. Sur un carton blanc, le propriétaire avait écrit qu'il cherchait un employé pour le seconder. Anne sentit son cœur bondir. Elle s'imagina en train de vendre des fleurs et aussitôt, elle dessina un sourire. L'image était jolie et Anne avait toujours aimé les fleurs.

Et s'associant aux images qu'elle avait en tête, des tas de suppositions apparurent à leur tour. Avoir un petit travail, c'était avoir un peu d'argent à elle.

Et avec de l'argent, Anne pourrait s'offrir un passage en train pour le Connecticut.

Ou des cours de piano avec madame Mathilde.

Ou des billets d'autobus pour aller voir mamie, Charlotte et Alicia aussi souvent qu'elle le voudrait.

Avoir un peu d'argent, aux yeux d'une toute jeune fille de quinze ans, et qui plus est malheureuse, c'était s'offrir la liberté.

Anne faillit entrer dans la boutique tout de suite.

Puis elle hésita, recula d'un pas et poursuivit sa route.

Elle reviendrait demain. Elle qui détestait cela, elle mettrait une robe et coifferait soigneusement ses cheveux pour avoir l'air un peu plus vieux, car elle se doutait bien que ses quinze ans allaient être un handicap. Mais avec sa grandeur, avec un peu de chance et un peu de maquillage, elle réussirait peut-être à duper le propriétaire en mentant sur son âge.

L'idée d'avoir quelque chose à elle lui donnait des ailes.

Mais pour réaliser tous ces rêves, Anne savait qu'elle n'aurait pas le choix de passer par Blanche.

Ce soir, Anne avait plus important à faire que de postuler un emploi de vendeuse.

Elle allait rentrer chez Blanche et s'excuser. Elle lui dirait qu'elle regrettait, que les mots avaient dépassé sa pensée. Elle lui dirait aussi qu'elle allait faire son possible pour que la vie soit agréable entre elles et lui demanderait comment elle voyait les choses pour que chacune soit heureuse.

Et il fallait que Blanche la croie sincère et lui fasse confiance. Car bientôt, madame Mathilde viendrait la rencontrer pour discuter musique. Pendant ce temps, sans rien dire à personne, elle essaierait de se trouver un petit travail.

* * *

Après l'appel d'Émilie, Charlotte avait passé les deux pires journées de sa vie ou presque. Elle était complètement bouleversée. Un rien lui faisait monter les larmes aux yeux.

Elle avait toujours cru que Marc était relativement indifférent à Alicia. Et c'était bien ainsi. N'était-ce pas ce qu'elle-même avait voulu? Parfois, il lui arrivait de se demander si Marc agissait ainsi pour protéger Émilie ou par réel désintéressement. Mais sa réflexion n'allait jamais plus loin.

Mais voilà qu'Émilie lui avait fourni une réponse qu'elle aurait préféré ignorer et la douleur, sur le coup, avait été intense.

Comment quelqu'un pouvait-il renier son propre enfant?

Tout ce que Charlotte avait voulu ou cru vouloir s'était effondré à la seule perspective que Marc n'aime pas sa fille, lui qui rêvait d'avoir une famille.

Pourtant, à la naissance d'Alicia, elle s'était juré que personne jamais ne saurait la vérité. Si elle s'était décidée à dévoiler son secret, c'était uniquement pour aider Émilie. Et pendant quelques années, elle avait apprécié ne plus en entendre parler. C'était exactement comme si elle n'avait rien dit.

L'autre jour, les paroles d'Émilie avaient rouvert la plaie.

Un moment, elle regrettait d'avoir parlé. L'instant d'après elle espérait que Marc se manifesterait. Alicia était une enfant si merveilleuse qu'il lui semblait inconcevable que son père soit indifférent à elle.

Cette ambivalence avait duré deux longues journées.

Puis le temps faisant son œuvre, les émotions avaient repris une juste proportion dans sa vie. Tant pis pour Marc et Émilie. Elle vivait avec un secret à demi dévoilé depuis longtemps, elle allait continuer à le faire. Le jour où Alicia reviendrait sur la question, Charlotte aviserait.

Puis elle avait recommencé à penser au déménagement.

Et voilà que demain serait le grand jour!

Leurs effets s'empilaient dans le couloir, bien rangés au fond d'une multitude de boîtes et de quelques valises. Si l'on ajoutait quelques meubles, Charlotte contemplait tout son avoir. C'était peu, mais c'était suffisant. Elle n'avait jamais cherché à accumuler des biens, trouvant l'exercice superficiel et inutile. En Angleterre, Andrew et elle avaient loué une maison qui était déjà meublée et cela lui convenait tout à fait. Aujourd'hui, elle s'apprêtait à vivre chez sa grand-mère, et c'était encore bien. Charlotte préférait, et de loin, investir son argent dans l'avenir d'Alicia, les livres et les voyages. Comme elle le disait, elle préférait placer dans la beauté. C'était d'ailleurs un sujet de discussion entre Émilie et elle, car sa sœur aimait bien s'acheter, pour sa part, meubles, bibelots, vêtements et colifichets.

– Chacune voit la beauté là où elle l'entend, répliquait-elle vigoureusement quand Charlotte lançait un: «Encore!» devant les acquisitions d'Émilie.

Habituellement, elles évitaient d'en parler, conscientes, l'une comme l'autre, que les sujets de dissension entre elles étaient déjà suffisamment nombreux sans y ajouter quelque chose d'aussi futile.

Charlotte jeta un dernier coup d'œil aux boîtes entreposées dans le corridor, puis elle retourna à la cuisine pour un ultime regard dans les armoires. Après, elle appellerait Alicia qui jouait dans la cour pour se rendre chez mamie avec elle. Sa grand-mère voulait faire le tour de sa maison en leur compagnie avant que Charlotte n'emménage.

Quand Charlotte et Alicia arrivèrent chez mamie, celle-ci les attendait sur le perron. Sans attendre, elle les mena à l'intérieur pour faire le tour du propriétaire.

– C'est comme ça que je veux que tu te sentes, ma Charlotte. Ici, c'est chez toi. Et le petit loyer que tu me verseras chaque mois servira éventuellement pour l'achat de la maison si tu le désires. Mais sens-toi bien à l'aise! Si tu préfères autre chose plus tard, libre à toi. En attendant, je vais savoir que ma maison est entre bonnes mains. Pour une vieille dame comme moi, qui a vécu ici plus de soixante ans de sa vie, c'est très important.

Alicia les précédait d'une pièce à l'autre, le nez en l'air comme un explorateur qui vient de mettre le pied sur le sol d'une terre inconnue. Elle n'en revenait pas qu'une si grande maison soit à elles ! Et si Charlotte montrait une certaine réserve à ouvrir les placards, la petite fille, elle, s'en donnait à cœur joie.

– Alicia ! Ce n'est pas poli de fouiller comme ça !

– Laisse-la faire, Charlotte. Elle a très bien compris ce que je voulais dire. Comment peut-on se sentir heureux quelque part si on a l'impression d'être en visite ?

Puis Alicia avait demandé la permission d'explorer le quartier et elle était partie en sautant à cloche-pied, alors que Charlotte et mamie s'installaient sur le perron pour profiter du beau temps qui perdurait.

– Si c'était toujours comme ça, constata mamie en regardant tout autour d'elle avant de jeter les yeux sur ses mains aux doigts déformés, je n'aurais pas besoin de m'expatrier comme je le fais.

– Tu n'aimes pas le Connecticut ?

Mamie se retourna vivement.

– Mais qu'est-ce que tu vas imaginer là ? Je suis très bien auprès de Raymond et d'Antoinette. Et je me suis même fait des amis, tu sauras. Eh oui ! Même à mon âge on peut se faire des amis ! L'oncle d'Antoinette, monsieur Paul, et son épouse Ruth sont charmants. N'empêche que c'est tout un changement.

Madame Deblois regarda encore une fois tout autour d'elle. C'était son monde, c'était toute sa vie qui se résumait entre deux rues, un trottoir et quelques façades de maison. Les voisins avaient changé au fil des années, les arbres avaient poussé. Elle avait vu naître et grandir des tas d'enfants et disparaître des amis qui lui étaient chers.

La vieille dame poussa un soupir tremblant puis tourna la tête vers Charlotte.

– Savais-tu que je suis arrivée ici, dans cette maison, le soir de mon mariage? Les voyages de noces n'étaient pas encore très à la mode quand j'étais jeune. Après la réception, c'est donc ici que ton grand-père m'a emmenée. Cette maison, il l'avait construite en bonne partie de ses mains pendant nos fréquentions. On était au mois de mai 1892.

Madame Deblois observa un court silence, perdue dans ses souvenirs.

– Tu comprends maintenant pourquoi je tenais tant à ce que celle qui me remplacerait soit à mon goût, reprit-elle en recommençant à se bercer. Je n'étais pas prête à vendre tout ça. Il y a trop de souvenirs ici. Et pas question de louer à des étrangers. Mais avec toi à la barre, fit-elle en tapotant affectueusement le bras de Charlotte, je vais repartir l'esprit tranquille.

Puis elle replongea dans ses pensées avant de dire sur un ton interrogatif:

– J'espère seulement qu'Émilie ne m'en voudra pas de t'avoir choisie. J'ai essayé de la joindre pour lui expliquer ma décision mais depuis l'hiver, il n'y a jamais de réponse. C'est un peu pour cela que j'ai tant tardé à t'écrire. Mais maintenant, c'est fait et j'en suis bien heureuse.

Puis mamie se tourna vers Charlotte.

– T'en a-t-elle parlé? Comment prend-elle la chose?

Charlotte se mit à rougir. Non, Émilie ne lui avait pas parlé de son emménagement chez leur grand-mère pour la simple et bonne raison qu'elle ne le savait peut-être pas encore. Charlotte se fit évasive.

– Je… je n'ai pas eu de nouvelles d'Émilie depuis un bon moment déjà.

– Ah bon ! Je vois.

Charlotte ne savait pas vraiment ce que sa grand-mère pouvait voir dans ces quelques mots, mais elle n'était pas à l'aise. Par chance, elle n'eut pas à se poser la question très longtemps, car madame Deblois reprit en regardant droit devant elle.

– Je présume que tu savais à propos de ta mère, n'est-ce pas ? En fait, ce que je veux dire, c'est que tu dois savoir que c'est Émilie qui a fait en sorte qu'elle puisse quitter l'hôpital. Je me trompe ?

Charlotte sentit qu'elle rougissait de plus belle.

– Je… En effet, elle me l'a dit.

– C'est bien ce que je me disais.

Était-ce une façon détournée de lui faire comprendre qu'elle aurait pu en parler à son père ? Charlotte ne le saurait jamais, car elle n'osa le demander. Mais si les propos de sa grand-mère étaient un reproche déguisé, cette dernière avait très bien réussi son coup, car ce fut effectivement comme cela que Charlotte les interpréta. Brusquement, elle se sentait très mal à l'aise de ne pas avoir appelé son père en sachant tout ce qui s'en venait.

Oui, sa grand-mère n'avait pas tort. Charlotte aurait dû communiquer avec son père.

Mais comment lui expliquer ce qui s'était réellement passé, ce soir-là ? Comment lui dire que le conflit au sujet de Blanche avait dégénéré en un règlement de comptes entre Émilie et elle au sujet d'Alicia ? C'était impossible. Alors lui dire qu'elle avait eu l'intention d'appeler son père et qu'ensuite elle l'avait oublié était tout aussi impossible.

Charlotte changea de position sur sa chaise, visiblement embarrassée. Une fois encore, sa grand-mère vint à sa rescousse. Voyant la gêne de sa petite-fille, madame Deblois enchaîna rapidement.

– Je te sens tendue, Charlotte. Et je peux comprendre. Quand ton père a reçu la lettre lui ordonnant de ramener Anne à sa mère, j'ai ressenti la même chose que toi. Je ne savais que dire, que faire. J'étais en colère. Pourtant, je m'y attendais un peu et j'avais même déjà dit à Raymond de se méfier. Mais bon, ce n'était pas de mes affaires. Puis le temps a passé… Jusqu'au soir de la fameuse lettre. Ton père a bien failli la déchirer d'ailleurs, tellement lui aussi était en colère. D'autant plus qu'on ne savait pas ce qui s'était réellement passé. Le médecin qui suivait ta mère n'avait pas cru bon d'aviser ton père des changements. Inouï comme certaines personnes n'ont aucun respect… Ce n'est qu'au lendemain de notre arrivée à Montréal qu'on a appris que c'était Émilie qui était en arrière de tout ça. L'avocat de Raymond n'a eu aucune difficulté à contacter l'avocat de Blanche qui a tout raconté. Ton père était bouleversé d'apprendre que sa propre fille avait tout manigancé dans son dos. Et moi, vois-tu, j'étais en colère contre Émilie. Je lui en voulais terriblement d'avoir agi en cachette comme elle l'avait fait. Mais cette colère-là n'a pas duré. Veux-tu savoir pourquoi?

Charlotte écoutait attentivement sa grand-mère. Elle l'avait rarement entendue prononcer de longs discours. Habituellement, elle se contentait de quelques mots bien sentis et le message passait. Charlotte lui fit signe de poursuivre.

– Cela fait presque un an que je n'ai pas revu ta sœur et quand j'essaie d'imaginer la femme qu'elle est aujourd'hui, c'est toujours l'image de la petite Émilie qui me revient. Émilie à cinq ans, ici, dans cette maison, soufflant les bougies de son gâteau; Émilie malade à l'hôpital quand elle avait à peu près dix ans; Émilie dessinant par terre, dans sa chambre, quand j'allais t'aider à t'occuper d'Anne qui n'était qu'un nouveau-né. Et je me suis souvenue à quel point Émilie était proche de sa mère. À tort ou à raison m'importe peu, on n'est pas ici pour faire le procès de l'enfance de ta sœur. Mais chose certaine, Émilie aime sa mère et a toujours eu besoin d'elle. Le reste coule de source. Si elle était persuadée que Blanche n'avait pas à être internée, en conscience, Émilie devait agir. Et c'est ce qu'elle a fait. Émilie a été honnête jusqu'au bout envers sa mère. Et pour cela, vois-tu ma grande, je l'admire. Ça n'a pas dû être facile d'agir en cachette. D'autant plus qu'elle devait savoir que le matin où le chat sortirait du sac, c'est elle que l'on blâmerait. Mais elle est quand même allée jusqu'au bout. Dans un certain sens, c'est à son honneur. Pour le reste, je crois ton père assez grand pour savoir ce qu'il a à faire. Dans le fond, celle qui doit le plus souffrir de la situation, c'est Anne.

Quelques mots, une logique à toute épreuve et la situation n'avait plus du tout la même apparence.

Charlotte resta silencieuse, se laissant imprégner par les paroles de mamie sans y souscrire complètement.

Sa grand-mère voyait les choses avec un regard de grand-mère, justement, alors qu'elle-même les voyait avec un regard de sœur et de fille. C'était différent, même si elle admettait que sa grand-mère n'avait pas entièrement tort. Elle connaissait suffisamment Émilie pour savoir qu'elle avait agi avec tout son cœur. Cela, Charlotte ne le mettrait jamais en doute. C'étaient les consé-quences qu'elle n'arrivait pas à accepter. Malgré l'attachement qu'elle ressentait pour Blanche, Émilie aurait dû penser aussi à son père et à Anne avant d'agir.

Mais avant qu'elle n'ait pu faire valoir son point de vue, une auto s'arrêtait au bout de l'allée et un homme mettait pied à terre en regardant autour de lui. Quand il aperçut enfin Charlotte, il leva la main pour la saluer et referma la portière derrière lui.

– C'est Françoise qui m'a dit où te trouver, lança-t-il en guise de salutation.

Puis, arrivé au bas des marches, il salua madame Deblois.

– Madame…

Grimpant quelques marches, il tendit la main.

– Jean-Louis Leclerc. Un ami de Charlotte.

Madame Deblois le toisa de la tête aux pieds, ayant momentanément oublié Émilie. L'homme qui se trouvait devant elle avait tout pour plaire à une grand-maman. Grand, bel homme, poli, habillé avec distinction… Madame Deblois lui tendit la main à son tour.

– Doucement, jeune homme, j'ai les doigts fragiles. Mais heureuse quand même de faire votre connaissance.

Elle se retourna aussitôt vers Charlotte.

– Tu en caches beaucoup comme ça des beaux garçons qui sont tes amis?

Charlotte se mit aussitôt à rougir, alors que Jean-Louis eut un peu de difficulté à cacher son embarras quand la grand-mère de Charlotte revint face à lui.

– C'est vrai, lança-t-elle malicieuse, vous êtes un très bel homme.

Puis elle cacha sa bouche derrière sa main en riant doucement avant d'ajouter:

– Voilà un des avantages du grand âge. On peut enfin dire ce que l'on pense sans être gênée ou pointée du doigt! À vingt ans, monsieur, jamais je n'aurais osé vous dire que vous étiez beau. Pourtant, je l'aurais pensé!

À peine avait-elle fini de parler qu'une petite Alicia tout feu, tout flamme arrivait en courant. Elle avait reconnu l'auto depuis le coin de la rue et s'était dépêchée d'arriver.

– Jean-Louis!

Et sans autre forme de politesse, la petite fille sauta au cou du jeune homme.

– Ça faisait longtemps que je t'avais vu!

– C'est vrai, moustique. Mais j'ai eu beaucoup d'ouvrage à l'hôpital. Mes petits patients ne connaissent pas les horaires, eux.

Alicia lui répondit d'un sourire. Elle comprenait fort bien ce qu'il voulait dire, car Jean-Louis l'avait emmenée visiter la maternité de l'hôpital. Tous ces minuscules bébés l'avaient ensorcelée. Elle était revenue chez elle avec des étoiles au fond des prunelles.

– Ils étaient tellement beaux, maman. Et tellement petits aussi. Moi aussi, plus tard j'aimerais m'occuper des bébés comme Jean-Louis.

Et si besoin en était, cette petite visite avait accru l'admiration qu'Alicia vouait à Jean-Louis.

Maintenant Alicia gambadait autour du médecin.

– Pourquoi es-tu là? Tu n'as pas oublié que c'est demain qu'on déménage, n'est-ce pas? As-tu pensé à réserver le camion?

Charlotte éclata de rire.

– Oh là, jeune fille! Laisse Jean-Louis arriver!

Un seul regard de Jean-Louis suffit à la rassurer. L'exubérance d'Alicia ne l'incommodait pas. Au contraire, la soulevant dans ses bras, il la fit tourner dans les airs en répondant à chacune de ses questions.

– Non, je n'ai pas oublié que tu déménageais demain et oui, j'ai pensé à réserver un camion. Pour ce qui est de ma présence ici…

Jean-Louis déposa Alicia sur le gazon et se tourna vers Charlotte.

– Que diriez-vous de venir souper au restaurant avec moi, ce soir? Après toutes ces journées à emballer des choses, j'ai pensé que cela te ferait du bien, une petite soirée de détente.

À ces mots, l'enthousiasme d'Alicia tomba d'un seul coup. Elle n'aimait pas tellement les restaurants que Jean-Louis choisissait. Elles n'y étaient allées qu'une seule fois, sa mère et elle, et cela avait pris un temps infini avant d'être servi. Et en plus, elle n'avait pas eu le droit de sortir de table avant que tout le monde ait fini de manger. Elle fit la grimace en soupirant.

– Que dirais-tu de rester manger avec moi? proposa mamie qui avait remarqué le manège de la petite fille. On pourrait se préparer un repas tout simple et après, je t'emmènerais prendre un cornet au petit casse-croûte au coin de la rue.

Puis mamie posa les yeux sur Charlotte.

– Et pourquoi ne resterait-elle pas à coucher? Demain matin, elle sera déjà rendue.

Alicia tourna aussitôt la tête vers Charlotte.

– Dis oui, maman!

Charlotte regarda Jean-Louis à l'instant où il haussait les épaules en ouvrant les bras comme pour dire que cela ne le dérangeait pas.

– D'accord, ma puce. Tu peux rester avec mamie. Mais à la condition que tu sois bien sage!

Alicia leva les yeux au ciel, en soupirant et en hochant la tête, comme pour signifier qu'elle n'était plus un bébé et qu'elle savait se tenir. Elle avait l'air si comique, jouant les adultes exaspérés, que tout le monde éclata de rire en même temps, ce qui la mortifia au plus haut point. Elle fila se réfugier dans la cour en maugréant que les grandes personnes n'étaient vraiment pas drôles quand elles s'y mettaient.

Quelques instants plus tard, Charlotte et Jean-Louis quittaient madame Deblois pour se préparer...

La soirée était douce, sans brise, et la lune n'était plus qu'un croissant lumineux. Après un copieux repas, Jean-Louis avait proposé de marcher un peu et Charlotte avait accepté.

Pendant le repas, Charlotte s'était laissée aller à quelques confidences. Elle qui parlait si peu d'elle-même se sentait en confiance auprès de cet homme calme et réfléchi. À certains égards, Jean-Louis lui faisait penser à Marc et à son père. Elle avait donc parlé de son enfance, des problèmes de sa mère, de l'intervention d'Émilie pour la faire sortir de l'hôpital. Elle lui avait fait part de la position de sa grand-mère qu'elle ne partageait pas complètement. Après tout, il était médecin et Charlotte se disait que son opinion serait probablement plus valable que bien d'autres.

Jean-Louis l'avait écoutée sans l'interrompre. Depuis deux mois qu'ils se voyaient régulièrement, le plus souvent par le biais de Françoise et Bernard, il avait appris à la connaître, à l'apprécier. Depuis quelques semaines, il avait compris que ce qu'il croyait être une grande amitié n'était en fait qu'un bel amour. Il la sentait farouche, indépendante, mais son intuition lui dictait que ce n'était que des apparences. Il avait lu son premier livre, et la soirée passée à en discuter avec elle lui avait appris que sous des abords méfiants, Charlotte cachait un grand besoin d'être écoutée, approuvée. Ce fut ce soir-là qu'il avait compris qu'il l'aimait comme jamais il n'avait aimé auparavant.

Et ce soir, elle s'était confiée à lui.

Jean-Louis voyait en cela un signe encourageant. Si une femme comme Charlotte se permettait des confidences, c'était qu'elle avait confiance en lui. Alors il l'avait écoutée très sérieusement. À travers l'histoire de son enfance, il comprenait mieux qui était la femme assise devant lui.

Ils marchèrent longtemps en continuant de parler. Il comprenait les sentiments de Charlotte à l'égard de sa sœur, mais comprenait aussi ceux de sa grand-mère.

– C'est difficile pour moi de poser un jugement. Je ne connais ni ta mère, ni ton père, ni tes sœurs.

– C'est vrai.

À ce moment-là, Charlotte n'avait pu s'empêcher de penser à

Andrew qui, lui, aurait analysé, décortiqué et tranché.

Pendant un court moment de silence, Charlotte se demanda qui elle préférait, Andrew ou Jean-Louis? Ils étaient si différents une fois qu'on avait dépassé la barrière de la ressemblance physique.

Puis Jean-Louis la ramena chez elle.

Ce fut au moment où ils se souhaitaient bonne nuit, en riant parce qu'il ne leur restait que quelques heures à dormir, que Jean-Louis ne put résister à l'envie de l'embrasser. Pourtant, il s'était promis d'attendre.

Mais Charlotte ne le repoussa pas. Bien au contraire, elle s'abandonna à son étreinte avec une langueur qui le surprit. Puis il repensa à Alicia. Charlotte avait déjà été mariée. Le contact avec un homme ne lui faisait plus peur.

Jean-Louis l'embrassa longuement, passionnément puis, quand il éloigna son visage, il prit celui de Charlotte entre ses mains et la regarda intensément sans parler.

Charlotte n'eut pas besoin de mots pour comprendre tout l'amour que Jean-Louis lui offrait. Avec lui aussi, les silences et les regards parlaient beaucoup. Elle se dégagea doucement, posa la tête sur son épaule durant un moment puis lui sourit avant de se détourner pour entrer dans la maison.

Ce fut au moment où elle se glissait entre ses draps que Charlotte prit conscience que c'était la première fois qu'un homme l'embrassait sans qu'elle ait eu une pensée pour Gabriel.

Pendant une fraction de seconde, elle se sentit coupable.

Puis les mots de Mary-Jane refirent surface.

Charlotte se tourna sur le dos et enfonça sa tête dans l'oreiller. Gabriel…

Depuis quelques semaines, elle ne surveillait plus le courrier. Pourquoi? Par lassitude de ne jamais rien recevoir ou tout simplement parce qu'elle ne voulait plus rien recevoir?

Charlotte essaya de comprendre mais présentement, elle ne voyait pas.

Elle ferma les yeux et revit Gabriel comme il lui était apparu à Paris. Il avait un peu vieilli, mais elle l'avait trouvé toujours aussi beau, aussi attirant. Le temps d'un battement de cœur et son beau rêve était devenu réalité. Une réalité qui n'avait duré que quelques heures. Un feu de paille.

Gabriel lui avait dit qu'il l'aimait toujours mais n'était pas libre. Elle avait répondu qu'elle l'attendrait. Elle avait demandé de ne pas écrire.

Et il l'avait écoutée.

Brusquement, Charlotte lui en voulait de respecter ce qu'elle-même avait demandé. Ne pensait-il plus à elle?

Charlotte savait qu'elle était injuste et cela la mit en colère.

Quand donc arriverait-elle à comprendre ce que son cœur lui disait? Elle aurait voulu qu'à distance, Gabriel le sente et lui envoie un petit mot. Quand elle avait dit de ne pas écrire, elle calculait le silence et l'absence en semaines, pas en mois. Gabriel avait dit que Maria-Rosa était malade, gravement atteinte…

Dans quelques jours, cela ferait un an.

Une autre année d'espoir et d'attente. Allait-elle passer sa vie à attendre?

Charlotte sentait la chaleur des larmes qui mouillaient son visage.

Mary-Jane avait dit de chercher en elle. Mais ce soir, Charlotte ne voyait rien, n'entendait rien. Que les battements réguliers qui s'étaient accélérés quand Jean-Louis l'avait embrassée. Présentement, elle ne ressentait que l'embrasement de ses sens qui avaient été allumés par un autre.

Charlotte essuya son visage avec un coin du drap et se roula en petite boule sur le côté.

Jean-Louis, Gabriel… Deux hommes passionnés, différents, uniques…

Charlotte s'étira, puis reprit la pause en chien de fusil.

Elle venait de comprendre pourquoi, ce soir, elle en voulait à Gabriel.

À cause de son silence, elle était en train de s'attacher à un autre. Un autre qu'Alicia aimait comme un père…

Quand Charlotte s'endormit enfin, le ciel commençait à pâlir au-dessus des toits.

Ce serait encore une belle journée. Une journée parfaite pour un déménagement. Une journée parfaite pour ouvrir une autre page du roman de sa vie…

CHAPITRE 15

Anne traînait les pieds en marchant sur le trottoir de la rue Saint-Denis, à quelques pâtés de maison du logement de sa mère.

Après plus de trois semaines, Anne s'entêtait encore à dire le logement de Blanche. Elle ne s'y sentait pas chez elle et c'était avec un sentiment d'abandon qu'elle se répétait souvent qu'elle n'avait plus vraiment de chez elle. D'autant plus que rien ne laissait présager quelque changement que ce soit dans un avenir relativement proche.

Samedi dernier, elle avait passé toute la journée avec son père et c'était à cette occasion qu'elle avait compris que les ajustements tant souhaités n'étaient pas sur le point de se réaliser.

Ils étaient allés se promener sur le mont Royal, avaient mangé au restaurant avant de se rendre dans un cinéma pour une représentation double. C'était Anne qui avait choisi les activités de cette journée. Malgré cela, rien à faire, elle avait été maussade du matin au soir. Non qu'elle ait été agacée de voir son père. Bien au contraire! Elle attendait cette journée avec impatience. Mais, au discours que Raymond lui avait tenu dans l'auto dès qu'il était venu la chercher, Anne avait vite saisi que rien n'avait changé chez lui: des promesses, encore des promesses, mais pas grand-chose pour les étayer. Seul espoir: son père avait parlé d'un ami, avocat de profession, qui s'occupait du dossier. Peut-être bien qu'avec ce monsieur, les choses allaient se dérouler plus rondement! Elle l'espérait tellement. Mais elle avait été si souvent déçue, si souvent échaudée qu'elle n'y mettait pas trop d'espoir. Pour elle, il n'y avait qu'une évidence, qu'une seule chose qui crevait les yeux : avocat ou non, ce n'était pas demain qu'elle allait retourner vivre au Connecticut.

Et compte tenu de la situation présente, c'était le seul horizon qu'elle avait devant elle, le seul but qu'elle cherchait à atteindre. Retourner auprès de Jason et Antoinette. Parce qu'ici rien n'allait à son goût…

En effet, en trois petites journées, Anne avait perdu les quelques illusions qui lui restaient pour mener ici une existence acceptable.

Le propriétaire de la boutique de fleurs avait vite deviné que la jeune fille qui se tenait devant lui, intimidée sous le maquillage malhabile et espérant avoir l'emploi disponible, était peut-être un peu jeune pour travailler.

— Je ne sais trop, avait-il hésité. Vous me semblez encore bien jeune pour avoir la responsabilité d'un commerce. C'est que parfois, vous vous y retrouverez seule.

Le commerçant avait vite compris qu'Anne semblait fort déçue par sa réponse. Alors il avait ajouté :

— Pour l'instant, c'est dommage, mais je ne peux accepter votre candidature, mademoiselle. À moins que vous ne me fournissiez une autorisation écrite de vos parents ! Si eux le permettent, c'est qu'ils vous jugent suffisamment responsable, je reverrai peut-être ma décision. Revenez me voir avec eux !

Anne était ressortie de la boutique le cœur gros comme une montagne. Puis elle avait, encore une fois, repris sur elle et parlé de son projet à sa mère. Peine perdue ! Anne avait eu beau expliquer, développer, supplier, Blanche avait été catégorique : une jeune fille de bonne famille n'a pas besoin de travailler sauf à ses études.

Après quelques tentatives plus musclées, Anne n'avait plus insisté. Elle avait ravalé sa colère et sa déception sans laisser voir que la position de sa mère la frustrait au plus haut point. Il y avait plus important que de vendre quelques fleurs. Madame Mathilde avait promis de rencontrer sa mère. Il ne fallait donc pas que, par son attitude, elle indispose Blanche!

Tel qu'elle l'avait promis, Madame Mathilde s'était présentée en après-midi, le surlendemain. La rencontre avait été fort brève et le professeur de musique était reparti bredouille. Tenter d'amadouer Blanche en jouant la carte de la fierté qu'elle ressentirait un jour quand elle verrait sa fille devenir une pianiste célèbre n'avait pas donné les fruits escomptés.

– Ma pauvre madame! s'était alors écriée Blanche. Je suis bien d'accord avec vous: rien n'est plus agréable que de voir ses enfants se démarquer. Regardez mon Émilie! Ce qui fait que je suis bien aise d'apprendre qu'Anne a un talent hors du commun. Mais pour l'instant, je n'ai pas les moyens de lui offrir les cours dont vous parlez. Heureusement, si elle est aussi douée que vous le dites, son talent ne s'envolera pas, n'est-ce pas? Alors, on verra plus tard.

Devant la tournure des événements, devant Blanche qui semblait sensible au talent d'Anne, Madame Mathilde avait à peine hésité avant de proposer:

– Et si les cours étaient gratuits?

Erreur magistrale! Blanche avait regardé madame Mathilde en soupirant. D'impatience, de colère contenue.

– Et c'est vous qui avez osé me parler de fierté? Qu'en faites-vous, justement, de ma fierté? Jamais je n'ai demandé la charité, et ce n'est pas aujourd'hui que je vais commencer à le faire. Plutôt mourir de faim, madame! Vous n'avez donc pas compris? Je viens de vous le dire! Le jour où j'aurai les moyens de payer des cours à ma fille, je vous ferai signe. En attendant, si c'est là tout ce que vous aviez à me dire…

Et sans poursuivre sa pensée, Blanche avait indiqué la porte. Elle était outrée qu'on ait pu songer, ne serait-ce qu'un seul instant, qu'elle allait accepter d'être traitée comme une pauvresse.

Et si Anne était au courant de cette courte visite jusque dans les moindres détails, c'était parce que Blanche s'était empressée de la lui raconter dès qu'elle était revenue d'une de ses longues promenades à travers la ville. Elle se doutait bien que sa fille avait manigancé cette tentative et Blanche voulait lui faire comprendre qu'avec elle, ce n'était pas la meilleure façon de procéder.

Le temps d'un battement de cœur, Anne avait connu la pire déception de sa courte existence. Puis, avalant sa salive pour contrer le sanglot qu'elle sentait se former dans sa gorge, elle avait poussé délicatement la porte que sa mère avait laissée entrouverte. Ne venait-elle pas de dire que si elle avait eu un peu plus d'argent, il n'y aurait eu aucun empêchement à ce qu'Anne continue ses cours? Il lui fallait s'accrocher à quelque chose, n'importe quoi pour ne pas sombrer dans le désespoir. Anne chercha à vérifier.

– Mais si tu avais eu de l'argent, avait-elle insisté, tu aurais accepté la proposition de madame Mathilde, n'est-ce pas?

À ces mots, Blanche avait dessiné un beau sourire enveloppé d'une tendresse qu'habituellement elle réservait à Émilie. En un sens, madame Mathilde avait vu juste. Blanche aimait beaucoup se sentir fière de ses filles.

– Mais c'est tout à fait certain que j'aurais accepté que tu poursuives tes cours de musique. Pourquoi le demander? Je sais reconnaître mes torts. J'étais très fière de toi quand madame Mathilde m'a dit à quel point tu avais du talent. Et c'est promis! Dès que ma situation le permettra, je…

– Et si on demandait à papa? avait alors interrompu Anne, cherchant à profiter de la moindre occasion qui se présentait.

– Pardon?

Le sourire de Blanche avait instantanément disparu, remplacé aussitôt par ce regard qu'elle avait coutume d'employer pour Anne. Il y avait sur son visage ce reflet exaspéré mélangeant agacement et condescendance.

– Pas question!

Blanche fulminait.

– Je t'interdis formellement de parler de tout cela à ton père, avait-elle ajouté en tançant Anne du doigt comme si elle était encore un bébé. Ce qui se passe ici ne le regarde pas. Ma vie ne le regarde plus! Et par ricochet, la tienne non plus. Il a voulu abandonner sa famille, qu'il en subisse les conséquences. Ne t'avise jamais de parler de ce qui se passe ici à ton père ou je te jure que tu le regretteras. De toute façon, toutes ces questions d'argent ne sont pas de tes affaires, Anne. Si le besoin s'en faisait sentir, ce serait à mon avocat de prendre les décisions qui s'imposent. Pas à toi. Surtout pas à toi, avait-elle répété avant de quitter le salon dans un grand bruit de pas martelant le plancher.

Anne avait alors quitté le logement dans un grand bruit de porte claquée et avait entendu l'inimitable *insignifiante* que sa mère avait lancé suffisamment fort pour qu'elle puisse l'entendre depuis l'escalier.

Mais la menace avait porté fruits. Anne n'avait rien dit de cette discussion lorsqu'elle avait rencontré son père. La seule à qui elle aurait pu éventuellement se confier, c'était Charlotte. Même si Anne lui en voulait un peu de ne pas l'avoir contactée depuis qu'elle était revenue à Montréal, sa grande sœur restait la seule personne en qui elle avait confiance. Elle justifiait le silence de Charlotte en se répétant que, dans le fond, elle n'était pas plus gentille puisqu'elle ne l'avait pas appelée, elle non plus. Anne s'était pourtant bien promis d'aller la voir, mais les événements s'enchaînant les uns aux autres rapidement, elle n'en avait pas eu le temps. Et malheureusement, Charlotte était à son travail quand Anne avait fait un saut chez mamie avant d'aller souper avec Raymond, samedi dernier.

Aujourd'hui, on était mercredi et la situation n'avait pas évolué. Sinon dans le mauvais sens. Pas de travail en perspective, donc pas de sous ; pas de cours de musique dans un avenir prévisible, donc pas d'échappatoire possible pour fuir la maison régulièrement et pas même un piano chez elle pour se défouler.

Rien ! Anne n'avait plus rien !

Tout en ruminant ces pensées moroses, Anne était arrivée devant l'immeuble qui abritait le logement de sa mère. Incapable de se décider à entrer, elle s'installa sur la petite clôture de fer forgé noir qui bordait un carré de pelouse devant la maison qui faisait face à celle de Blanche et contempla, navrée, ce qui était désormais le coin du monde où elle habitait.

Les immeubles à logements se suivaient à la file indienne, à peu près tous semblables tant en architecture qu'en couleurs, alors qu'ils se déclinaient dans de mornes tons de gris et de brun. Les escaliers en colimaçon qui enjolivaient les façades des maisons n'avaient aucun charme à ses yeux. Ils n'étaient qu'une corvée de plus car, tel qu'elle l'avait prévu, Blanche avait commencé à s'en remettre à elle pour faire les courses. Anne n'arrivait pas à comprendre comment quelqu'un pouvait passer toutes ses journées enfermé dans un si petit logement qui avait vue prenante sur un hangar délabré et un coin de rue achalandé. À ses yeux, c'était une preuve de plus que sa mère n'était pas normale.

L'école du quartier qu'elle avait déjà repérée lors d'une de ses innombrables promenades était à l'avenant de ce secteur de la ville. C'était un bâtiment relativement neuf mais construit en briques brun foncé, posé comme un champignon sur un carré d'asphalte sans verdure aucune et clôturé d'un grillage. Cette école lui faisait penser à une prison.

Et dire que c'était là qu'elle allait se retrouver après la fête du Travail !

Anne avait fermé les yeux en se disant qu'elle préférait passer le temps ainsi, à ressasser ses malheurs, assise sur la clôture plutôt que de retrouver Blanche à l'intérieur.

Fallait-il que la vie n'ait plus grand-chose à offrir !

Mais juste à imaginer la chaleur qui devait régner à l'intérieur du logement, Anne préférait, et de loin, rester sur le trottoir.

Le ciel était lourd et l'humidité s'insinuait dans les moindres recoins. Appuyant ses coudes sur ses genoux, Anne posa son menton sur ses poings réunis et se mit à penser à la grande maison de bois blanchi par les embruns de mer qui montait la garde sur le bord d'une plage au Connecticut. Quel temps faisait-il chez Jason ? Était-ce, comme ici, une journée lourde et grise qui annonçait l'orage ? Pourtant, Anne aimait bien les orages. Surtout ceux qui éclataient au-dessus de la mer, remplis de fureur et de puissance.

Elle était en train d'évoquer une mer en furie lorsqu'une grosse goutte de pluie lui tomba sur le bras, suivie aussitôt d'une autre sur le front.

– Zut !

Anne leva les yeux au ciel. Les nuages étaient devenus très denses et ils se bousculaient au-dessus de la rue. À voir la cime des arbres, Anne en conclut que le vent s'était levé même si d'où elle était, elle ne le sentait pas encore.

D'ici quelques minutes, elle n'aurait plus le choix : elle devrait rentrer. Le pavé de la rue noircissait lentement sous l'effet des gouttes de pluie qui étaient de plus en plus nombreuses.

Anne soupira.

Mais au moment où elle se levait, la mort dans l'âme parce que l'après-midi était encore jeune, Anne entendit un tintement au fond de la poche de son pantalon. Un large sourire effaça l'impatience qu'on pouvait lire sur son visage.

– Les sous de papa, murmura-t-elle en enfonçant la main dans sa poche.

Quand il l'avait laissée, le samedi précédent, Raymond lui avait glissé une pleine poignée de monnaie dans la main. Anne ne s'était même pas donné la peine de compter et l'avait cachée au fond de sa poche. La poignée était suffisamment lourde pour deviner qu'il y avait au moins quelques dollars. Surtout qu'elle avait remarqué du coin de l'œil qu'il n'y avait que des pièces argentées.

Un rapide regard à sa montre et la décision d'Anne était prise.

Elle se mit à courir vers le nord et arriva au coin de la rue en même temps que l'autobus. Cet après-midi, elle allait le passer avec sa grand-mère…

Quand elle arriva chez mamie, Anne était détrempée. La pluie tombait dru, rabattue par le vent qui maintenant soufflait en bourrasques. Dès qu'elle ouvrit la porte, madame Deblois fronça les sourcils.

– Mais veux-tu bien me dire… Mais reste pas plantée là ! Entre, ma belle fille. Viens te sécher.

Ce ne fut que plus tard, une fois Anne bien au sec et rassasiée par une montagne de biscuits servis avec un grand verre de lait que sa grand-mère osa lui demander :

– Ta mère sait-elle que tu es ici ?

Anne pencha la tête sans dire un mot, toute rougissante.

– Je vois…

Anne n'osait toujours pas lever les yeux. Elle se doutait bien que sa mère ne serait pas vraiment heureuse de la savoir ici. Et connaissant sa grand-mère pour avoir vécu près d'un an avec elle, Anne savait tout aussi bien qu'elle n'approuverait pas sa conduite. Agir en cachette n'était pas vraiment le genre de mamie Deblois. Mais à peine le temps de se sentir mal à l'aise qu'Anne relevait la tête. Après tout, elle n'était plus une gamine pour se faire dicter ses moindres faits et gestes. Et qu'est-ce que sa mère pourrait bien lui faire? À part une bordée d'injures…

Anne haussa imperceptiblement les épaules.

– Non, dit-elle franchement en regardant sa grand-mère, droit dans les yeux. Non, ma mère ne sait pas que je suis ici et c'est très bien comme ça. De toute façon, je ne suis jamais là durant le jour.

– Ah non? Et qu'est-ce que tu fais de tes journées?

– Rien. À part me promener, je ne fais pas grand-chose. Que veux-tu que je fasse?

– Je ne sais pas… As-tu pensé à contacter tes anciennes amies? Tu devais bien avoir des amies quand tu habitais ici!

– Oui, c'est sûr que j'avais des amies…

De nouveau, Anne sentit que son visage virait au cramoisi.

– Mais je n'ai pas envie de les voir, avoua-t-elle hésitante. Je… Je n'ai pas envie de raconter mon histoire à personne. Déjà dans le temps, elles trouvaient bizarre de ne jamais avoir le droit de venir chez moi. Si tu savais le nombre incroyable d'histoires à dormir debout que je leur ai inventées pour expliquer qu'elles ne pouvaient pas venir à la maison… Si en plus je leur raconte les mésaventures de mon père, de ma mère… Non, vraiment, ça ne me tente pas du tout de dire que mes parents sont séparés, que ma mère a passé trois ans dans un hôpital de fous et que maintenant je dois vivre avec elle.

Tout en parlant, Anne prenait conscience que si au

Connecticut l'idée de savoir ses parents séparés ne l'incommodait pas, ici, il en allait tout autrement. Elle avait l'impression que
c'était une tare dans sa vie, une tare qu'elle portait tout autant
que ses parents. Non, vraiment, elle n'avait pas du tout envie de
le dire et brusquement, elle se sentait toute drôle juste d'y penser.

Anne prit une longue inspiration tremblante, les yeux brouillés
de larmes.

Pourquoi n'était-elle pas née dans une famille normale où les
parents s'entendaient bien, où la mère était une mère comme
toutes les autres? Parce qu'elle était convaincue de cela : si sa mère
avait été une mère comme les autres, jamais son père n'aurait
songé à refaire sa vie. Jamais. Il était trop droit, trop honnête pour
cela.

À voir l'attitude de sa petite-fille, madame Deblois comprit
aussitôt qu'elle venait de mettre le doigt sur une blessure très
sensible. Elle n'irait pas plus loin et ferait confiance au jugement
d'Anne. C'était une fille sensée, raisonnable. Si Anne sentait le
besoin de chercher refuge auprès d'elle, jamais elle ne lui
fermerait sa porte. Madame Deblois posa doucement la main sur
le bras d'Anne.

– Et si tu passais au salon pour nous faire un peu de musique?
suggéra-t-elle doucement. Ça fait longtemps que je ne t'ai pas
entendue jouer et ça me manque.

Anne lui répondit d'un sourire tremblant.

– D'accord.

À peine ces mots prononcés, Anne s'envolait déjà vers le salon.
Le temps de faire quelques gammes pour se délier les doigts et
elle attaquait une pièce de Beethoven. Le cœur de madame
Deblois se serra. Fallait-il que sa petite-fille soit malheureuse
pour choisir un morceau aussi sombre! Puis elle eut un mouvement d'humeur. Si elle avait été plus jeune, aussi, elle serait allée

elle-même voir Blanche pour lui faire entendre raison. C'était insensé de s'entêter à vouloir que sa fille vive avec elle alors qu'Anne n'était pas heureuse. Mais elle n'était plus très jeune et elle n'avait pas la force de se battre. Elle s'en tiendrait donc à ce qu'elle voyait comme étant son rôle premier : elle serait là pour sa petite-fille, chaque fois que celle-ci en aurait besoin.

La vieille dame s'accouda sur la table et, se fermant les yeux, elle se contenta d'écouter l'âme d'Anne qui se livrait à elle à travers la musique.

À Beethoven succéda Brahms, puis encore Beethoven.

C'était la première fois qu'Anne sentait monter en elle le besoin de se fondre à cette musique austère et ombrageuse. Elle ne faisait pas que l'interpréter, elle la vivait. Du plus profond de son être, la colère montait et s'enroulait aux notes.

Quand elle s'arrêta enfin, Anne était épuisée. Mais en même temps, elle se sentait libérée d'un grand poids. Elle inspira profondément en ayant l'impression que cela faisait très longtemps qu'elle n'avait pas pu respirer à fond comme elle venait de le faire.

Un reniflement, venu de l'embrasure de la porte, la fit se retourner. Charlotte la regardait, visiblement émue.

– Charlotte !

Le temps de crier son nom et Anne se précipitait dans les bras de sa sœur.

Dès qu'elle entendit le cri d'Anne, madame Deblois eut le réflexe de se lever pour venir à la rencontre de ses deux petites-filles. Mais elle se ravisa aussitôt. Il y avait si longtemps que les deux sœurs ne s'étaient pas vues qu'elles devaient avoir mille choses à se dire. Des choses qui n'avaient pas besoin d'une oreille étrangère pour les écouter. Alors, elle se retourna et s'approcha du réfrigérateur. Elle préparerait plutôt le repas. Même si Charlotte lui avait dit qu'elle préparerait elle-même le souper à son retour du travail, pour une fois, madame Deblois n'obéirait pas, jugeant que son intervention serait la bienvenue.

Anne et Charlotte restèrent un long moment dans les bras l'une de l'autre. Puis Charlotte recula d'un pas et, laissant les mains sur les épaules de celle qu'elle s'entêtait à appeler sa petite sœur, elle l'examina de haut en bas.

– Je n'en reviens pas de voir à quel point tu as grandi! Te voilà aussi grande que moi!

Anne était tout sourire.

– C'est vrai! Je savais que j'avais beaucoup changé parce que les vêtements de l'an dernier ne me font plus, mais je suis vraiment contente de voir que je te ressemble de plus en plus. Je n'aurais pas aimé être une petite femme.

À ces mots, Charlotte fronça les sourcils. Anne voulait-elle faire allusion à Émilie? Avec ce qui venait de se passer, elle aurait très bien pu comprendre qu'Anne lui en veuille. De là à ne pas aimer l'image que leur sœur projetait, il n'y avait qu'un pas. Charlotte tendit une perche pour vérifier.

– Comme ça tu n'aimes pas les petites femmes?

Anne fit la moue.

– Ça dépend. Il y en a qui sont très jolies, très féminines. Mais je trouve qu'elles gardent des allures d'enfants. Je... J'ai de la difficulté à les prendre au sérieux.

Tout en parlant, Anne et Charlotte avaient pris place sur le grand fauteuil en velours rouge de leur grand-mère.

– Alors là, je ne vois pas! s'exclama Charlotte qui avait un peu de difficulté à suivre le raisonnement d'Anne. Qu'est-ce que la grandeur a à voir avec...

Anne haussa les épaules en interrompant Charlotte.

– Regarde Émilie! C'est une femme, mais elle agit encore en enfant!

– Tu trouves?

– Plutôt oui! Tu ne trouves pas, toi, qu'elle est boudeuse, capricieuse comme un enfant?

Il aurait été facile à Charlotte d'approuver Anne puisque elle-même pensait souvent la même chose. Mais cela aurait été dangereux de se laisser entraîner sur cette pente glissante. Alors, au lieu de cela, elle observa un moment de silence, puis, elle enchaîna d'une voix douce:

– Tu lui en veux, n'est-ce pas?

Anne haussa les épaules encore une fois, sans répondre directement.

– J'en veux à tellement de gens!

Sur ce, elle fixa Charlotte d'un regard triste.

– À toi aussi, tu sais! Pourquoi tu ne m'as pas appelée depuis que je suis revenue à Montréal?

À ces mots, Charlotte prit une profonde inspiration en se mordillant la lèvre. Anne avait raison. Mais comment lui expliquer qu'elle ne voulait pas avoir affaire avec Blanche? Non seulement parce qu'elle lui en voulait depuis des années, qu'elle l'avait jugée et condamnée depuis des lustres. Non. Son malaise allait bien au-delà de ces tristes considérations qui avaient ponctué une grande partie de sa vie. Elle était tout simplement gênée. Charlotte était vraiment troublée depuis que sa grand-mère lui avait confié qu'elle n'en voulait pas à Émilie d'avoir pris la décision de faire sortir leur mère de l'hôpital. Sa grand-mère allait même jusqu'à comprendre que sa sœur l'ait fait en cachette, alors qu'habituellement, elle n'appréciait que les gens francs et les situations claires.

Depuis le jour où elles en avaient parlé toutes les deux, une telle confusion régnait dans la tête de Charlotte!

Un matin, elle se levait en se répétant que son père avait eu

raison de régler leur problème familial en demandant l'internement de sa femme. Tout allait si bien quand sa mère n'était plus
là pour venir tout embrouiller autour d'eux. Ces jours-là, elle se
disait qu'Émilie n'aurait jamais dû intervenir.

Mais le lendemain, Charlotte ne savait plus.

Et si son père était allé trop loin ? Qui avait-il cherché à aider
en agissant comme il l'avait fait ? Lui et Antoinette ou ses filles
comme il se plaisait à le dire ? Charlotte était complètement
bouleversée par ces hypothèses contradictoires. Alors elle s'obligeait à être honnête jusqu'au bout. Et quand elle faisait cet exercice, elle devait se rendre à l'évidence : depuis qu'elle était sortie
de l'asile, sa mère semblait fonctionner normalement, puisque
Anne ne les avait pas appelés. Ce qui la ramenait à son point de
départ. Son père n'avait-il pas exagéré ?

Charlotte revint à Anne qui la regardait avec un petit sourire
triste sur les lèvres. Il était clair qu'elle attendait une explication.
Charlotte décida donc de s'en tenir à la vérité. Plus le temps passait,
plus elle donnait raison à son père qui proclamait que la vérité était
la seule chose valable. Suffisait de savoir ce qu'il fallait dire et ce
qu'il était préférable de taire. Elle rendit son sourire à Anne.

– Je veux que tu sois bien convaincue que ce n'est pas toi que
je visais par mon silence. C'est plutôt Blanche. Je ne suis pas à
l'aise avec l'idée de lui parler. Et appeler chez elle, c'était risquer
de tomber sur elle ! C'est bête, mais c'est comme ça. Toute cette
histoire me rend confuse. Je ne sais plus vraiment ce que je dois
en penser.

– Alors on est deux.

Un long silence suivit les paroles d'Anne. Puis Charlotte
demanda, tant par curiosité que pour amener Anne à se confier :

– Et Blanche ? Elle va bien ?

Charlotte sentit sa sœur se raidir.

– On ne peut mieux, jeta Anne sarcastique. Pas de changement visible. Toujours aussi critique et détestable. Son hospitalisation ne l'a pas vraiment changée…

– Qu'est-ce que tu veux dire par là? demanda Charlotte, alarmée. Blanche boirait-elle encore, par hasard?

Anne poussa un profond soupir.

– Eh non! Malheureusement, c'est peut-être le seul vrai changement. Je regrette d'avoir à le dire, mais notre mère ne boit plus!

Charlotte fronça les sourcils.

– Comment ça, malheureusement? Au contraire, tu devrais te réjouir que Blanche…

– Si c'est ce que tu penses, interrompit vigoureusement Anne, tu te trompes lourdement. Ce n'est pas toi qui es condamnée à vivre avec elle! Tu crois que c'est agréable de se faire traiter d'indésirable à longueur de journée quand j'ai le malheur de ne pas penser comme elle? Et ma musique? Est-ce que quelqu'un a pensé que j'aimerais ravoir mon piano qui est encore chez Jason? Pas Blanche en tout cas. Pas question de musique chez nous, parodia Anne en imitant la voix de Blanche.

Puis elle soupira.

– Et pas de cours non plus, reprit-elle avec humeur. Elle n'a pas d'argent pour ça et elle m'interdit d'en parler à papa. Si tu savais à quel point j'espère qu'elle va se remettre à boire. Mon plus grand souhait, c'est de la retrouver comme avant. Vraiment comme avant. Et laisse-moi te dire qu'aujourd'hui, ça ne me ferait plus peur de la trouver à moitié morte, en train de cuver son vin, comme ils disent. J'appellerais la police. Et ça me donnerait des arguments pour faire savoir à tout le monde que je ne veux plus vivre avec elle. Parce que là-dessus, personne ne veut m'écouter.

Anne avait parlé rapidement, d'un ton acerbe, rageur. Charlotte essaya de se montrer rassurante.

— Et papa? Qu'est-ce que tu fais de papa? Il a bien dû te dire qu'il fait des pieds et des mains pour te sortir de là, non?

— Oh! Tu sais, avec papa, j'en prends et j'en laisse.

Le ton employé par Anne était si désabusé que Charlotte n'osa répliquer. Elle préféra changer de conversation même si elle sentait qu'elle était en train de passer à côté de quelque chose d'essentiel. Mais elle était elle-même tellement perturbée qu'elle se voyait mal essayer de convaincre Anne d'avoir confiance. Et confiance en qui, en quoi? Alors elle allait demander des nouvelles d'Émilie. Face à elle aussi, Charlotte se sentait troublée, pour toutes sortes de raisons qu'elle ne pouvait expliquer à Anne. Malgré cela, peut-être bien que sa petite sœur pourrait lui donner quelques indices quant à l'état d'esprit d'Émilie.

— Et Émilie? Tu as eu des nouvelles d'Émilie? Parce que je dois t'avouer que toute cette affaire nous a, comment dire, nous a éloignées l'une de l'autre. Cela fait des semaines que je ne lui ai pas parlé.

— Et moi cela fait des mois et des mois! Ça me surprend d'ailleurs. Pourquoi ne vient-elle pas voir Blanche? On dirait qu'elle aussi est gênée.

— Sûrement pas.

Anne donna raison à Charlotte en esquissant un petit geste de l'épaule.

— Pas avec Blanche, je le sais bien. Mais c'est peut-être moi qui la gêne.

Charlotte resta silencieuse un moment, surprise de constater à quel point Anne avait vieilli. Ses propos étaient ceux d'une adulte, pas d'une enfant.

— Peut-être as-tu raison, approuva-t-elle finalement. Chose certaine, la dernière fois qu'on s'est parlé, Émilie et moi, je lui ai fait comprendre que c'était à toi et papa qu'elle devrait des excuses, un jour.

Anne ouvrit grand les yeux et dévisagea Charlotte.

– Pourquoi? Émilie ne me doit pas d'excuses. J'y ai bien pensé, tu sais. Je lui en veux d'avoir agi comme elle l'a fait. On dirait un bébé qui a besoin de sa mère pour vivre.

Il y avait une pointe de mépris dans la voix d'Anne. Elle resta silencieuse un instant. Quand elle reprit, sa voix avait retrouvé son intonation habituelle.

– Émilie ne me doit rien. Elle a fait ce qu'elle croyait juste de faire. C'est tout. Elle n'a pas à s'excuser. J'aimerais peut-être qu'elle me donne des explications, mais pas plus.

– C'est drôle. Tu parles comme grand-maman.

Cette réflexion amena un pâle sourire sur le visage d'Anne.

– Alors je dirais que j'ai raison de penser comme je le fais. Je n'ai pas vu mamie se tromper souvent. Dans le fond, Émilie avait probablement raison de tout mettre en branle pour faire sortir Blanche de l'hôpital. Papa m'a toujours dit que notre mère avait besoin de soins parce qu'elle était malade. Si elle n'est plus malade, et on dirait bien que c'est le cas, pourquoi resterait-elle enfermée dans un hôpital? Ça me paraît logique. Le seul problème dans tout ça, c'est que je ne veux pas vivre avec elle. Pour le reste…

Sur ce, Anne eut un geste évasif de la main comme pour signifier qu'elle se fichait éperdument du reste. Que son père et sa mère fassent bien ce qu'ils veulent, pour elle, cela n'avait plus la moindre importance. Elle n'aimait pas l'idée de dire que ses parents étaient séparés parce que c'était contraire à une vie normale, c'était trop différent. Anne n'avait surtout pas besoin d'être pointée du doigt comme étant la fille différente. Mais pour le reste…

Durant quelques minutes, les deux sœurs restèrent silencieuses, chacune perdue dans ses pensées. Ce fut Charlotte qui brisa ce silence.

– Si tu n'en veux pas à Émilie, murmura-t-elle comme si elle ne parlait que pour elle, pourquoi ne vas-tu pas le lui dire ? Si tu veux des explications, va les demander. Si tu as vu juste et qu'Émilie est gênée à l'idée de te revoir, tu dois faire les premiers pas.

– Ouais… J'y avais pensé. Mais ce n'est pas parce que je ne lui en veux pas que je suis à l'aise pour autant. Je ne saurais pas quoi lui dire.

– Alors demande-lui de t'aider !

La voix de Charlotte avait gagné en assurance. Pourquoi n'y avait-elle pas pensé plus tôt ? S'il y avait quelqu'un susceptible d'aider Anne, c'était bien Émilie.

– De m'aider ? À quoi faire ?

– À faire changer Blanche d'avis ! Ça tombe sous le sens ! Et j'irais même jusqu'à dire qu'Émilie est peut-être la seule personne sur terre capable de faire la différence. Si elle parle à Blanche, peut-être bien que celle-ci va changer d'idée et te laisser vivre avec papa comme tu le souhaites.

– Tu crois ?

– Pourquoi pas ? Malgré tout ce qui vient de se passer, il y a une chose dont je suis certaine : Émilie t'aime. Et à cause de cela, elle va t'aider. Elle n'a pas agi contre toi en faisant sortir Blanche de l'hôpital mais finalement, c'est toi qui dois ramasser les pots cassés. Ça, c'est quelque chose qu'Émilie peut comprendre. Je le répète, elle n'a rien contre toi.

– Je le sais bien et c'est pour cela que je ne lui en…

– Alors ? Qu'est-ce que tu attends ? coupa Charlotte visible-ment enthousiaste à cette idée. Ça éviterait peut-être bien des désagréments à tout le monde. À commencer par papa, qui ne sait trop à quel saint se vouer !

– Peut-être en effet.

Sans partager l'enthousiasme de Charlotte, Anne trouvait que la proposition avait du sens.

Et si Charlotte avait raison?

– D'accord, fit-elle enfin en regardant intensément Charlotte. Je vais y penser.

Mais tout au fond d'elle-même, Anne savait déjà qu'elle allait tenter sa chance auprès d'Émilie. Le simple fait de se rapprocher de sa sœur ne pourrait pas nuire. Pour Blanche, Émilie était la septième merveille du monde! Savoir qu'Anne voyait régulièrement Émilie aiderait sûrement à amadouer sa mère. Ce serait toujours cela de gagné.

– Dans le fond, murmura-t-elle pour elle-même, je n'ai rien à perdre d'essayer.

Mais de là à passer aux actes rapidement, il y avait un monde!

Anne employa les jours suivants à ruminer l'idée qu'elle allait demander à Émilie de l'aider.

Dire que quelques semaines auparavant, elle s'était juré de ne plus jamais se fier à personne pour faire son bonheur!

– Mais ai-je le choix? se demandait-elle *ad nauseam* quand elle tentait de soupeser le pour et le contre. Si j'attends que papa agisse, je risque de passer encore beaucoup de semaines sinon des mois sans musique. Et moi toute seule, je vois bien que je n'y arriverai jamais. Avec ce que Blanche m'a dit l'autre fois…

La perspective de vivre de longs mois sans musique était suffisamment déprimante pour revenir à la proposition de Charlotte. Mais Émilie n'allait-elle pas trouver le principe farfelu puisque elle-même s'entendait fort bien avec leur mère? Dire uniquement qu'elle ne voulait pas vivre avec Blanche ne suffisait pas.

Anne devrait passer par la musique pour persuader sa sœur de la soutenir dans le projet qui visait rien de moins qu'un retour sans condition au Connecticut.

Rester chez Blanche voulait dire interrompre ses cours, c'était une réalité insurmontable. Anne allait utiliser cette vérité pour convaincre sa sœur d'intervenir. Émilie accepterait-elle de cesser de peindre? Anne était certaine que non. Même si elle était jeune à l'époque, elle se souvenait très bien qu'Émilie avait utilisé une montagne d'arguments pour persuader ses parents qu'elle avait tout à gagner en quittant l'école pour se consacrer à la peinture. Pourquoi Émilie verrait-elle la situation d'un autre œil, maintenant qu'elle faisait face à une situation analogue? Dans son cas, il n'était pas question d'école, mais le fond de l'histoire restait le même. En vivant avec Blanche, elle devrait mettre un terme à la musique, alors qu'avec son père, tous les espoirs étaient permis.

– Émilie devrait être sensible à cet argument, souffla-t-elle alors qu'elle se trouvait sur un banc du parc La Fontaine.

L'orage avait changé le temps du tout au tout. L'humidité propre à l'été avait cédé la place à l'air frais qui annonce l'automne. Par contre, le ciel était d'une limpidité incroyable et le soleil avait gardé quelques douceurs estivales. La journée était parfaite.

– Parfaite pour aller chez Émilie, décida-t-elle en sautant sur ses pieds, prête à s'y diriger. Un tel temps devrait rendre Émilie de bonne humeur. Elle a toujours été sensible au temps qu'il fait. Comme Blanche, ajouta-t-elle en soupirant.

Le chemin pour se rendre chez Émilie n'était pas très long et Anne n'eut pas le temps de changer d'avis. Et comme raison première à sa visite, elle ne dirait que la vérité: elle s'ennuyait d'Émilie.

Émilie était à peindre. Quand Anne sonna à la porte, elle vint répondre avec un pinceau à la main. Il y eut un bref moment de flottement quand Émilie s'aperçut qu'elle devrait désormais lever les yeux pour croiser le regard d'Anne. La dernière fois qu'elles s'étaient vues, elles étaient de la même grandeur. Aujourd'hui, être avec Anne c'était comme être avec Charlotte. Émilie trouva cela désagréable. Mais quand Anne lui fit un petit sourire timide en lui disant qu'elle s'ennuyait d'elle, Émilie oublia aussitôt son inconfort et ouvrit tout grand la porte.

Elles se firent une longue accolade.

Émilie était soulagée de voir qu'Anne ne semblait pas lui tenir rigueur de la décision qu'elle avait prise l'hiver dernier. Si tel avait été le cas, jamais sa petite sœur ne serait venue sonner à sa porte en disant qu'elle s'ennuyait.

– Installe-toi au salon. Le temps de me débarbouiller un peu et je te rejoins.

Quand Anne pénétra dans la pièce, la première chose qu'elle vit fut le tableau au-dessus de la cheminée. Une toile magnifique d'un genre totalement différent de tout ce qu'Émilie avait peint auparavant. Tout comme Charlotte l'avait fait avant elle, Anne s'approcha, subjuguée par les deux personnages sans visage qui se donnaient la main. Leur attitude suffisait pour suggérer qu'ils étaient heureux. Le temps de se dire que ces deux personnages lui faisaient penser à Émilie et Alicia que sa sœur venait la rejoindre.

– Comment trouves-tu mes nouvelles toiles?

– Splendides!

Anne s'était retournée brusquement.

– Je les préfère à tes jardins, précisa-t-elle sans ambages.

Émilie approuva d'un sourire.

– Moi aussi. J'aime bien la présence des personnages. Ils rendent le sujet tellement plus vrai, tellement plus vivant. Et faire des maisons, des places publiques me permet de mieux exploiter le jeu des lumières. J'aime bien ce que je peins présentement. J'adore ce que je fais. D'un jour à l'autre, jamais je ne me tanne de dessiner, de peindre. C'était vraiment ma destinée.

Anne fut sur le point de lui demander pourquoi elle ne peignait pas de visages, mais elle se retint à la dernière minute. Sans trop savoir d'où lui venait ce sentiment, elle était tout à coup intimidée. Elle allait plutôt utiliser ce qu'Émilie venait de dire: la peinture était sa destinée comme elle voyait la sienne enveloppée de musique.

De nouveau, il y eut un moment de silence entre les deux sœurs. Ce fut Émilie qui se décida la première à parler. Elle était heureuse de voir qu'Anne avait osé briser la barrière du silence qui les séparait. Elle-même n'arrêtait pas d'y penser et ne savait trop comment s'y prendre.

– Comme ça, tu avais envie de me voir? Moi aussi j'avais hâte. Mais je ne savais pas si…

Émilie n'eut pas besoin de compléter sa pensée. Anne avait fait les quelques pas qui les séparaient et avait tendu les deux mains pour saisir celles d'Émilie.

– Ne dis rien. Je sais bien que tu n'as jamais voulu être méchante envers moi. C'est tout ce qui compte.

Émilie et Anne se dévisagèrent un long moment. Puis Anne se dégagea.

– Mais maintenant, il va falloir que tu m'aides.

– Pourquoi?

– Tout simplement parce que je ne veux pas vivre avec Blanche. Comme Émilie allait répliquer, Anne leva la main.

– Attends avant de parler. Laisse-moi t'expliquer. On va s'asseoir et je vais tout te raconter.

Pendant plus d'une heure, Anne plaida sa cause. Elle parla du Connecticut et de Jason qui lui manquait beaucoup. Elle parla de leur grand-mère qui ne pourrait retourner vivre au soleil tant que son père serait à Montréal et ce dernier avait juré qu'il ne repartirait pas sans sa fille. Elle parla de Blanche qui ne l'avait jamais aimée et des tensions constantes qui existaient entre elles.

– Je ne veux plus vivre avec elle, Émilie. J'en ai assez de me faire traiter d'insignifiante, juste parce que je ne dis pas exactement ce qu'elle voudrait entendre. Avec Blanche, tout doit partir d'elle pour revenir à elle. C'était tellement différent avec Antoinette qui…

– Non, s'il te plaît, interrompit Émilie, sur la défensive. Ne viens pas mêler Antoinette à tout ça. C'est une intrigante, une manipulatrice. C'est à cause d'elle si plus rien n'allait entre nos parents et tu voudrais…

– Ce que tu viens de dire n'est pas vrai et tu le sais, coupa Anne avec fougue. Nos parents n'avaient besoin de personne pour en arriver là où ils sont aujourd'hui. Jamais tu ne me feras dire du mal d'Antoinette. C'est parce que tu ne la connais pas que tu oses parler d'elle sur ce ton. Essaie seulement de te rappeler notre enfance, Émilie. Tu n'auras pas de gros efforts à faire pour admettre que Blanche n'est pas douée pour rendre les gens heureux. Avec Antoinette c'est tout le contraire.

Émilie retint un mouvement d'humeur. Anne lui faisait penser à Charlotte qui revenait sans cesse à leur enfance pour tout expliquer.

– Tu te trompes, Anne. C'est nous qui n'avons pas fait d'efforts pour comprendre notre mère. Ce n'est toujours bien pas de sa faute si elle a une santé fragile. J'ai l'impression que tout le monde lui en veut à cause de ça ! Papa, Charlotte, toi… C'est injuste pour elle, Anne. Malgré tout, nous n'avons jamais manqué d'attention, de soins.

– Parle pour toi !

La réplique d'Anne avait résonné dans le salon. Ses yeux s'étaient remplis de larmes sans qu'elle l'ait voulu. Pourtant, Anne n'avait pas l'impression de pleurer vraiment. Ce n'était pas un chagrin ni même une colère. C'était plutôt toutes les déceptions de son enfance, ajoutées à sa désillusion actuelle qui coulaient sur ses joues.

– Oui, parle pour toi, répéta-t-elle en reniflant. Moi, je ne me rappelle pas que notre mère ait été attentive à mon égard. Je dirais même que c'était tout le contraire. Elle a passé son temps à dire que j'étais de trop. Rappelle-toi quand elle me traitait d'insignifiante. Est-ce qu'une mère a le droit de parler comme ça d'un de ses enfants ? Et si ce n'avait été que ça ! Tu n'étais plus là quand j'étais morte de peur de rentrer chez nous après l'école parce que je ne savais jamais ce qui m'attendait. Jamais un enfant ne devrait avoir peur de sa mère. Jamais… Tu n'étais pas là non plus quand Blanche était tellement ivre qu'elle déchirait toutes ses belles nappes en disant que ses filles n'étaient qu'une bande d'ingrates et qu'elle ne voulait rien nous laisser. Elle criait que personne ne la comprenait et qu'elle allait en mourir. Et moi, je ne voulais pas qu'elle meure. Ça me faisait peur quand elle parlait comme ça. Ça me rendait malheureuse parce que je l'aimais. Même si elle n'était jamais satisfaite de moi et qu'elle me traitait de tous les noms, je l'aimais. C'était ma mère et tout ce que j'espérais, c'était de réussir à lui plaire. Mais je n'y suis jamais arrivée. Tout ce que je dis, tout ce que je fais ne convient jamais. Elle ne m'a jamais comprise, elle ne m'a jamais écoutée. Et elle n'a jamais essayé de le faire. Si tu savais le nombre de fois où je me suis sentie coupable de ses migraines parce que je bougeais trop. Si tu savais le nombre de fois où je me suis sentie coupable d'être là…

Venant d'Anne, ces mots avaient plus de poids et d'importance que jamais Charlotte n'avait su leur insuffler. Dans la bouche d'Anne, il n'y avait ni colère ni rancune. Il n'y avait ni jalousie ni reproches. Anne constatait, tout simplement. Elle disait le mal de vivre qui avait été le sien quand elle n'était qu'une toute petite fille et que tout ce dont elle avait besoin, c'était un peu d'amour. Oui, Émilie se rappelait l'enfance d'Anne. Elle-même avait reproché à leur mère de ne pas être à la hauteur avec sa plus jeune sœur. Anne n'avait alors que six ans…

Émilie détourna la tête et se mit à contempler la toile suspendue au-dessus du foyer. C'était une mère et sa fille. La femme posait une main sur la tête de l'enfant et même sans visage on pouvait deviner qu'elle lui souriait. Émilie ferma les yeux et entendit le qualificatif que Blanche employait régulièrement quand elle s'adressait à Anne.

Insignifiante…

Émilie tressaillit. Elle entendait encore la voix de leur mère qui criait cette insulte à travers la maison. Jamais Émilie n'aurait pu dire de telles paroles à Rosalie. Même en colère, même impatiente, même si parfois sa petite fille aurait pu le mériter. Non, jamais elle n'aurait pu faire de mal à son enfant. Pour elle, un enfant était trop fragile, trop vulnérable pour s'en servir comme d'un bouc émissaire afin de canaliser colère ou fatigue.

Émilie tressaillit pour la seconde fois. Brusquement, elle venait de comprendre pourquoi Charlotte lui en voulait tellement. Par les propos qu'elle avait tenus, même s'ils étaient involontaires, elle s'était servie d'Alicia pour se défendre. C'était inacceptable, maintenant elle l'admettait.

Émilie ouvrit enfin les yeux et fixa sa jeune sœur. Anne semblait attendre qu'elle dise quelque chose.

Mais Émilie ne savait pas quoi dire.

L'image d'Anne nouveau-née s'imposa à elle. Née avant terme, Anne était si petite, si fragile. Pourtant, Émilie se rappelait fort bien qu'elle ne l'aimait pas vraiment, elle qui aimait habituellement tous les bébés. Pourquoi? Sentait-elle indistinctement que cet être minuscule était une menace aux attentions que sa mère lui prodiguait? Avec un bébé à la maison, Émilie n'aurait plus la même importance. Puis sa mère avait été hospitalisée pendant de longs mois et Émilie se souvenait très bien qu'elle en avait voulu à Anne d'être là. C'était à cause de ce bébé si sa mère n'était plus là et, à cette époque, toute sa vie dépendait d'elle.

Était-ce pour cela que les liens entre Anne et elle n'avaient jamais été très forts? Probablement, et aujourd'hui, Émilie prenait conscience à quel point elle avait été injuste envers sa sœur.

Anne la fixait toujours. Mais son regard avait changé. Il s'était durci, il était plus sombre. Et quand Anne recommença à parler, sa voix aussi était différente. Elle était plus ferme.

– Je ne sais pas à quoi tu penses, Émilie. On ne se connaît pas beaucoup, toutes les deux. Mais si ton silence est une manière de dire que j'exagère, je voudrais seulement ajouter ceci: il y a quelques jours, Blanche a été très claire. Elle m'a enfin dit sans équivoque qu'elle n'a jamais voulu de moi. Je suis un accident. Je suis une erreur. Regarde-moi, Émilie. Regarde de quoi a l'air une erreur. C'est moi. Blanche peut bien me traiter d'insignifiante. Ça ne compte pas, une erreur. On se dépêche de l'effacer ou de l'oublier. Non, ne tourne pas la tête, Émilie. Regarde-moi bien parce que ce que je vais te dire, je ne l'ai dit à personne et je crois que je ne le dirai plus jamais. Quand Blanche m'a avoué n'avoir jamais voulu de moi, sais-tu ce que je lui ai répondu? Je lui ai dit qu'elle aurait dû mourir à ma naissance. Je le pensais vraiment. Mais je m'étais trompée. Ce n'est pas elle qui aurait dû mourir, c'est moi. Je suis trop malheureuse présentement pour avoir envie de continuer comme ça.

Un lourd silence enveloppa le salon.

Sans attendre de réponse, Anne se releva et vint à la fenêtre. Le soleil se préparait déjà à se coucher. L'automne n'était plus très loin. L'ombre des maisons s'allongeait sur les rues, les trottoirs, les façades de maisons en gommant les détails, en créant des zones secrètes, obscures, inquiétantes. Anne repensa alors à la plage où il n'y avait presque jamais d'ombre. Elle aimait les paysages à l'horizon sans limite. Elle aimait les gens lumineux.

L'ennui de Jason et d'Antoinette fut si vif, si subit qu'elle le ressentit comme une véritable douleur. Elle croisa les bras sur sa poitrine comme pour protéger son cœur, puis elle se retourna face à Émilie. De grosses larmes coulaient sur les joues de sa sœur.

— Je ne veux pas que tu pleures à cause de moi, Émilie. Les larmes, ça ne sert à rien. J'ai souvent pleuré et ça n'a jamais rien réglé. Dans le fond, les larmes sont du temps perdu. Et je n'ai plus de temps à perdre. Je ne veux plus rester avec Blanche. Si elle a demandé que je revienne, c'est pour faire son devoir, comme elle dit. Mais pour faire son devoir, elle m'a enlevé tout ce qui me rendait heureuse et ne m'a rien offert en échange.

Tout en parlant, Anne avait tendu les bras devant elle, les mains grandes ouvertes sur le vide puis elle les laissa retomber contre ses cuisses.

— Je n'ai plus rien, Émilie. As-tu déjà ressenti cela ? N'avoir plus rien ? N'être plus rien ? Avoir l'impression que si les choses ne changent pas, la vie ne goûtera plus jamais comme avant ? Mon avant à moi a été très court dans quinze ans de vie. Il a duré à peine un an. Mais j'y tiens et je veux le retrouver. Je veux retrouver Antoinette et Jason. Je veux retourner vivre là-bas avec papa.

Les mots d'Anne rejoignaient si bien ce qu'Émilie avait ressenti au moment de la mort de Rosalie qu'elle ne put qu'approuver de la tête, incapable de parler. Elle pleurait sans retenue, une grosse boule de chagrin lui encombrait la gorge. Sans tenir compte des larmes de sa sœur, Anne avait repris.

— La seule que Blanche écoute, c'est toi. C'est pour ça que je suis venue te voir. Même si on ne se connaît pas beaucoup toi et moi, tu es ma sœur et j'ai besoin de toi. Veux-tu m'aider à convaincre Blanche de me laisser partir?

En disant ces derniers mots, Anne avait tendu la main vers Émilie.

Et cette main tremblait...

Ce ne fut qu'au moment où Anne s'éloignait de la maison d'Émilie qu'elle s'aperçut qu'elle n'avait pas parlé de la musique. Elle n'en avait pas eu besoin. Émilie l'avait prise dans ses bras et lui avait promis d'intervenir. Elle ne savait ni quand ni comment, mais elle parlerait à leur mère.

Et ce serait le plus vite possible.

CHAPITRE 16

Blanche referma doucement la porte sur Émilie et appuya son front contre le battant de bois. Une douleur sourde lui taraudait les tempes.

À voir l'embarras d'Émilie lorsqu'elle lui avait parlé, Blanche en avait vite déduit que l'idée ne venait pas d'elle et le reste de la conversation s'en était ressenti.

Blanche avait été sur la défensive, comme si Émilie y était vraiment pour quelque chose.

– Pauvre Émilie! murmura-t-elle. Elle ne méritait pas le ton acerbe que j'ai employé. Mais il fallait bien qu'elle comprenne que l'argumentation avait assez duré.

Jamais Blanche ne s'était sentie acculée à un mur comme aujourd'hui. Elle avait trouvé cela intolérable.

Ce devait être Anne qui était derrière cette nouvelle manigance. Qui d'autre? Elle avait la tête tellement dure!

Blanche fit la moue en s'éloignant de la porte.

Ce pouvait être aussi Raymond, pourquoi pas?

Allez donc savoir! Ils se ressemblaient tellement ces deux-là. Mais chose certaine, ce n'était pas très habile d'avoir cru qu'Émilie ferait une différence.

Blanche porta les mains à sa tête et commença à masser son front.

Pourquoi s'obstinaient-ils à ce point? Pourquoi vouloir à tout prix qu'Anne retourne auprès de son père? Blanche était consciente que les relations entre sa fille et elle n'étaient pas au beau fixe, loin de là. Mais ce n'était pas suffisant pour l'envoyer dans la gueule du loup en lui permettant de rejoindre cette Antoinette qui…

La simple mention de ce nom fit tressaillir Blanche. Allons donc! C'était aberrant de croire qu'une maîtresse pouvait remplacer une mère! Pourtant, c'était ce qu'Émilie avait tenté de lui arracher: permettre à Anne de vivre avec son père auprès d'Antoinette.

Blanche était exténuée. Quand donc, autour d'elle, comprendrait-on enfin qu'elle avait raison? Mais en attendant que cela arrive, rien ne la ferait fléchir. Pas même les supplications d'Émilie. Toute cette histoire ne la regardait pas et habituellement, Émilie se mêlait de ses affaires. Pourquoi chercherait-elle à intervenir spontanément cette fois-ci? Non, Blanche n'y croyait pas à cet intérêt soudain qui lui faisait prendre la défense d'Anne. Il y avait quelqu'un d'autre derrière tout ça. Anne, Raymond, Charlotte et peut-être même Antoinette… Pourquoi pas? Émilie en avait fait un argument à la défense d'Anne qui espérait retourner vivre au Connecticut. Émilie avait même mentionné, au fil de la conversation, qu'Antoinette avait été très présente auprès de sa famille, même avant que Raymond ne déménage. Ce qui expliquait l'attachement d'Anne à l'égard de cette femme. Antoinette était entrée dans la vie d'Anne à une époque où la petite fille avait besoin d'une présence maternelle. Elle n'avait que onze ans. Voilà ce qu'Émilie avait dit. Mais Blanche ne pouvait accepter cela. Raymond n'avait pas le droit de la remplacer comme il l'avait fait. Et Antoinette n'avait pas le droit de prendre une place qui n'était pas disponible. Elle était hospitalisée. Elle n'était pas morte. Mais la grosse Antoinette avait profité de l'occasion. Depuis le temps qu'elle voulait mettre le grappin sur son mari! Mais cela ne lui avait pas suffi. Non! Elle voulait plus, beaucoup plus et il semblait bien qu'elle avait cherché à s'offrir une famille toute faite à bon compte.

Et le pire, c'était qu'elle avait failli réussir ! Si Émilie n'avait pas ouvert les yeux à temps, Antoinette pourrait continuer à célébrer sa victoire. Tant que Blanche n'était pas là, tant qu'on la gardait prisonnière de l'asile, elle avait beau jeu, la maîtresse !

À la pensée qu'Antoinette avait passé quelque temps chez elle, dans sa maison, alors qu'elle était hospitalisée, Blanche ferma les yeux. Tant d'indécence, tant d'inconvenance et sous son propre toit, devant le regard d'une enfant qui ne devait rien comprendre à ce qui arrivait. Pauvre petite Anne ! Pas surprenant qu'elle soit si différente, si agressive… Mais Blanche ne se laisserait pas avoir par de belles paroles. Elle allait protéger sa fille de toute cette obscénité. On n'élève pas une enfant de cet âge dans un milieu où la débauche est acceptée. Même si Blanche ne se sentait aucune affinité avec Anne, même si celle-ci l'agaçait souvent et qu'elle n'était pas aussi brillante que Charlotte ni aussi belle qu'Émilie, Blanche allait assumer son devoir de mère jusqu'au bout.

À pas lents, les yeux au sol, Blanche avait regagné le salon. Machinalement, elle regarda la petite horloge posée sur le guéridon de bois égratigné. Tout juste deux heures. Elle fut surprise. Elle avait eu l'impression que l'entretien avec Émilie avait duré une éternité, alors qu'en fait, à peine une heure s'était écoulée.

N'empêche que toute cette discussion l'avait déstabilisée. Qu'importe qui se cachait derrière tout ça, Blanche avait la nette impression qu'on avait cherché à intimider Émilie. On voulait se servir de l'occasion pour la détourner d'elle. C'était inacceptable.

Blanche se laissa tomber dans le premier fauteuil venu et ferma les yeux. Son mal de tête était en train de virer à la migraine. Elle était tendue et trouvait difficile de n'avoir aucun moyen pour se calmer. Même si son corps ne réclamait plus sa dose quotidienne d'alcool puisqu'il en avait été sevré par la force des choses, son esprit, lui, gardait souvenance d'un état de confort qu'elle n'avait pas expérimenté autrement. Pilules, café, thé, bains chauds n'étaient que des expédients. Jamais ils ne pourraient égaler la magie qui se cachait au fond d'une bouteille de brandy. Même si Blanche en connaissait les dangers et les risques, l'envie de recouvrer cet état de bien-être, de se laisser envelopper par cette sensation de chaleur intense était toujours bien ancrée dans ses souvenirs.

Mais elle tiendrait bon. Elle l'avait promis et elle tiendrait sa promesse. Renouer avec la bouteille, c'était risquer d'exagérer et, ce faisant, elle verrait peut-être les portes de l'asile s'ouvrir toutes grandes pour elle. Surtout qu'elle savait qu'elle était surveillée. L'intervention d'Émilie en était une preuve de plus.

Et Blanche ne voulait pas retourner à l'asile. Jamais.

L'image de la grande salle remplie de voix discordantes, de cris aigus, de lamentations, de pleurs sourds et de rires déments s'imprima dans sa tête, et aussitôt Blanche sentit un martèlement intense derrière les yeux. Elle courba les épaules et détourna la tête comme on le fait devant une scène intolérable à regarder. Puis elle soupira. Ça y était, la migraine était revenue. Cela faisait longtemps qu'elle n'avait eu aussi mal.

Et tout ça à cause d'Anne. Depuis qu'elle était au monde, cette enfant n'avait été que source de tracas. Bébé agité, enfant boudeuse, jeune fille entêtée… Elle n'en sortirait donc jamais? Et s'il fallait qu'en plus Émilie commence à s'en mêler…

Durant une courte minute, Blanche regretta de ne pas vivre seule. Fini les tracas, les inquiétudes, les luttes. À elle le droit de boire, puisque plus personne ne serait là pour juger et condamner.

Fermant les yeux, Blanche prit une profonde inspiration

comme si l'odeur du brandy pouvait lui parvenir à travers les souvenirs.

Elle ouvrit précipitamment les yeux. C'était malsain d'entretenir les rêves. Cela, elle le savait depuis longtemps. Elle l'avait vécu douloureusement auprès de Raymond. Elle l'avait tant aimé, avait tant espéré de lui, alors qu'il l'ignorait. Que d'années perdues en vains espoirs, en attentes stériles.

Blanche secoua les épaules comme si elle avait voulu se débarrasser d'un fardeau qui l'empêchait d'agir. Raymond avait été un fardeau dans sa vie. Il n'avait jamais fait d'efforts pour elle. Tout ce qu'il avait réussi à faire, c'était d'entretenir les contradictions qui avaient toujours existé en elle. Toutes ces ambiguïtés qu'elle avait tenté d'assimiler sans nécessairement les comprendre. Si Raymond avait voulu, il aurait pu l'aider à comprendre pourquoi elle rêvait d'être seule alors que la solitude lui faisait peur, pourquoi elle détestait être touchée alors qu'elle avait tant besoin de lui. Elle faisait tellement confiance au jeune homme qui l'avait épousée. Mais au moment où elle aurait eu le plus besoin de lui, Antoinette était apparue dans leur vie et Raymond n'avait plus jamais été le même.

Aujourd'hui, rien n'avait changé. Raymond continuait d'être un fardeau même à distance. Il allait jusqu'à lui refuser le droit d'être mère. Et tout cela, sous la gouverne d'Antoinette qui avait tout à y gagner.

Avec la visite qu'Émilie venait de lui faire, elle comprenait que c'était devenu du harcèlement. Il fallait que cela cesse, sinon elle deviendrait folle.

Blanche ouvrit lentement les yeux, sachant à l'avance que la lumière crue de l'après-midi lui vrillerait le crâne. Et comme prévu, un éclair de douleur lui transperça les yeux, s'installa aussitôt derrière le front juste au-dessus du sourcil gauche.

Chaque battement de cœur était accompagné d'un écho qui à son tour battait derrière ses yeux avant d'envelopper sa tête pour descendre jusqu'à la nuque. C'était terrible comme douleur. Habituellement, Blanche n'arrivait même plus à penser quand elle souffrait d'une migraine. Mais aujourd'hui, il y avait trop de mots dans sa tête, trop de suppositions et si peu d'encouragement qu'elle savait qu'elle n'arriverait pas à faire le vide dans son esprit. Et la douleur était trop intense pour essayer de dormir.

Machinalement, Blanche porta de nouveau la main à son front. La fraîcheur des doigts qui massaient son arcade sourcilière lui fit du bien.

Elle regarda autour d'elle. La pièce était déprimante. Tous ces vieux meubles défraîchis, ces tables égratignées, ce tapis élimé…

Et dire qu'un peu plus au sud, dans un entrepôt quelconque, il y avait ses meubles, ses bibelots, toutes ses choses… Mais où les mettre?

Blanche prit sa décision sur un coup de tête. Elle voulait déménager. Là, maintenant, tout de suite. Si elle offrait un logement plus agréable à Anne, tout le reste coulerait de source. Les tensions seraient moins vives. Et si ce nouveau logement le permettait, peut-être pourrait-elle faire venir le piano de sa fille! À défaut de cours, Anne aurait au moins la chance de jouer de temps en temps. Cela entretiendrait le talent!

Blanche était déjà debout. Elle allait se changer, faire un brin de toilette, avaler une poignée d'aspirines, donner un coup de fil et si tout allait bien, elle appellerait un taxi pour se rendre chez Me Labonté.

Elle lui dirait qu'elle avait besoin d'un peu plus d'argent pour quitter cet endroit sinistre et après elle lui parlerait d'Anne. Si une simple lettre avait ramené sa fille à Montréal, sûrement qu'il pourrait faire quelque chose pour que le harcèlement cesse.

L'avoué écouta Blanche sans l'interrompre une seule fois. Quand elle se tut, il resta silencieux un long moment, le menton appuyé sur la poitrine puis il finit par lever la tête.

– Pour ce qui est de l'argent, le comptable est formel : compte tenu de votre âge, si vous voulez continuer à vivre à même les retombées de votre héritage, et exclusivement de cela, il ne peut se montrer plus généreux pour l'instant. Les placements faits à votre nom rapportent bien, mais vous êtes encore jeune. On ne peut se permettre de piger immédiatement à même le capital.

– Mais c'est insensé ! s'emporta Blanche. Insensé de croire que je vais continuer à vivre dans ce trou à rats ! J'ai besoin d'argent. Je veux récupérer mes meubles, mes tapis, mes rideaux, mes… Pas besoin de vous dresser une liste, n'est-ce pas ? Venez voir par vous-même. Vous allez comprendre aisément que je n'exagère pas.

– Je n'ai pas dit que vous exagériez, mademoiselle Blanche… Et je comprends que vous ne soyez pas à l'aise dans un milieu si différent de tout ce que vous avez connu. Mais je viens de le dire : il serait périlleux de toucher au capital. Par contre, il y aurait peut-être une solution…

Tout en parlant, l'avoué avait levé les yeux au-dessus de ses lunettes de lecture et fixait Blanche avec attention. Comment prendrait-elle l'idée qu'il venait d'avoir ?

– Il y aurait peut-être une solution, répéta-t-il. Si vous le permettez, je vais en parler à vos frères.

La réaction de Blanche fut instantanée. Elle porta les mains à son cœur, brusquement livide comme si tout le sang s'était retiré de son visage en une fraction de seconde.

– Vous n'êtes pas sérieux ? Cela fait des années que je ne leur ai pas parlé !

– Je le sais. Ils me l'ont dit. Et ils m'ont dit aussi qu'ils le regrettaient, qu'ils aimeraient bien avoir de vos nouvelles.

– Ah oui ?

Blanche se sentait tout étourdie. Elle détourna la tête. Sur le papier fleuri du mur, elle vit aussitôt apparaître l'image de deux jeunes gens un peu timides. Maurice et René. Cela faisait combien de temps déjà ? Quinze, seize ans peut-être… Et c'était Blanche elle-même qui avait coupé les ponts au décès de leur père. Tout comme avec sa mère d'ailleurs, à qui elle n'avait plus reparlé depuis le jour où, enceinte d'Anne, elle lui avait demandé conseil et que sa mère n'avait pas apporté la réponse qu'elle souhaitait.

Et voilà que Me Labonté venait de dire que, malgré ce long silence, malgré ce qui ressemblait à une bouderie, ses frères pensaient encore à elle.

Cette idée lui fut aussitôt réconfortante. Et l'envie de les revoir fut soudaine et sincère. Inattendue, mais combien sécurisante. Blanche n'était plus seule.

Alors elle revint à Me Labonté, esquissa un pâle sourire.

– D'accord. Si vous croyez que c'est la chose à faire.

Blanche semblait tout de même hésitante. Elle regarda autour d'elle, se tordit les mains d'indécision avant d'ajouter :

– Dites-leur que j'aimerais bien les revoir.

– Merveilleux !

Me Labonté était soulagé. Cela faisait longtemps qu'il espérait voir un rapprochement entre les trois enfants de son vieil ami Ernest. Madame Gagnon lui avait souvent dit à quel point elle s'ennuyait de sa fille. Savoir que Blanche réintégrait le giron familial serait sûrement une grande source de joie pour elle. Me Labonté prit une profonde inspiration. Il y avait encore loin de la coupe aux lèvres, mais il veillerait à ce que les choses se déroulent dans le calme et l'harmonie.

Puis comme il l'avait si souvent fait au cours de sa longue

carrière de conseiller, il s'obligea à tout oublier pour se pencher sur l'autre sujet qui avait amené Blanche à le consulter. Anne…

Pour l'instant, il lui fallait vérifier certaines choses que Blanche avait dites. Si tout ce qu'elle avait avancé était vérifiable, il n'y aurait plus aucun problème avec Raymond. Ce qu'il connaissait de l'homme suffisait à l'en convaincre.

– Et maintenant, si on parlait d'Anne?

Blanche sursauta.

– Anne, oui. C'est vrai, je vous ai aussi parlé d'Anne.

– En effet. J'aimerais que vous me répétiez exactement ce que vous avez dit tout à l'heure. Si j'ai bien compris, sans même vous en rendre compte, vous détenez la solution à tous vos problèmes, fit-il, énigmatique. Allez-y! Je vous écoute.

S'enfonçant dans son fauteuil, tournant la tête pour que sa meilleure oreille puisse tout entendre, Me Labonté pencha la tête et se concentra sur l'histoire que Blanche venait de commencer à raconter pour une seconde fois. Cette histoire qui était aussi la sienne alors qu'on la gardait internée dans un asile et dont elle venait d'apprendre tous les détails quand Émilie était venue la voir en début d'après-midi.

* * *

Émilie avait bien senti que sa mère n'approuvait pas sa démarche. Le regard qu'elle lui avait lancé était éloquent, chargé d'impatience. Et Émilie n'avait pas vraiment l'habitude de tenir tête à sa mère. Bien au contraire! Elle avait plutôt le réflexe de s'en remettre à elle quand venait le temps de prendre les décisions. Et voilà que cet après-midi, elle s'était permis de lui dire ce qu'elle devrait faire. À cette pensée, Émilie fit une drôle de moue. Par contre, quand était venu le temps d'insister, elle avait reculé.

Finalement, Émilie était ressortie de chez Blanche complètement épuisée.

La journée était belle bien que fraîche. Émilie en avait profité pour marcher lentement jusque chez elle, essayant d'y voir clair.

Pourquoi sa mère s'entêtait-elle ainsi? À première vue, rien ne le justifiait. Sa mère lui avait même dit, entre autres choses, que jamais elle ne pourrait considérer Anne comme elle la considérait, elle. Les liens entre elles ne pourraient jamais être les mêmes.

– Tu me ressembles tellement, ma chérie!

Un peu plus tard, Blanche avait ajouté:

– La seule! Tu es la seule à m'avoir comprise! Les autres…

Blanche avait alors balayé l'air devant elle comme si elle voulait se débarrasser d'une évidence qui la blessait toujours. Émilie avait compris ce qu'elle voulait dire. Trop souvent, hélas, elle se heurtait à ce même mur d'incompréhension. Beaucoup moins depuis quelques années, puisque son état de santé n'était plus aussi capricieux qu'à l'époque où elle était enfant. N'empêche qu'en certaines occasions, elle avait encore le sentiment d'être seule au monde.

Le nom de Rosalie s'insinua dans sa réflexion et Émilie pencha la tête, le temps de reprendre sur elle.

Puis elle revint à sa mère.

Pourquoi s'entêtait-elle à ce point? Ah oui! Par devoir. C'était ce qu'elle avait dit: elle voulait garder Anne avec elle pour accomplir son devoir de mère jusqu'au bout. Comme le ton de la conversation était déjà plutôt aigre, Émilie n'avait pas répliqué que le mot «devoir» était froid et impersonnel et que ce n'était pas ce qu'Anne espérait de sa mère.

En quittant le logement, Émilie avait eu la sensation qu'elle avait raté son coup même si Blanche lui avait dit qu'elle y réfléchirait.

Comment Anne prendrait-elle la chose si jamais Blanche ne donnait pas suite à cette discussion?

Quand Émilie entra dans son logement, elle était complètement déprimée. Elle repensait à ce qu'Anne lui avait dit et elle savait que jamais sa petite sœur ne se ferait à l'idée de vivre encore pendant des années avec leur mère. Il y avait tellement de colère dans ses propos, tellement de désespoir qu'Émilie fut sur le point de l'appeler tout de suite pour lui dire qu'elle l'aimait et qu'elle ferait tout son possible pour l'aider si jamais leur mère persistait à garder ses positions.

Mais au lieu de se précipiter au téléphone, Émilie esquissa un sourire amer. Anne était à l'école et quand bien même elle aurait voulu l'appeler, il lui faudrait le faire chez Blanche, ce qui risquait d'envenimer les choses.

Émilie resta immobile un instant. À peine le temps de sentir que, pour la première fois, elle pressentait ce que Charlotte se tuait à lui répéter depuis des années. Ce fut comme une intuition qui survola le salon, l'effleurant au passage avant de disparaître, ne laissant qu'une sensation d'inconfort.

Alors Émilie fit demi-tour et se dirigea vers l'atelier. Elle avait grandement besoin de se changer les idées…

Quand Marc arriva à son tour, il fut surpris de voir que le logement était plongé dans la noirceur. Habituellement, la place était accueillante et de bonnes odeurs s'échappaient de la cuisine. Ce soir, seul un rai de lumière filtrait de sous la porte de l'atelier.

– Émilie?

Il y eut un bref silence, puis il entendit le bruit d'une chaise que l'on repousse.

– Marc? Déjà?

La porte de l'atelier s'ouvrit et Émilie parut, échevelée, quelques taches de peinture sur le menton. Marc la trouva jolie.

— Je m'excuse, je n'ai pas vu le temps passer. Le souper n'est même pas prêt !

— Tant mieux, répliqua Marc tout guilleret. Pour une fois que je vais avoir la permission de me servir de tes chaudrons ! Tu sais combien j'aime cuisiner !

Émilie éclata de rire.

— Fais attention ! Si je te prends au mot, tu seras peut-être obligé de faire le souper tous les jours.

— Ça ne m'embêterait pas. Le temps de me changer et je m'y attaque ! Que veux-tu manger ?

Émilie était déjà retournée à l'intérieur de l'atelier.

— Surprise du chef, lança-t-elle derrière elle. Épate-moi ! J'adore les surprises.

Marc se remit à sourire.

Si Émilie aimait les surprises, elle allait être servie.

Il avait passé une bonne partie de la journée avec Raymond et ce dernier lui avait peut-être apporté une merveilleuse solution pour régler leur problème concernant la famille. Ne restait plus qu'à présenter la chose avec suffisamment de doigté et de tendresse pour qu'Émilie ne se sente pas blessée.

Quand Marc entra dans la cuisine, il sifflotait un petit air à la mode.

Le repas fut un franc succès. Marc, qui aimait vraiment cuisiner, s'était surpassé.

— Ouf ! Je n'en peux plus.

Émilie avait déposé sa serviette de table à côté de son assiette où il ne restait que quelques miettes du pouding aux pommes que son mari avait préparé.

— Ne viens plus jamais me dire que tu as peur de ne pas arriver à faire vivre ta famille, Marc. Si jamais la profession de notaire tombait en désuétude, tu n'aurais qu'à offrir tes services comme chef cuisinier. Tu ferais fortune !

Marc ne répondit pas tout de suite. Sans le savoir, Émilie venait de lui tendre une perche dont il allait se servir.

– Ma famille? demanda-t-il mine de rien tout en se levant de table pour débarrasser. Quelle famille?

Émilie se mit à rougir. Ça y était! Marc allait remettre cela. Mais curieusement, elle ne lui en voulait pas. Elle s'y attendait. Cela faisait longtemps qu'ils n'en avaient pas reparlé. Seule la journée, peut-être, ne convenait pas tout à fait. Alors elle tenta d'esquiver la question.

– La famille… Tu sais bien ce que je veux dire. Toi, moi… Ce n'est pas avec la seule vente de mes peintures qu'on pourrait vivre aussi bien que maintenant. Je…

Marc s'était approché d'Émilie et avant qu'elle ne poursuive, il prit son visage entre ses mains et plongea son regard dans le sien.

– Chut! Ne dis plus rien. J'ai très bien compris ce que tu voulais dire et tu as très bien compris ce que moi je voulais dire en parlant de famille. Mais pour une fois, je crois que nos perceptions ne sont pas très loin l'une de l'autre. Je t'aime, Émilie. Ne l'oublie jamais. Je t'aime et si ce que j'ai à te proposer ne te convient pas, j'espère que tu auras assez confiance en moi pour être franche. D'accord?

Émilie ne voyait pas où Marc voulait en venir. Par contre, ce devait être important, car elle le sentait fébrile tout contre elle.

– Promis, Marc. Je ne sais pas vraiment ce que tu as en tête, mais promis que je vais te dire franchement ce que j'en pense.

– Alors va m'attendre au salon. J'en ai pour une minute et je te rejoins.

Émilie fut incapable de rester assise à attendre son mari. Elle était à la fois anxieuse et curieuse. Qu'avait-il de si important à dire qui n'avait pas déjà été dit?

Machinalement, elle vint jusqu'à la fenêtre et, repoussant le rideau, elle regarda les passants qui étaient encore nombreux à cette heure. La soirée était belle. Elle sursauta quand Marc arriva derrière elle et posa ses mains sur ses épaules.

— On a un bel automne, constata-t-il en regardant dehors à son tour. Ton père me disait justement cet après-midi qu'au Connecticut, l'automne ressemblait un peu à cela.

Émilie se raidit. Elle savait fort bien que Marc et son père se voyaient régulièrement depuis que Raymond était revenu à Montréal. Mais aujourd'hui, le fait qu'ils se soient rencontrés lui semblait particulier.

— Papa? Tu as vu papa aujourd'hui?

— Oui... Il s'ennuie de toi, tu sais.

Émilie haussa imperceptiblement une épaule.

— Il n'a qu'à appeler.

— Il attend que tu le fasses.

Émilie ne répondit pas. Elle comprenait que son père puisse lui en vouloir. Tout comme pour Anne, elle avait bousculé bien des choses dans sa vie. Mais à ses yeux, cela n'excusait pas le fait qu'un jour, son père avait pris la décision de faire interner sa femme pour avoir les coudées franches. Elle leva la tête vers Marc.

— Tu lui diras que s'il veut me voir, ma porte lui sera toujours ouverte. Malheureusement, je ne peux pas aller plus loin.

— D'accord, je lui dirai. Et je crois que cela va lui faire plaisir.

Émilie eut un soupir tremblant.

— Tu crois? Il doit m'en vouloir terriblement.

— Pas dans le sens où tu l'entends. Il te connaît bien, tu sais. Et il t'aime profondément. Il me l'a encore dit cet après-midi.

— Tu as parlé de moi avec papa? Pourquoi? Qu'est-ce que vous avez dit?

— Oh! Des tas de choses. Il m'a parlé de lui, de Charlotte, de toi.

Il m'a raconté que lorsque tu étais petite, tu mesurais son humeur à sa moustache.

À ce souvenir, Émilie sentit une grosse boule d'émotion se former dans sa gorge. Incapable de répondre, elle se contenta d'appuyer sa tête contre la poitrine de Marc. Tout ce qu'elle souhaitait, c'était qu'il poursuive. Et comme s'il l'avait compris, Marc entoura la taille d'Émilie avec ses deux bras et se remit à parler.

— Oui, ton père te connaît bien. Et à parler avec lui, j'ai compris bien des choses. À commencer par ta peur d'avoir un autre enfant.

— Mon père ? Mon père t'a fait comprendre ça ? Ce que moi je te disais, ça ne suffisait pas ? Il a fallu que…

— Laisse-moi terminer. Pour comprendre la femme que j'ai épousée, il me faut peut-être comprendre l'enfant qu'elle a été. Et c'est cela que ton père m'a expliqué. Toi, tu refuses toujours de parler de ton enfance. Comme si c'était un jardin secret et que personne n'avait le droit d'y mettre les pieds.

Émilie sentit qu'elle rougissait. Marc n'était pas le premier à lui faire ce reproche. Charlotte aussi revenait souvent à leur enfance, mais Émilie avait toujours refusé de la suivre sur ce chemin. Pour préserver quoi ? Émilie ne le savait plus. Aujourd'hui, elle avait senti que quelque chose lui échappait quand elle parlait à sa mère. Quelque chose d'essentiel qu'elle n'avait peut-être jamais vu. Quand Charlotte parlait de son enfance, peut-être avait-elle raison après tout, puisque, aujourd'hui, son père avait fait la même chose et Marc disait qu'il avait compris sa peur.

— Continue, Marc. Raconte-moi encore ce que mon père a dit.

— Il a dit entre autres que la peur d'avoir un bébé ne suffirait jamais à t'enlever l'envie d'aimer un enfant. Que depuis toujours tu rêves d'avoir des enfants et il est persuadé que tu ferais une excellente maman.

Maintenant Émilie avait le regard embué de larmes. Les mots

de Marc rejoignaient tellement bien le plus grand désir de sa vie et la peine la plus vive qu'elle avait connue. Impulsivement, elle leva les yeux vers le ciel et contempla les étoiles en pensant à sa petite Rosalie. Elle aurait trois ans et demi.

Marc avait refermé ses bras encore plus étroitement autour de la taille d'Émilie. Il était ému. Des quelques mots qu'il allait prononcer dépendrait le reste de leur vie.

— Émilie, que dirais-tu d'entamer des démarches pour adopter un bébé?

Émilie retint son souffle. Un bébé. Adopter un petit bébé. Pourquoi n'y avaient-ils pas pensé avant? Elle avait l'impression que Marc venait de lui demander de l'épouser une seconde fois. Dans sa voix, Émilie avait entendu le même espoir, les mêmes attentes, la même foi en eux. Marc qui comprenait sa peur, mais voulait une famille. Jamais elle ne s'était sentie aussi amoureuse de lui. Se dégageant de son étreinte, Émilie se tourna vers Marc et le regarda droit dans les yeux.

— Et cette idée, c'est papa qui l'a eue?

— Oui... Je crois qu'il t'aime beaucoup.

Maintenant, Émilie pleurait sans retenue. De regret, de joie, d'espoir... Puis elle se haussa sur la pointe des pieds et embrassa Marc longuement avant de se dégager pour le fixer à nouveau.

— Je crois que toi aussi tu m'aimes beaucoup pour me proposer ça. Je sais à quel point tu voulais avoir un enfant qui te ressemblerait et...

Marc la fit taire en l'embrassant à son tour.

— Ça n'a plus d'importance tout ça. Je t'aime, Émilie et la seule chose qui compte vraiment pour moi, c'est de te savoir heureuse. Alors, ce bébé? Qu'en dis-tu?

Émilie prit une profonde inspiration.

— J'en dis que c'est une merveilleuse idée!

Puis elle se blottit dans les bras de son mari avant de lui dire d'une voix étouffée:

– Merci, Marc. Merci de m'aimer à ce point.

Chapitre 17

— Tiens donc! Mais ça devient une habitude, lança Raymond d'une voix sarcastique.

Le facteur le regarda sans comprendre.

— Excusez-moi, reprit Raymond d'une voix toujours aussi caustique. Vous n'y êtes pour rien. Où dois-je signer?

Quand il regagna la cuisine, Raymond n'avait toujours pas ouvert la lettre. Il se doutait de l'identité de son expéditeur et un curieux vertige lui chatouillait l'estomac.

Occupée à dépecer un poulet, sa mère lui demanda sans se retourner:

— Qui c'était, Raymond?

— Le facteur.

À ces mots, madame Deblois jeta un regard par-dessus son épaule. Quand le facteur sonnait, ce n'était jamais pour de bonnes nouvelles. Échaudée par deux guerres en quelques années, elle avait trop vu de ses amies, de ses connaissances apprendre la mort d'un proche par le biais du facteur. Et récemment, au Connecticut, c'était encore par une lettre que les mauvaises nouvelles étaient arrivées. Elle fixa Raymond d'un regard interrogateur sans dire un mot. Ce dernier était en train de lire. Elle vit ses sourcils se froncer et la moustache se hérisser. La nouvelle devait être mauvaise.

Le nom d'Antoinette lui traversa aussitôt l'esprit. Pourvu qu'il ne lui soit rien arrivé! À cet instant, Raymond leva les yeux.

— Je ne comprends pas! Cette femme est folle à lier.

Charlotte, qui était assise à la table en train de peler des légumes, releva la tête.

— Que se passe-t-il encore?

Raymond nota que Charlotte semblait agacée. Sa voix avait un ton impatient, intolérant.

— Ce qui se passe? Lis! Tu vas voir, elle est folle. Jamais je n'ai demandé quoi que ce soit! Elle a dû se remettre à boire et elle prend des vessies pour des lanternes. Ce ne serait pas nouveau. J'en ai plus qu'assez de ses menaces.

Alertée par les voix colériques, Alicia, qui aidait sa grand-mère tout en dérobant le plus de petits morceaux de poulet qu'elle le pouvait, se retourna pour regarder successivement sa mère et son grand-père. Ce matin, comme elle était légèrement enrhumée, Charlotte qui profitait d'une journée de congé avait décidé de la garder avec elle.

— Qu'est-ce qui se passe grand-papa? On dirait que tu…

— Rien, interrompit Charlotte en se levant brusquement de table. Il ne se passe rien, répéta-t-elle en foudroyant son père du regard pour qu'il comprenne qu'il ne devait rien ajouter en présence d'Alicia. Ce sont des histoires de grandes personnes et ça ne te regarde pas. Tu es trop jeune pour comprendre.

Alicia rouspéta.

— Mais maman! Pourquoi dis-tu encore que…

— Suffit, Alicia!

Charlotte était hors d'elle. Si elle avait su qu'elle aurait à partager son quotidien avec son père et sa grand-mère, dans de telles conditions, jamais elle n'aurait accepté la proposition de celle-ci. L'atmosphère était tendue depuis qu'ils étaient ici. Pas un jour ne se passait sans qu'il n'y ait discussions entre eux et invectives à l'endroit de Blanche. Charlotte n'en pouvait plus.

— Allez, Alicia, viens! Suis-moi, on va se promener.

– Encore? Mais on passe notre temps à…

– Alicia!

La petite fille comprit qu'il était préférable pour elle de ne pas insister. Quand sa mère lui parlait sur ce ton, ce n'était pas bon signe. En soupirant, elle retira son tablier et lui emboîta le pas au moment où elle quittait la cuisine.

Alicia eut de la difficulté à suivre Charlotte tant celle-ci avançait à grandes enjambées. Quand elles arrivèrent au parc, la petite fille était à bout de souffle. Pourtant, elle ne vint pas s'asseoir sur le banc près de sa mère comme elle aimait le faire habituellement. Elle resta plutôt debout, les poings sur les hanches.

– Et maintenant, vas-tu me dire pourquoi tu es fâchée contre moi?

Charlotte la regarda d'un air surpris.

– Fâchée contre toi? Mais pas du tout!

– Alors, poursuivit Alicia, pourquoi as-tu crié après moi et pourquoi as-tu claqué la porte quand on est sorties de la maison?

Charlotte examina sa fille. Alicia avait le visage empourpré et ses yeux brillaient des larmes qu'elle essayait de contenir. Elle ne comprenait pas ce qui se passait et Charlotte s'en voulut aussitôt d'avoir parlé sur un ton cinglant devant elle. Elle esquissa alors un sourire contrit.

– Je m'excuse, ma puce. Tu as raison, j'avais l'air en colère contre toi. Mais ce n'est pas le cas. Disons que je me suis emportée un peu vite.

Alicia soupira encore une fois. Depuis qu'elles vivaient chez mamie, c'était courant que sa mère s'emporte un peu vite, comme elle disait.

– D'accord… Et qu'est-ce qu'on fait maintenant? On gèle, ici!

Charlotte regarda autour d'elle. Le parc était désert. De gros nuages filaient d'un bout à l'autre du ciel et les feuilles mortes tourbillonnaient, poussées par un grand vent du nord. Charlotte frissonna.

– C'est vrai, il ne fait pas très beau. Que dirais-tu d'aller manger au petit casse-croûte? Ce serait plus chaud qu'ici, en tout cas!

Mais alors que Charlotte se levait pour partir, Alicia la retint par le pan de son manteau.

– Maman?

Charlotte se pencha vers elle.

– Oui, ma puce?

– Je n'aime pas beaucoup habiter chez mamie. Je ne pensais pas que ce serait comme ça. Je m'ennuie de Françoise, tu sais.

Le cœur de Charlotte se serra. Elle non plus, elle n'aimait pas vraiment la vie qu'elles menaient toutes les deux. Son père qui avait été si respectueux envers ses filles aurait dû l'être aussi envers Alicia. Mais ce n'était pas le cas. Plus souvent qu'autrement, il s'emportait devant elle et prononçait des choses qu'elle n'aurait jamais dû entendre. Même si Charlotte lui en avait fait la remarque, Raymond s'échappait encore souvent devant sa petite-fille. Charlotte entoura les épaules de sa fille d'un bras protecteur.

– Moi aussi, je m'ennuie de Françoise. Mais promis, ça va changer. Donne-moi juste un peu de temps, et ça va changer, répéta-t-elle sans trop savoir ce qu'elle pouvait faire, sinon se remettre à la course au logement. Et maintenant, à la soupe! Ce froid de canard m'a creusé l'appétit!

Ce ne fut que beaucoup plus tard, en après-midi, alors qu'Alicia était dans sa chambre en train de dessiner, que Charlotte revint sur le sujet avec son père. Depuis qu'elles étaient rentrées, Alicia et elle, Raymond affichait un air morose, soucieux et Charlotte n'aimait pas le savoir inquiet. Elle se doutait bien que Blanche était derrière cette lettre qu'il avait reçue et probablement qu'Anne était le sujet de sa visible préoccupation.

— Alors, cette lettre ? Tu veux en parler ou tu préfères ne rien dire ?

Raymond se retourna vers Charlotte. Elle lui trouva l'air vieilli, fatigué. Malgré cela, il lui fit un petit sourire.

— Avec toi, je n'ai pas de cachette, Charlotte. C'est tout simple et tout bête. Ta mère prévient par la plume de son avocat que si je ne cesse pas mon harcèlement à propos d'Anne, elle va intenter des poursuites en séparation. Adultère ! Et elle va profiter de l'occasion pour que les choses soient claires devant le juge : elle demandera d'interdire tout rapprochement entre Anne et moi. Elle va jusque là ! Mais moi, je ne comprends pas. Je n'ai fait aucune pression jusqu'à maintenant. Si je n'avais pas promis à André de ne plus jamais intervenir directement, je te jure que Blanche aurait de mes nouvelles, tout de suite. Mais pour l'instant, j'ai pieds et poings liés. Je ne peux rien dire, rien faire sans consulter André et lui, il est au tribunal. Voilà pourquoi je tourne en rond. Ça me met hors de moi.

Charlotte comprenait la frustration que son père devait ressentir sans avoir envie d'entrer dans une discussion interminable sur le sujet. Ils en avaient déjà fait le tour et à maintes reprises. Elle se contenta donc de lui sourire.

— Pauvre papa ! Ce n'est pas drôle tout ça.

Et avant qu'il ne lui ait répondu, Charlotte avait déjà replongé le nez dans son livre. Tout comme Alicia, elle commençait à en avoir assez de toute cette histoire.

Aussi, quand, à quelques heures de là, Jean-Louis l'appela pour lui demander si elle avait envie d'aller au cinéma, Charlotte sauta sur l'occasion.

— Quelle bonne idée ! Dis-moi à quelle heure tu viens me chercher et je serai prête.

Puis Charlotte passa par la cuisine pour demander à sa grand-mère si elle acceptait de veiller sur Alicia en son absence.

– Ça ne te dérange pas ?

– Alicia ? Me déranger ? Mais qu'est-ce que c'est que ces idées-là ?

Charlotte partit le cœur léger. Si ce n'avait été de la situation tendue que vivait son père, le climat aurait été à la joie sous le toit qu'ils partageaient.

Jean-Louis l'emmena voir *Autant en emporte le vent* que Charlotte n'avait jamais vu et qui passait en reprise dans un petit cinéma du centre-ville. Jamais Charlotte n'avait autant pleuré en public sans pour autant s'en formaliser.

Jean-Louis avait passé un bras autour de ses épaules et resserrait son étreinte quand les larmes étaient plus abondantes. À quelques reprises, Charlotte l'avait entendu renifler et elle avait apprécié de voir que Jean-Louis n'avait pas honte de manifester ses émotions. Habituellement, les hommes étaient plutôt réservés, ce qu'elle n'avait jamais approuvé. Quand on est triste, pourquoi ne pas le montrer ?

Puis ils étaient allés prendre un café et avaient longuement discuté de la situation que vivaient Raymond et Anne. Puis elle parla d'Alicia et lui avoua qu'elle était en train de se demander si elle ne recommencerait pas à chercher un logement.

Charlotte était à l'aise avec Jean-Louis. Ils s'étaient revus à de nombreuses reprises depuis son déménagement et Charlotte avait été surprise de constater qu'il n'était pas si difficile que cela de ne pas penser à Gabriel en sa compagnie. Jean-Louis était sérieux et drôle, tendre et passionné. Un peu à l'image de Gabriel. Par contre, Jean-Louis était réel, lui. Il n'était pas un fantôme dont elle espérait la manifestation ou un regret douloureux. Tout en lui parlait du temps présent et de l'avenir dans un partage d'idées qu'elle avait si longtemps recherché. Et son corps n'était pas insensible aux baisers et aux quelques caresses qu'ils avaient échangés.

Quand Jean-Louis la ramena devant sa porte, la pluie avait commencé à tomber. Les arbres s'étaient beaucoup dépouillés depuis le matin et le vent fouettait les rameaux dégarnis. Charlotte se tourna vers Jean-Louis pour l'embrasser comme ils avaient l'habitude de faire. Mais Jean-Louis ne la regardait pas. Le moteur de l'auto tournait au ralenti et lui, il fixait la chaussée, droit devant lui.

– Charlotte, il faut que je te parle.

La voix de Jean-Louis était sourde, chargée d'émotion. Charlotte eut l'impression que le souffle lui manquait. Jean-Louis était si grave qu'elle se demanda s'il n'allait pas lui dire que tout était fini entre eux. Probablement en avait-il assez, lui aussi, des problèmes de la famille Deblois. Mais quand Jean-Louis se tourna vers Charlotte, elle vit qu'un pâle sourire flottait sur ses lèvres. Il la regarda longtemps, sans dire un mot, puis il prit une de ses mains dans la sienne et demanda :

– Voudrais-tu m'épouser ?

Charlotte tressaillit, soutint son regard puis détourna la tête, incapable de répondre spontanément. Pas tout à fait trente ans et une troisième demande en mariage !

Et pour une troisième fois, Charlotte avait le réflexe de demander un moment de réflexion.

Elle garda pour elle le sourire qu'elle avait envie de faire. Jean-Louis ne comprendrait pas et il ne méritait pas d'être blessé.

Charlotte posa la tête sur l'épaule de Jean-Louis et prit une profonde inspiration.

Dans le fond, pourquoi demanderait-elle un délai ? Sous prétexte qu'elle avait un deuil à faire ? Encore une fois ? Ridicule.

Dans sa poitrine, le cœur de Charlotte battait à tout rompre. Elle sentait qu'elle devait dire quelque chose, mais les mots n'arrivaient pas à passer ses lèvres. Pourtant, elle les entendait, ces mots. Comme Mary-Jane le lui avait dit, la réponse était là, en elle.

Elle eut alors une dernière pensée pour Gabriel. Quand elle l'avait vu à Paris, elle avait été sincère en disant qu'elle était toujours amoureuse de lui. Aujourd'hui, elle avait plutôt l'impression qu'elle était amoureuse du souvenir qu'elle avait gardé de lui, d'eux. Gabriel resterait toujours son premier amour. Jamais elle ne pourrait l'oublier. Et probablement qu'un jour, elle en parlerait à Jean-Louis. Mais pour l'instant, il y avait son cœur qui battait suffisamment fort pour se donner la peine de l'écouter. Rester fidèle à ses souvenirs, c'était fermer une porte que Jean-Louis tenait grande ouverte pour elle. Il était gentil et il y avait en lui une passion qui l'attirait. Alors pourquoi attendre ? L'entente qu'il y avait entre eux et l'émoi qu'elle ressentait quand elle était dans ses bras étaient bien suffisants pour parler d'amour. Un amour sage, raisonnable mais qui lui permettrait d'être enfin chez elle, qui permettrait aussi de donner une famille à Alicia.

Charlotte releva la tête. Elle dégagea la main que Jean-Louis tenait toujours emprisonnée dans la sienne et la posa doucement sur la joue de l'homme à qui elle allait dire oui. Charlotte soutint son regard et toutes les promesses que la vie n'avait pas tenues envers elle étaient là, gravées dans le regard de cet homme qui lui offrait de partager sa vie.

– Oui, Jean-Louis. Oui, je veux t'épouser. Je veux qu'ensemble on regarde vers demain, qu'on bâtisse une famille. Et je crois qu'Alicia sera la petite fille la plus heureuse du monde de s'être trouvé un nouveau papa. Toutes les deux, nous t'apprécions tellement.

Et approchant ses lèvres, Charlotte scella sa promesse d'un long baiser passionné.

* * *

Quand Anne sortit de l'école, elle hésita un instant. Ou elle tournait sur sa gauche et s'en allait chez elle faire ses devoirs, et ils étaient nombreux ; ou elle filait devant elle au pas de course, attrapait le premier autobus qui passait et se présentait chez sa grand-mère pour faire un peu de musique.

Le cœur lourd, elle opta pour le premier choix. À l'heure qu'il était, elle aurait à peine le temps de faire quelques gammes qu'il lui faudrait repartir aussitôt pour que sa mère ne s'aperçoive de rien. Déjà qu'elle rouspétait quand Anne passait une journée avec Raymond, s'il fallait qu'elle apprenne qu'en plus, il lui arrivait d'aller chez sa grand-mère, elle en ferait bien une syncope !

Mais quand Anne arriva devant l'immeuble où habitait sa mère, elle ne put se résoudre à monter. Pour une fois qu'il ne pleuvait pas, elle irait plutôt se promener. Pas trop longtemps. Juste pour le plaisir de lécher les vitrines, d'imaginer qu'elle avait un peu d'argent et n'avait qu'à entrer pour s'offrir une gâterie, puis elle rebrousserait chemin.

Le temps de vérifier qu'il n'y avait personne à la fenêtre du salon et Anne filait par la ruelle pour se rendre à côté du hangar. Elle déposa son sac d'école derrière le battant qui servait de porte, enleva le béret que sa mère l'obligeait à porter, défit les nattes que son professeur exigeait qu'elle fasse et fit gonfler ses cheveux. Puis elle continua sa route vers la rue Sainte-Catherine. C'était là qu'il y avait les plus belles vitrines, à son avis.

C'était là qu'il y avait une procure de musique.

Tout en marchant, Anne se demanda combien de temps elle allait être capable d'endurer tout ça. Depuis une semaine, sa mère était carrément exécrable, la houspillant pour un oui et pour un non, se plaignant de migraines à répétition, alléguant qu'elle était trop fatiguée pour faire des repas décents.

— Et puis, cette cuisine sombre ne m'inspire pas. Quand nous aurons déménagé, ce sera différent.

Le déménagement! C'était là la dernière invention de Blanche pour justifier sa paresse. Mais Anne n'y croyait pas. Pas plus qu'elle ne croyait aux promesses de son père.

Depuis qu'elle avait compris que l'intervention d'Émilie avait échoué, Anne vivait au jour le jour, sans grand espoir de changement.

Quant à madame Mathilde, elle n'avait pas osé y retourner. Si un jour, l'envie de faire un peu de musique devenait trop grande, elle irait peut-être. Mais il faudrait qu'elle soit vraiment malheureuse, car Blanche lui avait bien fait comprendre qu'elle n'aurait jamais dû parler à son ancien professeur des difficultés financières que sa mère éprouvait. À plusieurs reprises, Blanche était revenue sur cette visite qu'elle avait trouvée mortifiante:

— Comme si nous étions des indigents! Mais à quoi as-tu pensé, ma pauvre Anne? De quoi avais-je l'air? Jamais je n'ai été aussi humiliée de toute ma vie. Ne t'avise jamais de recommencer. Je te l'ai dit: quand ma situation se sera améliorée, je vais t'offrir des cours. Mais auparavant, je veux déménager. Tu admettras avec moi que le déménagement est prioritaire.

Anne n'avait pas répondu. À quoi bon? Blanche n'aurait pas compris qu'Anne se serait privée de nourriture pour pouvoir jouer du piano.

Quand elle tourna le coin de la rue, Anne aperçut un écriteau posé sur le trottoir juste en face de la procure. Elle se mit à courir.

On annonçait la vente semi-annuelle des instruments de musique.

Dans la vitrine, on avait placé un petit piano droit, quelques guitares, une contrebasse.

Anne ne put résister. Elle entra dans le commerce sur la pointe des pieds, avec respect, comme on entre dans une cathédrale.

Elle se dirigea directement vers le piano. Le local sentait bon la cire fraîche et le papier des partitions qui s'alignaient sur des tablettes, mais Anne ne voyait que le clavier qui semblait l'appeler. Elle posa délicatement les doigts sur les notes et les enfonça doucement. L'instrument avait une sonorité différente de son piano, mais elle était agréable à l'oreille. Elle fit une gamme, puis une autre…

Ce fut alors qu'Anne oublia où elle se trouvait. Elle enleva son manteau, le laissa tomber sur le sol et installa le petit tabouret de bois devant le piano. Puis elle s'assit. Elle caressa le clavier et, fermant les yeux, elle se mit à jouer.

Anne joua ainsi pendant plus d'une demi-heure. Le temps n'existait plus. Il n'y avait que les notes qui gambadaient dans sa tête et venaient se poser au bout de ses doigts. Quand elle eut fini une troisième pièce, Anne ouvrit les yeux.

Autour d'elle, quelques personnes s'étaient approchées et l'écoutaient. Anne se mit à rougir. Mais qu'est-ce qui lui avait pris d'agir comme ça? Et quand un homme qu'elle reconnut comme étant le propriétaire de la procure se détacha du groupe pour avancer vers elle, Anne se mit à trembler. Il allait sûrement la sermonner avant de l'expulser sans autre forme de procès.

Anne se leva précipitamment et se pencha pour attraper son manteau. Il ne lui restait plus qu'à s'excuser et s'en aller pour ne jamais revenir.

Mais curieusement, quand elle se redressa, Anne vit que le marchand la regardait en souriant. Il fit un pas de plus.

– Quel plaisir de vous entendre, mademoiselle. Vous jouez divinement bien!

Anne ne savait que dire. Voyant son embarras, l'homme lui tendit la main.

– Robert Canuel. Je suis le propriétaire.

– Anne, Anne Deblois. Je… je m'excuse si je vous ai dérangé. Je n'ai pu résister à la tentation de…

– Vous excuser ? Mais de quoi ? Vous rendez-vous compte de la merveilleuse idée que vous avez eue là ? Regardez ! Il y a des gens qui se sont arrêtés pour vous écouter, même sur le trottoir ! Que diriez-vous de venir jouer pour moi ?

– Moi ? Jouer ici ?

– Pourquoi pas ? À moins que ce ne soit sans intérêt pour vous ?

Anne ne savait que répondre. Ce n'était pas l'envie qui manquait, mais peut-être un peu d'assurance.

– Je ne sais trop… Il y a mes cours et…

– Oh ! Vous êtes au conservatoire ? Il me semblait aussi que c'était trop beau pour être vrai. Cela fait longtemps que je cherche quelqu'un pour venir jouer à certaines heures.

En entendant ces mots, Anne comprit que le vendeur n'avait aucune idée de l'âge qu'elle avait réellement. Elle redressa imperceptiblement les épaules. L'envie d'accepter était si forte. Ainsi, elle aurait la certitude de pouvoir jouer à quelques reprises durant la semaine. Ce n'était pas parfait, mais c'était mieux que rien.

Voyant qu'elle était hésitante, le marchand se permit d'insister.

– Ce ne serait que quelques heures, vous savez.

– Quelques heures ?

– Oui. En fin de journée le jeudi, le vendredi, quand les gens quittent le travail. Il y en a plusieurs qui s'arrêtent ici. Et peut-être le samedi après-midi. Allons ! Dites oui ! Bien entendu, vous seriez rémunérée.

Et en plus, elle serait payée ? Anne leva franchement la tête, cette fois-ci, et regarda attentivement le marchand de musique. C'était un homme entre deux âges, probablement assez vieux pour être son père. Il avait un beau sourire qui inspirait confiance.

Cela acheva de la rassurer.

Anne tendit la main à son tour.

– Je m'appelle Anne Deblois, répéta-t-elle, ne se souvenant plus trop si elle l'avait déjà mentionné. Quand voulez-vous que je commence?

Ce ne fut qu'après s'être mise au lit qu'Anne eut le temps de repenser à ce qui venait de lui arriver.

– Comme dans les contes de fées, murmura-t-elle encore émerveillée.

Dans deux jours, après l'école, elle cacherait son sac dans le hangar et irait jouer du piano pour les clients de monsieur Canuel. Et samedi, elle aurait sa première paye!

Anne aurait eu envie de le dire à tout le monde tellement elle était fière. Mais elle savait qu'elle n'en ferait rien. Les risques de tout perdre étaient trop grands. Il ne fallait surtout pas que sa mère soit au courant.

Elle allait mettre son argent de côté et le jour où elle en aurait assez, elle partirait.

Peut-être irait-elle au Connecticut. Mais peut-être ailleurs aussi. Elle ne le savait pas encore. Chose certaine, ce serait assez loin pour que Blanche ne la retrouve jamais.

En arrivant à Montréal, Anne s'était juré de ne plus jamais attendre après qui que ce soit pour faire son bonheur. Ce soir, elle venait de comprendre qu'une première étape était franchie.

Et plus jamais, elle ne reviendrait sur ses pas.

À suivre...